# La lettre d'amour
# **interdite**

**Guy Saint-Jean Éditeur**
4490, rue Garand
Laval (Québec), Canada, H7L 5Z6
450 663-1777
info@saint-jeanediteur.com
saint-jeanediteur.com

........................................

**Données de catalogage avant publication disponibles à Bibliothèque et Archives nationales du Québec et à Bibliothèque et Archives Canada.**

........................................

Nous reconnaissons l'aide financière du gouvernement du Canada ainsi que celle de la SODEC pour nos activités d'édition. Nous remercions le Conseil des arts du Canada de l'aide accordée à notre programme de publication.

Gouvernement du Québec – Programme de crédit d'impôt pour l'édition de livres – Gestion SODEC

Titre original : *The Love Letter*
Copyright © Lucinda Riley 2017
© Charleston, une marque des éditions Leduc.s, 2017.
© Guy Saint-Jean Éditeur inc., 2019, pour l'édition en langue française publiée en Amérique du Nord.

Traduit de l'anglais par Laura Bourgeois
Correction et adaptation : Audrey Faille
Conception graphique de la couverture et mise en page : Olivier Lasser
Photos de la page couverture : Ildiko Neer / Arcangel

Dépôt légal - Bibliothèque et Archives nationales du Québec, Bibliothèque et Archives Canada, janvier 2019
ISBN : 978-2-89758-635-5
ISBN EPUB : 978-2-89758-636-2
ISBN PDF : 978-2-89758-637-9

Imprimé au Canada
3ᵉ impression : octobre 2019

Guy Saint-Jean Éditeur est membre de
l'Association nationale des éditeurs de livres (ANEL).

# LUCINDA RILEY

# La lettre d'amour
# interdite

ROMAN

*Traduit de l'anglais par Laura Bourgeois*

**Guy Saint-Jean**
ÉDITEUR

# Note de l'auteure

J'ai commencé à écrire *The Love Letter* en 1998 – il y a exactement vingt ans. Après plusieurs romances à succès, je voulais imaginer un roman à suspense ayant pour cadre une famille royale britannique fictive. Mais Lady Di venait de mourir, et la cote de popularité de la monarchie était au plus bas. L'année 2000 marquait aussi le centenaire de la reine mère, dont les célébrations officielles devaient se tenir à l'échelle nationale juste après la parution de mon livre. Avec le recul, peut-être aurais-je dû accorder plus de poids à une critique qui suggérait qu'au palais St-James, on n'apprécierait pas le sujet du roman à suspense. Durant la dernière ligne droite avant la publication, toutes les tournées dans les libraires, les commandes et les événements promotionnels ont été annulés sans explication, et c'est ainsi que *Seeing Double* – comme s'appelait l'histoire à l'époque – n'a pas pu éclore.

Puis mon éditeur a annulé mon contrat pour le roman suivant, et j'ai eu beau frapper à toutes les portes pour en trouver un autre, elles m'ont toutes été fermées. Ma carrière était partie en fumée du jour au lendemain. Heureusement, je venais de me marier et de fonder une famille, si bien que j'ai pu me consacrer à l'éducation de mes enfants, tout en écrivant trois nouveaux livres pour le plaisir. Cette pause s'est avérée salutaire, mais quand mon plus jeune est entré à l'école, j'ai su qu'il fallait que je trouve le courage d'envoyer mon dernier manuscrit à mon agent. J'ai changé mon nom, par précaution, et pour mon plus grand bonheur, un éditeur m'a fait une offre.

Quelques livres plus tard, mon éditeur et moi-même avons décidé qu'il était temps de donner une seconde chance à *Seeing Double*. Il faut garder en tête le fait que *The Love Letter* est en quelque sorte un roman d'époque. Si l'intrigue s'était déroulée aujourd'hui, elle aurait connu une tout autre résolution, ne serait-ce qu'en raison des avancées technologiques – je pense notamment aux outils de pointe auxquels ont maintenant recours nos services secrets.

Enfin, je souhaiterais insister sur un point. *The Love Letter* est bel et bien une œuvre de fiction qui n'est en aucun cas inspirée par la reine d'Angleterre et sa famille.

En espérant que vous aimerez cette version révisée, si toutefois elle arrive entre vos mains…

Lucinda Riley
Février 2018

*À Jeremy Trevathan*

# GAMBIT DU ROI

*Aux échecs, ouverture tranchante où les blancs sacrifient
un pion blanc pour écarter un pion noir.*

# Prologue

*Londres, 20 novembre 1995*

— James, mais enfin, qu'est-ce que tu fais ici ?

Le vieil homme regarda autour de lui, désorienté, puis vacilla dangereusement.

Elle le rattrapa juste à temps.

— Tu fais encore une crise de somnambulisme. Allez viens, on retourne au lit.

En entendant la voix douce de sa petite-fille, il sut qu'il était encore sur Terre. S'il était debout, à cet endroit, c'était pour une bonne raison, quelque chose d'urgent, d'important, qu'il devait faire au dernier moment. Mais quoi ?

Impossible de s'en souvenir. Désemparé, il se laissa à moitié porter jusqu'à son lit, maudissant son corps fragile qui le rendait aussi vulnérable qu'un bébé, et son esprit embrumé qui une fois de plus l'avait trahi.

Sa petite-fille l'installa confortablement sur les oreillers.

— Voilà, c'est mieux comme ça, dit-elle. Tu as mal ? Est-ce que tu veux un peu plus de morphine ?

— Non, s'il te plaît, je…

La morphine, c'était elle qui transformait son cerveau en compote. Demain, il n'en prendrait pas, ainsi il se souviendrait de ce qu'il devait absolument accomplir avant de mourir.

Elle caressa son front avec douceur.

— D'accord. Détends-toi, et essaie de dormir. Le docteur sera bientôt là.

Il savait qu'il ne fallait pas qu'il s'endorme. Pourtant il ferma les paupières, cherchant désespérément la réponse… un semblant de souvenir, des visages…

C'est alors qu'il la vit, aussi clairement que le jour de leur rencontre. Si belle, si douce…

« *Souviens-toi. La lettre, mon chéri, lui chuchota-t-elle. Tu as promis de la rendre…* »

*Mais oui, bien sûr !*

Il ouvrit les yeux, tenta de se redresser, et aperçut l'expression inquiète de sa petite-fille. Puis un pincement douloureux à l'intérieur du coude.

— Le docteur te donne un petit quelque chose pour t'aider à te calmer, expliqua-t-elle.

*Non. Non !*

Les mots n'atteignirent pas ses lèvres. L'aiguille s'enfonçait déjà dans son bras. Il avait trop tardé.

— Pardonne-moi…, gémit-il dans un dernier râle douloureux.

Ses paupières se fermèrent et la tension quitta son corps. Alors seulement, la jeune femme pressa sa joue soyeuse contre celle du vieil homme, trempée de larmes.


*Besançon, France, 24 novembre 1995*

La vieille femme entra dans le petit salon et se dirigea vers la cheminée crépitante. La température était glaciale, et sa toux ne faisait qu'empirer. Calant son corps fragile dans un fauteuil, elle tendit le bras pour atteindre la dernière édition du *Times* sur le guéridon et l'ouvrit à la rubrique nécrologique. Sa tasse de thé retomba avec fracas sur sa soucoupe de porcelaine. Un titre s'étalait sur un tiers de la page du journal.

## UNE LÉGENDE VIVANTE EST MORTE

*Sir James Harrison, considéré par beaucoup comme le plus grand acteur de sa génération, est décédé hier à son domicile londonien, auprès de ses proches. Il avait quatre-vingt-quinze ans. Des obsèques privées auront lieu la semaine prochaine. Une commémoration sera organisée à Londres en janvier.*

Son cœur se serra. Le journal tremblait tant entre ses doigts fébriles qu'elle parvint à peine à poursuivre sa lecture. L'encart était illustré d'une photo de James en présence de la reine, le jour où il avait été fait chevalier de l'Ordre de l'Empire britannique. Les larmes de la vieille femme roulèrent sur le papier, effaçant les traits du visage, de l'épaisse chevelure grise qu'elle caressait…

Pouvait-elle… Oserait-elle revenir? Une dernière fois, pour lui dire adieu…?

Sur le guéridon, son thé du matin refroidissait. Elle tourna la page et poursuivit sa lecture, savourant chaque mot du récit de la vie et de la carrière de l'acteur. Puis un titre attira son attention.

## LES CORBEAUX DISPARAISSENT DE LA TOUR DE LONDRES

*La nuit dernière, une déclaration officielle a confirmé la disparition des célèbres corbeaux de la tour de Londres. La légende vieille de plus de cinq cents ans veut que Charles II les ait nommés protecteurs de la tour et de la Couronne britannique. Le maître des corbeaux a été alerté hier soir de leur disparition, et des recherches à l'échelle nationale sont en cours.*

La vieille femme fut parcourue par un frisson de peur. Elle connaissait trop bien la légende pour croire à une simple coïncidence…

— Puisse le ciel nous venir en aide.

# 1

*Londres, 5 janvier 1996*

Joanna Haslam filait à toute allure à travers Covent Garden, le souffle court et les poumons brûlant sous l'effort. Alors qu'elle esquivait les touristes et tentait une percée entre les troupeaux d'enfants en sortie scolaire, elle manqua de renverser un musicien ambulant, et le sac à dos qu'elle portait à l'épaule valsa dans les airs. Elle déboucha sur Bedford Street au moment même où une limousine passait le portail en fer forgé qui marquait l'entrée de l'église St-Paul. Une nuée de photographes s'amassa autour de la voiture alors que le chauffeur en sortait pour ouvrir la portière arrière.

*Non, non !*

Puisant dans ses toutes dernières forces, Joanna accéléra sur la centaine de mètres la séparant du portail, puis dans la cour pavée. L'horloge sur la façade en briques rouges de l'église lui confirma son retard. En approchant de l'entrée, elle balaya du regard la foule de paparazzis et repéra Steve, son photographe, au premier rang. Il avait réussi à se poster sur les marches. Elle lui fit signe et il lui répondit par un pouce en l'air. Jouant des coudes, la jeune femme s'extirpa de la masse compacte des photographes regroupés autour de la limousine. À l'intérieur de l'église, la lumière tamisée des chandeliers suspendus éclairait des bancs déjà bondés. L'orgue jouait un air sombre.

Elle présenta sa carte de presse à l'entrée et se glissa sur un banc à l'arrière, soulagée de pouvoir enfin s'asseoir. Ses épaules se soulevaient au rythme de sa respiration saccadée alors qu'elle farfouillait dans son sac à dos en quête d'un carnet et d'un stylo.

Il faisait un froid glacial dans l'église, et pourtant Joanna sentait la sueur perler sur son front. Le col roulé noir en laine d'agneau qu'elle avait enfilé en catastrophe collait désagréablement à sa peau. Passant la main dans sa longue crinière brune emmêlée, elle se cala contre le dossier et ferma les yeux pour reprendre son souffle.

Dire que cette nouvelle année lui semblait si prometteuse ! Janvier était à peine entamé, et Joanna avait déjà l'impression non pas de tomber, mais d'avoir été violemment projetée du haut de l'Empire State Building. À toute vitesse. Sans préavis.

*Matthew…* L'amour de sa vie – ou plutôt l'ex-amour de sa vie, depuis la veille – en était la cause.

Joanna se mordit la lèvre. Elle ne pouvait pas se remettre à pleurer. Elle tendit le cou pour garder un œil sur le banc le plus proche de l'autel. Par chance, celui que tout le monde attendait n'était pas encore arrivé. Les grandes portes étaient ouvertes, et elle pouvait voir, dehors, les paparazzis triturer leur objectif ou fumer leur cigarette. Devant elle, les invités endeuillés commençaient à gigoter sur les assises en bois inconfortables, et à chuchoter à l'oreille de leur voisin. Elle fit un inventaire rapide de la foule et nota quelques noms célèbres à mentionner dans son article. Tous n'étaient pas faciles à identifier, car elle ne voyait que l'arrière de leur crâne – essentiellement gris ou blanc. Alors qu'elle griffonnait ses suppositions sur son carnet, les souvenirs de la veille l'assaillirent à nouveau.

Dans l'après-midi, Matthew avait sonné à la porte de son appartement de Crouch End, à l'improviste. Après avoir passé Noël et le réveillon du Nouvel An ensemble, ils avaient décidé de s'accorder quelques jours au calme dans leurs appartements respectifs avant de reprendre le travail. Pour Joanna, la fin des vacances avait malheureusement été gâchée par le plus gros rhume qu'elle ait eu depuis bien des années. C'était ainsi qu'elle s'était retrouvée à ouvrir la porte en pyjama de flanelle, avec ses grosses chaussettes rayées, serrant contre elle une bouillotte Winnie l'ourson.

Elle avait tout de suite su que quelque chose clochait. Il était resté dans l'embrasure de la porte, refusant d'ôter son manteau, le regard fuyant.

Il l'avait alors informée qu'il avait beaucoup réfléchi. Il ne voyait pas d'avenir pour leur relation. Peut-être valait-il mieux arrêter là.

— …Ça fait six ans qu'on est ensemble. Depuis qu'on a quitté l'université. Je ne sais pas, j'ai toujours pensé qu'avec le temps, je finirais par vouloir t'épouser. Unir nos vies officiellement. Mais je n'en ai toujours pas envie.

Triturant machinalement les gants qu'elle lui avait offerts pour Noël, il avait conclu platement :

— Et si je ne ressens pas ce besoin maintenant, je ne pense pas que ça arrivera un jour.

Devant son expression coupable et circonspecte, Joanna avait senti ses doigts se serrer sur la bouillotte. Elle s'était alors empressée de fouiller dans les poches de son pyjama pour en extirper un mouchoir humide. Enfin, elle l'avait regardé droit dans les yeux.

— Je la connais ?

Le visage et le cou de Matthew avaient aussitôt viré au rouge, et il avait balbutié :

— Je ne voulais pas que les choses se passent comme ça. Mais ça m'est tombé dessus, et je ne peux plus faire semblant.

*Vraiment ?* En se remémorant leur réveillon ensemble, Joanna s'était dit qu'il avait pourtant été un très bon acteur.

L'autre femme s'appelait Samantha, elle travaillait dans la même agence de pub que lui. Une directrice de la création, qui plus est. Leur liaison avait commencé le soir où Joanna avait raté la soirée de Noël de l'agence de Matthew car elle faisait le pied de grue devant le domicile d'un parlementaire conservateur empêtré dans une histoire sordide. Le mot « cliché » s'était mis à clignoter dans la tête de la jeune femme. Mais après tout, il y avait bien une raison pour laquelle on les appelait ainsi : les clichés étaient des dénominateurs communs du comportement humain.

— Je te jure que j'ai tout fait pour arrêter de penser à Sam, avait continué Matthew. J'ai réellement essayé, à Noël. J'étais tellement bien avec ta famille dans le Yorkshire. Mais ensuite je l'ai revue, la semaine dernière, juste pour prendre un verre, et…

Au revoir Joanna. Bonjour Samantha. C'était aussi simple que ça.

Elle n'avait pu que le dévisager, les yeux brûlant sous le coup du choc, de la colère et de l'angoisse, alors qu'il poursuivait :

— Au début, je pensais que ce n'était qu'une passade. Mais maintenant c'est une évidence. Si je ressens ces choses pour une autre femme, je ne peux tout simplement pas m'engager auprès de toi. Je sais que c'est la meilleure décision, pour nous deux.

Attendait-il des remerciements pour la noblesse de son geste ? s'était-elle demandé.

— Pour nous deux…, avait répété Joanna d'une voix plate.

Puis elle avait éclaté en sanglots fiévreux et l'avait entendu marmonner à nouveau des excuses. À travers ses paupières alourdies par les larmes, elle l'avait vu s'affaler sur le fauteuil en cuir, l'air vaguement honteux.

— Dehors, avait-elle enfin croassé. Sale menteur infidèle ! Va-t'en ! Je ne veux plus te voir.

Avec le recul, c'était son manque de conviction qui avait le plus blessé Joanna. Il n'avait même pas cherché à protester. Il s'était levé, mentionnant au passage les quelques affaires qu'il avait à récupérer chez elle, parlant de discuter calmement une fois que les choses seraient retombées, et il s'était rué vers la sortie.

Joanna avait passé le reste de la journée à sangloter au téléphone avec sa mère, à hoqueter sur la boîte vocale de son meilleur ami Simon et à tremper de larmes la fourrure de sa bouillotte Winnie l'ourson.

Enfin, à coups de sirop contre la toux et de brandy, elle avait fini par s'endormir, avec pour seule consolation le fait qu'il lui restait encore quelques jours de vacances, grâce aux heures supplémentaires qu'elle avait empilées avant Noël.

Mais à neuf heures, ce matin-là, son téléphone avait sonné. Émergeant difficilement de son coma médicamenteux, Joanna avait tendu la main vers l'appareil et prié pour y voir un appel de Matthew, dévasté et repentant.

— C'est moi ! avait aboyé une voix au fort accent écossais.

Joanna avait adressé un juron silencieux au plafond.

— Bonjour à toi aussi. Qu'est-ce que tu veux, Alec ? Je suis en repos aujourd'hui.

— Désolé, mais non. Alice, Richie et Bill sont tous les trois malades. Ton jour de congé attendra.

Avec une quinte de toux exagérée, elle avait répliqué :

— Bienvenue au club ! Désolée, Alec, mais moi aussi j'ai quarante de fièvre.

— Vois les choses de cette façon : si tu viens au boulot aujourd'hui, tu profiteras encore plus des jours de repos qu'on te doit.

— Non, vraiment, je ne peux pas. Je suis clouée au lit, je tiens à peine debout.

— Dans ce cas, c'est parfait ! C'est un reportage assis, à l'église des Acteurs de Covent Garden. La messe d'hommage à sir James Harrison commence à dix heures.

— Tu ne peux pas me faire ça, Alec. Je t'en prie. La dernière chose dont j'ai besoin, c'est de poireauter pendant des heures dans une église pleine de courants d'air. J'ai déjà une grippe monumentale. Si tu fais ça, c'est à mes obsèques que tu vas devoir aller.

— Ce n'est pas négociable. Je te paie le taxi aller-retour. Tu peux rentrer directement chez toi une fois que ce sera fini, et m'envoyer l'article par courriel. Ah, et essaie de parler à Zoe Harrison. J'ai envoyé Steve pour les photos. On devrait pouvoir faire la couverture si elle s'est pomponnée. OK, à plus.

Aussitôt l'appel terminé, Joanna s'était affalée sur son lit, enfonçant son crâne endolori dans l'oreiller.

— Et merde !

Puis elle avait commandé un taxi et retourné son placard pour trouver une tenue noire appropriée.

La plupart du temps, Joanna adorait son job – elle vivait même pour lui, d'après Matthew. Mais ce matin-là, elle s'était sérieusement demandé pourquoi. Après quelques contrats dans des journaux régionaux, elle avait décroché un poste de reporter junior au *Morning Mail*, un des quotidiens les plus vendus du pays et dont les bureaux se trouvaient à Londres. Néanmoins, sa position durement gagnée au bas de l'échelle ne lui permettait pas de refuser quoi que ce soit. Alec, le rédacteur en chef des actualités, ne manquait pas une occasion de lui rappeler qu'un millier de jeunes journalistes ambitieux était prêt à tout pour prendre sa place. Ces six dernières semaines à la rédaction avaient été les plus éprouvantes de sa vie. Elle ne comptait plus ses heures de travail acharné, et Alec – tour à tour bourreau et professionnel investi – entendait bien sûr que, comme lui, elle sacrifie tout pour son métier.

— J'échange pour la section « Style de vie » quand tu veux, avait-elle marmonné entre deux reniflements.

Puis elle avait enfilé un chandail noir pas tout à fait propre, une paire de collants en laine et une jupe noire pour cadrer avec l'occasion funeste.

Le taxi était arrivé dix minutes plus tard, avant de se retrouver coincé dans un embouteillage colossal sur Charing Cross Road. Joanna avait jeté un coup d'œil à sa montre, glissé un billet de dix livres au chauffeur et avait bondi hors du véhicule. En se précipitant dans la rue en direction de Covent Garden, le cœur battant et les bronches encombrées, elle s'était demandé si sa vie pouvait encore empirer.

Joanna fut tirée de ses rêveries par la brusque interruption du brouhaha. Elle ouvrit les yeux et se tourna vers les portes alors que la famille de sir James Harrison faisait son entrée.

En tête du cortège, Charles Harrison. Fils unique de sir James, la soixantaine bien avancée et vivant à Los Angeles, il était un réalisateur acclamé par la critique pour ses superproductions aux nombreux effets spéciaux. La journaliste avait le vague souvenir d'un Oscar quelques années plus tôt, mais ce n'était pas le genre de films qu'elle avait l'habitude de voir.

Il était accompagné par sa fille, Zoe Harrison. Comme l'avait espéré Alec, la jeune femme était magnifique dans son tailleur noir à la jupe très courte qui dévoilait ses jambes interminables. Ses cheveux ramassés en un chignon élégant mettaient en valeur sa beauté classique. La parfaite rose anglaise. Actrice à la carrière montante, elle était l'idole de Matthew qui lui trouvait une ressemblance avec Grace Kelly – la femme de ses rêves. C'en était à se demander pourquoi il était resté si longtemps avec une grande brune aux yeux sombres. Joanna ravala une boule dans sa gorge. Elle était prête à parier sa bouillotte Winnie l'ourson que cette Samantha était une petite blonde.

L'actrice tenait la main d'un garçon de neuf ou dix ans, endimanché dans un petit costume cravate noir. Jamie Harrison tenait son nom de son arrière-grand-père. Zoe avait donné naissance à son fils alors qu'elle n'avait que dix-neuf ans, et aujourd'hui encore elle refusait de dévoiler le nom du père. Sir James avait loyalement défendu sa petite-fille et sa décision à la fois de garder le bébé et de taire sa paternité.

L'enfant et sa mère se ressemblaient comme deux gouttes d'eau. Les mêmes traits parfaits, un teint de rose et de lait et d'immenses yeux bleus. Zoe Harrison faisait tout son possible pour que son fils grandisse à l'abri des paparazzis. Si Steve parvenait à les immortaliser ensemble, la photo ferait sans aucun doute la une du lendemain.

Suivait Marcus Harrison, le frère de Zoe. Joanna le regarda passer devant son banc. Malgré ses pensées encore toutes dédiées à Matthew, force lui était d'admettre que Marcus Harrison était séduisant – pour citer sa collègue Alice. Il faisait régulièrement les titres de la rubrique «Faits divers», dernièrement pour sa relation avec une fille de la noblesse anglaise au triple nom composé. Aussi brun que sa sœur était blonde, mais arborant les mêmes iris azur, Marcus respirait l'assurance un peu rebelle. Sa chevelure caressait presque ses épaules, et dans sa veste noire froissée et sa chemise blanche au col déboutonné, il dégageait un charisme fou. Joanna détourna le regard. *La prochaine fois, je choisis un quinquagénaire passionné d'ornithologie et de philatélie.* Elle se concentra à nouveau sur Marcus Harrison. Que faisait-il déjà? Il débutait en tant que producteur, non? En tout cas, il en avait tout l'air.

Le vicaire avait pris place dans la chaire, à côté d'un immense portrait de sir James Harrison encadré de couronnes de roses blanches.

— La famille de sir James ici réunie vous souhaite la bienvenue et vous remercie de votre présence pour rendre hommage à un ami, un collègue, un père, grand-père, arrière-grand-père, et peut-être au plus grand acteur de ce siècle. Pour ceux d'entre vous qui avez eu la chance de le connaître, vous ne serez pas surpris d'apprendre que sir James a longuement insisté pour que son hommage ne

soit pas un événement triste mais, au contraire, une célé-
bration. Sa famille et moi souhaitons honorer ce dernier
souhait. Aussi, nous allons commencer par l'hymne préféré
de sir James, « *I Vow to Thee My Country* ». Vous pouvez vous
lever.

Joanna déplia ses jambes tremblotantes. Par chance, les
premières notes de l'orgue résonnèrent au bon moment
pour masquer sa furieuse quinte de toux. Elle se pencha pour
attraper le livret de cérémonie devant elle, mais fut doublée
par une main fine et noueuse dont la peau translucide
révélait les veines bleutées.

Pour la première fois depuis son arrivée, Joanna regarda à
sa gauche. Tassée par le poids des ans, sa voisine lui arrivait
à la poitrine. Elle prenait appui sur le rebord en bois, et la
main tenant le livret tremblait fortement. C'était la seule
partie découverte de son corps. Elle était, jusqu'aux pieds,
ensevelie sous un manteau noir et un filet noir masquait
son visage.

Le livret tremblait tant qu'il était impossible d'y lire quoi
que ce soit. Alors Joanna se pencha vers la vieille femme,
et lui demanda :

— Ça vous ennuie si je suis le chant avec vous ?

La main lui tendit les feuillets et Joanna les plaça bas,
à la hauteur de sa voisine. Puis elle tenta quelques notes
éraillées jusqu'à la fin de l'hymne. Quand le silence se fit,
elle offrit son bras à la vieille femme qui peinait à s'asseoir,
mais son geste fut ignoré.

— Notre première lecture aujourd'hui sera le sonnet
préféré de sir James. « *Sweet Rose of Virtue* » de William
Dunbar, lu par sir Laurence Sullivan, un proche du défunt.

L'assemblée attendit en silence que le comédien atteigne
l'estrade. Puis la célèbre voix au timbre profond qui avait
fait vibrer des théâtres entiers aux quatre coins du monde
retentit dans l'église.

Mais Joanna fut distraite par un grincement derrière
elle. Les portes de l'église s'entrouvrirent, laissant filer un

courant d'air glacial. Un placeur apparut, poussant devant lui un fauteuil roulant qu'il positionna à l'extrémité de la rangée de la journaliste. Joanna prit alors conscience d'un râle saccadé bien plus inquiétant que celui qui s'échappait de ses propres poumons. La vieille femme à côté d'elle semblait en pleine crise d'asthme, le regard fixé à travers son voile sur la silhouette en fauteuil roulant.

— Vous allez bien ? s'enquit Joanna.

La femme porta sa main à sa poitrine, sans détourner les yeux. Quand le vicaire annonça l'hymne suivant et invita l'assemblée à se lever, la vieille femme agrippa soudain le bras de Joanna et lui indiqua la porte.

La journaliste l'aida aussitôt à se mettre debout, puis, la soutenant par la taille, la porta plus qu'elle ne la guida jusqu'à l'extrémité du banc. Quand elles arrivèrent au niveau de l'homme en fauteuil roulant, la vieille femme se ratatina et se pressa contre son manteau, comme une enfant apeurée. À cet instant, un regard d'acier se leva vers elles et les transperça. Joanna ne put réprimer un frisson, et se détourna aussitôt.

— Madame doit… Je… Elle a besoin…

— De l'air ! souffla la vieille femme entre deux râles.

Le placeur s'empressa de conduire les deux femmes à l'extérieur, où les attendait la grisaille de janvier, et les escorta en bas des marches, jusqu'à un banc isolé sur le parvis. Avant que Joanna n'ait pu lui demander autre chose, il disparaissait déjà dans l'église, et les portes se refermèrent. La vieille femme s'affala contre elle, la respiration erratique.

— Faut-il que j'appelle une ambulance ? Vous ne m'avez vraiment pas l'air d'aller bien.

— Non ! protesta la vieille femme.

Joanna fut surprise d'entendre une voix si déterminée s'échapper d'un corps si frêle.

— Appelez un taxi. Ramenez-moi à la maison, je vous en prie.

— Je pense vraiment que vous devriez...

Les fins doigts noueux se resserrèrent sur le poignet de la journaliste.

— Non. Un taxi. S'il vous plaît...

— Très bien, attendez-moi ici.

Joanna sortit en courant sur Bedford Street et héla un taxi qui passait par là. Le chauffeur sortit galamment du véhicule noir et accompagna Joanna jusqu'à la vieille femme pour l'aider à l'installer à l'arrière de la voiture.

— Elle va bien ? demanda le chauffeur à Joanna. Elle respire un peu fort, vous ne trouvez pas ? Faut l'emmener à l'hôpital ?

— Elle veut qu'on la ramène chez elle.

Joanna se pencha vers la vieille femme :

— Madame, vous avez une adresse à nous donner ?

— Je...

Les efforts qu'elle avait dû fournir pour monter à l'arrière de la voiture semblaient avoir été trop éprouvants pour elle, et sa respiration entrecoupée ne lui permettait plus de parler.

L'homme secoua la tête.

— Navré, je ne l'emmène nulle part dans cet état. Pas toute seule. Je ne veux pas me retrouver avec une morte sur les bras. Je la prends que si vous venez aussi, comme ça s'il y a un problème, c'est votre responsabilité, pas la mienne.

— Mais je ne la connais pas ! Enfin, je veux dire, je travaille, moi. Je devrais être dans l'église en ce moment.

Le chauffeur se tourna vers la vieille femme.

— Désolé, madame, il va falloir descendre.

La femme souleva son voile et planta son regard bleu terrifié dans celui de Joanna.

— S'il vous plaît, articula-t-elle.

— D'accord, d'accord.

Joanna poussa un soupir résigné et grimpa à l'arrière du taxi.

— On va où ? demanda-t-elle gentiment.

— Mary... Mary...

— Non, je vous demande où on va ?

— Mary... le...

— Vous voulez dire Marylebone, madame ? interrogea le chauffeur.

La femme hocha la tête avec un soulagement manifeste.

— Très bien, madame. On y va.

La vieille femme jeta un regard anxieux par la vitre alors que le taxi s'éloignait dans la rue. Sa respiration finit par se calmer, elle posa la tête contre le cuir noir du siège et ferma les yeux.

Joanna soupira. Cette journée ne faisait qu'empirer. Alec allait la crucifier s'il apprenait qu'elle était partie plus tôt. L'histoire de la petite vieille malade n'allait certainement pas l'amadouer. Aux yeux du responsable des actualités, les petites vieilles n'avaient d'intérêt que si on les retrouvait battues à mort par un voyou qui en voulait à leur porte-monnaie.

— On est presque arrivés à Marylebone. Où faut-il aller précisément ? demanda le chauffeur.

— Au 19, Marylebone High Street, répondit une voix ferme et claire.

Surprise, Joanna se tourna vers la vieille femme.

— Vous vous sentez mieux ?

— Oui, merci. Je suis confuse de tout ce dérangement. Vous devriez descendre ici. Je peux continuer seule à présent.

La voiture était arrêtée à un feu rouge.

— Non, je vous raccompagne chez vous. Je ne suis plus à ça près.

— Non, j'insiste. Je dis ça pour vous, vous feriez mieux de...

— Nous sommes presque arrivés. Je vous aide à rentrer chez vous, et ensuite je m'en vais.

La vieille femme soupira, se recroquevilla dans son gros manteau et se réfugia dans le silence pour le reste du trajet.

— Madame, on est arrivés.

Quand le chauffeur ouvrit la portière, le soulagement de voir sa passagère encore vivante était inscrit sur son visage.

— Tenez.

Elle lui fourra un billet de cinquante livres dans la main.

— J'ai bien peur de ne pas avoir la monnaie pour cette somme, dit-il en l'aidant à sortir sur le trottoir.

Il la maintint le temps que Joanna les rejoigne. Elle tendit au chauffeur un billet de vingt livres.

— Si vous voulez bien m'attendre, je reviens dans une seconde.

La vieille femme s'était dégagée de sa prise et vacillait déjà en direction d'une porte située juste à côté d'un marchand de journaux.

Joanna la suivit, et voyant que les fins doigts tremblants peinaient à insérer la clé dans la serrure, elle proposa :

— Vous permettez ?

— Merci.

Une fois la porte ouverte, la vieille femme se précipita à l'intérieur.

— Entrez ! Vite ! intima-t-elle.

— Je...

La mission de Joanna était accomplie, et elle devait impérativement retourner à l'église, mais elle céda et entra avec réticence. Immédiatement, la femme claqua la porte d'entrée.

— Suivez-moi.

Elle se dirigea vers une porte à gauche du couloir étroit. Une clé tinta contre le loquet, et la femme fut avalée dans l'obscurité.

— La lumière est juste derrière vous, à droite, indiqua-t-elle.

Joanna tâtonna le long du mur, actionna l'interrupteur et découvrit alors une petite entrée imprégnée d'humidité. Il y avait trois portes devant elle et un escalier à sa droite.

La vieille femme ouvrit une porte et enclencha un autre interrupteur, illuminant une pièce remplie de caisses en bois empilées les unes sur les autres. Au centre trônait un lit simple à la tête en fer rouillé. Contre un mur, à la seule place inoccupée par les boîtes volumineuses, était coincé un fauteuil défraîchi. L'odeur d'urine qui flottait dans l'air retourna l'estomac de Joanna.

La vieille femme s'affala dans le fauteuil avec un soupir de soulagement. Et pointa du doigt une caisse retournée près du lit.

— Mes cachets. Pourriez-vous me les apporter, je vous prie ?

— Bien sûr.

Joanna progressa avec précaution entre les boîtes et, atteignant celle qui faisait office de table de chevet, elle ramassa la plaquette de médicaments sur la surface poussiéreuse. Les instructions étaient écrites en français.

— Merci. Il m'en faut deux. Et de l'eau.

Joanna remplit le verre posé à côté des médicaments, avant de le tendre à la vieille femme et de déposer deux cachets dans sa main tremblante. Pouvait-elle vraiment partir et la laisser dans cet état ? Elle frissonna, mal à l'aise dans cette atmosphère lugubre où régnait une odeur fétide.

— Vous êtes certaine que vous ne voulez pas que j'appelle un médecin ?

— Tout à fait, merci. Je sais quel est le problème, très chère.

Un petit sourire triste apparut sur ses lèvres.

— Très bien. Dans ce cas, j'ai bien peur de devoir vous laisser pour regagner l'église. J'ai un article à rédiger.

— Vous êtes journaliste ?

À présent qu'elle avait retrouvé une contenance, la vieille femme s'exprimait d'une voix claire et distinguée.

— Reporter junior pour le *Morning Mail.*

— Et vous vous appelez ?

— Joanna Haslam.

La jeune femme désigna les caisses.

— Vous déménagez ?

— En quelque sorte, oui. Je ne vais plus rester ici très longtemps. Peut-être qu'il vaut mieux que les choses se terminent ainsi…

Son regard bleu se perdit dans le vide.

— Comment ça ? Je vous en prie, si vous êtes malade, laissez-moi vous conduire à l'hôpital.

— Non, non, il est trop tard pour moi. Filez, mon enfant. Retournez à votre vie. Au revoir.

La vieille femme ferma les yeux. Joanna l'observa encore un moment, jusqu'à entendre un léger ronflement s'échapper de sa bouche.

Alors, prise par un horrible sentiment de culpabilité, mais incapable de demeurer plus longtemps dans cette pièce oppressante, Joanna sortit sans un bruit et se rua dans le taxi.

Quand elle arriva à Covent Garden, la messe était terminée. La limousine de la famille Harrison était déjà partie et il ne restait plus que quelques membres de l'assemblée dispersés dans la cour. Sentant tout espoir la quitter, Joanna se contenta de recueillir quelques déclarations avant de baisser les bras et de héler un nouveau taxi. Elle devait vraiment être maudite.

# 2

On sonnait à la porte. Encore, et encore. À chaque coup de sonnette, le bruit strident accentuait la migraine lancinante de Joanna.

— C'est pas vrai, grogna-t-elle en comprenant que l'importun n'avait pas l'intention de s'en aller.

*Matthew... ?*

L'espace d'un instant, son sourire revint... avant de retomber aussitôt. Matthew était probablement en train de siroter du champagne pour fêter sa liberté retrouvée, quelque part dans un lit avec Samantha.

— Allez-vous-en ! gémit-elle.

Puis elle se moucha dans un vieux T-shirt de Matthew. Curieusement, elle se sentit mieux.

La sonnerie retentit à nouveau.

— Non mais c'est pas possible !

Enfin, elle craqua et s'extirpa du lit pour rejoindre la porte d'entrée d'un pas vacillant.

Derrière attendait Simon, un grand sourire taquin aux lèvres.

— Salut beauté, tu as une tête abominable.

— Sympa, marmonna-t-elle en s'appuyant contre le chambranle.

— Allez, viens là.

Une paire de bras réconfortants se referma sur scs épaules. Du haut de son mètre quatre-vingt-dix, Simon était le seul homme à côté duquel la grande brune se sentait soudain petite et fragile.

— J'ai eu ton message quand je suis rentré hier soir, mais il était trop tard. Désolé de ne pas avoir été là pour tenir la boîte de mouchoirs.

Joanna renifla contre son épaule.

— Pas grave.

— Et si on entrait, avant que des stalagmites se forment sur nos vêtements ? Qu'est-ce que tu en dis ?

Simon ferma la porte derrière lui et, un bras toujours autour de ses épaules, la conduisit dans le salon.

— Oh là, on gèle ici !

— Désolée… j'ai passé l'après-midi au lit. J'ai le rhume du siècle.

— Plaignarde, répliqua-t-il pour la taquiner. Allez, viens t'asseoir ici.

Simon déblaya les vieux journaux, les piles de livres et une collection de gobelets de nouilles instantanées pour lui faire de la place. Joanna s'effondra sur le canapé inconfortable qu'elle détestait. Elle ne l'avait acheté que parce que Matthew adorait cette couleur citron vert, et elle regrettait son choix depuis, car il s'installait toujours sur le fauteuil en cuir de sa grand-mère. Quel crétin ingrat !

— Ça ne va pas fort, on dirait, commenta Simon.

— Pas vraiment. Comme si me faire larguer ne suffisait pas, Alec m'a envoyée en reportage ce matin pour couvrir une messe commémorative. J'étais censée être en vacances. Tout ça pour finir sur Marylebone High Street avec une petite vieille bizarre qui vit dans une chambre pleine de caisses en bois.

— Quelle journée ! Dire que le temps fort de la mienne a été quand la vendeuse s'est couverte de sauce en préparant mon sandwich.

Voyant que ses efforts ne parvenaient pas à arracher un sourire à son amie, Simon s'assit à côté d'elle et prit ses mains dans les siennes.

— Jo, je suis désolé. Vraiment.

— Merci.

— Tu penses que c'est terminé pour de bon avec Matthew, ou c'est juste une petite déviation sur la route du bonheur conjugal ?

— C'est fini. Il en a trouvé une autre.

— Tu veux que j'aille lui mettre une bonne raclée, pour te remonter le moral ?

— Pour être honnête, oui. Mais je ne suis pas sûre que ça m'aiderait vraiment.

Elle essuya vigoureusement les larmes sur ses joues avant de reprendre :

— Le pire, c'est que dans ce genre de situation, tu es censé rester digne. Si quelqu'un te demande comment tu vas, il faut forcément sourire et répondre : « Tout va bien, merci. De toute façon, je m'en fichais et cette rupture est la meilleure chose qui me soit arrivée. J'ai tellement plus de temps pour moi maintenant, je vois beaucoup plus mes amis et je me suis inscrite à des cours de tricot ! » Mais tout ça, c'est que des conneries ! Je ramperais sur des charbons ardents si ça pouvait faire revenir Matthew. Tout ce que je veux, c'est que notre vie redevienne comme avant.

En larmes, elle hoqueta :

— Je… je… l'aime. J'ai besoin de lui. C'est mon homme. Le mien. C'est avec moi qu'il devrait être.

Simon la prit dans ses bras. Il lui caressa doucement les cheveux et l'écouta déverser tout son choc, sa douleur et sa confusion. Quand elle eut pleuré toutes les larmes de son corps, il desserra son étreinte et se leva.

— Je vais aller nous préparer du thé ; pendant ce temps-là, fais-nous un bon petit feu.

Joanna alluma la cheminée au gaz et suivit Simon dans la petite cuisine. Elle s'effondra aussitôt sur une chaise devant la petite table en mélamine qui avait vu tant de brunchs le dimanche matin et de soupers aux chandelles avec Matthew. Tandis que l'eau chauffait, Joanna laissa son regard s'égarer sur les pots en verre soigneusement alignés sur le plan de travail.

— J'ai toujours détesté les tomates séchées, décréta-t-elle. Mais Matthew adorait ça.

— Dans ce cas…

Simon s'empara du bocal rempli des malheureuses tomates et le laissa tomber dans la poubelle.

— Finalement, dit-il, il y a un point positif dans toute cette histoire.

— À vrai dire, maintenant que j'y pense, il y a beaucoup de choses que je faisais semblant d'aimer pour Matthew.

Les coudes sur la table, Joanna posa son menton sur ses mains.

— Comme ?

— Oh, comme passer mes dimanches au cinéma pour voir des films d'art et d'essai sous-titrés, alors que j'aurais largement préféré rester sur mon canapé pour rattraper mon retard en feuilletons télé. La musique – ça aussi, c'était quelque chose. Bien sûr que j'aime le classique… à petite dose. Mais je ne pouvais jamais écouter mes albums d'ABBA ou de Take That.

— Ça m'embête de dire ça, mais sur ce point je suis de l'avis de Matthew, pouffa Simon. Plus sérieusement, j'ai toujours pensé qu'il jouait au plus snob.

— Tu as tellement raison, soupira Joanna. Je n'étais pas assez bien pour lui. Pourtant je ne peux pas changer ce que je suis. Classe moyenne. Banale. Juste une fille ennuyeuse débarquée du Yorkshire.

— Je te jure que s'il y a bien un truc que tu n'es pas, c'est banale. Ni ennuyeuse. Honnête, peut-être ; pragmatique, oui, mais ce ne sont que des qualités. Tiens.

Il lui tendit une tasse de thé.

— Allons nous dégeler devant la cheminée.

Joanna s'installa par terre devant l'âtre et, les mains serrées sur sa tasse chaude, se blottit contre Simon.

— Pfff… je pensais en avoir fini avec le célibat. Rien que l'idée de recommencer les premiers rendez-vous me donne des frissons. J'ai vingt-sept ans. Je suis trop vieille pour reprendre à zéro.

— T'as raison, tu es quasiment à la retraite. Je sens pratiquement la mort arriver, là.

Joanna lui donna une petite claque sur le mollet.

— Ne te moque pas de moi ! Il va me falloir des siècles pour réapprendre à être seule.

— Le problème des humains, c'est qu'on a trop peur du changement. Je suis convaincu que c'est pour ça que tant de couples malheureux restent ensemble, alors que chacun se porterait bien mieux sans l'autre.

— C'est probablement vrai. Regarde, ça fait des années que je me force à manger des tomates séchées ! D'ailleurs, en parlant de couple, tu as des nouvelles de Sarah ?

— Elle m'a envoyé une carte postale de Wellington la semaine dernière. Apparemment elle prend des cours de voile. Bref, elle revient de Nouvelle-Zélande en février, alors il ne reste plus que quelques semaines avant les retrouvailles.

Joanna lui adressa un sourire attendri.

— Je n'arrive toujours pas à croire que tu aies accepté de l'attendre un an.

— Loin des yeux, loin du cœur, c'est ça ? Je me dis que si, en rentrant, elle veut toujours être avec moi, on saura tous les deux qu'on est faits pour être ensemble, sur le long terme.

— Ne te fais pas trop d'illusions non plus. Moi aussi, je pensais que Matthew et moi, on était faits pour être ensemble.

— Merci pour ces mots si réconfortants, répliqua Simon. Allez, compte-toi chanceuse ! Tu as ta carrière, un super appart, et moi. Tu es une battante, Jo. Tu vas t'en sortir, tu vas voir.

— Ça, c'est en supposant que j'aie encore un job. L'article que j'ai rendu sur l'hommage à sir James Harrison ne vaut rien. Entre ça, Matthew, mon rhume abominable et la vieille folle…

— Tu dis qu'elle vit dans une chambre pleine de caisses en bois ? Tu es sûre que tu n'as pas halluciné ?

— Non, non. Elle m'a même dit que ça ne valait pas la peine de les vider pour le peu de temps qui lui reste. Ou un truc du genre.

Joanna se mordit la lèvre.

— Oh, et ça sentait le pipi chez elle… tu penses que c'est ce qui nous attend avec l'âge ? Franchement, c'était déprimant. En voyant cette chambre, je me dis que si c'est tout ce que la vie nous réserve, à quoi bon se battre ?

— C'est probablement une de ces vieilles excentriques qui vivent dans une décharge et gardent des millions de livres à la banque. Ou cachés dans une caisse en bois. Tu aurais dû vérifier.

— Elle allait très bien jusqu'à l'arrivée d'un homme en fauteuil roulant. Elle a totalement paniqué en le voyant.

— Probablement son ex-mari. Peut-être que ce sont ses millions à lui ! plaisanta Simon. Bon, ma puce, je vais devoir te laisser. J'ai encore du boulot pour demain.

Joanna le raccompagna à la porte et déposa un baiser sur sa joue quand il la prit dans ses bras.

— Merci, pour tout, dit-elle.

— Quand tu veux. Je serai toujours là si tu as besoin de moi. Je t'appelle du bureau demain. À plus.

— Bonne nuit.

Joanna ferma la porte derrière lui, l'esprit plus léger. Simon savait toujours lui remonter le moral. Ils avaient grandi dans des fermes voisines du Yorkshire et ils étaient amis depuis toujours. Leurs quelques années d'écart n'avaient pas eu grande importance : dans un village si isolé, Joanna, enfant unique et garçon manqué, avait été ravie de trouver en Simon un camarade de jeu. Il lui avait appris à grimper aux arbres et à jouer au foot et au cricket. Pendant les longues vacances d'été, les deux complices partaient en poney dans les landes, jouant pendant des heures aux cow-boys et aux Indiens. C'était le seul moment où ils se disputaient, car Simon exigeait systématiquement et injustement qu'il survive et qu'elle meure.

— C'est mon jeu, mes règles, insistait-il avec autorité sous son chapeau de cow-boy trop grand.

Et à chaque course-poursuite dans les hautes herbes des plaines du Yorkshire, il ne manquait jamais de l'attraper, en se jetant sur elle pour la plaquer au sol.

— Dans deux secondes, tu es morte ! criait-il en pointant sur elle son pistolet en plastique.

Alors elle titubait, s'effondrait dans l'herbe et roulait sur elle-même pour feindre l'agonie.

À treize ans, Simon fut envoyé en internat, et les deux compères se voyaient moins souvent. Leur amitié reprenait de plus belle chaque été, mais tous les deux commencèrent naturellement à se faire d'autres amis. Le jour où Simon fut admis à l'université de Cambridge, ils le fêtèrent ensemble, avec une bouteille de champagne dans les landes. Ils firent de même quand Joanna fut acceptée en lettres à l'université de Durham.

C'est là que leurs chemins se séparèrent complètement. Simon rencontra Sarah à Cambridge, et Joanna tomba amoureuse de Matthew lors de sa dernière année à Durham. Ce ne fut que lorsqu'ils se retrouvèrent tous les deux à Londres – à seulement dix minutes l'un de l'autre, par une heureuse coïncidence – que leur amitié se renoua.

Matthew n'avait jamais vraiment apprécié Simon. Non seulement ce dernier le dominait d'une dizaine de centimètres, mais il s'était aussi vu proposer un poste important au gouvernement une fois son diplôme de Cambridge en poche. Il disait toujours très modestement qu'il n'était qu'un employé de bureau quelconque dans un ministère, mais très vite, il avait pu s'offrir une petite voiture et un deux et demie sur Highgate Hill. Pendant ce temps-là, Matthew avait enchaîné les stages interminables dans des agences de pub avant de décrocher enfin un poste junior qui payait le loyer d'un studio miteux à Stratford.

*Si ça se trouve, il espère que Samantha l'aidera à faire décoller sa carrière…*

Joanna secoua la tête pour chasser cette pensée. Elle refusait d'y songer davantage. Pleine d'une toute nouvelle détermination, elle inséra l'album d'Alanis Morissette dans le lecteur CD et augmenta le volume. *Tant pis pour les voisins.* Puis elle fila se faire couler un bain brûlant. Entre sa voix éraillée qui braillait « *You Learn* » et le bruit de l'eau qui s'échappait en torrent des robinets, Joanna n'entendit pas les bruits de pas devant sa porte d'entrée. Elle ne vit pas non plus un visage jeter un coup d'œil par la fenêtre de son séjour au rez-de-chaussée. Quand elle émergea de la salle de bains, les pas s'éloignaient déjà vers la rue.

Propre et calmée, Joanna se prépara un sandwich, tira les rideaux du salon et s'installa devant la cheminée pour faire doucement rôtir ses pieds. Soudain, l'avenir lui offrait une pointe d'optimisme. Si l'aveu des tomates séchées avait été fait sur le ton de la rigolade, il n'en était pas moins vrai. Avec le recul, elle se rendait compte qu'elle et Matthew avaient très peu de choses en commun. Désormais, elle était totalement libre, pouvait faire ce que bon lui semblait et n'avait plus à faire passer ses envies après celles de quelqu'un d'autre. Sa vie, ses choix. Elle n'allait certainement pas laisser Matthew lui gâcher son avenir.

Avant que cette détermination nouvelle ne s'estompe pour laisser place à la dépression, Joanna avala deux cachets de paracétamol et se mit au lit.

# 3

— Au revoir, mon chéri.

Elle le serra contre elle, inspirant une dernière bouffée de son odeur familière.

— Au revoir, Maman.

L'enfant resta blotti quelques secondes encore dans la chaleur de son manteau, puis s'écarta et observa le visage de sa mère, en quête de signes de tristesse.

Zoe Harrison s'éclaircit la gorge et refoula ses larmes. C'était chaque fois difficile. Elle ne s'habituerait jamais à la séparation. Mais il ne fallait surtout pas pleurer. Pas devant Jamie, ni ses petits camarades. Alors elle se força à sourire.

— Dans deux semaines à partir de dimanche, je viens te chercher pour le dîner. Hugo peut venir avec nous, si tu veux.

— D'accord, Maman.

Jamie gigotait à côté de la voiture et Zoe sentait qu'il était temps de partir. Elle ne put se retenir d'écarter une petite mèche blonde du front de son fils. L'enfant leva les yeux au ciel et, l'espace d'un instant, le petit garçon de ses souvenirs remplaça le jeune homme sérieux qu'il allait devenir. En le voyant dans l'uniforme bleu marine de son école, la cravate parfaitement nouée comme le lui avait appris James, Zoe fut envahie de fierté.

— D'accord, mon poussin, je vais y aller maintenant. Appelle-moi si tu as besoin de quoi que ce soit. Ou même si tu veux juste discuter.

— Oui, Maman.

Zoe se glissa derrière le volant, ferma la portière, démarra le moteur et abaissa la vitre.

— Je t'aime, mon cœur. Prends bien soin de toi, et n'oublie pas de mettre ton gilet. Ah, et surtout, ne garde pas tes chaussettes de rugby humides plus longtemps que nécessaire.

Jamie s'empourpra.

— Oui, Maman. J'ai compris. Salut.

— Au revoir.

La voiture avança dans l'allée, et dans le rétroviseur, Zoe regarda son fils agiter joyeusement sa main. Au premier virage, il disparut. Ce n'est qu'en passant le portail pour déboucher sur la route que Zoe essuya vigoureusement les larmes qui roulaient sur ses joues et se mit à farfouiller dans la poche de son manteau en quête d'un mouchoir. Pour la centième fois, elle se répéta que ces séparations n'étaient pas aussi dures pour son fils et qu'elle était celle qui souffrait le plus. D'autant plus aujourd'hui, maintenant que James n'était plus là.

En suivant les panneaux qui annonçaient Londres à une heure de route, elle se demanda s'il était bien raisonnable d'envoyer un garçon de dix ans en pension – si tôt après le décès tragique de son arrière-grand-père, qui plus est. Pourtant Jamie adorait son école privée, ses amis, sa routine – toutes ces choses qu'elle ne pouvait pas lui donner à la maison. Il semblait s'épanouir pleinement loin d'elle, grandir, devenir de plus en plus indépendant.

Même Charles, son père, l'avait remarqué quand elle l'avait déposé à l'aéroport de Heathrow la veille au soir. Le choc de la mort de James l'avait visiblement affecté, son visage séduisant et bronzé portait enfin les marques de l'âge. En la prenant dans ses bras pour lui dire au revoir, il lui avait chuchoté à l'oreille :

— Tu as été parfaite, ma chérie. Je suis fier de toi. Et de ton fils. Venez me voir cet été à Los Angeles. Je ne vous vois pas assez. Vous me manquez.

— Toi aussi, tu me manques, Papa.

Puis Zoe était restée stupéfaite, à regarder son père passer la sécurité. Il n'était pas du genre à complimenter sa fille. Ni son petit-fils.

Quand elle était tombée enceinte à dix-huit ans, elle avait cru mourir de désespoir. Elle sortait à peine de l'internat et venait de décrocher une place à l'université, et l'idée même d'avoir un bébé lui avait semblé ridicule. Et pourtant, malgré le barrage de colère et de jugement érigé par son père, ajouté à la pression familiale, Zoe avait su, au fond d'elle, que cet enfant devait naître. Jamie était un don merveilleux et spécial. Le fruit d'un amour dont, dix ans plus tard, elle ne s'était toujours pas remise.

La jeune femme s'inséra sur l'autoroute au milieu des voitures qui filaient vers Londres, la voix de son père résonnant dans sa tête.

*« Et il compte t'épouser, l'imbécile qui t'a mise enceinte ? Parce que je te préviens, à partir de maintenant tu te débrouilles seule. C'est ta bêtise, à toi de la réparer ! »*

*Comme s'il y avait jamais eu la moindre chance de mariage...*

Seul James, son grand-père adoré, était demeuré calme. Une présence forte, sereine, lui apportant sagesse et soutien quand tous ses proches braillaient leurs injonctions d'une voix hystérique.

Zoe avait toujours été la préférée de James. Petite, elle ne se doutait pas le moins du monde que ce gentil vieux monsieur, qui refusait qu'on l'appelle papi parce qu'il n'était pas encore assez âgé pour ça, était l'un des comédiens les plus admirés du pays. Elle avait grandi dans une belle maison de Blackheath avec sa mère et son grand frère Marcus. Ses parents avaient divorcé quand elle avait trois ans et elle voyait peu son père, qui avait déménagé à Los Angeles. Alors, c'était James qui avait endossé le costume de la figure paternelle. Haycroft House, son immense maison de campagne dans le Dorset, avec son verger et ses chambres coquettes sous les combles, était devenue le paradis des enfants.

En semi-retraite, son grand-père ne tournait plus qu'occasionnellement pour jouer son propre rôle dans des films, « parce qu'il fallait bien gagner son pain », et il avait toujours été présent pour elle. Particulièrement après l'accident de la route qui avait emporté sa mère. Zoe avait alors dix ans, et Marcus quatorze. Son seul souvenir des obsèques était celui de James, mâchoires serrées et visage mouillé de larmes, écoutant le vicaire déclamer les prières. Elle n'avait pas lâché sa main. C'était une messe sinistre, oppressante. On l'avait forcée à enfiler une robe rêche et la dentelle noire lui grattait le cou.

Charles était rentré de L.A. pour l'occasion et avait essayé de réconforter des enfants qu'il connaissait à peine. Mais c'était James qui avait séché les larmes de Zoe et l'avait serrée dans ses bras quand elle avait sangloté toute la nuit. Marcus, en revanche, s'était muré dans le silence. Il avait gardé au fond de lui la douleur de son deuil.

Charles avait ensuite décidé d'emmener sa fille à L.A. avec lui et de laisser Marcus dans sa pension en Angleterre. Pour Zoe, c'était comme perdre à la fois sa mère et son frère. Toute sa vie d'un coup.

Quand elle avait débarqué dans la chaleur sèche de la maison de style sud-américain de son père à Bel Air, Zoe avait fait la connaissance de « Tante Debbie ». Apparemment, Tante Debbie vivait dans la même maison que Papa et dormait aussi dans le même lit. Tante Debbie était très blonde, très plantureuse, et pas exactement ravie de se retrouver avec une enfant de dix ans sur les bras.

Zoe détestait son école de Beverly Hills. Elle voyait à peine son père, trop occupé à lancer sa carrière de réalisateur, et elle devait subir l'éducation selon Tante Debbie : plateau télé et dessins animés en continu. L'Angleterre lui manquait. Elle voulait revoir le changement des saisons, au lieu de cette sécheresse aride. Elle ne supportait pas l'accent exubérant des Américains. Zoe écrivait de longues lettres à son grand-père, le suppliant de venir la chercher pour qu'elle puisse vivre au paradis qu'était Haycroft House avec lui, et tentait par tous les moyens de le convaincre de s'occuper d'elle, lui promettant que s'il la laissait rentrer, elle serait sage comme une image.

Six mois après l'arrivée de Zoe à L.A., un taxi s'était garé dans l'allée de la villa. La portière s'était ouverte sur James, qui arborait un panama élégant et un grand sourire. Encore à ce jour, Zoe se souvenait parfaitement de la joie qui avait déferlé sur elle quand elle avait couru pour se jeter dans les bras de son grand-père venu la sauver. Tante Debbie avait battu en retraite au bord de la piscine pour bouder, et la fillette avait déversé la liste de ses malheurs aux oreilles de son grand-père. Puis celui-ci avait appelé son fils pour lui faire état de la situation. Charles – en tournage au Mexique à l'époque – avait accepté que James la ramène en Angleterre.

Sur le vol du retour, sa petite main dans la large paume de James, elle avait posé la tête contre son bras fort, avec la certitude qu'elle voulait rester auprès de lui, où que ce soit dans le monde.

L'internat dans le Dorset avait été une heureuse expérience, et la fin de semaine, James était toujours ravi de l'accueillir avec ses amies à Londres ou à Haycroft House. Ce n'est qu'en voyant l'expression émerveillée des parents de ses amies quand ils venaient récupérer leur progéniture et serraient la main du grand sir James Harrison que Zoe avait compris que son grand-père était célèbre. À l'adolescence, il lui avait transmis son amour pour Shakespeare, Ibsen et Wilde, et l'emmenait régulièrement au Barbican, au National Theatre ou à l'Old Vic. En ces occasions, ils dormaient dans sa maison de Welbeck Street et passaient le dimanche devant la cheminée à décortiquer le texte de la pièce.

À dix-sept ans, Zoe savait qu'elle voulait devenir actrice. James avait récupéré les dépliants de toutes les écoles de théâtre du pays et ils les avaient étudiés ensemble, pesant le pour et le contre. Enfin, il fut décidé que Zoe irait d'abord à l'université pour obtenir un diplôme de lettres, avant de postuler pour une école de théâtre à vingt et un ans.

— Non seulement tu pourras étudier les textes classiques à l'université, ce qui donnera de la profondeur à tes performances, mais en plus tu arriveras dans le milieu plus âgée, et prête à profiter de tout ce qu'on aura à t'apprendre. Sans compter qu'un diplôme te permettra de retomber sur tes pattes.

— Tu penses que je n'arriverai pas à percer comme actrice ?

— Non, ma chérie, bien sûr que tu vas réussir. Tu es bien ma petite-fille. Mais tu es si jolie qu'à moins d'avoir fait des études, on ne te prendra pas au sérieux.

Ils s'étaient mis d'accord : si ses résultats scolaires étaient aussi bons qu'on l'espérait, elle postulerait à Oxford ou Cambridge. Mais elle était tombée amoureuse. Pile au moment des examens. Quatre mois plus tard, elle apprenait, dévastée, qu'elle était enceinte. Son avenir soigneusement planifié venait de voler en éclats.

Pétrie de doutes, terrifiée à l'idée de l'annoncer à son grand-père adoré, Zoe avait craché le morceau un soir, au souper. James avait pâli, mais il avait calmement hoché la tête avant de lui demander ce qu'elle voulait faire. L'adolescente avait fondu en larmes. La situation était si complexe, si terrible, qu'elle ne parvenait même pas à avouer toute la vérité à son grand-père chéri.

Pendant la semaine abominable qui avait suivi l'arrivée de Charles et de Debbie, où pleuvaient les vociférations alors qu'on exigeait de connaître l'identité du père tout en la traitant d'idiote, James l'avait soutenue. Il lui avait donné la force et le courage de prendre la décision de garder le bébé. Et jamais il ne lui avait demandé qui était le père. Pas plus qu'il ne lui avait posé de question en la récupérant à la gare de Salisbury après un voyage à Londres qui l'avait laissée vidée, pâle comme un linge, et en larmes.

Sans son amour, son soutien et sa foi en elle, jamais Zoe ne s'en serait sortie.

Le jour de la naissance de Jamie, Zoe avait vu ses yeux bleu clair se remplir de larmes quand il avait pris son arrière-petit-fils dans ses bras pour la première fois. Le travail s'était déclenché si rapidement qu'elle n'avait pas eu le temps de se rendre à l'hôpital situé à trente minutes de Haycroft House. Alors Jamie était né dans le grand lit à baldaquin de son arrière-grand-père, avec l'aide de la sage-femme du village.

James avait déposé un léger baiser sur le front du nourrisson minuscule et avait chuchoté :

— Bienvenue parmi nous, petit homme.

C'était à cet instant qu'elle avait décidé de le baptiser James, comme lui.

Si le lien s'était créé à ce moment, il s'était renforcé dans les semaines suivantes, alors que le grand-père et la petite-fille se relayaient toutes les nuits pour calmer les pleurs du bébé. James avait été à la fois un père et un ami pour son arrière-petit-fils. Le petit garçon et le vieil homme passaient de nombreuses heures ensemble, et étonnamment, James parvenait à rassembler assez d'énergie pour jouer avec Jamie. Quand Zoe rentrait à la maison, elle les trouvait dans le verger, en pleine partie de foot. Il l'emmenait aussi se balader dans la campagne et lui faisait découvrir les fleurs qui poussaient dans le magnifique jardin anglais. Pivoines, lavande et sauge s'épanouissaient dans les parterres. Et à la mi-juillet, le parfum des roses préférées de James embaumait la maison.

La vie était belle, tranquille, et Zoe était tout simplement heureuse de vivre avec son fils et son grand-père. Son propre père était au sommet de sa gloire grâce à un Oscar qui venait de lui être décerné, et ne donnait quasiment pas de nouvelles. La jeune fille faisait de son mieux pour rester indifférente à ce silence.

Ce silence perdurait encore aujourd'hui. Pourtant, quand il l'avait prise dans ses bras la veille et lui avait dit qu'elle lui manquait, elle avait senti, quelque part au fond de son cœur, ce lien du sang invisible.

*Lui aussi se fait vieux...*, songea-t-elle en négociant le virage qui marquait l'entrée dans Londres.

Quand Jamie avait eu trois ans, James avait convaincu Zoe de postuler pour des écoles de théâtre.

— Si tu es prise, on pourra tous aller vivre à Welbeck Street. Jamie pourra aller à la garderie, ce sera bon pour lui de fréquenter d'autres enfants.

— De toute façon, je ne serai jamais prise.

Mais elle avait tout de même passé les auditions de la Royal Academy of Dramatic Art, où elle pouvait se rendre à vélo depuis Welbeck Street.

Elle avait été reçue. Puis, avec l'aide d'une jeune fille au pair française qui allait chercher Jamie à la garderie tous les jours à midi et préparait le repas pour lui et James, Zoe était arrivée au terme des trois ans d'étude. Pour sa performance de fin d'année, son grand-père avait convié son agent, ainsi qu'une flopée de directeurs de distribution.

— Ma chérie, le monde tourne au népotisme, qu'on soit acteur ou boucher !

Avant même d'être officiellement diplômée, elle avait un agent et un petit rôle dans un feuilleton télévisé. Jamie avait commencé l'école, et la carrière de Zoe avait aussitôt décollé – malgré la légère déception que cela soit sur le petit écran, elle qui avait toujours tant aimé la scène.

Un soir où elle était rentrée d'humeur bougonne après une journée infructueuse de tournage pour cause de pluie, son grand-père l'avait sermonnée.

— Mon enfant, cesse de te plaindre. Tu as un contrat, ce qui est bien plus que ne peut espérer un jeune acteur. La Royal Shakespeare Company viendra, c'est promis.

Si Zoe avait remarqué le déclin progressif de son grand-père au cours des trois dernières années, elle avait choisi de l'ignorer. Finalement, devant ses grimaces de douleur, elle avait insisté pour qu'il aille consulter.

Le médecin lui avait alors diagnostiqué un cancer de l'intestin à un stade avancé. Les métastases s'étaient propagées au foie et au côlon. À cause de son âge et de son état de fragilité, la chimiothérapie n'était pas envisageable. L'oncologue avait suggéré les soins palliatifs, pour lui permettre de passer le temps qu'il lui restait dans de meilleures conditions, sans tubes ni perfusions. Un appareillage qui pourrait ensuite être installé chez lui si nécessaire.

Quand elle pénétra dans la maison vide de Welbeck Street, les yeux de Zoe se remplirent de larmes. Deux mois plus tôt, la belle demeure embaumait encore le tabac Old Holborn, que James avait continué de fumer en cachette. Dans les derniers mois, la maladie l'avait considérablement affaibli. Sa vue et son ouïe lui faisaient défaut, et ses os âgés de quatre-vingt-quinze ans avaient trop vécu. Pourtant, son charisme, son sens de l'humour, sa force intérieure n'avaient jamais cessé d'habiter la maison.

L'été passé, Zoe avait pris la décision d'envoyer Jamie en pension, même si cela lui brisait le cœur. Elle ne voulait pas qu'il soit témoin de la mort lente de son arrière-grand-père chéri. Le lien entre eux était si fort qu'elle espérait créer une transition douce vers une vie sans « Grand James », comme l'appelait Jamie. L'enfant n'avait pas vu les lignes se creuser sur son visage, ses mains trembler au jeu roche-papier-ciseaux, ni son sommeil épuisé qui l'emportait jusqu'au soir. Non, Jamie était parti en pension à la rentrée, et s'y était parfaitement épanoui. Zoe, elle, avait mis sa carrière sur pause pour s'occuper de son grand-père.

Puis, par un froid matin de novembre, Zoë débarrassait une tasse de thé vide quand James avait retenu son poignet.

— Où est Jamie?

— À l'école.

— Tu peux aller le chercher cette fin de semaine? Il faut que je le voie.

— James, je ne suis pas sûre que ce soit une bonne idée…

— C'est un petit garçon intelligent, très mature pour son âge. Je sais depuis sa naissance que je ne suis pas immortel. Il était évident que je ne verrais que ses plus jeunes années. Et je l'ai préparé à mon départ.

— Je vois.

Sa main tenant la tasse de thé tremblait comme celle du vieil homme.

— Tu peux le ramener à la maison? Je dois le voir. Vite.

— D'accord.

À contrecœur, Zoë était allée chercher Jamie à sa pension ce vendredi-là. Sur le chemin de la maison, elle lui avait expliqué que Grand James était très malade. Jamie avait hoché la tête et ses mèches blondes étaient tombées sur ses yeux, dissimulant son regard.

— Je sais. Il me l'a déjà dit. Il a aussi dit qu'il m'appellerait… pour lui dire au revoir.

À leur arrivée, l'enfant s'était rué dans les escaliers et Zoë avait fait les cent pas dans la cuisine, s'inquiétant de la réaction de son bébé devant la maladie.

Ce soir-là, ils avaient soupé dans la chambre de James, tous ensemble. L'humeur du vieil homme s'était considérablement allégée. Jamie avait passé tout le reste de la fin de semaine au chevet de son arrière-grand-père. Quand Zoë était enfin montée pour annoncer qu'il était temps de retourner à la pension avant le couvre-feu du dimanche soir, James avait serré le garçon dans ses bras.

— Au revoir, mon bonhomme. Prends bien soin de toi. Et de ta mère.

— Oui. Je t'aime, Grand James.

Leur étreinte contenait toute l'émotion et toute la sincérité de l'enfance.

Le trajet du retour dans le Berkshire s'était fait en silence. Mais dans le stationnement de la pension, Jamie avait déclaré :

— Je ne reverrai jamais Grand James, tu sais. Il s'en va bientôt, il me l'a dit.

— Je suis désolée, mon chéri.

— Ne t'inquiète pas, Maman. Je comprends.

Et avec un signe de la main, il avait disparu dans l'école.

Moins d'une semaine plus tard, sir James Harrison, chevalier de l'Ordre de l'Empire britannique, quittait ce monde.

• • •

Zoe se gara au bord du trottoir sur Welbeck Street, sortit de la voiture et contempla la maison qui lui revenait à présent. La bâtisse en briques rouges, malgré sa façade victorienne plus récente, avait plus de deux cents ans. Le cadre des immenses fenêtres avait bien besoin d'un coup de peinture. Contrairement à ses voisines, la demeure imposante semblait enflée comme un ventre plein, et s'élevait sur cinq étages, surplombés par les fenêtres du grenier qui regardaient la rue comme deux yeux pétillants. Zoe gravit les marches, déverrouilla la lourde porte d'entrée et la ferma derrière elle après avoir récupéré le courrier sur le paillasson. Dans la maison glaciale, le souffle de la jeune femme se transforma en buée et elle frissonna, regrettant le confort de Haycroft House. Mais elle avait du pain sur la planche. Juste avant de mourir, James l'avait vivement encouragée à accepter le rôle principal dans une nouvelle adaptation de *Tess d'Urberville*, sous la direction de Mike Winter, un jeune réalisateur prometteur. Elle n'avait donné le scénario à son grand-père que pour tromper l'ennui de la convalescence, et n'avait jamais cru qu'il le lirait – elle en recevait tant !

Et pourtant, son grand-père avait insisté :

— Un rôle comme celui de Tess ne va pas arriver par magie toutes les semaines et ce scénario est exceptionnel. Ma chère enfant, je t'encourage à l'accepter. Ce film fera de toi la star que tu mérites d'être.

Il n'avait pas eu besoin de jouer la carte du dernier souhait. Elle l'avait vu dans ses yeux.

Sans même ôter son manteau, Zoe avança dans l'entrée et alluma le thermostat. Elle entendit le chauffe-eau antique revenir à la vie et pria pour que la plomberie n'ait pas gelé avec les températures hivernales. Dans la cuisine, les verres à vin vides et cendriers sales étaient encore entassés dans l'évier, restes de la veillée funèbre qu'elle s'était sentie obligée d'organiser après la messe commémorative de la veille. L'occasion pour elle de parfaire sa posture de la gratitude alors que des dizaines d'invités se relayaient pour lui présenter leurs hommages et l'abreuver de leurs meilleures anecdotes sur son grand-père.

Sans conviction, elle vida les cendriers dans la poubelle déjà pleine. Une bonne partie de son cachet pour *Tess* devrait être consacrée à la rénovation de la maison – la cuisine à elle seule avait désespérément besoin d'être modernisée.

Sur le plan de travail, le répondeur clignotait. Zoe appuya sur « Lecture ».

— Zoe ? Zoeeeeeeee ? Bon, OK, tu n'es pas là. Rappelle-moi, tout de suite. Vraiment. C'est urgent !

Zoe grimaça en entendant la diction nonchalante de son frère. Elle avait été horrifiée de le voir arriver débraillé à l'église la veille – pas même une cravate ! – mais de toute façon, il s'était éclipsé tout de suite après la messe, sans lui dire au revoir. Évidemment, il boudait encore.

Juste après la mort de James, elle avait assisté à la lecture du testament en compagnie de Marcus et de leur père. Sir James Harrison avait décidé de léguer toute sa fortune ainsi que Haycroft House à Jamie, quand il aurait vingt et un ans. Il avait également prévu un fonds pour les frais de scolarité de l'enfant, y compris pour l'université. La demeure de Welbeck Street avait été attribuée à Zoe, comme tous les trésors accumulés au cours de sa carrière de comédien, qui prenaient presque tout l'espace du grenier de Haycroft House. Il ne lui avait pas laissé d'argent. Zoe avait compris qu'il pensait la faim nécessaire pour la pousser à poursuivre sa carrière. Il avait aussi mis une petite somme de côté, destinée à la bourse de la Fondation Sir-James-Harrison, pour payer les frais de scolarité de deux jeunes talents dans une école de théâtre. Et il avait demandé à Charles et à Zoe de créer cette fondation.

James avait légué cent mille dollars à Marcus, « un geste dérisoire », d'après ce dernier. À la lecture du testament, sa déception était palpable.

Zoe alluma la bouilloire en se demandant s'il était bien sage de rappeler son frère. À une heure si matinale, il serait probablement encore saoul, et totalement inintelligible. Mais il avait beau être égocentrique au possible, Zoe l'aimait. À ses yeux, il restait le garçon adorable qui avait toujours pris soin d'elle quand elle était petite. Et peu importait son récent comportement, Marcus avait un bon fond... qui s'accompagnait malheureusement d'une tendance à tomber amoureux des mauvaises femmes et d'un instinct catastrophique pour les affaires. Deux travers qui l'avaient conduit au plus bas.

Après l'université, Marcus avait rejoint leur père à L.A. dans l'espoir de se faire un nom comme producteur. Mais les choses ne s'étaient pas déroulées comme prévu. En dix ans, tous les projets de Marcus s'étaient effondrés les uns après les autres, anéantissant toutes ses illusions et celles de son bienfaiteur paternel. Désormais, Marcus était ruiné.

Quand il était rentré piteusement en Angleterre trois ans plus tôt, James avait déclaré :

— Le problème avec ce garçon, c'est qu'il a un bon fond mais que c'est un rêveur.

Il avait dégainé la proposition de film que Marcus lui avait envoyée dans l'espoir d'obtenir un financement, et avait conclu :

— Ce nouveau projet, c'est ton frère tout craché. Plein de pseudo-élans politiques et de morale, mais où est l'histoire ?

Par conséquent, il n'avait pas soutenu le film.

Zoe se sentait vaguement coupable d'avoir été privilégiée par James, à la fois de son vivant et dans son testament.

Les doigts serrés sur sa tasse de thé brûlant, elle fit le tour du salon, contemplant pensivement le mobilier en acajou éraflé, le canapé usé, les vieilles chaises à l'assise affaissée. Les lourds rideaux damassés étaient délavés et de fines entailles verticales striaient le tissu, comme lacéré par le temps. En montant l'escalier pour aller dans sa chambre, Zoe pensa qu'il faudrait essayer d'enlever les épais tapis élimés, pour voir si le parquet pouvait encore être sauvé.

Elle s'immobilisa sur le palier, devant la chambre de James. Elle ouvrit la porte et franchit le seuil, l'imaginant sur son lit, souriant. Maintenant que tout l'attirail sinistre pour le garder en vie avait été retiré, la pièce semblait bien vide.

Soudain, toutes ses forces la quittèrent et elle glissa, dos contre le mur, se recroquevilla au sol et laissa sa douleur s'exprimer en des sanglots qui secouèrent tout son corps. C'était la première fois qu'elle se laissait aller ainsi. Jusqu'alors, elle avait tenu le coup pour Jamie. Mais à présent, seule pour la première fois dans la maison, elle pleurait, pour elle, pour la perte de son vrai père, qui était aussi son meilleur ami.

La sonnette la fit sursauter. Elle resta immobile, priant pour que l'intrus s'en aille et la laisse panser ses plaies en paix.

Mais le carillon retentit à nouveau.

— Zoe ! Je sais que tu es là, ta voiture est garée sur le trottoir. Ouvre-moi !

— Marcus, maugréa-t-elle.

Elle essuya rageusement les larmes sur ses joues, dévala l'escalier et ouvrit la porte d'entrée pour trouver son frère adossé à une colonne en pierre.

— Houlà ! Tu as une mine aussi abominable que moi, dis donc, commenta-t-il.

— Je te remercie.

— Je peux entrer ?

— Maintenant que tu es là, tu as plutôt intérêt.

Elle s'écarta et Marcus se dirigea droit vers le meuble à alcools du salon. Avant même qu'elle n'ait eu le temps de fermer la porte, il avait déjà sorti le décanteur et se servait une dose généreuse de whisky.

— J'allais te demander si tu tiens le coup, mais vu ta tête je dirais que non, fit-il en se laissant tomber sur le fauteuil en cuir.

— Marcus, qu'est-ce que tu veux ? J'ai une tonne de choses à gérer…

— Arrête, n'essaie pas de me faire croire que la vie est dure pour toi, alors que ce bon vieux James t'a laissé sa maison.

— Il t'a légué une belle somme. Je sais que tu es en colère mais…

— En colère ? Tu m'étonnes ! Je suis à deux doigts de convaincre Ben McIntyre de réaliser mon nouveau projet de film. Mais il veut d'abord être certain que j'ai les fonds pour commencer la préproduction. Tout ce qu'il me faut, c'est cent mille dollars sur le compte en banque de ma société, et je te parie qu'il dira oui.

Zoe s'installa sur le sofa et entreprit de masser ses tempes endolories.

— Sois patient. Une fois que le testament sera authentifié, tu les auras. Tu ne peux pas emprunter en attendant ?

— Tu connais l'état de mes finances. Quelle banque accepterait de m'accorder un prêt ? Sans compter que Marc One Films n'a pas un historique financier reluisant. Si j'attends trop, Ben va passer à autre chose. Sérieusement, Zo, si tu rencontrais ces types, toi aussi, tu aurais envie de t'impliquer dans le projet. Ça va être le plus grand succès de la décennie ! Si ce n'est du millénaire…

Zoe soupira. Elle connaissait par cœur le nouveau projet de Marcus, tant il le lui avait rebattu les oreilles avec ces dernières semaines.

— … et on doit demander dès aujourd'hui les permis de tournage au Brésil. Si seulement Papa voulait bien me prêter l'argent en attendant l'héritage… mais il a dit non.

Marcus lui lança un regard éloquent.

— Tu ne peux pas en vouloir à Papa de te dire non. Il t'a déjà assez aidé.

— Mais cette fois c'est différent. Ça va tout changer, Zoe. Je te le jure !

Elle se tourna vers lui et soutint son regard. Son visage semblait de plus en plus ravagé ces dernières semaines, et elle commençait à s'inquiéter sérieusement de sa consommation d'alcool.

— Je n'ai pas d'argent. Tu le sais.

— Arrête un peu ! Je suis sûr que tu pourrais facilement hypothéquer la maison, ou même contracter un prêt à ma place, juste pour quelques semaines.

— Ça suffit !

Elle frappa l'accoudoir du plat de la main.

— Écoute-toi parler, un peu ! Et après tu t'étonnes que James ne t'ait pas laissé la maison pour que tu la revendes aussitôt ? Quand est-ce que tu lui as rendu visite pour la dernière fois ? Qui s'est occupé de lui pendant sa maladie ? Qui l'aimait…

La voix de Zoe s'éteignit alors qu'elle ravalait un sanglot.

Marcus eu la décence de se montrer honteux. Il baissa les yeux et avala une rasade de whisky.

— Certes. Mais de toute façon, tu as toujours été sa préférée, pas vrai ? On ne peut pas dire que j'ai eu ma chance.

— Marcus, qu'est-ce qui t'arrive ? Je t'aime et je voudrais t'aider, mais…

— Mais tu ne me fais pas confiance. Exactement comme Papa et sir James. C'est ça, la vraie raison, n'est-ce pas ?

— Oh, Marcus… tu ne peux pas m'en vouloir, vu ton comportement. Je ne me souviens même pas de la dernière fois où je t'ai vu sobre !

— Tu peux garder ta pitié. Quand Maman est morte, tout le monde s'inquiétait de savoir ce qu'il allait advenir de la précieuse Zoe. Et moi alors, hein ?

— Si tu as envie de déterrer le passé, fais-le tout seul. Moi, je suis trop épuisée pour ça.

Elle se leva et désigna la porte.

— Appelle-moi quand tu auras décuvé, je ne veux pas te parler dans cet état.

— Zoe…

— Je suis sérieuse. Je t'aime, mais tu vas devoir te ressaisir.

Il se leva maladroitement et, laissant son verre de whisky sur le tapis, sortit de la pièce.

— N'oublie pas que tu es censé m'accompagner à une avant-première la semaine prochaine ! lança-t-elle.

Pour toute réponse, elle entendit la porte d'entrée claquer.

Chamboulée par toutes ces émotions, Zoe se réfugia dans la cuisine pour se préparer une tisane à la camomille, puis elle passa en revue les placards vides. Elle allait devoir se contenter d'un paquet de chips pour le souper. Elle se mit ensuite à écumer la pile de courrier à côté du téléphone, en quête de l'invitation à l'avant-première du film qu'elle avait fini de tourner juste avant que l'état de James ne se détériore. Elle trouva l'enveloppe et en sortit le carton. Soudain, un nom attira son attention.

— Oh mon Dieu.

Zoe se laissa tomber sur une chaise, le ventre noué.

# 4

Marcus Harrison s'engouffra dans l'allée lugubre derrière le bureau de paris de North End Road ouvert vingt-quatre heures sur vingt-quatre et déverrouilla la porte de son immeuble. De sa boîte aux lettres dans le hall d'entrée, il tira une pile d'enveloppes, toutes renfermant sans doute une menace quelconque s'il ne remboursait pas ses dettes immédiatement, puis il prit l'escalier, grimaçant en sentant une odeur d'égouts. Enfin, il ouvrit la porte de son appartement, la ferma derrière lui et s'y adossa.

Il était dix-huit heures, pourtant sa gueule de bois de la veille ne faiblissait pas. Marcus se dirigea vers le salon et la bouteille à moitié vide qui l'y attendait, alimentant au passage le tas de factures qui prenaient la poussière sur le plan de travail. Il se versa une généreuse dose de whisky dans un verre sale, s'assit et laissa la chaleur réconfortante de l'alcool l'envahir. Comment les choses avaient-elles pu en arriver là ?

Lui, l'aîné d'un homme riche à qui tout réussissait. Le petit-fils du comédien le plus acclamé du pays. En d'autres termes, l'héritier d'un royaume. Même sans ça, il avait le physique pour lui, une certaine morale, et il était gentil… enfin, il essayait de l'être avec son drôle de neveu intello. De manière générale, il correspondait au type à qui la vie souriait. Et pourtant, c'était loin d'être le cas. D'ailleurs, ça ne l'avait jamais été.

Que lui avait dit son père, déjà? À la sortie de la messe commémorative, quand il l'avait supplié de lui prêter cent mille dollars en attendant l'authentification du testament? Ah oui, qu'il n'était qu'un «ivrogne paresseux» qui comptait sur les autres pour résoudre ses problèmes. Ça faisait mal. Très mal.

Peu importe ce que son père pensait de lui, Marcus savait qu'il avait toujours fait de son mieux. Sa mère lui avait tant manqué après l'accident que, pendant deux ans, une douleur vive dans sa poitrine ne l'avait pas quitté. À l'époque, il était incapable d'exprimer sa peine – le mot «maman» restait bloqué comme une boule dans sa gorge – et dans l'atmosphère brutale et dure de l'internat pour garçons, l'adolescent s'était vu contraint de garder pour lui ses émotions. Alors il avait tout intériorisé et avait travaillé dur. Pour elle. Et personne n'avait remarqué ses efforts. Non, tout le monde était bien trop occupé à s'inquiéter pour sa petite sœur. Quand il avait décidé de tenter sa chance en tant que producteur à L.A., choisissant des projets qui auraient plu à sa mère «parce qu'ils disaient quelque chose sur le monde», ses films s'étaient cassé la figure, encore et encore.

À l'époque, son père s'était montré compréhensif.

— Rentre à Londres, Marcus. L.A. n'est pas faite pour toi. L'Angleterre est bien plus réceptive aux films indépendants à petit budget que tu veux produire.

Charles lui avait donné une coquette somme pour s'installer à Londres et vivre confortablement. Alors Marcus avait emménagé dans un appartement spacieux de Notting Hill et avait créé sa société, Marc One Films.

Et puis… il était tombé amoureux d'Harriet, une déesse blonde aux jambes interminables – il avait toujours eu un faible pour les jolies blondes – qu'il avait rencontrée à une projection d'un film de Zoe. Actrice en herbe elle aussi, elle avait été enchantée de faire la connaissance de « Marcus Harrison – producteur et petit-fils de sir James Harrison »... comme le présentaient les tabloïds. Il avait dilapidé tout l'argent donné par son père pour satisfaire les goûts de luxe d'Harriet, mais quand elle s'était rendu compte qu'il n'était « qu'un raté tablant sur son nom de famille », elle l'avait quitté pour un prince italien. Marcus avait alors dû piteusement supplier son père d'éponger les dettes qu'elle lui avait laissées.

— C'est la dernière fois que je te sauve la mise ! Reprends ta vie en main, Marcus. Trouve-toi un vrai travail !

Puis il avait croisé le chemin d'un copain d'école, qui lui avait parlé d'un projet de film que lui et quelques autres types dans la finance voulaient soutenir. Il avait offert à Marcus l'opportunité de le produire. L'ego toujours piqué par la critique sentencieuse d'Harriet sur sa vie et sa carrière, Marcus avait demandé une autorisation de découvert colossale pour rassembler le capital nécessaire. Puis il avait tourné six mois en Bolivie, où il était tombé sous le charme du pays et de la grandeur de la forêt amazonienne, ainsi que de la résilience des populations qui y vivaient depuis des millénaires.

Le film avait fait un flop magistral et Marcus n'avait pas récupéré un seul penny sur son investissement. Avec le recul, force lui était de reconnaître que le scénario avait des faiblesses et que, malgré une puissante valeur morale, le tout manquait cruellement de consistance. Alors, quand il avait reçu le scénario d'un jeune auteur brésilien dont la lecture lui avait arraché des larmes, il avait su que c'était le film de sa carrière.

Malheureusement, pas une seule banque n'accepterait de lui prêter quoi que ce soit et son père refusait catégoriquement de « jeter encore plus d'argent par les fenêtres », selon ses propres mots. Plus personne n'avait foi en lui – juste au moment où il comprenait enfin ce qui faisait un film non seulement éthique, mais beau. Il était sûr que celui-ci serait diffusé dans les cinémas du monde entier, et peut-être même empocherait-il des récompenses. Le public ne manquerait pas d'être touché par cette magnifique histoire d'amour, et apprendrait quelque chose d'intelligent au passage. Désespéré devant le manque de soutien de son entourage, il n'avait pas honte d'admettre qu'il avait jubilé en apprenant la mort de son grand-père. Bien sûr, sir James avait toujours préféré Zoe, mais après tout, le frère et la sœur étaient ses deux seuls petits-enfants.

La lecture du testament ne s'était pas déroulée comme prévu. Pour la première fois de sa vie, Marcus avait fait l'expérience de l'amertume. Son assurance et son optimisme avaient volé en fumée. Toute sa vie n'était qu'un échec.

*Est-ce que c'est ça, la dépression ?*

Le téléphone sonna, interrompant ses pensées. Se doutant de l'origine de l'appel, il décrocha avec appréhension.

— Salut, Zo. Écoute, je suis vraiment désolé pour l'autre jour. Je n'aurais pas dû dire ça, je ne sais pas ce qui m'a pris. Je… je ne suis pas tout à fait moi-même en ce moment.

Il entendit un profond soupir à l'autre bout du fil.

— C'est pas grave. On est tous à cran ces temps-ci. Je t'ai laissé un message sur le répondeur il y a quelques jours, tu l'as bien reçu ? Tu te souviens que tu es censé m'accompagner à une avant-première ce soir ?

— Euh… non.

— Marcus ! Ne me dis pas que tu ne peux pas venir. J'ai vraiment besoin de toi.

— Tu es bien la seule.

— Arrête de te morfondre. File sous la douche et retrouve-moi au bar américain du Savoy dans une heure. C'est moi qui invite.

— Comme c'est généreux de ta part, répliqua-t-il.

Aussitôt, il regretta son sarcasme.

— Désolé. Je n'ai pas trop le moral en ce moment, c'est tout.

— OK. Rendez-vous à dix-neuf heures. On en parlera à ce moment-là. Tu sais, j'ai vraiment écouté ce que tu m'as dit l'autre jour.

— Merci. À plus tard, marmonna-t-il.

Ce soir-là, un deuxième whisky posé devant lui, Marcus s'installa au bar du salon feutré style art déco. Quand Zoe arriva enfin, dans une robe fourreau noire et parée de pendants d'oreilles en diamant, toutes les têtes – hommes comme femmes – se tournèrent pour l'admirer. Marcus se leva pour l'accompagner à une table.

— Zoe, tu es resplendissante ce soir, dit-il en lissant machinalement le pantalon de costume froissé qu'il avait déterré de la pile de linge sale.

— Tu trouves ?

Elle déposa un baiser sur sa joue, s'assit et porta nerveusement la main à ses cheveux aux reflets dorés, rassemblés en un chignon sophistiqué.

— Non, vraiment ? Qu'est-ce que tu en penses ? Je n'ai pas l'air trop classique ?

— Tu ressembles à Grace Kelly, élégante et classe. C'est bon ? Je peux arrêter avec les compliments ?

Elle sourit.

— Oui, merci.

— Qu'est-ce qui t'arrive ? Ce n'est pas ton genre de t'inquiéter de ton allure.

— Rien, rien. Tu veux bien me commander une flûte de champagne ?

Marcus s'exécuta et, quand le verre arriva, Zoe le porta aussitôt à ses lèvres, en vida la moitié et le posa sur la table.

— Ça fait du bien.

— On croirait m'entendre, plaisanta-t-il.

— Espérons que ma demi-coupe de champagne n'aura pas le même effet sur mon apparence que sur la tienne. Tu as une mine affreuse.

— Honnêtement, je le sens. Tu as repensé aux cent mille livres ?

— Tant que le testament n'est pas authentifié, je n'ai tout simplement pas les fonds.

— Mais tu dois pouvoir emprunter? S'il te plaît, Zo... Si je ne me dépêche pas, le projet va me filer sous le nez.

— Je sais. Je te crois, vraiment.

— Merci. Enfin, franchement, toi aussi tu dois un peu en vouloir au grand-père, non? Désolé de dire ça, mais pourquoi un enfant de dix ans aurait besoin d'être millionnaire? Tu imagines un peu la somme que ça fera dans onze ans, quand Jamie touchera son héritage?

— Je comprends que tu sois blessé. Mais ce n'est pas juste de ta part de reprocher le testament à Jamie.

— Tu as raison.

Il vida les dernières gouttes de son verre, en commanda un nouveau, puis reprit:

— C'est que je suis au bout du rouleau. Tout va de travers. Je vais avoir trente-quatre ans. Peut-être que c'est ça, en fait. Peut-être que je me prends un coup de vieux. Je n'ai même plus de vie sexuelle.

Zoe leva les yeux au ciel.

— Arrête, tu vas me faire pleurer.

Marcus agita sa cigarette dans sa direction.

— Tu sais, c'est exactement le genre de réaction à laquelle je m'attends de la part de ma famille. Vous êtes toujours en train de m'infantiliser, de me parler de ce ton condescendant.

— Et c'est notre faute, peut-être? Vois la réalité en face, tu t'es fourré dans de sacrés pétrins ces dernières années.

— Oui, mais aujourd'hui j'ai trouvé une cause dans laquelle je suis impliqué à cent pour cent, et personne ne me croit ni ne me soutient.

Zoe sirota une gorgée de champagne et regarda sa montre. Vingt-cinq minutes avant le début de la soirée. Vingt-cinq minutes avant de le voir... Son cœur se mit à battre plus rapidement et elle sentit son ventre se serrer.

— Écoute, Marcus, il faut qu'on y aille. Tu veux bien demander l'addition ?

Marcus fit signe au serveur pendant que Zoe prenait une cigarette dans son paquet.

— Je ne savais pas que tu fumais.

— Je ne fume pas. Enfin, ça dépend. Bon…

Elle inhala une bouffée de nicotine et, se sentant plus nauséeuse encore, écrasa la cigarette à peine consumée dans le cendrier.

— … j'ai une idée pour résoudre ton problème. Mais d'abord, je dois en parler à Papa.

— Dans ce cas, c'est nul. Il n'a jamais été autant remonté contre moi.

— Je m'en occupe.

— C'est quoi, ta brillante idée ? Dis-la-moi tout de suite, s'il te plaît. Pour que je puisse enfin dormir ce soir.

— Non, pas avant que j'aie pu en discuter avec lui. Tu en es où, en ce moment ? Tu as besoin de liquide ?

— Pour être honnête, oui. Je compte mes dernières livres et je suis sur le point de me faire éjecter de mon taudis.

Zoe sortit un chèque de son sac à main et le tendit à Marcus.

— Tiens. Mais attention, c'est un prêt. J'ai dû piocher dans mes économies, et je compte sur toi pour me rembourser quand tu auras l'héritage.

— Évidemment. Merci, Zoe. Vraiment.

Il plia le chèque et le glissa dans la poche intérieure de sa veste.

— Ne t'en sers pas pour acheter du whisky, s'il te plaît. Bon, allons-y.

Ils prirent un taxi qui avança péniblement à travers les embouteillages de Piccadilly Circus.

— Tu apparais longtemps, dans ce film ? demanda Marcus.

— J'ai le second rôle. Figure-toi que même toi, tu vas peut-être apprécier. C'est un bon film : petit budget et très profond.

Sur Leicester Square, un espace devant l'Odeon était délimité par des cordons. Zoe coinça nerveusement une mèche blonde derrière son oreille.

— OK. On y va.

Elle sortit de la voiture, frissonnant sous la bruine glaciale, et parcourut du regard la foule de curieux. C'était une production sans star hollywoodienne ni effets spéciaux, mais tous étaient là pour une seule personne. Sur l'immense affiche éclairée par des projecteurs, le profil de Zoe était en partie caché par l'actrice principale, la plantureuse Jane Donohue.

— Eh ben, j'aurais dû m'intéresser un peu plus à ton film pendant le tournage, commenta Marcus.

— Sois gentil avec elle, quand tu la rencontreras. D'accord ?

Instinctivement, Zoe prit la main de son frère pour remonter le tapis rouge.

— Je suis toujours gentil avec les belles femmes !

— Tu as compris ce que je voulais dire. Et reste près de moi, tu promets ?

Elle serra davantage la main de son frère, qui haussa les épaules.

— Si tu y tiens…

— J'y tiens.

Les flashs crépitèrent alors qu'ils pénétraient dans le grand hall empli d'acteurs de feuilletons, de comédiens et de célébrités du moment. Zoe accepta un verre de vin que lui proposait un serveur sur un plateau, et regarda nerveusement autour d'elle. À l'évidence, il n'était pas encore arrivé.

Sam, le réalisateur, déboula pour l'embrasser avec enthousiasme.

— Ma chérie, j'étais désolé d'apprendre pour ce pauvre sir James. Je voulais venir à la commémoration, mais j'étais terriblement pris par toute cette folie du film.

— Ne t'en fais pas, Sam. C'est pour le mieux. Il souffrait trop vers la fin.

— En tout cas, le deuil te va à ravir ! Tu es magnifique ce soir. Il y a une véritable effervescence autour de ce film, et la communication a vraiment eu une idée de génie avec cette histoire d'œuvre caritative de la famille royale. On va avoir droit à une tonne de presse demain, et avec toi dans cette robe, bingo les photos !

Il lui baisa la main et sourit.

— Profite bien, ma belle. À plus tard !

Quand Zoe se retourna, Marcus avait déjà disparu.

— C'est pas vrai…

Elle sentait l'adrénaline courir dans ses veines et lui monter à la tête. Alors elle décida que, ce soir, elle avait le droit de se conduire de manière complètement immature et lâche, et elle se réfugia aux toilettes pour calmer son cœur battant. Elle attendit que les lumières s'éteignent dans la salle de cinéma pour se glisser dans son fauteuil à côté de Marcus.

— Tu étais où ?

— Aux toilettes. Problèmes d'intestins.

— Classe, dit-il alors que le générique commençait.

Zoe passa toute la projection dans un état second. Le seul fait de savoir qu'il était là, dans l'auditorium, à quelques mètres seulement d'elle, qu'ils respiraient le même air pour la première fois en dix ans, la chamboulait à tel point qu'elle douta à plusieurs reprises d'avoir la force de tenir jusqu'à la fin de la séance sans s'évanouir. Après tout ce temps passé à se dire qu'il ne s'agissait que d'un béguin adolescent, force lui était de constater que ces sentiments profonds ne l'avaient jamais quittée. Elle s'était servie de Jamie comme d'une excuse pour son célibat depuis des années. Elle disait qu'elle ne voulait pas le perturber en faisant défiler les hommes dans sa vie. Mais ce soir-là, elle comprit qu'elle s'était bercée d'illusions.

*Et comment exorcise-t-on un fantôme du passé ? En le regardant droit dans les yeux.* Si elle voulait se libérer un jour de son emprise invisible, elle devait détruire le fantasme que son cerveau avait construit au fil des années. Le confronter, trouver ses imperfections ; c'était sa seule chance de guérir. Sans compter qu'il l'avait probablement oubliée depuis longtemps. Une éternité s'était écoulée, et il rencontrait tant de monde. Tant de femmes.

Les lumières se rallumèrent et un tonnerre d'applaudissements retentit. Zoe s'agrippa à l'accoudoir pour ne pas s'enfuir en courant. Marcus déposa un baiser sur sa joue et lui serra le bras.

— Tu étais super ! Sérieusement. Ça te dit, un rôle dans mon nouveau film ?

— Merci.

Zoe était paralysée. Alors que la foule quittait peu à peu l'auditorium, toutes ses bonnes résolutions s'envolèrent.

Quand Marcus se leva enfin pour se diriger vers la sortie, elle proposa :

— On rentre à la maison ? Je suis vraiment barbouillée.

— Tu n'es pas censée serrer quelques mains ? Profiter des éloges ? Je parlais avec Jane Donohue quand tu as disparu aux toilettes, et on a prévu de se retrouver à l'après-soirée.

— Marcus ! Tu m'as promis de rester avec moi ! Ramène-moi à la maison, s'il te plaît. Je ne me sens pas bien.

Il soupira.

— Bon, d'accord. Je vais juste trouver Jane pour la prévenir.

Zoe resta plantée au milieu de la foule, comptant les secondes qui la séparaient du retour de Marcus et de leur départ. Soudain, elle sentit une légère tape sur son épaule.

— Zoe ?

Elle se tourna, et le sang afflua aussitôt à son visage. C'était lui. Un peu plus âgé, avec quelques ridules souriantes autour de ses yeux verts et de part et d'autre de sa bouche. Mais son corps semblait aussi ferme dans son costume que dix ans plus tôt. Elle était incapable de le quitter des yeux.

— Comment vas-tu ?

Zoe s'éclaircit la gorge.

— Très bien, merci.

— Tu es… à couper le souffle. Plus belle encore que la dernière fois qu'on s'est vus.

Il parlait à voix basse, légèrement penché en avant comme pour lui murmurer ses mots à l'oreille. Elle sentait son parfum, familier, terriblement attirant.

— Oh, et j'ai beaucoup aimé le film. Je t'ai trouvée excellente.

— Merci.

Un homme en costume gris apparut à côté de lui et tapota ostensiblement sa montre.

— J'arrive dans une minute.

Le costume gris disparut dans la foule.

— Ça fait si longtemps, dit-il avec nostalgie. J'ai appris, pour ton grand-père. J'ai failli t'écrire, mais je ne connaissais pas ta, euh… situation.

Il lui lança un regard interrogateur, et elle secoua la tête.

— Je n'ai pas d'attaches, dit-elle.

Elle regretta aussitôt son aveu.

— Écoute, j'ai bien peur de devoir te laisser. Peut-être que je pourrais… t'appeler ?

— Je…

Il tendit la main pour lui caresser la joue, mais s'arrêta juste avant de frôler sa peau.

— Zoe… je…

La douleur était visible dans ses yeux.

— Au revoir, lâcha-t-il avec un geste de la main résigné.

Puis il fit volte-face. Zoe resta plantée au milieu du hall à présent déserté, ne voyant rien d'autre que cet homme qui la quittait pour une affaire d'une plus grande importance, comme toujours. Pourtant, son cœur exultait.

Dans un état second, Zoe regagna les toilettes pour retrouver ses esprits. En croisant son reflet dans le miroir, elle vit que la lumière qui s'était brutalement éteinte dix ans plus tôt venait d'être rallumée.

Quand elle retrouva Marcus dans le hall, il tapait du pied impatiemment.

— Bon sang, mais tu as vraiment un problème. Ça va aller jusqu'à la maison ?

Zoe sourit et passa son bras autour de celui de son frère.

— Bien sûr que ça va aller.

# LE CAVALIER BLANC

*Le cavalier, avec sa trajectoire en L,*
*est la plus imprévisible des pièces.*

# 5

Joanna était encore en retard. Jouant des coudes, elle se fraya un chemin dans le bus à travers les corps serrés les uns contre les autres et sauta sur le trottoir de Kensington High Street juste avant la fermeture des portes. Elle se mit à courir au milieu de l'armée de costumes noirs ou gris avec leur attaché-case, sentant la morsure du froid matinal sur sa peau. Jetant un coup d'œil à sa montre, elle accéléra le rythme. Cela faisait bien longtemps qu'elle n'avait pas fait de jogging, choisissant à la place d'engloutir des litres de crème glacée devant des rediffusions de vieilles émissions à la télé. Dans le Yorkshire, elle courait sept kilomètres par jour – en pente qui plus est – et même si elle avait tenté de garder ce rythme à Londres, c'était tout bonnement impossible. L'air pur des landes lui manquait, ainsi que les lièvres et faucons pèlerins que l'on apercevait parfois. En ville, au mieux, elle tombait sur un pigeon qui avait encore ses deux pattes.

Joanna arriva à bout de souffle devant l'immeuble du *Morning Mail*. Elle trébucha en passant les portes en verre et brandit son badge en direction de Barry, l'agent de sécurité assis derrière son bureau.

— Hé, du calme, Jo. Y a pas le feu !

Elle lui répondit avec une grimace et bondit dans l'ascenseur – par miracle ouvert – en priant pour ne pas trop transpirer. Enfin, à neuf heures dix, elle s'effondra derrière son bureau enseveli sous les papiers et chercha son clavier dans tout ce bazar. Puis elle leva la tête. Personne ne semblait avoir remarqué son retard. Après avoir démarré son ordinateur, elle mit de côté tous les journaux, magazines, brouillons, lettres restées sans réponse et photos dans son panier de documents à trier. Elle n'aurait qu'à rester tard un soir pour ranger tout ça. Enfin, elle sortit une pomme de son sac et entreprit d'ouvrir le courrier du jour.

*Chère miss Haslem...*

— Ça ne s'écrit pas comme ça, marmonna-t-elle.

*Je vous écris pour vous remercier du bel article que vous avez fait sur mon fils, dont l'avion miniature Airfix est resté collé à la colle super glue sur sa joue. Je me demandais si vous accepteriez de m'envoyer une copie de la photo qui allait avec l'article...*

Joanna posa la lettre dans le panier, croqua dans sa pomme et ouvrit la suivante. Une invitation pour le lancement d'une serviette « révolutionnaire ».

— Non, merci.

L'invitation rejoignit les autres courriers dans le panier. Le suivant était une grande enveloppe brune. L'écriture fine de l'adresse était si illisible que Joanna fut surprise qu'elle soit arrivée à destination. Elle déchira l'enveloppe pour y trouver deux autres enveloppes, sur lesquelles était pincée une note.

*Très chère miss Haslam,*
*Vous m'avez aidée à sortir d'une église il y a quelques jours. J'aimerais que vous veniez me voir chez moi urgemment. Je n'ai plus beaucoup de temps. Au cas où vous arriveriez trop tard, je vous envoie deux enveloppes. Gardez-les toujours sur vous jusqu'à notre prochaine rencontre. D'autres vous attendent.*
*Je tiens à vous prévenir qu'il s'agit d'une affaire très périlleuse, mais je sens que vous êtes une jeune femme pleine d'intégrité, et l'histoire doit être révélée. Si cette note vous parvient alors que*

*j'ai déjà quitté ce monde, trouvez la lady du chevalier blanc.*
*C'est tout ce que je peux vous écrire. Puissiez-vous arriver à*
*temps.*
*Je vous attends et place en vous ma confiance, Joanna.*

Comme l'adresse, la signature était parfaitement illisible.
Joanna relut la lettre, une fois, puis deux, en masti-
quant pensivement sa pomme. Puis elle jeta le trognon à
la poubelle, ouvrit la petite enveloppe brune et en sortit
une feuille de papier parchemin qui craqua sous ses doigts
lorsqu'elle la déplia. C'était une lettre couverte de l'élégante écriture d'antan. Il n'y avait ni date ni adresse.

*Mon Sam adoré,*
*Je suis assise, plume en main, et je me demande comment décrire*
*mes sentiments. Il y a quelques mois encore, je ne te connaissais*
*pas, je ne savais pas à quel point ma vie allait être bouleversée,*
*altérée à jamais. Puis je t'ai rencontré. Et même si j'accepte le*
*fait que nous n'ayons aucun avenir ni aucun passé qui puisse*
*être raconté à qui que ce soit, je me languis de tes caresses. J'ai*
*besoin de toi à mes côtés, de toi pour me protéger, et pour m'aimer*
*comme toi seul sais le faire.*
*Je vis dans un mensonge éternel.*
*Je ne sais pas pour combien de temps encore je pourrai continuer*
*à t'écrire, mais j'ai placé ma confiance dans des mains loyales*
*qui te porteront mes mots d'amour.*
*Fais-moi parvenir ta réponse de la même manière.*
*Ton véritable amour.*

La lettre était signée d'une simple initiale. Peut-être un
B, un E, un R ou un F – Joanna était incapable de trancher.
Elle expira, sentant peser en elle toute l'intensité des
mots. À qui était destinée cette lettre? Qui l'avait écrite?
Il ne semblait y avoir aucun indice, mais il s'agissait de
toute évidence d'une liaison clandestine. Joanna ouvrit la
seconde enveloppe et en tira un vieux programme.

*Le Hackney Empire est fier de vous présenter :*
*L'ÂGE D'OR DU MUSIC-HALL*

Le document était daté du 4 octobre 1923. En le parcourant, la journaliste chercha des noms familiers. Celui de sir James Harrison, peut-être, puisque c'était à la messe en son hommage qu'elle avait rencontré la vieille femme. Ou alors était-elle elle-même une des jeunes actrices présentées dans ces pages ? Elle étudia les photos en noir et blanc, mais aucun visage ni aucun nom ne se démarqua.

Alors elle relut la lettre d'amour, plusieurs fois. La seule déduction possible était qu'elle avait été écrite de la main de quelqu'un de suffisamment célèbre pour que sa liaison provoque un scandale.

Comme l'avait prévu la vieille dame, la curiosité de la journaliste était piquée. Joanna se leva pour aller photocopier les lettres en plusieurs exemplaires, puis elle les rangea avec le programme dans l'enveloppe brune qu'elle fourra dans son sac à dos avant de filer vers l'ascenseur.

— Jo ! Par ici !

Alec la rattrapa juste avant que la porte ne se referme sur sa liberté. Elle hésita un instant, puis le suivit dans son bureau.

— Tu allais où comme ça ? J'ai une mission pour toi, tu vas guetter la rousse et son amant. Et ne crois pas que je ne t'ai pas vue te pointer en retard.

— Désolée, Alec. Il faut que je suive une piste.

— Ah oui, quoi ?

— J'ai reçu un tuyau, ça pourrait se révéler intéressant.

Il la regarda, les yeux encore vitreux de sa beuverie de la veille.

— Tu as déjà des sources ?

— Non, pas vraiment. Mais mes tripes me disent de suivre cette piste.

— Tes tripes ? dit-il en tapotant son ventre volumineux. Un jour, si tu as de la chance, tu auras des tripes de la taille des miennes.

— S'il te plaît, Alec. Je t'ai rendu service pour la com-mémoration alors que j'étais à l'agonie.

— Bon, OK, file. Mais sois rentrée à quatorze heures. Je vais poster Alice devant le domicile de la rousse en atten-dant ton retour.

— Merci.

Une fois dehors, Joanna héla un taxi pour rejoindre Marylebone High Street. Quarante minutes plus tard, elle arriva devant la porte de la vieille femme. *J'aurais mis moins de temps en courant*, songea-t-elle en réglant le chauffeur. Elle bondit hors du taxi et examina les sonnettes. Il y en avait deux, anonymes. Elle appuya sur celle du bas et attendit une réponse. N'entendant aucun bruit de pas, elle essaya à nouveau.

Rien.

Joanna tenta l'autre sonnette. Chou blanc.

Une fois de plus, on ne sait jamais…

Enfin, la porte du bâtiment s'entrouvrit de quelques centimètres.

— Qui est là?

La voix n'avait rien de celle d'une vieille femme.

— Je viens voir la dame qui habite au rez-de-chaussée.

— Elle n'y habite plus.

— Vraiment? Elle a déjà déménagé?

— J'imagine qu'on peut dire ça comme ça.

— Oh. Vous savez où je peux la trouver? Je viens de recevoir une lettre de sa part, elle me demandait de venir la voir au plus vite.

La porte s'ouvrit légèrement et les yeux marron d'une femme apparurent dans l'embrasure pour détailler Joanna.

— Qui êtes-vous?

— Je… euh… je suis sa petite-nièce. Je reviens d'un long voyage en Australie.

Aussitôt, toute méfiance s'effaça dans le regard marron pour faire place à de la sympathie.

— Dans ce cas, vous feriez bien d'entrer.

Joanna avança dans le couloir sombre et suivit la femme. La minuscule maisonnette était parfaitement identique à celle de la vieille femme, sauf que celle-ci avait tout d'un foyer chaleureux.

— Installez-vous, invita la femme en désignant le canapé en velours rose qui trônait au milieu d'un salon encombré et surchauffé.

— Merci.

Joanna regarda la femme s'asseoir dans le fauteuil au coin du feu. Son hôtesse devait avoir dans les soixante ans, avec un visage jovial.

— Je m'appelle Joanna Haslam. Et vous êtes… ?

— Muriel, Muriel Bateman. Vous ne ressemblez pas à votre tante.

— Non, c'est que… elle était mariée à mon grand-oncle, enfin, par alliance. Et, hum, vous savez où est partie ma tante ?

— Oui, j'en ai bien peur, répondit Muriel en se penchant pour lui tapoter gentiment la main. C'est moi qui l'ai trouvée…

— Trouvée ?

— Elle est morte, Joanna. Je suis désolée.

— Oh. Oh non.

Joanna n'eut pas à simuler son choc.

— Quand ça ?

— Mercredi dernier. Ça fait une semaine.

— Mais… J'ai reçu sa lettre ce matin ! Comment a-t-elle pu m'envoyer ça, si elle était déjà morte ?

La journaliste farfouilla dans son sac et étudia le cachet de la poste.

— Regardez ! Postée lundi de cette semaine. Cinq jours après sa mort…

Muriel s'empourpra.

— Oh, mon Dieu. J'ai bien peur que ce ne soit ma faute. Rose m'avait donné cette lettre à poster mardi soir. Mais ensuite, j'étais si choquée de la trouver le lendemain, et avec la police, j'ai complètement oublié. Je ne m'en suis occupée qu'il y a quelques jours. Je suis vraiment désolée. Je vais vous faire du thé, d'accord ? Vous êtes en état de choc.

Muriel revint avec un plateau comportant une théière, des tasses, du lait et une assiette de biscuits anglais au chocolat. Elle versa le liquide sombre dans les deux tasses, puis se rassit dans son fauteuil.

— Merci. Où l'avez-vous trouvée ? Dans son lit ?

— Non. En bas de l'escalier, dans son entrée. Elle était toute recroquevillée, comme une poupée, elle… jamais je n'oublierai son regard terrorisé. Je suis désolée, ma petite. Toute cette histoire m'empêche de dormir depuis des jours.

— Je comprends. Pauvre tante. Elle a dû trébucher dans les marches.

— Peut-être.

— Dites-moi, comment la trouviez-vous ces derniers temps ? Avec mon voyage, je n'ai pas eu beaucoup l'occasion de prendre des nouvelles.

Muriel croqua dans un biscuit.

— Eh bien… Vous le savez, votre tante n'était là que depuis quelques semaines. La maisonnette était vide depuis des lustres, et d'un coup, fin novembre, j'ai vu cette petite vieille toute fragile débarquer. Et deux, trois jours plus tard, toutes ses caisses en bois sont arrivées. Dire qu'elle n'a jamais eu le temps de les déballer… Si vous voulez mon avis, elle savait que la fin approchait. Je suis vraiment navrée.

Joanna se mordit la lèvre, sincèrement peinée, et attendit que Muriel poursuive.

— Au début, je l'ai laissée tranquille, le temps de s'installer avant d'aller me présenter. Mais elle ne semblait jamais sortir de chez elle, alors un jour j'ai frappé à la porte. Je m'inquiétais, voyez-vous. Elle était si fragile, et personne n'entrait ni ne sortait de ce trou humide. Mais elle n'a pas répondu. Et puis, mi-décembre, j'ai entendu un cri dans l'entrée. Elle était là, comme un petit chaton, si petite et si frêle. Par terre, en manteau. Elle avait trébuché sur son palier et n'arrivait pas à se relever. Naturellement, je l'ai aidée, je l'ai amenée ici et je lui ai préparé une bonne tasse de thé...

— Si seulement j'avais mesuré sa fragilité... mais elle semblait si alerte dans ses lettres.

— Si ça peut vous consoler, c'est ce qu'on dit tous après une tragédie. Un jour, je me disputais comme jamais avec mon Stanley, et le lendemain, il tombait raide mort. Crise cardiaque. Enfin bref, votre tante m'a expliqué qu'elle avait vécu à l'étranger pendant des années et qu'elle n'était revenue en Angleterre que très récemment. Quand je lui ai demandé si elle avait de la famille, elle a répondu que non, tous étaient encore à l'étranger. Elle devait parler de vous, ma petite. Ensuite je lui ai dit que si elle avait besoin de quelques courses ou de quelqu'un pour aller chercher ses médicaments, elle n'avait qu'à me le dire. Je me souviens qu'elle m'a remerciée très poliment et m'a demandé de lui rapporter de la soupe en conserve. C'était ce qu'elle allait chercher, quand elle est tombée.

Muriel secoua la tête de dépit, et reprit :

— Elle a refusé que j'appelle le médecin. La pauvre tenait à peine debout quand j'ai voulu la raccompagner chez elle. J'ai quasiment dû la porter. Et alors, quand j'ai vu sa chambre misérable, au milieu de toutes ces caisses... Et cette puanteur... Je vous jure, ça a été un choc.

— Ma tante a toujours été excentrique, prétexta maladroitement Joanna.

— Oui, eh ben, excusez-moi de le dire, mais son problème, c'était surtout l'hygiène, à cette pauvre dame. Évidemment, j'ai proposé d'appeler les services sociaux, pour voir s'ils pouvaient lui envoyer quelqu'un qui se chargerait de ses repas et de sa toilette. Mais ça l'a tellement bouleversée que j'ai eu peur qu'elle tombe raide morte. Alors je n'ai pas insisté. Mais je lui ai dit qu'elle ferait bien de me donner sa clé. Je lui ai dit: «Et si vous tombez encore mais que la porte est fermée et que je ne peux pas vous aider?» Elle a fini par accepter. J'ai promis que je ne m'en servirais que pour vérifier de temps en temps qu'elle allait bien. Elle n'a pas arrêté de radoter, il ne fallait surtout pas qu'on sache que j'avais un double, et surtout je devais le garder en sécurité.

Muriel soupira et conclut:

— Une drôle de vieille chouette. Vous reprendrez bien du thé?

— Oui, merci. C'est vrai que ma tante a toujours voulu rester indépendante.

Joanna se laissa enfin tenter par un biscuit au chocolat.

— Ah ça, je veux bien le croire. Et regardez ce que ça lui a rapporté!

Muriel renifla en remplissant la tasse de Joanna.

— À partir de là, je suis allée la voir tous les jours. En général, elle était dans son lit, bien droite sur ses coussins, et elle écrivait des lettres que je mettais ensuite à la boîte aux lettres pour elle. Ou alors elle dormait. J'essayais toujours de lui apporter une tasse de thé, ou bien une bolée de soupe et un toast. Mais je dois admettre que je ne restais jamais très longtemps. L'odeur me donnait envie de vomir. Et puis, Noël est arrivé. Je suis allée voir ma fille à Southend, mais le 26, j'étais rentrée. C'est là que j'ai trouvé la carte, sur la petite table dans le couloir commun. Je l'ai ouverte.

Joanne se pencha vers elle, très attentive.

— C'était de la part de ma tante?

— Oui. Et elle était magnifique. Une de ces cartes très chères qu'on achète à l'unité. À l'intérieur, elle avait écrit un mot à la plume, dans sa jolie écriture comme dans les films. *Muriel, merci pour votre amitié. Je la chérirai à jamais. Rose.*

Muriel essuya une larme au coin de l'œil.

— Elle m'a fait pleurer, cette carte. Votre tante, ça devait être une sacrée dame, bien éduquée, une vraie lady. Et de voir ce qu'elle était devenue… alors j'ai frappé à sa porte pour la remercier et je l'ai convaincue de venir manger une pointe de tarte au coin du feu.

— Merci. Vous avez été si bonne avec elle.

— C'était le moins que je puisse faire. Elle n'était pas un gros fardeau. Et ce soir-là, on a bien discuté. Je lui ai posé des questions sur sa famille, je lui ai demandé si elle avait des enfants. Elle est devenue pâle comme un linge, elle a fait non de la tête et elle a vite changé de sujet. Je n'allais pas insister. Je voyais bien que, depuis Noël, elle n'était vraiment pas en forme. Elle n'avait plus que la peau sur les os. Et cette toux qui s'aggravait. Ensuite, ma sœur est tombée malade et je suis partie m'occuper d'elle, à Epping. Et je ne suis rentrée que quelques jours avant la mort de cette pauvre vieille dame.

— C'est là qu'elle vous a donné la lettre à poster?

— Oui, je suis allée la voir le soir même de mon retour. Elle était dans un sale état, tremblante de partout, à cran comme un chat sur un toit brûlant. Et ses yeux… il y avait cette lueur… je ne sais pas.

Muriel frissonna.

— Toujours est-il qu'elle m'a confié la lettre et m'a suppliée de la poster tout de suite. Évidemment, j'ai promis de le faire. Ensuite elle m'a serré la main, très fort, et m'a donné une petite boîte. À l'intérieur, il y avait un médaillon en or. Pas mon style, bien sûr. Beaucoup trop précieux pour moi. Mais j'ai bien vu que c'était un bijou fait à la main, et que c'était du vrai or. Je lui ai dit que je ne pouvais pas accepter un cadeau si cher, mais elle a insisté et s'est même fâchée quand j'ai voulu le lui rendre. Ça m'a un peu secouée. Quand je suis rentrée chez moi, j'ai décidé d'appeler le médecin le lendemain. Sauf que c'était déjà trop tard…

— Oh Muriel, si seulement j'avais su…

— Ce n'est pas votre faute. J'aurais dû poster la lettre quand elle me l'a donnée. Mais si ça peut vous consoler, elle ne serait jamais arrivée avant sa mort. Je l'ai trouvée à dix heures le lendemain, en bas des marches. Vous voulez un brandy ? Moi, ça me dit bien, avec toute cette histoire.

— Non, merci, mais ne vous gênez pas pour moi.

Muriel disparut dans la cuisine pour se servir un verre et Joanna en profita pour digérer toutes ces informations. À son retour, elle lui dit :

— Je me demande ce qu'elle faisait en bas de l'escalier. Si elle était si faible, elle n'aurait certainement pas tenté de monter seule ?

— C'est ce que j'ai expliqué à l'ambulancier. Il pense qu'elle s'est cassé le cou et qu'elle s'est fait tous ces gros bleus sur la tête, les bras, les jambes en dégringolant dans l'escalier. Je leur ai répété que Rose ne serait jamais montée toute seule. Et puis, pourquoi elle ferait ça ? Il n'y avait rien du tout à l'étage.

Elle rosit légèrement et confessa :

— Un jour, je suis allée jeter un coup d'œil là-haut, juste par curiosité.

— En effet, c'est très étrange.

— N'est-ce pas ? Bien sûr, il fallait appeler la police, et ils ont tous débarqué pour me poser un millier de questions. Qui était-elle ? Depuis combien de temps vivait-elle ici ? Et plein d'autres encore. Je dois dire que toute cette histoire m'a vraiment chamboulée. Si bien que, quand ils l'ont emmenée, j'ai fait ma valise et je suis partie quelques jours chez ma fille.

Muriel saisit son verre de whisky.

— J'essayais simplement de faire de mon mieux…

— Bien sûr ! C'est une situation très difficile. Vous savez où ils l'ont emportée ?

— À la morgue, j'imagine. Ils doivent attendre que quelqu'un réclame son corps. La pauvre vieille…

Les deux femmes restèrent assises en silence, le regard perdu dans les flammes. Joanna avait envie d'en savoir plus, mais Muriel semblait déjà assez bouleversée. Enfin, elle déclara :

— Bon. Je ferais bien d'aller voir l'appartement, pour mettre de l'ordre dans les affaires de ma tante.

— Elles ne sont plus là, répondit brusquement Muriel.

— Comment ça ? Elles sont où ?

— Je ne sais pas. Je vous ai dit que j'étais partie chez ma fille quelques jours. Quand je suis rentrée, j'ai fait un tour chez Rose, pour faire mon deuil, vous comprenez. L'appartement était vide. Il n'y a plus rien. Plus rien du tout.

— Mais… qui aurait emporté tout ça ? Toutes ces caisses !

— J'ai pensé que la famille avait été prévenue et qu'elle était venue tout vider. Vous avez des proches ici qui auraient pu faire ça ?

— Euh… non. Ils sont tous à l'étranger, comme vous l'a dit Rose. Il n'y a que moi en Angleterre… Comment se fait-il que tout ait disparu ?

— Comment voulez-vous que je le sache ? J'ai toujours la clé. Vous voulez voir par vous-même ? L'odeur n'est plus si abominable, maintenant. Celui qui a déménagé ses affaires a aussi passé un bon coup de désinfectant.

Joanna suivit Muriel dans le couloir de l'entrée et la regarda déverrouiller la porte d'en face.

— J'espère qu'ils vont relouer bientôt. Une petite famille, ce serait bien, histoire de ramener un peu de vie. Ça ne vous embête pas si je vous abandonne ici ? Cet endroit me file encore la chair de poule.

Joanna entra dans l'appartement de Rose et tira la porte derrière elle. Puis elle actionna l'interrupteur et resta un instant plantée dans la petite entrée, le regard rivé sur l'escalier raide à sa droite. La femme qu'elle avait aidée à sortir de l'église deux semaines plus tôt n'aurait pas été davantage capable de le gravir qu'un nourrisson. Lentement, Joanna s'y aventura, faisant craquer les marches à chaque pas. En haut, un petit palier, et de chaque côté, deux chambres vides et humides. Elle en fit le tour, sans rien trouver. Même les vitres avaient été récemment lavées, et on voyait nettement la petite cour envahie par les mauvaises herbes à l'arrière du bâtiment. Elle retourna sur ses pas et se planta au bord de la plus haute marche. Il n'y avait pas plus de quatre mètres, et pourtant, d'ici, la chute semblait bien plus impressionnante…

Joanna retourna au rez-de-chaussée et pénétra dans le salon où Rose avait vécu ses derniers jours, entourée de ses caisses en bois. Elle huma l'air. La pièce gardait une vague odeur déplaisante, mais c'était tout. Comme Muriel l'avait dit, les lieux avaient été entièrement vidés. La jeune femme se mit à quatre pattes pour examiner le plancher. Rien.

Elle inspecta la salle de bains et la cuisine, puis se planta à nouveau au pied de l'escalier.

*« Je n'ai plus beaucoup de temps… Je tiens à vous prévenir qu'il s'agit d'une affaire très périlleuse… Puissiez-vous arriver à temps… »*

Un frisson d'effroi parcourut son échine quand elle comprit qu'il y avait toutes les chances pour que Rose ait été assassinée.

La question était de savoir : pourquoi ?

Le moteur de la voiture se mit en marche quand Joanna sortit sur le trottoir. La circulation était fortement ralentie sur tout Marylebone High Street, et l'homme la regarda hésiter quelques secondes sur le perron. Enfin, la journaliste prit à gauche et s'éloigna.

# 6

Joanna passa une longue, très longue après-midi à faire le pied de grue sous la pluie avec une flopée de journalistes et de photographes dans le quartier de Chelsea, devant la maison de « la rousse », comme on l'appelait entre collègues.

La modèle à la crinière flamboyante, qu'on soupçonnait d'avoir passé la nuit en compagnie d'une autre mannequin femme, se décida enfin à sortir de chez elle. Les flashs crépitèrent alors que la rousse sprintait jusqu'au taxi qui l'attendait.

— OK, je la suis, prévint Steve, le photographe de Joanna. Je t'appelle dès que je sais sa destination. Mais je parie sur l'aéroport, alors n'aie pas trop d'espoirs.

— Ça marche.

Elle regarda les autres photographes chevaucher leurs mobylettes et l'attroupement de journalistes se disperser dans la nuit pluvieuse. Elle-même se dirigea en pestant vers la station de Sloane Square. Sur King's Road, les vitrines des magasins étaient recouvertes d'affiches annonçant les soldes de janvier. La lassitude postNoël était palpable et ne fit rien pour alléger l'humeur déprimée de la jeune femme. Dans le métro, elle fixa sans les voir les publicités placardées au-dessus de sa tête.

Le harcèlement des célébrités était de loin la plus ingrate de ses missions. Passer des heures, voire des jours, planté devant une porte, en sachant qu'au mieux, on n'obtenait qu'un «pas de commentaire»... Sans compter que le principe même était contraire à ses valeurs. La rousse pouvait bien avoir une liaison torride avec n'importe qui – avec un mouton, si ça lui chantait –, ça ne regardait qu'elle. Pourquoi les autres devraient-ils s'en mêler? Mais comme le lui rappelait constamment Alec, la morale n'avait pas sa place dans la rédaction d'un journal national. Le grand public avait un appétit insatiable pour les ragots pimentés, et la photo de la rousse à la une le lendemain ferait vendre dix mille exemplaires supplémentaires.

À Finsbury Park, Joanna descendit de la rame et choisit l'escalier roulant. Une fois en haut, elle consulta son téléphone. Steve lui avait laissé un message.

«J'avais raison. Elle part aux États-Unis, l'avion décolle dans une heure. Bonne soirée.»

Joanna se dirigea vers la file d'attente du bus. Elle avait été trop accaparée par le boulot pour repenser calmement à sa conversation avec Muriel et voulait l'opinion de Simon sur tous les détails qu'elle avait pu griffonner sur son carnet en sortant de chez Rose. Pourvu qu'elle n'ait rien oublié.

Le bus arriva enfin dans le quartier de son ami. Joanna marcha d'un pas vif dans la rue, perdue dans ses pensées, si bien qu'elle ne remarqua pas l'homme qui la suivait dans l'ombre.

L'appartement de Simon se trouvait au dernier étage d'une immense maison de ville transformée en plusieurs habitations. Au sommet de Highgate Hill, la demeure offrait une vue imprenable sur les espaces verts et les toits du nord de Londres. Il avait acheté son appartement deux ans plus tôt, décrétant que les mètres carrés qui manquaient à l'intérieur étaient largement compensés par le sentiment d'espace à l'extérieur. La vie à Londres était un véritable sacrifice pour les deux amis. Ils avaient encore en tête les grandes plaines du Yorkshire et regrettaient le calme paisible et désert des landes où ils avaient grandi. C'était d'ailleurs probablement la raison pour laquelle ils avaient tous les deux atterri dans le même coin arboré de Londres. Joanna lui enviait la vue, mais elle était satisfaite de son appartement au bas de la colline, dans le coin moins prisé de Crouch End. Certes, son propriétaire acariâtre n'avait jamais pris la peine de faire installer du double vitrage, ni même une salle de bains conforme aux normes. Mais les voisins étaient aimables et calmes, un avantage considérable à Londres.

Joanna sonna à l'interphone et le clic de la porte se fit entendre. Elle entreprit alors de gravir les soixante-seize marches et arriva, haletante, sur le petit palier de Simon. La porte était ouverte et de délicieux effluves de cuisine lui parvinrent, ainsi que la musique de Fats Waller.

— Salut.

— Joanna, entre ! lança Simon depuis sa cuisine à l'américaine.

La jeune femme posa une bouteille de vin sur le comptoir qui servait de séparation entre la cuisine et le salon. Simon, le visage rosi par la vapeur de la casserole dont il remuait le contenu, posa sa cuillère en bois et l'accueillit d'une étreinte chaleureuse.

— Bon, comment ça va ?

— Euh... ça va.

Il posa ses mains sur ses épaules et la regarda droit dans les yeux.

— Encore en train de te morfondre à cause de cet imbécile ?

— Un peu, oui. Mais je vais mieux, vraiment.

— Bien. Tu as des nouvelles ?

— Pas un mot. J'ai rassemblé ses affaires dans quatre sacs-poubelles et je les ai laissés dans l'entrée. S'il ne vient pas les récupérer dans le mois, ils finissent aux ordures. J'ai apporté du vin.

— Deux excellentes initiatives.

Simon ouvrit un placard en hauteur pour récupérer deux verres et lui tendit un tire-bouchon. Elle ouvrit la bouteille et fit le service.

— Santé, dit-elle avant de boire une gorgée. Et toi, comment tu vas?

— Bien. Assieds-toi, la soupe est prête.

Elle s'installa à table, près de la fenêtre, et contempla l'horizon spectaculaire des édifices de la ville, au sud. Leurs terrasses illuminées de rouge rayonnaient au loin dans la nuit.

Simon plaça une casserole remplie devant elle et commenta:

— Qu'est-ce que je ne donnerais pas pour revoir enfin les étoiles, sans toute cette pollution lumineuse.

— Idem. Je pense que je vais rentrer dans le Yorkshire pour Pâques. Tu veux venir avec moi?

— Pourquoi pas. Ça va dépendre du boulot.

Joanna goûta une cuillerée de l'épaisse soupe de haricots noirs.

— Simon, cette soupe est incroyable. Oublie le gouvernement, tu devrais ouvrir un restaurant.

— Certainement pas. La cuisine est une passion, ma petite pause de sérénité après mes journées infernales. En parlant de ça, comment ça va au boulot?

— Ça va.

— Pas de scandale révélé au grand jour récemment? Pas de célèbre star de feuilleton qui aurait changé son parfum?

— Non, répondit Joanna, indifférente à son sarcasme.

Simon détestait les tabloïds plus que tout.

— Mais il y a quelque chose dont j'aimerais te parler, dit-elle.

— Ah oui?

— Oui. Je suis tombée sur une histoire mystérieuse. Je pourrais tenir quelque chose, ou rien du tout.

Elle le regarda servir de splendides côtelettes d'agneau avec de petits légumes rôtis et poser une saucière sur la table.

— Tadam ! dit-il avec enthousiasme en s'asseyant enfin.

Joanna noya son agneau sous la sauce épaisse, puis en enfourna joyeusement une bouchée.

— C'est délicieux !

— Merci. Bon alors, cette histoire ?

— Attends, d'abord, on mange. C'est tellement étrange et compliqué que je vais avoir besoin de toute ma concentration pour savoir par où commencer.

Après le souper, Joanna fit la vaisselle pendant que Simon préparait le café. Puis elle s'installa dans un fauteuil, les jambes repliées sous elle.

— OK, vas-y. Je suis tout ouïe, déclara Simon en lui tendant une tasse avant de s'asseoir.

— Tu te souviens du jour où tu es passé me voir parce que Matthew venait de me larguer ? Je t'ai raconté que j'avais dû aller à la cérémonie en hommage à sir James Harrison et que j'étais assise à côté d'une vieille dame que j'avais raccompagnée chez elle parce qu'elle n'allait pas bien ?

— Oui, celle qui vivait dans une chambre pleine de caisses en bois.

— Précisément. Eh bien, ce matin, au bureau, j'ai reçu un courrier de sa part, et...

Joanna lui fit alors le récit détaillé des événements, dans l'ordre chronologique. Simon écoutait attentivement, sirotant son café.

— ... et donc sa mort ne peut signifier qu'une seule chose, conclut-elle.

— Quoi donc ?

— C'était un meurtre.

— C'est une supposition très dramatique, tu ne trouves pas ?

— Non. Je suis montée en haut de son escalier. Impossible qu'elle l'ait gravi elle-même. Et d'ailleurs, pour quoi faire? L'étage était complètement vide.

— Dans ce genre de situation, il faut garder l'esprit ouvert et considérer toutes les solutions. Par exemple, est-ce que tu as pensé que, vu sa piètre qualité de vie, elle ne supportait pas de vivre un jour de plus? L'explication logique serait le suicide.

— Mais alors qu'est-ce que tu fais de sa lettre? Et du programme de théâtre?

— Tu les as là, avec toi?

— Oui.

Joanna farfouilla dans son sac à dos et en extirpa l'enveloppe. Elle l'ouvrit et lui tendit la lettre de Rose.

Simon la parcourut rapidement, puis demanda:

— Et l'autre?

— Tiens. Fais attention, le papier est fragile.

Il sortit délicatement la lettre d'amour de son enveloppe et la lut.

— Eh bien, quelle histoire! C'est fascinant.

Il approcha la feuille de ses yeux et dit:

— Tu as remarqué ça, là?

— Quoi?

Simon lui tendit la lettre et pointa un angle du doigt.

— Regarde, tout autour. Ces trous minuscules.

— C'est bizarre. On dirait qu'elle a été punaisée.

— Oui. Fais-moi voir le programme.

Elle s'exécuta. Il étudia le document un moment, puis le reposa sur la table basse.

— Alors, Sherlock, qu'est-ce que tu en déduis?

Simon se frotta le nez, comme toujours lorsqu'il était en pleine réflexion.

— Eh bien... il y a des chances pour que la vieille chouette ait totalement débloqué. Cette lettre aurait pu être écrite par un admirateur dans sa jeunesse, et n'avoir aucune valeur. Sauf à ses yeux, évidemment. Peut-être que son amant se produisait dans un music-hall.

— Mais pourquoi me l'envoyer ? Pourquoi parler d'une « affaire très périlleuse » ? Je trouve la lettre de Rose très intelligible et plutôt bien rédigée, pour quelqu'un qui perd la boule.

— Je ne fais qu'avancer des hypothèses.

— Et s'il n'y en avait aucune de plausible ?

Simon se pencha vers elle avec un grand sourire.

— Dans ce cas, ma chère Watson, il semblerait que nous ayons un mystère sur les bras.

— Je suis convaincue qu'elle n'était pas folle, Simon. Et je suis tout aussi certaine que quelque chose ou quelqu'un la terrifiait. Mais qu'est-ce que je suis censée faire à partir de là ?

Joanna soupira, puis reprit :

— Je pensais montrer ça à Alec, pour avoir son avis.

— Non, trancha Simon. Tu n'as pas encore assez d'éléments. Je pense que la première chose à faire, c'est de découvrir qui était Rose.

— Et comment vais-je bien pouvoir m'y prendre ?

— Tu peux commencer par aller au poste de police du quartier et sortir la même petite histoire qu'à Muriel. La petite-nièce tout juste revenue du pays des koalas. Ils te dirigeront probablement vers la bonne morgue – si elle n'a pas déjà été enterrée par sa famille.

— Elle a dit à Muriel que toute sa famille était à l'étranger.

— Il a bien fallu que quelqu'un déménage toutes les caisses en bois. Peut-être que la police est remontée jusqu'à ses proches.

— Même si c'était le cas, je trouve ça bizarre que l'appartement ait été entièrement décapé en quarante-huit heures. Et puis, je ne vais pas me pointer au commissariat pour chercher une tante dont je ne connais pas le nom de famille.

— Bien sûr que oui. Il suffit de dire qu'elle a perdu contact avec ta famille il y a des années, qu'elle s'est probablement remariée depuis et que tu n'es pas sûre du nom qu'elle a choisi de prendre.

— Pas mal. Bon, OK. Je vais faire ça dès que possible.

— Je te sers un brandy ?

Joanna jeta un coup d'œil à sa montre.

— Non, merci, je ferais bien de rentrer.

— Tu veux que je te raccompagne en voiture ?

— Ça va aller, ne t'en fais pas. Il ne pleut plus et un peu de marche ne me fera pas de mal après ce souper copieux.

Elle rangea les lettres et le programme dans leurs enveloppes, puis fourra le tout dans son sac. Enfin, elle se leva et se dirigea vers la porte.

— Encore un triomphe culinaire, Simon. Et merci pour tes conseils !

— Pas de problème. Fais attention à toi, Jo. On ne sait jamais sur quoi on peut tomber.

— Je doute que les caisses en bois de ma petite vieille recèlent un prototype de bombe nucléaire, mais je ferai attention, promit-elle en riant.

Elle embrassa Simon sur la joue et lui souhaita bonne nuit.

Vingt minutes plus tard, revigorée par sa marche rapide depuis Highgate Hill, Joanna inséra la clé dans la serrure de son appartement. Fermant la porte derrière elle, elle appuya sur l'interrupteur, avança dans le séjour, et poussa un cri d'effroi.

La pièce avait été complètement saccagée – il n'y avait pas d'autre mot pour décrire son état. La bibliothèque qui montait jusqu'au plafond avait été basculée vers l'avant et des centaines de livres étaient éparpillés au sol. Le canapé vert citron avait été éventré, ainsi que les coussins. Les pots de fleurs étaient retournés, déversant des kilos de terreau, et sa collection d'assiettes en porcelaine rétro avait été fracassée contre la cheminée.

Sous le choc, Joanna se rendit dans sa chambre pour y trouver un carnage identique. Son matelas avait été ouvert et balancé sur le côté. Le divan lacéré, ses vêtements arrachés à la penderie. Dans la salle de bains, ses cachets, sirops et produits de beauté avaient été ouverts et vidés dans la baignoire, formant un mélange coagulé et coloré qui aurait rendu fier un artiste contemporain. Le sol de la cuisine n'était plus qu'une mare de lait, jus d'orange et vaisselle brisée.

Joanna courut au salon, secouée par de violents sanglots. Elle attrapa le téléphone et découvrit que le fil avait été arraché du mur. Tremblante, elle se mit à fouiller frénétiquement dans son sac à dos, en sortit son téléphone mobile et, après avoir composé le mauvais numéro par trois fois tant ses doigts étaient fébriles, elle parvint enfin à joindre Simon.

Il la trouva plantée dans l'entrée dix minutes plus tard, secouée de spasmes incontrôlables.

— Jo, je suis désolé.

Il l'attira contre lui, mais elle était dans un trop grand état d'hystérie pour être consolée.

— Va voir ! hurla-t-elle. Regarde ce que ces malades ont fait ! Ils ont tout détruit, tout ! Il ne me reste plus rien.

Simon entra dans le séjour et constata l'étendue des dégâts, puis il fit le tour des autres pièces.

— Bon sang. Tu as appelé la police ?

Joanna hocha la tête et s'assit sur une pile de vêtements appartenant à Matthew, qui débordaient des sacs lacérés.

— Tu as remarqué s'il manque quelque chose ? La télé, par exemple ?

— Non, je n'ai pas regardé.

— Je vais vérifier.

Simon revint quelques minutes plus tard.

— Ils ont pris la télé, le lecteur cassettes, ton ordinateur, ton imprimante… la totale.

Joanna secoua la tête de désespoir alors que les gyrophares bleus de la police illuminaient l'entrée à travers le panneau vitré de la porte.

Simon se hâta pour aller accueillir les agents sur le perron.

— Bonjour, messieurs. Je suis Simon Warburton.

Il sortit de sa poche une pièce d'identité.

— Ah. On est sur ce type de situation ? demanda l'officier.

— Non, je suis un ami de la victime et elle est... disons qu'elle n'a pas connaissance de mon poste, chuchota-t-il.

— Très bien, monsieur. Je vois.

— Je tenais à vous dire un mot avant que vous n'entriez. C'était une intrusion très agressive. La jeune femme n'était pas chez elle, heureusement, mais je pense que vous devriez prendre cette affaire au sérieux et faire tout ce qu'il faudra pour retrouver le ou les coupables.

— Bien sûr, monsieur. Allons-y.

Une heure plus tard, temporairement apaisée par le brandy que Simon avait apporté, Joanna avait fait de son mieux pour répondre clairement aux questions de la police. Étant donné son état, Simon proposa qu'elle dorme chez lui cette nuit-là.

— Mieux vaut remettre le rangement à demain, conseilla le policier.

— Il a raison, Jo. Allez viens, on sort d'ici.

Simon passa un bras autour de ses épaules et l'emmena jusqu'à sa voiture. Elle s'écroula sur le siège avant.

Lorsque Simon démarra, ses phares éclairèrent la plaque d'immatriculation de la voiture garée juste en face. *Comme c'est curieux,* songea-t-il en lisant le numéro. En tournant à gauche, il jeta un regard dans l'habitacle obscur de la voiture à l'arrêt. Ce n'était probablement qu'une coïncidence. Mais en remontant la colline, Simon se promit de vérifier dès le lendemain.

# 7

Zoe terminait tout juste de passer la vadrouille quand le téléphone sonna.

— Merde !

Elle se rua dans la cuisine, imprimant ses empreintes sur le carrelage humide, et décrocha juste avant le lancement de la messagerie.

— Oui, allô ? dit-elle d'une voix essoufflée mais pleine d'espoir.

— C'est moi.

— Ah, répondit-elle en reconnaissant la voix de Marcus.

— Surtout, n'aie pas l'air contente de m'entendre !

— Désolée.

— En plus, c'est toi qui m'as dit de te rappeler.

— Oui, tu veux passer prendre un verre, ce soir ?

— Ça marche. Tu as parlé à Papa ?

— Oui.

— Et ?

— Je te raconte plus tard, répondit-elle distraitement.

— OK, on se voit à dix-neuf heures.

Zoe raccrocha violemment le combiné et laissa échapper un grondement de frustration. Le temps filait et ce satané coup de fil n'arrivait pas. La semaine suivante, elle serait en tournage dans le Norfolk pour *Tess*. Il n'avait que le numéro de Welbeck Street – aucun d'eux n'avait de téléphone mobile dix ans plus tôt. À l'époque, quand il tombait sur sir James, il se présentait sous le nom de Sid – elle ne se souvenait plus exactement pourquoi mais ça les faisait beaucoup rire.

Le fait qu'elle ne serait bientôt plus à Londres pour décrocher son téléphone, et que jamais il ne pourrait passer inaperçu dans un petit village du Norfolk, signifiait qu'elle n'allait pas le revoir de sitôt. Ensuite le temps passerait, et tout serait à nouveau oublié. Et ça, Zoe ne pouvait pas le supporter.

— Je t'en prie, sonne ! implora-t-elle son téléphone.

Elle croisa son reflet dans le miroir et soupira. Son visage était pâle et ses traits tirés. Elle exécutait ce qu'elle faisait toujours en temps de crise : nettoyer, récurer, épousseter et polir frénétiquement toutes les surfaces à sa portée, pour s'épuiser et cesser de penser à la situation.

C'est là qu'elle s'était rendu compte qu'elle n'avait absolument pas l'habitude d'être seule. Elle avait toujours eu James à qui parler. Il lui manquait terriblement. Ainsi que Jamie. Son seul réconfort était d'avoir accepté le rôle que James lui avait choisi, d'autant que son espoir de recevoir cet appel diminuait chaque jour davantage.

Marcus sonna à dix-neuf heures trente ce soir-là.

— Salut, Zo.

Elle lui lança un regard méfiant.

— Toi, tu as déjà commencé à boire.

— Un ou deux verres, grand maximum.

— Un ou deux litres, vu ta tête. Je te sers un café pour dessaouler ?

— Whisky, si tu as.

— Très bien.

Trop fatiguée pour argumenter, Zoe se dirigea vers le meuble à alcools, une antiquité hideuse en noyer, avec des pieds incurvés sur lesquels elle trébuchait sans arrêt – et qui valait probablement une fortune. Maintenant que James n'était plus là, il fallait absolument qu'elle pense à faire venir un expert de l'assurance pour estimer le mobilier. Peut-être pourrait-elle vendre quelques pièces de collection pour financer les rénovations de la maison. Elle remplit un verre au quart et le tendit à son frère.

— Un peu léger comme dose, se plaignit-il.

— Sers-toi, dans ce cas.

Elle lui tendit la bouteille et se prépara un gin tonic.

— Je vais chercher des glaçons, tu en veux ?

— Non, merci, dit-il en remplissant son verre à ras bord.

Quand elle revint au salon, il désigna les nouveaux tableaux accrochés au mur.

— Je vois que tu t'installes bien.

— J'ai juste descendu quelques cadres de ma chambre pour décorer un peu la pièce.

— Ça doit être sympa d'avoir un héritage pareil, marmonna-t-il.

— Ah non, Marcus. Ça suffit ! Ça m'ennuie vraiment de te le rappeler, mais Papa t'a quand même donné assez d'argent pour ton super appart à Notting Hill il y a quelques années. Sans compter le financement de tous tes films.

— Touché. Bon, dis-moi de quoi vous avez parlé.

Zoe se blottit sur le canapé.

— Eh bien, même si tu t'es montré particulièrement désobligeant concernant cette histoire de testament, je peux comprendre ton amertume.

— C'est très perspicace de ta part, chère sœur.

— Ne commence pas à me prendre de haut. J'essaie de t'aider.

— Je dirais que c'est plutôt ton domaine, ma chère.

— Bon sang ! Tu es vraiment insupportable ! Tais-toi cinq minutes que je puisse t'expliquer mon idée.

— D'accord, d'accord. Je t'écoute.

— D'abord, je pense que l'arrangement a toujours été que Papa subviendrait financièrement à tes besoins, tandis que James s'occuperait de Jamie et moi. Et vu que j'élève Jamie seule, je pense que James voulait s'assurer que quoi qu'il advienne, on s'en sortirait.

— Peut-être, grogna Marcus.

— Donc…

Zoe avala une gorgée de gin.

— … vu que tout l'argent est intouchable jusqu'aux vingt et un ans de Jamie, il n'y a que sur un point que je puisse légalement et moralement détourner le testament.

— C'est-à-dire ?

Zoe soupira.

— Je ne pense pas que tu vas beaucoup aimer cette idée, mais c'est le mieux que je puisse faire.

— Vas-y, je t'écoute.

— Tu te souviens, à la lecture du testament, la partie sur la Fondation Sir-James-Harrison ?

— Vaguement, mais je crois qu'à ce moment-là, j'étais sur le point de perdre les pédales.

— En gros, c'est une somme qui a été placée pour financer chaque année les études d'un jeune acteur et d'une jeune actrice prometteurs.

— Ah. Tu n'es pas en train de suggérer que je retourne à l'université, pas vrai ?

— Ce que je me disais, et Papa est d'accord, c'est qu'on pourrait te confier le projet, et te verser un bon salaire pour que tu administres la fondation.

— C'est ça, ta grande idée ?

Zoe secoua la tête de frustration.

— Oh, Marcus ! Je savais que tu réagirais comme ça ! On te propose quelque chose qui ne te prendrait que quelques mois par an, tout en t'assurant un salaire régulier pendant que tu lances ton film. Alors oui, tu devras faire la promotion de la fondation, attirer l'attention des médias et encourager les candidatures. Il y aura aussi plus ou moins une semaine d'auditions devant le jury de ton choix – je serais ravie d'y participer – et de l'administration. Mais vraiment, c'est bien payé. Et tu en serais capable les yeux bandés.

Sa tirade fut accueillie par un long silence, alors elle décida de jouer sa dernière carte.

— Ça permettra aussi de te faire remarquer et de te donner une crédibilité dans l'industrie du cinéma. Il n'y a que des avantages : tu promeus l'avenir de la jeunesse du théâtre britannique et en plus tu te refais une réputation. Je ne vois pas pourquoi la couverture médiatique ne profiterait pas également à ta société.

Marcus leva la tête pour la regarder droit dans les yeux.

— Combien ?

— On pensait à trente mille livres l'année. Je sais que c'est loin de ce dont tu as besoin. Mais c'est quand même une jolie somme pour quelques semaines de boulot. Et on peut même t'avancer le salaire de la première année.

Zoe tapota un dossier sur la table basse.

— Tous les détails sur la fondation et la somme à investir sont expliqués ici. Lis ça tranquillement quand tu rentreras chez toi. Tu n'es pas obligé de prendre une décision tout de suite.

— C'est très gentil de ta part, Zoe. Merci pour ta générosité.

Ne sachant pas s'il était sincère ou sarcastique, elle répondit :

— Je t'en prie. J'ai vraiment essayé de trouver une solution.

Marcus se leva, en proie à une rage inédite à la vue du visage satisfait de sa sœur.

— Dis-moi, Zoe, ça t'amuse ?

— Pardon ?

— Tu es assise là, à me regarder de haut : le pauvre fils prodigue qui peut être sauvé avec un peu de temps et de patience. Pourtant c'est toi, oui, toi qui as tout foiré. C'est toi qui es tombée enceinte à dix-huit ans ! Alors, à moins qu'il ne s'agisse d'un cas miraculeux d'immaculée conception, je pense que tu es mal placée pour me juger.

Le visage de Zoe pâlit instantanément et elle se leva, tremblante d'indignation.

— Comment oses-tu m'insulter et insulter mon fils ? Je sais que tu es en colère, et probablement en dépression, mais j'en ai ma claque de tes jérémiades pathétiques. Va te faire voir !

— T'en fais pas, je m'en vais. Et tu peux te fourrer ta fondation là où je pense !

Zoe entendit la porte d'entrée claquer et éclata aussitôt en sanglots. Elle entendit à peine le téléphone sonner, et le répondeur s'enclencha.

— Euh... bonsoir, Zoe. C'est moi. Je...

Elle bondit hors du canapé et se rua dans la cuisine pour décrocher.

— Je suis là, Art.

Elle avait prononcé son surnom avant même d'avoir pu s'en empêcher.

— Comment vas-tu ?

Zoe lança un regard à son reflet larmoyant dans la vitre du buffet et répondit :

— Bien, je vais très bien.

— Tant mieux. Je... je me demandais s'il serait terriblement malpoli de ma part de m'inviter chez toi pour un verre ? Tu sais comme les choses sont compliquées pour moi, et j'aimerais te revoir, Zoe.

— Bien sûr. Quand ça ?

— Vendredi soir, si tu es libre ?

— C'est bon pour moi.

— Vers vingt heures ?

— Parfait.

— Très bien. J'ai hâte d'y être. Bonne nuit, Zoe. Dors bien.

— Bonne nuit.

Elle reposa lentement le combiné sur son socle, hésitant entre les larmes et la danse de la joie.

Finalement, elle choisit la seconde option. Esquissant quelques pas de gigue irlandaise, elle décida que la journée du lendemain serait dédiée à prendre soin d'elle. Coiffeur et magasinage au programme. Ressasser les problèmes de son frère, certainement pas.

# 8

Après avoir quitté, furieux, la maison de Zoe sur Welbeck Street, Marcus avait atterri dans une boîte de nuit d'Oxford Street où il avait rencontré une fille qui – il en était alors persuadé – était le sosie de Claudia Schiffer. Quand il se réveilla le lendemain matin et regarda le visage à côté de lui, il prit la mesure de son ébriété de la veille. Le maquillage criard avait coulé et les racines brunes des cheveux peroxydés contrastaient avec la blancheur de la taie d'oreiller. Quand elle parla, ce fut d'une manière bourrue, presque vulgaire, pour lui proposer de prendre sa journée et de passer du temps avec lui.

Il se rendit aussitôt à la salle de bains pour aller vomir. Une fois douché et l'esprit un peu éclairci, il grogna en se souvenant de ses mots durs envers sa sœur. Il n'était vraiment qu'une raclure.

Insistant pour que la jeune femme dans son lit ne sèche pas le boulot, il parvint à la faire sortir de son appartement et entreprit d'ingurgiter des litres de café qui vinrent aussitôt brûler son estomac contrarié. Puis il décida de faire un tour à Holland Park.

C'était un matin glacial et la météo prévoyait de la neige. Marcus marchait d'un pas vif sur les sentiers, le long des étangs boueux et figés par le froid. Il resserra les pans de sa veste, foudroyant du regard quiconque osait poser les yeux sur lui. Même les écureuils ne s'approchaient pas.

La boule dans sa gorge se transforma en larmes. Il n'aimait pas la personne qu'il était devenu. Zoe n'avait fait qu'essayer de l'aider et il l'avait traitée de manière atroce. Encore une fois, l'alcool avait parlé à sa place. Peut-être avait-elle raison. Et s'il était dépressif?

Avec le recul, la proposition de Zoe était-elle si abominable? Et puis, elle avait raison, c'était un bon salaire pour un travail facile. Il n'avait aucune idée de la somme léguée à la fondation, mais elle était certainement considérable. Il s'imagina dans le rôle du bienfaiteur généreux, non seulement envers les étudiants, mais aussi pour les théâtres indépendants et les jeunes réalisateurs. Il serait connu dans le milieu pour sa sensibilité, son savoir et sa fortune. Sa mère approuverait certainement ce projet.

Sans compter qu'un salaire régulier ne lui ferait pas de mal. Il pourrait même se ressaisir côté finances, établir un budget mensuel et utiliser ensuite les cent mille livres de l'héritage pour développer sa société.

Il ne lui restait plus qu'à s'excuser platement auprès de sa sœur. Elle le méritait.

Il décida de lui laisser quelques jours pour se calmer, et de débarquer sans prévenir à Welbeck Street...

Le vendredi soir, bouquet de roses à la main, il sonna à la porte.

Zoe ouvrit presque immédiatement. Son sourire disparut quand elle le vit.

— Qu'est-ce que tu fais là?

Il contempla, bouche bée, le maquillage subtil de sa sœur, ses cheveux blonds fraîchement lavés qui reflétaient la lumière. Elle portait une robe en velours bleu roi, la couleur de ses yeux, qui dévoilait une bonne partie de ses très longues jambes.

— Ça alors, Zoe. Tu attends quelqu'un?

— Oui... non... enfin, je dois partir dans dix minutes.

— OK, je serai rapide alors, promis. Je peux entrer ?

Elle semblait étrangement agitée.

— Désolée, mais ce n'est vraiment pas le bon moment.

— Je comprends. Dans ce cas, je vais aller droit au but. J'ai été minable l'autre jour, et je suis sincèrement désolé. Ce n'est pas une excuse, mais j'étais complètement saoul. Ces deux derniers jours, j'ai beaucoup réfléchi. Et je me suis rendu compte que j'avais passé toute ma colère et ma frustration sur toi. Je te promets que ça n'arrivera plus. Je vais me ressaisir et arrêter l'alcool. Je n'ai pas le choix, pas vrai ?

— D'accord, répondit distraitement Zoe.

— J'ai pris conscience de mes erreurs et j'aimerais m'occuper de la fondation, si tu veux bien. C'est une grande opportunité, et c'est très généreux de ta part et de celle de Papa de me faire confiance. Tiens, c'est pour toi.

Il lui tendit le bouquet.

— Merci.

Marcus la vit jeter un coup d'œil furtif dans la rue.

— Alors, tu me pardonnes ?

— Oui, oui, bien sûr.

Il n'en revenait pas. Dire qu'il s'était préparé à toute une soirée de mea culpa.

— Merci, Zoe. Je te jure que je ne te décevrai pas.

— Si tu le dis. Écoute, est-ce qu'on peut reparler de ça à un autre moment ?

— À condition que tu me croies quand je dis que je vais changer. Je repasse la semaine prochaine pour en discuter ?

— Oui.

— OK. Est-ce que par hasard tu aurais encore ce dossier sous la main ? Je pourrais m'y mettre cette fin de semaine et réfléchir à quelques idées.

— J'arrive.

Zoe tourna les talons, alla chercher le dossier dans le bureau de James et revint aussitôt sur le perron.

— Tiens.

— Merci, Zo. Je n'oublierai pas ce que tu fais pour moi. Je t'appelle demain pour programmer une date.

— OK, bonne nuit.

Elle lui referma la porte au nez. Marcus sifflota de soulagement, épaté de s'en être tiré si facilement. Il repartit à pied en chantonnant, alors que les premiers flocons tombaient sur Londres.

• • •

— Bonsoir, Warburton. Asseyez-vous.

Lawrence Jenkins désigna la chaise devant son bureau. Le supérieur de Simon était un homme mince et élégant, qui portait un costume sur mesure de chez Savile Row et un nœud papillon à motif cachemire d'une couleur différente chaque jour de la semaine. Ce jour-là, il était rouge. Il émanait de cet homme un air naturel d'autorité, qui parlait pour son expérience et montrait qu'il n'était pas du genre à se laisser contredire. Son traditionnel café noir était posé devant lui, encore fumant.

— Il semblerait que vous puissiez nous aider avec un petit problème que nous rencontrons actuellement.

— Comme toujours, je vais faire de mon mieux, monsieur, répondit Simon.

— Je n'en doute pas. On me dit que votre petite amie a fait les frais d'un malheureux incident à son appartement?

— Pas ma petite amie, monsieur. Mais une amie d'enfance.

— Bien. Cela rend la situation un peu moins délicate.

— Que voulez-vous dire?

— Il se trouve que nous avons des raisons de penser que votre amie pourrait détenir… comment présenter ça? Des informations sensibles qui, si elles tombaient entre de mauvaises mains, pourraient nous causer quelques torts.

Jenkins observa Simon de son regard perçant, puis demanda:

— Auriez-vous une idée de ce dont il pourrait s'agir ?

— Je… non, monsieur. Je n'en ai aucune idée. Pouvez-vous m'apporter des précisions ?

— Nous avons la quasi-certitude que votre amie a reçu une lettre provenant d'une personne qui présente un intérêt pour nous. Notre département a reçu l'ordre de récupérer la lettre au plus vite.

— Je vois.

— Selon toute probabilité, elle-même ne mesure pas l'importance de cette lettre.

— C'est-à-dire ? Si je puis me permettre ?

— Classée secret-défense, j'en ai bien peur. Si elle est bel et bien en possession de cette lettre, il est impératif qu'elle la rende.

— À qui, monsieur ?

— À nous, Warburton.

— Si je comprends bien, vous souhaitez que je lui demande si cette lettre est bien en sa possession ?

— Je préférerais une approche plus subtile. Vous hébergez cette jeune femme en ce moment, n'est-ce pas ?

Surpris, Simon confirma.

— Nous avons passé son appartement au peigne fin il y a quelques jours, et la lettre n'y était pas.

— Je dirais plutôt que vous avez saccagé son appartement.

— C'était malheureusement nécessaire. Bien sûr, nous veillerons à ce que son assurance se montre généreuse. Mais puisque le document n'était pas là, il y a fort à penser qu'elle le garde sur elle, et qu'il se trouve donc en ce moment même chez vous. Plutôt que de lui infliger une nouvelle expérience désagréable, j'ai pensé que vous pourriez vous charger de cette mission. Cette coïncidence est d'ailleurs tout à fait fortuite, vous en conviendrez. Elle vous fait confiance ?

— Oui. C'est ce sur quoi sont fondées la plupart des amitiés, monsieur.

Simon n'avait pas pu retenir le sarcasme.

— Très bien, dans ce cas, je vous laisse faire pour l'instant. Au cas où vous échoueriez, un autre prendrait la relève. Informez-la des risques, Warburton, une bonne fois pour toutes. Il est dans son intérêt que l'enquête ne s'appesantisse pas sur son cas. Voilà, c'était tout.

— Merci, monsieur.

Simon quitta le bureau de son supérieur, à la fois agacé et confus de se retrouver dans cette position impossible. Il fit le chemin inverse à travers le labyrinthe de couloirs pour rejoindre son propre département et s'assit derrière son bureau.

Ian, son collègue, entra aussitôt et vint se percher sur le coin du meuble.

— Tu es allé voir Jenkins ?

— Comment tu le sais ?

— Le regard un peu vitreux, la mâchoire relâchée, se moqua Ian. Si tu veux mon avis, il te faut une bonne dose de gin pour te requinquer. Les garçons organisent une petite fiesta au Lord George.

— Je me disais bien que le service s'était vidé d'un coup.

— On est vendredi soir.

— Je vous rejoins peut-être plus tard. Il me reste quelques dossiers à boucler.

— OK. Bonne soirée.

— Toi aussi.

Ian s'en alla et Simon soupira. Il passa ses mains sur son visage. En soi, la conversation n'était pas une grande surprise. Il avait bien compris que quelque chose clochait avec le cambriolage de Joanna. La veille, à l'heure du dîner, il s'était rendu au garage et, avec un sourire charmeur adressé à la réceptionniste, il lui avait donné les lettres et chiffres de la plaque d'immatriculation repérée devant chez Joanna.

— J'ai eu un léger accident, avait-il prétexté. Trois fois rien, mais il va y avoir quelques réparations mineures à effectuer. Rien d'urgent.

— Très bien.

La réceptionniste avait entré le numéro dans son ordinateur.

— Trouvée ! Une Rover grise, c'est bien ça ?

— Oui.

— Très bien, je vais aller vous chercher un formulaire. Il vous suffira de le remplir et de me le rapporter pour que je puisse le classer.

— Parfait, merci beaucoup.

C'était une pure coïncidence s'il avait soupçonné la voiture d'être une des leurs. Son propre véhicule était immatriculé N041 JMR. Celui aperçu le soir du cambriolage portait la plaque N042 JMR. Il y avait de fortes probabilités pour que le garage ait acheté un certain nombre de voitures en même temps et pour que leurs plaques se suivent.

Simon regarda fixement l'écran de son ordinateur, sans le voir. Enfin, il se décida à rentrer chez lui. Enfilant son manteau, il adressa un signe de la main aux retardataires qui n'avaient pas encore filé au Lord George, puis s'engouffra dans l'ascenseur et sortit de Thames House par une porte de service. Il contempla le bâtiment austère et gris, dont les fenêtres allumées témoignaient de la présence des agents en train de traiter la paperasse. Cela faisait bien longtemps déjà qu'il n'avait plus de scrupules à mentir à ses amis et à sa famille sur son métier. Seule Joanna s'intéressait encore à ce qu'il faisait, et il s'assurait d'inventer des histoires aussi ennuyeuses que possible sur son pseudo-poste au gouvernement, afin de la dissuader de poser davantage de questions.

Après ce que Jenkins avait dit, il n'allait pas pouvoir l'éloigner de sa piste si facilement. Si cette affaire avait été transférée à son département, cela signifiait que Joanna avait déterré une information majeure.

Et que tant qu'elle était en possession de cette lettre, elle courait un grave danger.

...

Joanna remuait la sauce bolognaise en regardant tomber les épais flocons blancs par la fenêtre panoramique de l'appartement de Simon. Dans le Yorkshire, les fermiers redoutaient la neige, car il fallait alors passer de longues nuits à rameuter les moutons pour les rentrer au chaud à l'étable, puis venait le sale boulot: déterrer sous les amas blancs ceux qu'on n'avait pas sauvés à temps. Mais pour Joanna, la neige signifiait qu'elle n'allait pas à l'école, parfois pendant des jours, le temps de dégager les chemins impraticables de la campagne. Ce soir-là, elle aurait donné cher pour se réfugier dans sa chambre douillette sous les combles et se sentir à nouveau en sécurité, loin des soucis de la vie d'adulte.

Quand elle s'était réveillée le lendemain du cambriolage, Simon avait insisté pour appeler lui-même Alec avant de partir travailler. Il avait expliqué la situation au rédacteur en chef, alors que Joanna était emmitouflée dans sa couette sur le canapé, certaine que son patron insisterait pour qu'elle arrive à l'heure. Au lieu de ça, Simon avait raccroché et déclaré qu'Alec s'était montré très sympathique. Il avait même suggéré que Joanna prenne les trois jours qui lui étaient dus depuis Noël et en profite pour se remettre du choc et gérer l'assurance et le ménage de l'appartement. Soulagée, Joanna avait passé la journée au lit. C'était la veille.

Ce matin, avant de partir, Simon s'était assis à côté d'elle sur le canapé-lit et avait tiré la couette.

— Tu es sûre que tu ne veux pas rentrer chez tes parents pour quelques jours?

— Non, pas besoin. Désolée si je me plains trop.

— C'est totalement justifié. Je veux juste t'aider. Et peut-être que partir un peu te ferait du bien.

Elle avait soupiré.

— Non, si je ne retourne pas à l'appartement aujourd'hui, ça va continuer à me hanter. C'est comme tomber de cheval. Il faut tout de suite remonter en selle, sinon on ne le fait jamais.

À la lumière du jour, l'état de son appartement n'était pas moins effrayant. Elle s'était forcée à y retourner après le départ de Simon. La police lui avait donné le feu vert et elle avait envoyé son rapport à son assurance. Puis elle s'était attelée au boulot, à commencer par la cuisine et son sol puant. À midi, la pièce était revenue à la normale – la vaisselle en moins –, la salle de bains était impeccable et tous les objets cassés dans le salon étaient soigneusement empilés sur le sofa éventré, en attendant l'arrivée de l'expert. À sa grande surprise, le technicien des télécommunications était passé sans même qu'elle ait eu besoin d'appeler qui que ce soit et il avait aussitôt réinstallé la ligne sauvagement arrachée du mur.

Trop épuisée et déprimée pour s'attaquer à la chambre, Joanna s'était contentée de rassembler quelques affaires à emporter. Simon disait qu'elle pouvait rester chez lui autant de temps qu'elle le voulait. Pour l'instant, elle préférait cette option. En fourrant ses sous-vêtements dans un tiroir, Joanna avait remarqué quelque chose de brillant, à moitié caché sous un jean. Un stylo-plume doré qui ne lui appartenait pas, gravé des initiales « I.C.S. ».

*On dirait que j'ai affaire à un cambrioleur qui a du goût.*

Elle avait aussitôt regretté d'avoir altéré les empreintes potentielles, puis l'avait emballé dans un mouchoir et soigneusement glissé dans son sac à dos pour le remettre plus tard à la police.

Dans l'appartement de Simon, Joanna entendit la clé tourner dans la serrure alors qu'elle se versait un verre de vin.

— Salut ! dit-il en passant la porte.

Elle songea qu'il était extrêmement séduisant, dans son costume gris bien coupé.

— Salut. Je te sers un verre ?

— Oui, merci. Oh là là, tu cuisines. Tu es sûre que ça va ? plaisanta-t-il.

— Ne t'emballe pas, ce ne sont que des spaghettis bolognaise. Je suis loin de pouvoir rivaliser avec tes plats.

— Comment tu vas ? demanda-t-il en accrochant son manteau.

— Ça va. Je suis allée à l'appartement aujourd'hui.

— Oh, Joanna. Pas seule quand même !

— Je sais, mais il fallait que je m'occupe du dossier pour l'assurance. Et je me sens bien mieux maintenant. Le bazar était très superficiel. Et puis...

Elle sourit et lécha la cuillère en bois.

— ... j'ai maintenant une bonne excuse pour acheter un canapé confortable !

— C'est une bonne manière de voir les choses. Je file à la douche.

Vingt minutes plus tard, ils étaient assis à table devant des spaghettis ensevelis sous une montagne de parmesan.

— Pas mauvais, pour une débutante, la taquina Simon.

— Merci. Regarde, les flocons ne s'arrêtent plus ! Je n'ai jamais vu Londres sous la neige.

Simon soupira.

— Ça ne change rien, à part qu'il n'y a plus de bus, de métros, ni de trains. Heureusement qu'on est samedi, demain.

— Oui.

— Jo, où est la lettre de Rose ?

— Dans mon sac à dos, pourquoi ?

— Je peux la voir ?

— Tu as eu une idée ?

— Non. Mais j'ai un ami dans la police scientifique de Scotland Yard. Il pourrait nous donner des informations sur le type de papier, d'encre et la date approximative à laquelle elle a été écrite.

— Vraiment ? Ça, c'est un bon ami.

— Je l'ai rencontré à Cambridge.

— Oh, je vois.

Elle se resservit du vin, puis soupira.

— Je ne sais pas trop, Simon. Rose m'a bien conseillé de garder la lettre sur moi et de ne jamais la perdre de vue.

— Tu ne me fais pas confiance ?

— Bien sûr que oui. J'hésite, c'est tout. Ce serait génial d'obtenir plus d'informations, mais si elle tombait entre de mauvaises mains ?

— Les miennes, tu veux dire ? dit Simon avec une moue exagérée.

— Ne sois pas bête. Écoute, elle a été assassinée. J'en suis certaine.

— Tu n'as aucune preuve. Une vieille chouette tombe dans son escalier et toi, tu cries au complot.

— Absolument pas ! Et tu étais d'accord pour dire que c'était louche. Qu'est-ce qui a changé ?

— Rien, rien. OK, on n'a qu'à faire comme ça : tu me donnes la lettre et je l'apporte en mains propres à mon ami. S'il trouve quoi que ce soit d'intéressant, on suit la piste. Sinon, je pense que tu devrais oublier cette histoire et passer à autre chose.

Joanna prit une gorgée de vin, pesant le pour et le contre.

— Le truc, c'est que je ne suis pas sûre d'avoir le droit d'abandonner. Elle m'a fait confiance. Je ne peux pas la trahir.

— Tu ne la connaissais même pas avant cette cérémonie à l'église. Tu n'as aucune idée de qui elle est, d'où elle vient, ni même de ce dans quoi elle aurait pu être impliquée.

Joanna se mit à glousser.

— Je la vois mal en baron de la drogue gérant tout un réseau européen, pas toi ? Enfin, peut-être que c'était ça, ce qu'elle cachait dans ses caisses en bois !

— Possible, répondit Simon avec un sourire. Alors, on est d'accord ? Lundi matin, j'emporte la lettre au bureau et je la donne à mon ami. Je pars lundi après-midi pour un séminaire ennuyeux à mourir, mais dès que je rentre la semaine prochaine, je récupère la lettre et on verra ce qu'il aura découvert.

— Ça marche, acquiesça-t-elle à contrecœur. Cet ami, on peut lui faire confiance ?

— Évidemment ! Je vais lui raconter qu'une copine veut retrouver ses ancêtres ou un truc du genre. Tu me la passes maintenant, pour qu'on n'oublie pas lundi ?

— OK. Oh, et pour le dessert, ce soir, c'est de la crème glacée. Tu nous sers ?

Les deux amis passèrent l'essentiel du samedi à ranger l'appartement de Joanna. Ses parents lui avaient envoyé un chèque pour racheter un ordinateur en attendant le remboursement de l'assurance et elle était très touchée par leur geste.

Puisque Simon partait pour une semaine en séminaire « gratte-papier » comme il le surnommait, ils convinrent que Joanna occuperait l'appartement de Highgate.

— Au moins jusqu'à ce que ton nouveau lit arrive, avait insisté Simon.

Le dimanche soir, il s'enferma dans sa chambre, prétextant des formulaires à remplir avant le séminaire. Une fois la porte fermée, il décrocha le combiné dans sa chambre et composa un numéro qu'il connaissait par cœur. Son destinataire décrocha après deux sonneries.

— Je l'ai, monsieur.

— Bien.

— Je dois être à Brize Norton demain à huit heures. Quelqu'un peut venir la récupérer là-bas ?

— Bien entendu.

— Très bien. Je procéderai comme d'habitude. Bonsoir, monsieur.

— Bon travail, Simon. Je ne l'oublierai pas.

*Et Joanna non plus...*, songea amèrement Simon. Il allait devoir lui sortir une excuse bancale, la lettre était si délicate que les produits chimiques l'avaient détériorée pendant l'analyse ou quelque chose du genre. Il se sentait terriblement mal de trahir sa confiance.

Joanna était installée sur le canapé devant une émission sur les chasseurs d'antiquités quand Simon émergea de la chambre.

— C'est bon, c'est réglé. Je vais te donner un numéro de téléphone, pour les urgences uniquement. Juste au cas où il t'arriverait encore des misères. On dirait que tu attires les problèmes, en ce moment.

Il lui tendit une carte.

— « Ian Simpson », lut-elle.

— Un copain du boulot. C'est son numéro professionnel et son mobile.

— Merci, Simon. Pour tout.

— Pas besoin de me remercier. Tu es ma meilleure amie. Je serai toujours là pour toi.

Elle le serra fort dans ses bras, savourant ce moment de complicité. Une sensation vive parcourut son bas-ventre. Ses lèvres se rapprochèrent des siennes, elle ferma les yeux et, doucement, ils s'embrassèrent. Le baiser se fit de plus en plus profond. Soudain, Simon s'écarta et bondit.

— Jo ! Mais qu'est-ce qu'on est en train de faire ? Je… Sarah… !

— Désolée, je suis vraiment désolée ! C'est entièrement ma faute…

— Non, je suis tout aussi responsable. Tu es ma meilleure amie, ce genre de chose ne devrait jamais se produire. Jamais.

Il se mit à faire les cent pas.

— Oui, je sais. Ça n'arrivera plus, promis.

— Bien. Enfin, non… je ne dis pas que je n'ai pas aimé, mais…

Simon s'empourpra subitement.

— … mais je tiens trop à notre amitié pour la voir gâchée par une passade.

— Moi aussi.

— Bon. Je… je vais aller faire mes bagages.

Joanna hocha la tête et le regarda quitter la pièce. Puis elle tourna la tête vers la télévision. L'écran était de plus en plus flou, devant ses yeux humides. Probablement parce qu'elle était encore en état de choc. Oui, elle devait se sentir vulnérable à cause du cambriolage et Matthew lui manquait. Elle connaissait Simon depuis une éternité, et même si elle l'avait toujours trouvé très beau, elle n'avait jamais songé à aller plus loin avec lui.

Et elle se promit de ne plus jamais recommencer.

# 9

Samedi matin. Zoe rêvassait dans son lit. Elle jeta un coup d'œil au réveil et vit qu'il était déjà dix heures trente. Du jamais vu pour elle, qui ne se levait jamais après huit heures – elle préférait laisser la palme de la flemme à Jamie, qu'il fallait littéralement tirer du lit pendant les vacances. Mais aujourd'hui, quelque chose avait changé.

Elle entrait dans une nouvelle phase de sa vie. Jusqu'à présent, elle avait été une enfant, coincée par toutes sortes de restrictions de liberté. Puis elle était devenue une mère, ce qui avait nécessité une abnégation totale. Récemment, elle avait été une aidante, apportant soin et réconfort à James dans ses dernières semaines. Mais ce matin-là, Zoe se rendit compte qu'à part son rôle de mère qui ne la quitterait plus, elle était désormais plus libre qu'elle ne l'avait été en trente ans. Libre de vivre comme elle l'entendait, de prendre ses propres décisions et d'en assumer les conséquences.

Art était parti avant vingt-trois heures et leurs lèvres ne s'étaient frôlées que dans un chaste baiser d'adieu. Pourtant, elle s'était réveillée avec le sentiment d'être enveloppée de tendresse, dans cette humeur apaisée et repue généralement associée à une nuit d'amour. Ils s'étaient à peine touchés, mais la seule caresse de sa veste de costume sur sa hanche avait propagé des vagues de désir dans tout son corps.

À son arrivée, ils s'étaient installés au salon pour discuter. La conversation, d'abord timide et hésitante, avait bien vite retrouvé l'intimité qui n'existe qu'entre deux personnes qui se connaissent vraiment. Il en avait toujours été ainsi avec Art, depuis le début. Alors que tous autour de lui le traitaient avec une déférence précautionneuse, Zoe voyait sa vulnérabilité, son humanité.

Ils s'étaient rencontrés dans un bar de Kensington, où Marcus avait tenu à l'emmener pour fêter ses dix-huit ans avec son premier verre légal. Il avait promis à James qu'il ne la lâcherait pas une seconde et la raccompagnerait à la maison. Dans les faits, il lui avait payé un gin tonic, puis lui avait fourré un billet dans la main en lui disant : « Pour le taxi du retour. Ne fais pas trop de bêtises ! » Et avec un clin d'œil, il avait aussitôt disparu.

Totalement perdue, Zoe s'était assise au bar pour contempler la foule amassée sur la piste de danse, les corps enivrés qui se frottaient les uns aux autres en riant aux éclats. Zoe avait toujours été surprotégée par James pendant son enfance ; aussi, contrairement à ses amies de l'internat, elle n'avait pas de folles expériences nocturnes, ni avec l'alcool, ni avec la drogue. Sur son tabouret, elle s'était sentie si mal à l'aise qu'elle avait décidé de rentrer. Mais une voix l'avait arrêtée.

— Oh, tu t'en vas ? J'allais justement te proposer un verre.

En se tournant, son regard était tombé sur des yeux vert foncé, sous une mèche de cheveux blonds et lisses, qui détonnait avec les coupes bien plus longues qu'arboraient les autres garçons du club. Il lui avait semblé vaguement familier, mais elle n'avait pas su dire pourquoi.

— Non, merci. Je ne bois pas beaucoup, de toute façon.

Un sourire de soulagement avait éclairé son visage.

— Moi non plus. Je viens de réussir à me débarrasser de mes… euh… amis. Ce sont eux qui m'ont traîné ici. Au fait, moi c'est Art.

— Zoe, avait-elle répondu en lui tendant une main mal assurée.

Quand il la lui avait serrée, elle avait senti un frisson brûlant se propager dans son corps.

Avec le recul, Zoe se posait beaucoup de questions sur cette rencontre. Si elle l'avait reconnu, à l'époque, aurait-elle gardé ses distances ? Aurait-elle refusé de danser avec lui comme elle l'avait fait toute la soirée ? Aurait-elle résisté aux sensations merveilleuses et étranges qu'elle avait ressenties quand son corps s'était collé au sien ? Et enfin, quand la boîte de nuit avait fermé, aurait-elle refusé son baiser, son numéro et leur rendez-vous dès le lendemain ?

*Non*, songea fermement Zoe. Elle aurait pris exactement les mêmes décisions.

La veille, ils n'avaient pas évoqué le passé. Au lieu de ça, ils avaient parlé de tout et de rien, profitant simplement de la compagnie de l'autre.

Puis Art avait jeté un coup d'œil plein de regrets à sa montre.

— Je dois y aller, Zoe. J'ai une rencontre à Northumberland demain. L'hélicoptère décolle à six heures trente. Tu dis que tu seras en tournage dans le Norfolk pour les semaines à venir ?

— Oui.

— Je peux facilement m'échapper pour quelques jours dans notre propriété, là-bas. D'ailleurs, qu'est-ce que tu penses de la fin de semaine prochaine ? Tu sais déjà à quel hôtel tu seras ? Je peux envoyer une voiture te chercher vendredi et te ramener dimanche.

Zoe s'était dirigée vers le secrétaire pour en sortir les coordonnées du petit hôtel qui deviendrait son domicile pour six semaines. Elle avait recopié tous les détails et lui avait tendu le papier.

— Parfait. Je vais aussi te donner mon numéro de mobile.

Avec un sourire, il avait sorti une carte de la poche de sa veste.

— Tiens. Appelle-moi quand tu veux.

Zoe s'était sentie gênée, ne sachant pas trop comment clore cette soirée.

— Salut, Art. Ça m'a fait plaisir de te revoir.

Il s'était penché pour effleurer ses lèvres d'un baiser léger.

— Moi aussi. On aura plus de temps la fin de semaine prochaine. Bonne nuit.

Zoe finit par s'extirper de son lit, prendre une douche et s'habiller. Puis elle sortit faire quelques courses et revint en ayant oublié la moitié des aliments sur sa liste. Rêveuse, elle lança un vinyle qu'elle n'avait pas écouté depuis onze ans. Alors que *The Power Of Love* de Jennifer Rush résonnait dans la pièce, elle ferma les yeux pour murmurer les paroles qu'elle connaissait encore par cœur.

Le dimanche après-midi, elle alla faire un tour à Hyde Park pour admirer la verdure parée de son manteau blanc. Puis, sur le chemin du retour, elle appela Jamie. Il semblait tout excité d'avoir intégré la meilleure équipe de rugby des moins de dix ans. Elle lui donna le numéro de son hôtel à Norfolk pour qu'il le transmette à l'infirmière en chef en cas d'urgence, et lui demanda où lui et son ami Hugo avait envie d'aller quand elle viendrait les chercher pour dîner. Ce soir-là, elle prépara ses bagages plus soigneusement qu'à son habitude avant un tournage. En songeant à la fin de semaine suivante, elle décida – non sans un petit gloussement – de sortir pour la première fois l'ensemble de lingerie fine La Perla qu'une amie lui avait offert à Noël.

Ce ne fut qu'une fois au lit qu'elle s'autorisa à réfléchir aux conséquences de ce qu'elle était sur le point de faire. Force était de constater que, comme autrefois, leur histoire n'avait pas d'avenir.

*Mais je l'aime… Et l'amour est plus fort que tout, n'est-ce pas ?*

...

C'est avec soulagement que Joanna regarda Simon partir au travail le lundi matin. Après l'épisode du baiser, toute leur complicité avait disparu et la tension entre eux était palpable. Une semaine de séparation leur ferait certainement du bien et elle croisait les doigts pour un retour rapide de leur amitié.

Surtout, il ne fallait pas qu'elle repense à ce baiser, et encore moins à ce qu'elle avait ressenti. Ces dernières semaines avaient été éprouvantes, il était normal qu'elle soit à bout de nerfs et particulièrement vulnérable. Et puis, elle avait d'autres chats à fouetter. Ce qui tombait bien, parce qu'on venait de lui offrir une aubaine : deux jours entiers de repos.

Dès que la porte se fut refermée derrière Simon, Joanna attrapa son sac à dos et en sortit une photocopie de la lettre, du programme et de la note de Rose. Ses doigts rencontrèrent un objet froid et métallique. Le stylo-plume doré. Avec toutes ces histoires, elle avait complètement oublié ce détail.

Joanna le fit rouler sur sa paume. I.C.S. Ces initiales lui disaient quelque chose, mais quoi ? Elle s'assit en tailleur sur le canapé pour étudier plus longuement les photocopies. Si Simon se figurait qu'elle allait se désintéresser de cette histoire, il avait tort. À y repenser, il lui avait paru étrangement nerveux et agité le vendredi soir, ce qui ne lui ressemblait pas du tout. Pourquoi s'obstinait-il pour qu'elle abandonne ?

Elle relut la lettre à nouveau. Qui était Sam ? Et le chevalier blanc ? D'ailleurs, qui était Rose ?

Joanna se prépara un café et ressassa les divers éléments en sa possession. Quelqu'un connaissait-il le nom de famille de Rose ? Muriel, certainement ? Peut-être avait-elle vu des lettres qui lui étaient adressées ? Rose avait forcément signé un bail pour l'appartement de Marylebone. La jeune journaliste sortit son carnet et en tourna les pages jusqu'à trouver le numéro de téléphone de Muriel. Avec un patronyme, sa visite au commissariat aurait bien plus de chances d'aboutir.

Malheureusement, Muriel ne put pas l'aider. Rose n'avait jamais reçu de courrier, même administratif. Le compteur électrique fonctionnait avec des pièces de monnaie et la vieille dame n'avait pas le téléphone. Puis Joanna lui posa des questions sur les lettres qu'elle avait postées pour elle.

— Il y en avait plusieurs pour l'étranger. Quelque part en France, je crois.

*Au moins, c'est cohérent*, songea Joanna en se souvenant des instructions en français sur la boîte de médicaments.

Muriel lui transmit tout de même les coordonnées du propriétaire des appartements, et Joanna s'empressa de laisser un message à George Cyrapopolis. Pour l'heure, elle allait tout de même devoir bluffer au commissariat. Attrapant son sac à dos, elle quitta aussitôt l'appartement.

Quelques minutes plus tard, Joanna poussait les portes battantes du poste de police de Marylebone. Dans la salle d'attente déserte régnait une forte odeur de café rance, les lumières fluorescentes du plafond éclairaient des murs à la peinture écaillée et un lino usé. Il n'y avait personne à l'accueil, alors elle appuya sur la sonnette.

Un agent d'une cinquantaine d'années sortit d'un pas rapide d'une pièce derrière le comptoir.

— Bonjour. J'espérais trouver quelqu'un qui pourrait m'aider à comprendre ce qui est arrivé à ma grand-tante.

— D'accord. Elle est portée disparue ?

— Euh... pas exactement, non. Elle est décédée.

— Je vois.

— Elle a été retrouvée morte à son domicile de Marylebone. Elle est tombée dans son escalier. Sa voisine a appelé la police et...

— Et vous pensez qu'un de nos agents a répondu ?

— Oui. Je rentre tout juste d'un long voyage en Australie. Mon père m'a donné son adresse et je voulais passer la voir. Mais quand je suis arrivée, il était trop tard. Si seulement j'étais venue plus tôt, j'aurais pu…

— Je comprends, mademoiselle, répondit gentiment l'agent. Ce genre de choses arrive plus souvent qu'on le croit. J'imagine que vous souhaiteriez savoir où elle a été emmenée ?

— Oui, exactement. L'ennui, c'est que je n'ai aucune idée de son nom de famille. Elle s'est probablement remariée depuis le temps.

— Très bien, essayons d'abord avec le nom que vous lui connaissez.

— Taylor, inventa Joanna.

— Et la date à laquelle elle a été retrouvée morte ?

— Le 10 janvier.

— Maintenant, il va me falloir une adresse.

— 19, Marylebone High Street.

— D'accord.

L'agent entra les informations dans l'ordinateur.

— Taylor, Taylor…

Il fit défiler les noms sur l'écran, puis secoua la tête.

— Non, je n'ai rien. Personne portant ce nom n'est mort ce jour-là, ou alors pas dans notre secteur.

— Vous pourriez essayer avec son prénom ? Rose.

— Je regarde… on a une Rachel, une Ruth, mais pas de Rose.

— Ces deux femmes sont mortes le même jour ?

— Oui, et j'ai encore quatre défunts listés ici. C'est une très mauvaise période pour les personnes âgées. Noël est passé, il fait un froid glacial… Attendez, je vais lancer une recherche par adresse. Si on a été appelés quelque part, ce sera inscrit dans le fichier.

L'agent se gratta le menton.

— Hmmm… Je ne vois rien ici non plus. Vous êtes certaine d'avoir la bonne date ?

— Absolument.

— Peut-être qu'un autre poste aura pris l'appel. Vous pouvez essayer le commissariat de Paddington Green, ou mieux, l'institut médico-légal. Même si ce n'est pas passé par nous, c'est probablement là qu'aura été transféré le corps de votre tante. Je vais vous noter l'adresse.

— Merci beaucoup pour votre aide.

— Je vous en prie. J'espère que vous la retrouverez. Elle était riche ? demanda-t-il avec un sourire.

— Aucune idée, répondit-elle sèchement. Au revoir.

Joanna poussa les portes battantes, héla un taxi et lui donna l'adresse de la morgue.

La Westminster Public Mortuary était un bâtiment de briques rouges sans prétention construit juste à côté de la Cour du coroner, dans une rue bordée d'arbres. Joanna entra d'un pas incertain, frissonnant en se souvenant des mots d'Alec, qui parlait de cet endroit comme de « la charcuterie locale ».

— Je peux vous aider ? demanda une jeune femme affable à l'accueil.

*Il ne doit pas y avoir de boulot plus déprimant*, songea Joanna avant de se lancer dans son récit.

— … alors l'agent pense que ma grand-tante a probablement été emmenée ici.

— En effet, ça semble probable. Je vais regarder ça.

La jeune femme entra les mêmes informations dans son ordinateur.

— Non, je n'ai pas une seule Rose ce jour-là.

— Peut-être qu'elle n'utilisait pas son nom de baptême ?

Joanna commençait à désespérer.

— J'ai cherché avec l'adresse que vous m'avez donnée et rien. Peut-être qu'elle a été amenée le jour suivant, mais ça serait étrange.

— Est-ce que vous pouvez quand même vérifier ?

— Bien sûr. Attendez… non, toujours rien.

Joanna soupira.

— Alors, si elle n'est pas ici, qu'est-il advenu de sa dépouille ?

L'employée haussa les épaules, impuissante.

— Vous pourriez essayer les maisons funéraires à proximité. Vous avez peut-être de la famille que vous ne connaissez pas, qui se serait occupée de faire transférer le corps avant les obsèques ? Parce qu'en général, si personne ne réclame le corps, il atterrit ici.

— D'accord. Merci beaucoup.

— De rien. J'espère que vous retrouverez votre tante.

— Merci.


Joanna monta dans un bus en direction de Crouch End. Ses doigts tremblèrent au moment d'insérer la clé dans la serrure de son appartement. Elle se dépêcha de ramasser le courrier par terre dans l'entrée et claqua vite la porte en sortant, songeant qu'il était bien triste que son refuge soit désormais l'endroit où elle se sentait le moins en sécurité.

En remontant la colline pour se rendre chez Simon, elle se demanda si elle ne ferait pas mieux de déménager. Entre la rupture et le cambriolage, elle ne voyait pas comment se sentir à nouveau bien chez elle.

Quand elle arriva, elle repéra tout de suite la messagerie qui clignotait. George Cyrapopolis avait appelé, et elle composa aussitôt son numéro.

— Allô ? Monsieur Cyrapopolis ? Ici Joanna Haslam. Je suis la petite-nièce de votre locataire décédée.

— Ah, oui. Bonjour. Qu'est-ce que vous vouliez savoir ?

Le propriétaire avait une voix grave et tonitruante, teintée d'un accent grec.

— Je me demandais si vous aviez encore le contrat de location de Rose ?

— Je… Vous n'êtes pas du fisc, pas vrai ?

— Non, je vous le jure.

— Hmmm. D'accord, dans ce cas, passez me voir à mon restaurant. On pourra parler là-bas, OK?

— Très bien. C'est à quelle adresse?

— 46, High Road, à Wood Green. The Aphrodite, juste en face du centre commercial. Passez vers dix-sept heures, avant l'ouverture.

— C'est noté. À plus tard, et merci.

Joanna reposa le combiné. Elle se prépara un café et un sandwich au beurre de cacahuètes, puis passa l'heure suivante à appeler chaque maison funéraire du nord et du centre de Londres. Aucune Rose n'y était enregistrée, ni au 10 janvier, ni les deux jours suivants.

— Mais où donc ont-ils bien pu l'emmener?

Perplexe, elle rappela Muriel.

— Bonjour Muriel, c'est Joanna. Désolée de vous déranger encore.

— Aucun problème, ma petite. Vous avez retrouvé la trace de votre tante?

— Non, rien du tout. C'est pour ça que je vous appelle. Vous souvenez-vous de qui a emmené Rose?

— Je vous l'ai dit, une ambulance. Ils ont dit qu'ils l'emmenaient à la morgue.

— Eh bien, elle n'y est pas. J'y suis allée. J'ai aussi essayé le commissariat et toutes les maisons funéraires du district.

— Oh, oh. Un cadavre perdu, alors?

— Il semblerait, oui. Ils ne vous ont pas demandé si vous connaissiez ses proches?

— Non. Mais je leur ai dit qu'elle avait mentionné sa famille à l'étranger.

— Hmmm.

— Mais dites-moi, vous avez essayé le registre de l'état civil? Il a fallu que j'aille là-bas à la mort de mon Stanley. Quelqu'un a probablement dû y faire inscrire le décès de Rose.

— Bonne idée, je vais faire ça. Merci, Muriel.

— De rien, ma petite.

Joanna s'empressa de chercher l'adresse des archives et se remit aussitôt en route.

Deux heures plus tard, elle sortait de la mairie de Marylebone, plus perplexe que jamais. Elle s'affala sur les marches devant le vieux bâtiment et s'adossa à la colonne en pierre. Au bureau du registre de l'état civil, l'employée avait essayé toutes les combinaisons possibles avec ses informations. Trois Rose étaient mortes dans la semaine qui suivait le 10 janvier, mais aucune à la bonne adresse, et encore moins de cet âge-là, puisqu'il s'agissait d'un nouveau-né de quatre jours et de deux femmes, de vingt et de quarante-neuf ans.

L'employée lui avait expliqué qu'il y avait en général une date limite de cinq jours ouvrables pour déclarer un décès, à moins que le corps ne soit encore chez le coroner. Or, il n'y avait aucun signe de la dépouille de Rose à la morgue.

En se dirigeant vers la station de métro, Joanna était encore plus frustrée. C'était comme si Rose n'avait jamais existé. Pourtant son corps était forcément quelque part. Y avait-il une éventualité qu'elle n'avait pas encore envisagée ?

La jeune femme sortit du métro et remonta Wood Green High Street – un enchevêtrement de boutiques de paris, de restaurants et de friperies. Il faisait déjà nuit et elle resserra les pans de son manteau pour se protéger de la morsure du vent. Une pancarte en néon indiquait l'entrée du restaurant Aphrodite et elle poussa la porte. La petite pièce colorée était déserte.

— Il y a quelqu'un ?

Un homme à la calvitie avancée émergea du rideau de perles qui masquait l'entrée d'une pièce à l'arrière.

— Monsieur Cyrapopolis ?

— C'est moi.

— Bonjour, je suis Joanna Haslam, la nièce de Rose.

— Oui, installez-vous, dit-il en tirant une chaise en bois pour elle.

— Merci. Je suis désolée de vous déranger ainsi, mais comme je vous le disais au téléphone, j'essaie de retrouver ma tante.

— Hein ? Vous avez perdu le cadavre ? plaisanta-t-il.

— C'est une situation compliquée. Je voulais simplement vous demander un exemplaire de son contrat de location. Je n'ai pas son nom d'épouse, voyez-vous.

— Impossible, il n'y avait pas de bail.

— Pourquoi ? Si ce n'est pas indiscret. Je pensais que c'était dans l'intérêt du propriétaire d'en avoir un.

George tira un paquet de cigarettes de sa poche de chemise et en offrit une à Joanna – qui refusa – avant d'allumer la sienne.

— Oui, bien sûr. J'en ai avec mes autres locataires.

— Dans ce cas, pourquoi pas avec ma grand-tante ?

Il haussa les épaules et s'enfonça sur sa chaise.

— J'ai mis une annonce dans le journal, comme d'habitude. La petite vieille était la première à m'appeler. Elle voulait visiter. Je l'ai retrouvée là-bas le soir même et elle m'a donné mille cinq cents livres en liquide.

Il tira une bouffée de sa cigarette et reprit :

— Trois mois d'avance. Et je me doutais bien que je ne prenais pas trop de risques. Pas vraiment du genre à faire des grosses fêtes ou à vandaliser.

Joanna poussa un petit soupir de découragement.

— Alors vous ne connaissez pas son nom de famille ?

— Non. Elle a dit qu'elle n'avait pas besoin de quittance.

— J'imagine que vous ne savez pas non plus d'où elle venait ?

George tapota son nez en réfléchissant, puis exulta :

— Aha ! Peut-être que oui ! J'étais dans le coin quelques jours après son arrivée et j'ai vu une camionnette. La dame – Rose, vous dites ? – disait aux déménageurs où mettre les caisses en bois. Je leur ai tenu la porte et j'ai remarqué les vignettes sur le véhicule. Françaises, je crois.

— Oui, c'est logique. Vous vous souvenez de la date à laquelle Rose a emménagé ?

George gratta son crâne dégarni.

— Euh... novembre, je crois ?

— Bon, eh bien merci pour votre aide, monsieur Cyrapopolis.

— Vous voulez rester pour un gyros ? proposa-t-il. L'agneau est bien juteux.

— Non, merci.

Elle se leva vivement et se dirigea vers la porte.

— Oh, juste une dernière chose. C'est vous qui avez vidé l'appartement après sa mort ? Pour le relouer ?

L'homme afficha une surprise sincère.

— Non, pas du tout. J'y suis allé quelques jours plus tard, pour voir ce qu'il fallait faire, et tout avait disparu. Comme par magie. J'ai cru que sa famille avait emporté ses affaires et fait le ménage. Apparemment, ce n'est pas vous ?

— Non. L'appartement est déjà reloué ?

Il hocha la tête d'un air coupable.

— Quelqu'un a appelé. Ça ne servait à rien de le laisser vide, pas vrai ?

— Non, bien sûr que non. Merci encore.

Joanna lui adressa un sourire hésitant, puis elle quitta le restaurant.

# 10

Joanna retourna au travail le mercredi, complètement découragée. Elle avait passé des heures parmi les rangées de livres de la Highgate Library où, par chance, toutes les biographies de sir James Harrison avaient été sorties en libre consultation. Elle avait feuilleté les épais volumes, mais n'en savait toujours pas davantage sur le lien de l'acteur décédé avec la vieille dame. Les deux jours précédents ne l'avaient menée à rien, elle n'avait pas obtenu d'informations supplémentaires sur Rose – à l'exception de la quasi-certitude qu'elle venait de France. *Pas vraiment de quoi convaincre Alec qu'il s'agit de la nouvelle de l'année.*

Alec lui donna une petite tape paternaliste sur l'épaule quand elle passa devant son bureau.

— Salut, Jo. Comment tu vas ?

— Mieux, merci.

— Tu as pu déblayer un peu le bazar chez toi ? Ton ami a dit que l'appart était totalement retourné.

— Oui. Ils ont fait du bon boulot. Je n'ai plus rien.

— Bah… Au moins tu n'étais pas là quand c'est arrivé. Et tu ne les as pas pris sur le fait non plus.

— C'est vrai. Merci de t'être montré si compréhensif.

— T'en fais pas, va. Je sais que c'est un traumatisme.

*Impressionnant. Il serait donc humain ?*

— Qu'est-ce que tu as pour moi aujourd'hui ? demanda-t-elle avec un sourire.

— Eh bien, je me suis dit que j'allais te laisser reprendre en douceur. Tu peux choisir entre « mon rottweiler est plus mignon qu'un chaton », même si la bête a failli arracher la jambe d'un petit vieux hier au parc, ou alors un dîner sympa avec Marcus Harrison. Il lance une sorte de fondation en mémoire de son grand-père, ce bon vieux sir James.

— Je prends Marcus.

— C'est bien ce que je me disais.

Il nota les informations principales sur un papier qu'il lui tendit avec un sourire en coin.

— Qu'est-ce qu'il y a ? interrogea Joanna, se sentant rougir.

— D'après ce qu'on raconte, t'as plus de chances de te faire mordre par Marcus Harrison que par le rottweiler. Bon courage !

Il lui fit un signe de la main en s'éloignant à grands pas.

Joanna regagna son poste de travail et appela Marcus Harrison pour convenir d'un rendez-vous. Quelle heureuse coïncidence. Puisque toute cette histoire avait commencé à la cérémonie en l'honneur de James Harrison, peut-être allait-elle découvrir ce qui le liait à une vieille dame prénommée Rose.

Une voix étonnamment grave et chaleureuse lui répondit et lui donna l'adresse d'un restaurant chic de Notting Hill. En s'enfonçant dans son siège, elle songea que c'était probablement la mission la plus plaisante qu'on lui ait attribuée depuis son arrivée à la rédaction. Si seulement elle s'était habillée avec quelque chose d'un peu plus chic que son jean et son chandail…

Marcus avait commandé une bonne bouteille de vin au sommelier. Zoe lui avait dit qu'il pouvait faire passer ses notes de frais à la fondation et lui avait donné une limite de cinq cents livres. Sirotant son bordeaux délicieusement fruité, il se sentait bien. Les choses s'étaient nettement améliorées.

Chaque fois qu'il avait appelé Zoe pour lui parler de ses projets à propos de la fondation, elle n'avait été que joie et bonne humeur, sans jamais mentionner son comportement exécrable de la semaine précédente. Il se passait quelque chose dans la vie de sa sœur, il le savait. S'il se fiait à l'étincelle qu'il avait surprise dans ses yeux, ce ne pouvait être que positif. D'autant que ça rendait sa vie à lui beaucoup plus facile.

Marcus alluma une cigarette et fixa la porte en attendant l'arrivée de la journaliste.

À treize heures passées de trois minutes, une jeune femme entra dans le restaurant. Elle portait un jean noir et un chandail blanc tendu sur sa poitrine. Grande, d'une beauté naturelle – il ne voyait aucune trace de maquillage sur sa peau nette –, elle n'était absolument pas son genre. Ses cheveux bruns, épais et brillants encadraient son visage et tombaient en boucles légères dans son dos. Elle suivit le maître d'hôtel jusqu'à la table et Marcus se leva pour la saluer.

— Joanna Haslam ?

— Oui.

Le sourire charmant creusa des fossettes sur les joues de la jeune femme et se propagea à ses yeux marron expressifs. Il fallut un instant à Marcus pour s'en remettre.

— Je suis Marcus Harrison. Merci d'être venue.

— Tout le plaisir est pour moi.

Elle s'assit en face de lui et il resta bouche bée. Joanna Haslam était absolument séduisante.

— Je vous sers du bordeaux ? proposa-t-il enfin.

— Oui, merci.

— À la vôtre, dit-il en levant son verre.

— Merci. Hum. À la santé de la Fondation Sir-James-Harrison.

Il laissa échapper un petit rire nerveux.

— Oui, bien sûr. Avant qu'on ne parle de choses sérieuses, on pourrait peut-être commander ? Après ça, on sera tranquilles pour discuter.

— Absolument.

Cachée derrière son menu, Joanna observait Marcus. L'image qu'elle avait gardée de lui était assez fidèle à la réalité, même si elle ne rendait pas complètement justice à sa beauté. Ce jour-là, au lieu du costume froissé de l'église, Marcus portait une veste en laine bleu roi sur un chandail noir à col en V.

Soudain, il brisa le silence.

— Je vais prendre l'agneau, et vous ?

— Le potage, je crois. Puis l'agneau.

— Pas de pousses d'épinards sur une assiette avec un nom italien à la mode ? Je pensais que c'était tout ce que les filles mangeaient de nos jours.

— Désolée de casser votre rêve, mais toutes les « filles » ne sont pas les mêmes. Je viens du Yorkshire. Pour moi c'est viande, légumes et féculents.

— Vraiment ?

Il haussa un sourcil en prenant une gorgée de vin, remarquant un accent mélodieux dans sa voix.

— Enfin, je…

Elle rosit, prenant conscience de ce qu'elle venait de dire.

— … disons que j'aime manger.

— C'est quelque chose que j'apprécie chez une femme.

L'estomac de Joanna se serra quand elle comprit qu'il flirtait avec elle. Tentant de retrouver un semblant de concentration, elle sortit de son sac à dos un dictaphone, un carnet et un stylo.

— Ça vous ennuie si j'enregistre notre conversation ?

— Pas du tout.

— Très bien. Je l'éteindrai quand les plats arriveront, sans quoi on n'entend que des bruits de couverts.

Joanna posa l'appareil près de Marcus et l'enclencha.

— Si j'ai bien compris, vous lancez une fondation en mémoire de votre grand-père, sir James Harrison ?

— Oui.

Il se pencha en avant et la regarda intensément.

— Vous savez, Joanna, vous avez des yeux magnifiques, d'une couleur fauve incroyable. On dirait ceux d'une chouette.

— Merci. Parlez-moi de cette fondation.

— Désolé, vous êtes tellement belle que je n'arrive pas à me concentrer.

— Vous préféreriez que je poursuive l'interview avec une serviette sur la tête ?

— D'accord, je vais faire un effort. Mais gardez la serviette sous la main, on ne sait jamais.

Il afficha un sourire malicieux et reprit une gorgée de vin.

— Très bien, par où commencer ? enchaîna-t-il. Papi, ce cher sir Jim, ou « Siam », comme l'appelaient ses amis dans le théâtre, a placé une bonne partie de sa fortune avec pour but d'attribuer tous les ans une bourse d'études à deux jeunes acteur et actrice de talent. Vous savez combien les aides du gouvernement se font rares, de nos jours. Même ceux qui les perçoivent sont contraints de travailler pendant leurs études pour couvrir les frais du quotidien.

Joanna tentait de se concentrer, mais elle sentait son corps réagir comme par instinct à la présence du jeune homme. Il était incroyablement séduisant. Heureusement qu'elle enregistrait l'interview et pourrait la réécouter plus tard, car elle ne retenait pas un mot de ce qu'il racontait. Elle s'éclaircit la gorge.

— Alors n'importe quel étudiant ayant intégré une école de théâtre pourra postuler pour votre bourse ?

— Absolument.

— N'avez-vous pas peur de crouler sous les demandes ?

— Je l'espère, même ! Les auditions commenceront en mai, et plus on est de fous, plus on rit.

— Je vois.

Les potages de petits pois et de pancetta arrivèrent, et Joanna éteignit le dictaphone.

— Ça sent bon, commenta Marcus. Alors, Joanna Haslam, parlez-moi un peu de vous.

— C'est moi qui suis censée vous interroger !

— Je suis sûr que vous êtes bien plus intéressante que moi.

— J'en doute. Je ne suis qu'une fille quelquonque du Yorkshire qui a toujours rêvé de devenir une grande journaliste.

— Dans ce cas, que faites-vous au *Morning Mail*? Le *Times* semble mieux vous correspondre.

— J'y gagne en expérience et me forge une réputation. Et un jour, j'aimerais passer à un quotidien plus sérieux. Mais avant ça, il me faut une grande nouvelle exclusive pour me faire remarquer.

Marcus feignit un soupir.

— Mon Dieu. Je doute que ma fondation vous en fournisse un.

— Non, mais j'aime bien le fait que, pour une fois, ce que je mets en lumière pourrait changer la vie de quelqu'un.

Une lueur scintilla dans les yeux de Marcus.

— Une journaliste avec des valeurs. Ça, c'est inhabituel.

— Ne vous emballez pas, j'ai harcelé des célébrités comme tous mes collègues. Mais je n'aime pas la direction que prend le journalisme en Grande-Bretagne. Il devient intrusif, cynique, et parfois dévastateur. Je serais contente de voir passer les nouvelles lois sur la vie privée. Mais ça n'arrivera jamais. Trop de propriétaires de journaux ont des amis au gouvernement. Comment peut-on espérer donner une information neutre au public pour le laisser se forger sa propre opinion quand tout dans les médias est régi par un intérêt politique ou financier ?

— Belle et intelligente, on dirait.

— Pardon, je vais redescendre de mes grands chevaux, dit-elle avec un sourire. En réalité, la plupart du temps, j'adore mon métier.

Marcus leva son verre.

— Je propose un toast à toute une nouvelle génération de jeunes journalistes dotés d'une éthique.

Les assiettes de soupe furent débarrassées et, quand l'agneau arriva, Joanna constata qu'elle avait perdu son appétit habituel. Pendant que Marcus dévorait son plat, elle se contenta de triturer le sien du bout de sa fourchette. Une fois que le serveur fut revenu débarrasser, elle proposa :

— Ça vous ennuie si on reprend ?

— Pas du tout.

Joanna enclencha à nouveau le dictaphone et se lança :

— Dans son testament, sir James a-t-il spécifiquement demandé que vous gériez la fondation ?

— Ma famille – c'est-à-dire mon père, ma sœur et moi – avait à charge de la mettre en place. Je suis honoré qu'on m'ait confié cette tâche.

— J'imagine que votre sœur Zoe est bien trop occupée avec sa carrière, ces derniers temps. Je lisais il y a peu qu'elle tourne dans une nouvelle adaptation de *Tess d'Urberville*. Êtes-vous proches, tous les deux ?

— Oui. Notre enfance était… comment dire… versatile. Alors nous nous raccrochions toujours l'un à l'autre dans notre quête de stabilité.

— Et bien sûr, vous étiez très proche de sir James ?

— Oui, très.

— Pensez-vous qu'appartenir à une famille si illustre vous a aidé, ou au contraire vous a mis des bâtons dans les roues ? Je veux dire, avez-vous ressenti une pression de la réussite à tout prix ?

Il hésita.

— Ça reste entre nous ?

— Si vous le souhaitez.

Si Joanna était arrivée avec l'intention de rester extrêmement professionnelle, après deux verres de vin, sa résolution commençait à s'étioler. Elle mit le dictaphone en pause.

— Honnêtement, confia-t-il, ça a toujours été un fardeau. Je sais qu'aux yeux des autres, j'ai l'air chanceux. Mais, en réalité, avoir une famille célèbre n'a rien de facile. J'ai l'impression que jamais je ne ferai mieux que mon père, et encore moins que mon grand-père.

Joanna remarqua soudain chez Marcus une vulnérabilité, presque un manque de confiance en lui.

— Oui, je peux le comprendre, dit-elle avec douceur.

— Vraiment ? Vous seriez bien la première.

— Ça m'étonnerait.

— Et pourtant, oui. D'ailleurs c'est normal, en théorie je suis un bon parti, pas vrai ? Famille célèbre, bon réseau, les femmes s'imaginent tout de suite que je suis riche… à mon avis, aucune ne m'a jamais vraiment aimé pour moi. Je n'ai pas une carrière très glorieuse.

— Que faisiez-vous avant ?

— Eh bien, j'ai toujours été intéressé par la production. Ce qu'il se passe derrière la caméra, faire coller tous les éléments d'un film. C'est ce qui me passionne. C'est aussi un domaine auquel personne n'a jamais touché dans ma famille, et donc que je peux revendiquer comme étant le mien… bien qu'aucune de mes productions n'ait eu de succès.

— Est-ce qu'il y en a que j'aurais pu voir ?

Il rougit légèrement.

— Hum. Vous vous souvenez de *No Way Out* ? Enfin, ça m'étonnerait, il est sorti directement en VHS.

— Non, désolée. Je n'en ai pas entendu parler. Quel en est le sujet ?

— On est allés en Bolivie, en plein cœur de la forêt amazonienne, pour le tourner. La période la plus effrayante et la plus incroyable de toute ma vie, à vrai dire.

En évoquant ce souvenir, son visage s'éclaira et il se mit à agiter les mains à mesure que l'enthousiasme le gagnait.

— C'est un endroit tellement sauvage et spectaculaire. Le film raconte l'histoire de deux chercheurs d'or américains perdus au fin fond de la forêt. La nature finit par les avaler, et ils meurent. Maintenant que j'y repense, c'est assez déprimant. Mais le message derrière le film était porteur d'un vrai message moral, sur l'avidité occidentale.

— D'accord. Et vous travaillez sur un projet en ce moment?

— Oui, ma société de production, Marc One Films, essaie de rassembler des fonds pour un scénario fabuleux.

Il afficha un grand sourire et Joanna se sentit contaminée par son exaltation.

— C'est une histoire incroyable. Quand je voyageais en Amazonie, j'ai eu la chance de rencontrer un Yanomami – c'est une tribu qui n'est entrée en contact avec les autorités brésiliennes qu'à partir des années quarante. Vous imaginez un peu? Avoir toujours été coupé de la civilisation moderne, et d'un coup se rendre compte que le monde est bien plus grand que vous ne le pensiez?

— On parle donc d'un choc un peu plus extrême que de passer du Yorkshire à Londres? plaisanta-t-elle.

Son plaisir de le voir rire à sa boutade fut vite gâché par la conscience de sa propre niaiserie.

— Oui, un tout petit peu plus. C'était un peuple très paisible. Leur culture était fondée sur une pure démocratie: ils n'avaient pas de chef et prenaient toutes les décisions en consensus, et chacun avait voix au chapitre. L'intrigue commence au moment où le gouvernement brésilien a décidé, sans prévenir, d'envoyer des bulldozers détruire le village pour construire une route nationale.

— C'est abominable! Est-ce qu'ils l'ont vraiment fait?

— Oui! C'est révoltant. Au cours des dernières décennies, une partie de la population indigène a été décimée par les maladies, les conséquences de la déforestation et les meurtres des chasseurs d'or. Le film comporte aussi une magnifique histoire d'amour, tragique, émouvante et...

Il s'interrompit, le regard coupable.

— ... désolé, je sais que j'ai tendance à me laisser emporter. Zoe finit toujours par s'ennuyer quand je lui en parle.

— Pas du tout.

Joanna avait été tellement absorbée par son récit qu'elle en avait presque oublié l'interview. Elle reprit :

— C'est un projet incroyable et qui mérite de voir le jour. J'espère que vous y parviendrez. Mais maintenant il faut que je vous demande quelques chiffres sur la fondation, sinon mon responsable aura ma peau. Vous pouvez me dire la date limite pour les candidatures, l'adresse où les envoyer, ce genre de choses ?

Pendant dix minutes, Marcus donna à Joanna toutes les informations nécessaires. Comparée au projet de film, la fondation lui parut terriblement ennuyeuse.

— Merci, Marcus. Je crois que j'ai tout, dit-elle finalement. Oh, et une dernière chose. Il nous faudrait une photo de vous et Zoe.

— Zoe est en tournage dans le Norfolk. Elle ne va pas revenir avant des lustres. Je sais que je ne suis pas aussi joli ni aussi célèbre que ma sœur, mais vous allez devoir vous contenter de moi seul, répondit-il d'un ton taquin.

— Aucun problème. S'ils veulent Zoe, ils n'auront qu'à utiliser un portrait de son fichier.

Elle tendit la main pour éteindre le dictaphone, mais Marcus l'arrêta en posant sa main sur son avant-bras. Une étincelle la traversa. Il s'empara du dictaphone, le porta à ses lèvres et murmura dans le minuscule microphone.

Puis il leva la tête et lui sourit.

— C'est bon, vous pouvez l'éteindre. Un brandy, pour la route ?

Joanna jeta un coup d'œil à sa montre et secoua la tête.

— Ce serait avec plaisir, mais je dois retourner au bureau.

— D'accord.

Manifestement déçu, Marcus demanda l'addition.

— Le service photo vous contactera pour le portrait. Et merci pour le dîner.

Elle se leva et lui tendit la main. Mais il ne la serra pas. Au lieu de ça, il la porta à ses lèvres et déposa un baiser sur ses doigts.

— Au revoir, miss Haslam. Ce fut un plaisir.

Elle quitta le restaurant sur un petit nuage et arriva à la rédaction encore enivrée par l'euphorie du vin et du désir.

Une fois assise à son poste de travail, elle rembobina légèrement le dictaphone et appuya sur « Lecture ».

« Joanna Haslam. Vous êtes une femme magnifique. J'aimerais vous inviter à souper. Appelez-moi au 0171 932 4841 pour convenir de ce rendez-vous urgent. »

Elle gloussa. Alice, la reporter junior qui occupait le bureau voisin, lui lança un regard curieux.

— Quoi ?

— Rien.

— Tu as dîné avec Don Marcus, pas vrai ?

— Oui. Et alors ?

Elle avait beau feindre la nonchalance, Joanna se sentit rosir.

— Laisse tomber, Jo. Une amie à moi l'a fréquenté quelque temps. C'est un vrai connard sans une once de morale.

— Mais il est…

— Séduisant, charismatique… ne m'en parle pas. Mon amie a mis un an à s'en remettre.

— Je n'ai aucune intention de faire quoi que ce soit avec Marcus Harrison. D'ailleurs, je ne le reverrai probablement jamais.

— Ah oui ? Alors, il ne t'a pas invitée à souper ? Ni donné son numéro de téléphone ?

Joanna s'empourpra davantage.

— C'est bien ce que je pensais, se moqua Alice. Fais attention, Jo. Tu as eu ta dose de chagrin d'amour ces derniers temps.

— Merci pour le rappel. Maintenant, excuse-moi, il faut que je transcrive tout ça.

À la fois irritée par l'attitude infantilisante d'Alice et par son analyse probablement exacte de Marcus, Joanna posa son casque sur ses oreilles, le brancha au dictaphone et se lança dans la transcription de l'interview.

Cinq minutes plus tard, son visage avait perdu toute couleur. Le regard fixé sur son écran, elle rembobinait frénétiquement la cassette pour réécouter en boucle le même mot prononcé par Marcus.

Au dîner, elle avait été trop occupée à le regarder avec des yeux de merlan frit pour faire le lien. *Siam...* C'était apparemment le surnom de sir James Harrison. Joanna ôta son casque et sortit la photocopie désormais froissée de la lettre d'amour. Elle étudia le nom en entête. Se pourrait-il... ?

Il lui fallait une loupe. Immédiatement. Elle quitta son siège d'un bond et retourna sens dessus dessous la rédaction pour en trouver une. Ayant finalement réussi à dégoter l'instrument du côté d'Archie, le journaliste sportif, Joanna retourna s'asseoir à son bureau et plaça le verre grossissant au-dessus de la première ligne.

« *Mon Sam adoré...* »

Elle étudia l'espace entre le S et le A. *Mais oui !* Il y avait bien un point. Cela pouvait-il n'être qu'une tache d'encre ou une marque de la photocopieuse ? Non. Il y avait bel et bien un petit point délibérément inscrit entre les deux lettres. Joanna s'empara d'un stylo et recopia, le plus fidèlement possible, la calligraphie gracieuse. Là, elle en fut certaine : il y avait également un trait inutile entre le S majuscule et le A minuscule. En ajoutant le point qui s'était égaré un peu trop haut sur la feuille, le mot changea aussitôt. De Sam, il devint Siam.

Joanna sentit un frisson d'excitation lui parcourir l'échine. Elle savait désormais qui était le destinataire de la lettre.

# 11

Joanna avait décidé de battre le fer tant qu'il était encore chaud et de profiter de l'empathie et de la bonne humeur passagère d'Alec. Cette après-midi-là, elle alla voir le rédacteur en chef à son bureau, qui croulait sous les piles des journaux rivaux – que surmontaient, non pas un, mais trois cendriers. Les manches de sa chemise étaient retroussées, une cigarette Rothmans pendait au coin de sa bouche et ses sourcils étaient emperlés de sueur alors qu'il maudissait l'ordinateur devant lui.

Joanna se pencha sur le bureau et arbora son sourire le plus ravageur.

— Alec.

— Pas maintenant, ma belle. On est en retard sur l'échéancier et Sébastien n'a toujours pas appelé de New York pour son rapport sur la rousse. Je ne vais pas pouvoir lui garder la couverture plus longtemps. Le directeur de la rédaction est déjà dans tous ses états.

— Ah. Tu penses avoir fini dans combien de temps ? Je voulais parler d'un truc avec toi.

— Vers minuit, ça te va ? dit-il sans quitter son écran des yeux.

— Ah.

Alec leva enfin la tête.

— C'est important ? Au point que la Terre va s'arrêter de tourner parce que ça nous fera vendre des centaines de milliers d'exemplaires ?

— Ça pourrait être une révélation sur un vieux scandale sexuel, oui.

Elle savait qu'il s'agissait des mots magiques.

L'expression du rédacteur changea aussitôt.

— OK. Si on parle de sexe, je t'accorde dix minutes à dix-huit heures au resto.

— Merci.

Joanna retourna à son poste et passa les heures suivantes à trier le courrier dans sa corbeille d'arrivée. À six heures moins cinq, elle se rendit au pub du coin de la rue, privilégié par les journalistes pour sa proximité – sa seule qualité. Elle s'installa au comptoir et, prenant soin de ne pas entrer en contact avec la surface crasseuse, commanda un gin tonic.

Alec entra d'un pas pressé à dix-neuf heures quinze, les manches toujours retroussées malgré la nuit glaciale.

— Salut, Phil. Comme d'hab, s'il te plaît, lança-t-il au barman.

Puis il se tourna vers Joanna.

— OK, je t'écoute.

Alors elle raconta son histoire depuis le début, le jour de la commémoration. Alec vida son verre de Famous Grouse cul sec et l'écouta avec attention jusqu'au bout.

— Pour être honnête, j'avais l'intention d'oublier toute cette histoire. Je n'arrivais nulle part, et d'un coup aujourd'hui, par une pure coïncidence, j'ai découvert à qui la lettre était adressée.

Alec commanda un autre whisky. Ses yeux fatigués lui lancèrent un regard approbateur.

— Tu tiens peut-être quelque chose. À l'évidence, quelqu'un était prêt à prendre des mesures extrêmes pour faire disparaître ta petite vieille, avec ses caisses. Ça sent l'opération de dissimulation. Les cadavres ne disparaissent pas comme ça dans la nature.

Il alluma une cigarette et demanda :

— Dis-moi, juste par curiosité. Est-ce que tu avais cette lettre sur toi le soir où ton appartement a été retourné ?

— Oui, elle était dans mon sac à dos.

— Et à aucun moment tu ne t'es dit que ce n'était peut-être pas un cambriolage ? De ce que m'a décrit ton ami, ça fait beaucoup de destruction inutile. Ils ont éventré ton canapé et ton sofa ?

— Oui, mais…

— Peut-être qu'ils cherchaient quelque chose de précis ?

— C'est vrai que même la police semblait étonnée devant l'état de l'appart, murmura-t-elle.

Soudain, elle prit conscience de la révélation et leva les yeux vers Alec.

— Merde alors. Tu as raison.

— Tu verras, il te manque un paquet d'années avant de devenir parano et cynique comme moi – les qualités essentielles d'un bon journaliste.

Il sourit de toutes ses dents tachées de nicotine et lui tapota la main.

— T'en fais pas, ça viendra. Où est la lettre à présent ?

— Simon l'a donné à son ami de la police scientifique pour la faire analyser.

— Il est flic, ton Simon ?

— Non, il travaille au gouvernement ou je ne sais quoi.

— Bon sang, Jo ! Grandis un peu ! s'exclama Alec en reposant brutalement son verre sur le comptoir. Je te parie ce que tu veux que tu ne reverras jamais cette lettre.

— Tu te trompes, répliqua-t-elle vertement. Je lui fais entièrement confiance. Simon est mon plus vieil ami. Il essaie simplement de m'aider et jamais il ne me trahirait.

Alec secoua la tête d'un air condescendant.

— Qu'est-ce que je passe mon temps à te répéter ? Ne fais confiance à personne. Surtout dans notre milieu.

Il soupira, puis reprit :

— Bon, OK. Donc la lettre a disparu, mais tu dis que tu as gardé une photocopie ?

— Oui, et j'en ai aussi une pour toi.

Alec déplia la feuille qu'elle lui tendait.

— Merci. OK, voyons voir. Oui, tu as raison, ça pourrait être « Siam ». En revanche, l'initiale au bas de la lettre est illisible. Mais ça ne ressemble pas vraiment à un R.

— Peut-être que Rose a changé de nom, ou que la lettre n'est pas d'elle. En tout cas, il y a forcément un lien avec le théâtre, puisque ni elle ni James Harrison n'apparaissent dans le programme.

Alec jeta un coup d'œil à sa montre et commanda un autre whisky.

— Encore cinq minutes et je file. Écoute, Jo, je ne peux pas te dire si tu tiens quelque chose ou pas. Dans ces situations, j'ai toujours suivi mon instinct. Que te dit le tien ?

— De suivre la piste.

— Et comment tu comptes t'y prendre ?

— Il faut que je parle à la famille Harrison, pour en apprendre plus sur la vie de sir James. Peut-être que l'explication est toute simple et qu'il ne s'agit que d'une liaison entre lui et Rose. Mais pourquoi m'envoyer cette lettre à moi, en particulier ? Et si mon appartement a été retourné par quelqu'un qui me soupçonne de la détenir, c'est que cette lettre a beaucoup de valeur pour cette personne.

— Oui. Bon, par contre, je ne peux pas te laisser enquêter là-dessus pendant tes heures de boulot.

— Je pourrais dresser un portrait sur la grande dynastie du théâtre britannique ? En commençant par sir James, son fils Charles, puis Zoe et Marcus. Ce serait l'excuse parfaite pour leur tirer des informations.

— C'est un peu léger pour la rubrique actualités.

— Pas si je déterre un scandale faramineux. Donne-moi quelques jours, s'il te plaît… Je ferai toutes les recherches sur mon temps libre, promis.

— Bon, OK. À une condition.

— Laquelle ?

— Je veux que tu me tiennes informé en temps réel. Non pas parce que ça m'amuse de mettre mon nez dans tes affaires, mais pour ta sécurité. Tu es jeune et inexpérimentée. Je ne veux pas que tu t'embourbes dans une sale histoire dont tu ne pourras pas te sortir. On ne joue pas au super-héros, compris ?

— C'est promis. Merci, Alec. J'y vais. À demain !

Elle se leva, et spontanément l'embrassa sur la joue avant de quitter le bar.

Alec regarda la jeune femme s'éloigner. Neuf fois sur dix, quand un reporter en herbe lui parlait d'une « super piste », il la déboulonnait en deux secondes et le jeune ambitieux repartait la tête basse. Mais cette fois-ci, son instinct infaillible avait lancé l'alerte. Joanna tenait quelque chose. Restait à savoir quoi.

• • •

Marcus n'en revenait pas que Joanna l'ait rappelé si vite. Elle disait que son responsable lui avait réclamé une sorte de série sur la famille Harrison au grand complet pour donner du contexte à l'article sur la fondation. Mais il espérait que son charme n'y était pas pour rien non plus. Il avait évidemment accepté de la recevoir chez lui le lendemain soir, et en l'honneur de sa visite avait passé la journée à déblayer les détritus de son existence bordélique de célibataire. Sans pitié, il avait balancé à la poubelle tout ce qui traînait sous le lit et même changé les draps. Puis il avait sorti ses livres les plus épais – qui tenaient lieu de cale à une chaise branlante – pour les poser bien en évidence sur la table basse. Cela faisait une éternité que la présence imminente d'une femme n'avait pas éveillé chez lui autre chose que du désir. Joanna était une des rares personnes à l'avoir vraiment écouté parler de son projet de film, et il était bien décidé à la convaincre qu'il valait davantage que ce qu'on disait de lui.

La sonnette retentit à dix-neuf heures trente. En ouvrant la porte, il constata avec déception que Joanna n'avait pas fait d'effort vestimentaire particulier, qu'elle ne s'était même probablement pas changée en sortant du travail.

Il l'embrassa sur les deux joues, s'attardant volontairement.

— Joanna. Je suis ravi de te revoir. Entre.

Sans s'émouvoir de ce tutoiement, elle le suivit dans l'étroit couloir qui débouchait sur un petit séjour modestement meublé.

— Un verre de vin ? proposa-t-il.

— Euh… je préférerais un café, si ça ne vous… si ça ne t'ennuie pas.

Elle était exténuée après avoir passé la nuit précédente à prendre des notes sur les différentes biographies de sir James et à étoffer sa liste de questions.

— Rabat-joie, la taquina Marcus. Eh bien, je vais quand même me servir un verre.

— Bon, d'accord, mais un petit.

Marcus revint de la cuisine avec un whisky pour lui et un grand verre de vin pour elle, et s'installa à côté d'elle sur le canapé. Elle détourna la tête et il replaça doucement une boucle brune derrière son oreille.

— Longue journée ?

Sentant la chaleur de sa cuisse contre la sienne, elle se décala légèrement. Il fallait absolument qu'elle reste concentrée.

— Oui, très.

— Alors détends-toi. Tu as faim ? Je peux nous faire des pâtes.

— Non, ne t'embête pas.

— Je t'assure que ce n'est rien du tout.

Elle mit le dictaphone en marche et le posa sur la table.

— Est-ce qu'on pourrait commencer et voir à quel rythme on avance? demanda-t-elle.

— Bien sûr, comme tu veux.

Elle remarqua les notes musquées de son après-rasage et ses boucles brunes mignonnes qui rebiquaient au niveau du col… *Non, non, non, Joanna!*

— Hum. Donc, comme je te l'expliquais au téléphone, je vais écrire une grande rétrospective sur la vie de sir James et de ta famille pour étoffer le lancement de ta fondation.

— Et je t'en suis très reconnaissant. Plus on en parle, mieux c'est.

— Absolument. Mais je vais avoir besoin de ton aide. Je veux découvrir qui était vraiment ton grand-père, d'où il venait et ce que sa carrière a changé pour lui.

— Tu sais qu'il existe déjà des dizaines et des dizaines de biographies, pas vrai?

— Oh, oui. Elles sont toutes à la bibliothèque. J'admets que je les ai seulement feuilletées pour l'instant, mais pour être honnête, n'importe qui peut le faire.

Elle le regarda droit dans les yeux et continua:

— Je veux apprendre à le connaître du point de vue de ses proches. Savoir les petits détails. Par exemple, son surnom, « Siam ». D'où venait-il?

— Aucune idée.

— Pas de rapport avec l'Asie du Sud-Est?

— Non, pas à ma connaissance.

Marcus vida son verre d'un trait et s'en servit un nouveau.

— Allez, Jo, détends-toi, tu as à peine touché à ton verre.

Il posa une main sur sa cuisse, qu'elle repoussa aussitôt avant de boire une gorgée de vin.

— Oui, j'ai eu deux semaines stressantes.

— Tu veux en parler?

Sa main retrouva le chemin de sa cuisse. Fermement, Joanna la délogea à nouveau et se tourna vers lui avec assurance.

— Non. Je dois boucler cet article avant mercredi prochain, et tu ne m'aides pas, là. Je te rappelle que c'est aussi dans ton intérêt.

Marcus baissa la tête comme un écolier qu'on réprimande.

— Oui, c'est vrai. Je suis désolé… je te trouve très séduisante.

— Une demi-heure de concentration, c'est tout ce que je te demande. D'accord?

— OK, je vais faire un effort. Promis.

— Bien. Maintenant, dis-moi ce que tu sais de sir James? De son enfance, par exemple?

— Eh bien…

Marcus avait beau se creuser les méninges, il ne parvenait pas à se souvenir de quoi que ce soit. En vérité, il ne s'y était jamais vraiment intéressé.

— … en fait, c'est plutôt à Zoe que tu devrais parler. Elle le connaissait bien mieux que moi, vu qu'elle vivait avec lui.

— Ce serait évidemment génial de lui parler, mais c'est toujours intéressant d'avoir des perspectives différentes sur une même personne. Est-ce que, par hasard, tu as déjà entendu ton grand-père parler d'une Rose?

— Non, pourquoi?

— Oh, c'est juste un prénom sur lequel je suis tombée dans une des biographies.

— Je suis sûr que James a connu beaucoup de femmes en son temps.

— Tu as connu ta grand-mère? Elle s'appelait Grace, c'est ça?

— Oui, et elle est morte à l'étranger bien avant ma naissance. Mon père était encore enfant, si je me souviens bien.

— C'était un mariage heureux?

— Très, si on en croit la légende.

— Et est-ce que, par hasard, ton grand-père aurait gardé quelques souvenirs? Des vieux programmes, des coupures de presse, ce genre de choses?

— Ah ah ! Quelques souvenirs ? Il en a un grenier entier dans sa maison du Dorset ! Il a tout légué à Zoe.

La curiosité de Joanna était piquée.

— Vraiment ? J'aimerais beaucoup pouvoir y jeter un œil.

— Oui, ça fait des lustres que Zoe dit qu'elle doit y passer une fin de semaine pour faire le tri. À mon avis, c'est surtout du bazar, mais il y a sûrement un programme ou deux et quelques photos qui doivent avoir de la valeur maintenant. Sir James gardait tout, c'était une vraie manie.

Soudain, le visage de Marcus s'illumina.

— Et si j'appelais Zoe pour organiser une fin de semaine dans le Dorset ? Comme ça, on pourrait regarder tout ça. Et je suis sûr qu'elle sera contente qu'on lui facilite le tri.

— Euh… pourquoi pas.

Joanna savait exactement pourquoi Marcus jubilait ainsi, et elle espérait vivement que les portes des chambres fermaient à clé. En même temps, l'idée d'avoir accès à des boîtes entières d'éléments du passé de sir James était beaucoup trop tentante, elle ne pouvait pas laisser filer cette chance.

Marcus avait l'air d'un petit garçon surexcité.

— On pourrait faire la route samedi matin et passer la nuit là-bas ? Il nous faudra bien deux jours pour tout déballer.

Joanna hésitait encore.

— Si tu penses que c'est une bonne idée… Tu demanderas à Zoe, alors ?

— Évidemment. Elle a besoin d'argent pour rénover la maison que sir James lui a léguée. Peut-être que si on trouve quelque chose de valeur dans le grenier, ça pourra l'aider.

Marcus savait pertinemment que Zoe n'accepterait jamais de vendre le moindre papier ayant appartenu à son grand-père, mais c'était une bonne excuse.

— Super, merci, dit Joanna en remballant son dictaphone avant de se lever.

— Tu t'en vas déjà? Tu ne veux pas rester manger?

— C'est très gentil de ta part, mais si je ne dors pas un peu ce soir, je ne serai plus bonne à rien demain.

Marcus poussa un soupir.

— D'accord. Rejette-nous, moi et mes spaghettis, je m'en fiche.

Joanna lui tendit sa carte.

— Tiens, c'est mon numéro au boulot. Tu voudras bien m'appeler demain et me donner la réponse de Zoe?

Elle l'embrassa sur la joue.

— Merci, Marcus. À bientôt.

Marcus la regarda quitter l'appartement. Cette femme était… différente. Quelque chose chez elle faisait battre son cœur plus vite, et ce n'était pas que du désir. Il appréciait vraiment sa franchise, sa transparence et son ouverture d'esprit. Trois qualités qu'on ne retrouvait pas souvent chez la flopée de jolies actrices égocentriques qu'il fréquentait habituellement.

En entrant dans la cuisine afin de se préparer des pâtes pour lui seul, Marcus remplit automatiquement son verre et le porta à ses lèvres. Il s'immobilisa. Puis, non sans effort, s'obligea à vider le whisky dans l'évier.

— Ça suffit.

• • •

En marchant vivement dans la nuit glaciale en direction de la station de Holland Park, Joanna reconnut enfin – peu importe la part de vérité dans sa réputation – qu'elle était profondément attirée par Marcus. Ses flatteries avaient réveillé son ego flétri par la rupture et son désir manifeste l'avait fait se sentir à nouveau séduisante. Cela faisait des années qu'elle n'avait pas regardé un autre homme et les émotions que celui-ci attisait en elle étaient à la fois excitantes et troublantes. Cependant, elle n'avait pas l'intention de devenir un nom de plus dans son tableau de chasse. Une aventure éphémère pourrait s'avérer satisfaisante sur le plan physique, mais elle ne suffirait pas à combler le vide émotionnel laissé par Matthew.

En dépit de cette résolution, un élan de plaisir anticipé la saisit à la perspective de la fin de semaine à venir. Passer du temps avec Marcus et, peut-être, découvrir de nouveaux indices. Le fait qu'Alec – pourtant si cynique – pense qu'elle avait des raisons de creuser avait suffi à lui redonner la confiance nécessaire pour prendre cette histoire au sérieux.

En sortant à Archway, elle ajusta son écharpe pour se protéger du courant d'air. L'obscurité était totale dans le quartier de Highgate Hill, presque désert à cette heure. Ses bottes résonnaient sur le trottoir et Joanna n'avait qu'une envie : se réfugier aussi vite que possible dans son lit d'appoint chez Simon.

Peut-être était-ce le vent glacial s'insinuant sous son écharpe, mais elle eut soudain l'impression d'être suivie. Ralentissant le pas, elle tourna légèrement la tête pour voir si l'ombre derrière elle était celle d'une personne ou simplement des branches d'arbres qui ondulaient. Enfin, elle s'arrêta tout à fait et tendit l'oreille.

Au loin, elle entendit des éclats de rire provenant d'un pub en bas de la rue. Le bruit des voitures et des bus. Sur un coup de tête, elle traversa la route pour entrer dans une petite épicerie où elle acheta un paquet de gommes à mâcher. En sortant de la boutique, elle regarda à droite, puis à gauche, mais la seule silhouette à l'horizon était celle d'un homme en imperméable qui fumait tranquillement à l'arrêt de bus, de l'autre côté de la route.

Elle remonta la rue d'un pas délibérément calme et, au bout de quelques mètres, jeta un regard en arrière. L'homme avait disparu, pourtant aucun bus n'était passé. Le cœur battant, elle héla un taxi et se précipita à l'intérieur. Le chauffeur s'agaça quand elle lui donna l'adresse de Simon, à trois minutes seulement.

Arrivée devant l'immense demeure, Joanna grimpa les marches aussi vite que possible. Regrettant que son ami ne soit pas là, elle claqua la porte derrière elle et coinça une chaise sous la poignée. Puis elle saisit le maillet de cricket rangé dans le placard de l'entrée et le jeta sur le canapé-lit.

Bien plus tard dans la nuit, elle s'endormit enfin, la main toujours serrée sur son arme de fortune.

# 12

Zoe avait passé sa première semaine dans le Norfolk à tourner en rond. Les décors extérieurs étaient recouverts d'un manteau neigeux, et même si la blancheur créait une atmosphère magique, elle rendait le tournage impossible. Alors ils avaient filmé le maximum de scènes dans le vieux cottage loué pour l'occasion. Toutefois, William Fielding, l'acteur censé incarner le père de Zoe, «John Durbeyfield», jouait actuellement dans une pantomime à Birmingham et n'arriverait pas avant la semaine suivante. Zoe avait envisagé de rentrer à Londres, mais puisque Art s'était arrangé pour la rejoindre ici, le voyage semblait inutile.

Le vendredi matin, Zoe se réveilla en sursaut, trempée de sueur, la peur lui nouant l'estomac. Elle ne voyait plus du tout la vie en rose, ni la magie du destin qui, après tout ce temps, avait choisi de les réunir. Il ne restait plus que l'incrédulité d'avoir encore une fois imaginé la possibilité d'une histoire avec lui.

*Oh non. Et Jamie, dans tout ça ?*

Zoe se leva, chancelante, enfila un jean et des bottes en caoutchouc avant de partir se dégourdir les jambes dans le village recouvert de neige. Elle était tellement perdue dans ses pensées que la splendeur du paysage lui échappa. C'était bien mignon de se déclarer indépendante et libre, mais il fallait être réaliste. Ses actions auraient forcément un impact sur la vie de Jamie. Et comment pourrait-elle cacher plus longtemps ce secret à Art ? Ils allaient forcément parler, se redécouvrir, et alors il comprendrait – s'il ne savait pas déjà. C'était inévitable. Et où cela les mènerait-il, tous les trois ?

— C'est pas possible ! s'énerva Zoe en donnant des coups de pied dans la neige.

Elle avait gardé ce secret si longtemps et le choc pour ses proches serait démesuré… Si Art et elle se remettaient ensemble et si on venait à apprendre la vérité sur Jamie, pouvait-elle vraiment exposer son enfant chéri à une pareille tempête ?

*Non. Jamais. Mais quelle mouche l'avait piquée ?*

Cette après-midi-là, Zoe fit ses bagages et prit la route de Londres. En arrivant à la maison, elle éteignit son téléphone et laissa le répondeur prendre ses messages. Puis, dérogeant complètement à ses habitudes, elle s'autorisa une demi-bouteille de vin et s'endormit sur le canapé devant un film dont l'intrigue romanesque n'arrivait pas à la cheville des rebondissements de sa vie.

• • •

Marcus avait loué une Golf avec sa carte de crédit agonisante. En route pour le Dorset avec Joanna, il décida que oui, cela valait bien la peine de passer le mois suivant dans le rouge. Elle avait un parfum divin, comme celui des pommes tout juste cueillies. *Pourvu que la clé de secours d'Haycroft House soit toujours cachée au même endroit.* Il avait tenté de joindre Zoe à plusieurs reprises la veille, mais elle ne l'avait pas rappelé. Il avait fini par décider qu'il avait fait son maximum et qu'il n'avait rien à se reprocher.

À côté de lui, Joanna était silencieuse. Elle avait été véritablement surprise quand Marcus lui avait annoncé que tout était bon pour la fin de semaine, tant elle était convaincue que Zoe refuserait net de laisser une journaliste s'immiscer dans la vie de son grand-père. En observant le profil parfait de Marcus, elle se demanda si sir James avait été aussi beau dans sa jeunesse.

Quand ils quittèrent l'autoroute, des champs ondulaient à perte de vue. La campagne ici n'avait pas autant de caractère que celle du Yorkshire, mais l'éloignement des immeubles étouffant de la ville demeurait appréciable. Les animaux étaient terrés dans leurs refuges hivernaux et la végétation était recouverte d'épaisses couches de neige qui renvoyait la lumière d'un ciel bleu spectaculaire.

Après une série de petits chemins de campagne entourés de haies enneigées, la voiture s'engouffra dans une allée et la maison apparut. C'était un immense cottage de deux étages construit en briques gris clair. De la mousse avait poussé sur le toit de chaume – créant des taches vert vif dans la neige – et des stalactites pendaient sous les corniches et autour des fenêtres à petits carreaux, scintillant au soleil.

— On y est, annonça Marcus. Voici Haycroft House.

— C'est magnifique, souffla-t-elle.

— Oui. Sir James l'a léguée au fils de Zoe, Jamie. Quel chanceux. Ne bouge pas, je vais chercher la clé.

Joanna décela une note d'amertume dans sa voix, mais il bondissait déjà hors de la voiture pour se diriger à l'arrière de la maison.

Là, il creusa dans la glace, un peu à la gauche d'un vieux tonneau, et ses doigts gelés entrèrent en contact avec une clé rouillée.

— Ouf, heureusement qu'elle était encore là, marmonna-t-il en soufflant sur ses doigts engourdis par le froid.

Quand il revint de l'autre côté de la maison, Joanna était sortie de la voiture et avait le nez collé aux fenêtres à meneaux.

— C'est bon, je l'ai !

Il inséra la clé dans la grande serrure de la solide porte en chêne et la tourna. Ils entrèrent dans un couloir obscur au parfum de cheminée. Marcus alluma la lumière et

Joanna sursauta en apercevant une tête d'ours la toiser depuis le mur.

— Désolé, j'aurais dû te prévenir pour M. West, dit Marcus en ébouriffant le poil de l'ours.

— M. West ?

Elle frissonna. Il faisait encore plus froid dans la maison qu'à l'extérieur.

— Oui, Zoe lui a donné le nom d'un prof qui lui faisait peur quand elle était petite. Mais ne t'en fais pas, il n'a pas été abattu dans la région, la taquina-t-il. Allez, viens, on va allumer un feu dans le salon. Sinon il va falloir beaucoup de chaleur humaine pour éviter l'hypothermie…

Choisissant d'ignorer son dernier commentaire, Joanna suivit Marcus dans un séjour chaleureux meublé de vieux canapés sur lesquels s'empilaient les coussins moelleux. Alors qu'il cherchait l'allume-feu, elle s'approcha des photos. Zoe Harrison, petite fille, était radieuse dans les bras de sir James. Il y avait une quantité de photos d'elle à différents âges, dans son uniforme d'écolière, à cheval, puis avec son fils, un sourire jusqu'aux oreilles. Joanna se mit en quête d'une photo du petit Marcus, mais n'en trouva aucune. Avant d'avoir eu le temps de lui demander pourquoi, elle entendit un cri victorieux dans son dos.

— Et que la chaleur soit ! déclara-t-il alors que les flammes s'élevaient, envoyant des ombres danser sur les murs d'enduit et de bois.

Il ajouta du petit bois, puis plaça quelques bûches sur le tout.

— Bien, ça devrait vite se réchauffer. Maintenant, allons voir le chauffage.

Joanna le suivit dans une cuisine aux poutres monumentales et aux fourneaux antiques dallée de gris sombre. Marcus ouvrit la lourde porte grinçante de la chaudière, fourra du papier journal, des charbons et alluma le tout.

— On ne le croirait pas à première vue, mais je t'assure que c'est efficace, expliqua-t-il. Ah, le bon vieux chauffage à l'ancienne. Il y a quelques années, Papa a voulu faire installer un vrai système de chauffage central. Mais James a refusé. Je pense qu'il aimait bien geler. Bon, je vais aller braver le froid pour décharger la voiture.

Joanna fit le tour de la cuisine au délicieux charme rustique. Un vieil étendoir en bois était suspendu au-dessus des fourneaux, ainsi qu'un séchoir à fines herbes encore plein de romarin et de lavande. La table en chêne portait les marques du temps et les étagères croulaient sous les conserves, bocaux et services en porcelaine.

Marcus revint avec une caisse pleine de victuailles. Joanna compta deux bouteilles de champagne, qui accompagnaient des produits raffinés comme du saumon fumé – qu'elle détestait – et du caviar – qu'elle abhorrait plus encore. Manifestement, si elle ne mourait pas de froid, elle allait mourir de faim. Au moins, vu la quantité d'alcool prévue, elle serait saoule. Joanna l'aida à déballer les courses, puis se plaça stratégiquement devant la chaudière.

En rangeant les produits frais dans le réfrigérateur, Marcus lui fit remarquer :

— Tu n'as pas dit grand-chose depuis qu'on est partis. Tout va bien ? Je sais que c'est un peu bizarre, de passer la fin de semaine avec un quasi-inconnu...

— Tout va bien, Marcus. Je suis juste préoccupée par le boulot. Mais je te suis vraiment reconnaissante d'avoir pris ta fin de semaine pour m'aider dans mes recherches.

— Même si j'aimerais vraiment te le faire croire, je ne suis pas si altruiste. J'espère aussi m'amuser avec toi.

Pour toute réponse, elle lui lança un regard sceptique.

— Enfin, Jo, quel esprit mal placé ! protesta-t-il d'un air faussement choqué. Je parlais de conversations stimulantes et éventuellement d'un tour au pub. Bon, maintenant, ça te dit de monter au grenier pour déballer quelques cartons ? Je pense que le plus pratique serait de les descendre et de s'installer devant la cheminée.

À l'étage, en haut de l'escalier dont les marches en bois craquaient sous chaque pas, Marcus ramassa une perche en fer posée contre le mur et l'accrocha à la poignée située au-dessus de sa tête. En tirant lentement, il fit descendre du plafond un escalier en fer poussiéreux. Il grimpa quelques marches, tira sur une cordelette pour allumer la lumière du grenier, puis il tendit la main à Joanna.

— Tu veux monter voir l'ampleur de la tâche ?

Elle accepta sa main et avança derrière lui. En émergeant par la trappe, elle étouffa un petit cri de surprise. Toute la surface de parquet brut, qui devait s'étendre d'un bout à l'autre de la maison, était couverte de caisses en bois et de cartons.

— Je t'avais prévenue, dit Marcus. Il y a de quoi remplir un musée avec tout ça.

— Tu sais s'il y a un ordre chronologique ?

— Non, mais j'imagine que les cartons les plus accessibles sont aussi les plus récents.

— Je dois commencer par le début, ce qui veut dire aussi loin que possible dans le grenier.

— À vos ordres, milady, acquiesça Marcus en mimant un salut. Tu n'as qu'à jeter un coup d'œil et me dire ce que tu veux que je descende en premier.

Après avoir fureté un moment parmi les cartons, Joanna choisit d'attaquer par le coin du grenier le plus éloigné de la trappe. Vingt minutes plus tard, elle avait sélectionné trois caisses contenant des coupures de journaux jaunies et une valise élimée.

De retour au rez-de-chaussée, prise de frissons incontrôlables, elle s'assit sur le rebord du foyer pour être au plus près des flammes.

— Je suis gelée ! lâcha-t-elle en riant.

— Tu veux qu'on aille au pub avant de s'y mettre ? Je donnerais cher pour une bonne pinte bien mousseuse. Et on pourrait se réchauffer avec un bol de soupe.

Elle tendit le bras vers la vieille valise.

— Non, merci. Je veux m'y mettre tout de suite.

— D'accord. Si ça ne t'ennuie pas, moi, je vais y aller avant de perdre mes orteils. Sûre de ne pas vouloir m'accompagner ?

— On n'a même pas encore commencé ! Non, je reste là.

— OK. Dans ce cas, ne cache aucun vieux journal sur toi, je risquerais de le découvrir plus tard.

En passant le portail, Marcus remarqua une voiture grise garée sur le bord de la route, à quelques centaines de mètres de la maison. En passant devant elle, il aperçut deux hommes assis à l'intérieur. Vêtus de longs manteaux noirs, ils étaient penchés sur une carte dépliée. Marcus se demanda s'il ne devait pas les signaler à la police. Il aurait pu s'agir de repérage pour un cambriolage...

• • •

Malgré le feu qui crépitait dans la cheminée, Joanna était encore transie de froid. Elle ne pouvait pas se rapprocher davantage des flammes à cause de la fragilité du papier qu'elle manipulait, et elle n'avait pour l'instant rien découvert de plus que ce que lui avaient appris les quatre biographies.

Elle feuilleta les notes qu'elle avait prises pendant ses lectures. Né en 1900, sir James s'était fait un nom dans les années vingt à l'affiche de pièces de Noël Coward dans le West End. En 1929, il avait épousé Grace, laquelle était morte tragiquement des suites d'une pneumonie en 1937. D'après les différentes coupures de presse et interviews de ses amis, sir James ne s'était jamais complètement remis de la mort de sa femme. Elle était l'amour de sa vie et il ne s'était jamais remarié.

Joanna avait aussi noté qu'il n'existait aucune photographie de lui enfant ou jeune homme. Le biographe avait expliqué cette absence par un incendie ayant détruit la maison des parents de James – apparemment non loin dans le Dorset. La première photographie disponible de sir James était celle de son mariage avec Grace. Sur le cliché en noir et blanc, Joanna avait discerné une femme menue agrippée au bras de son mari.

À la mort de Grace, Charles, leur fils, avait cinq ans. L'enfant avait très vite été confié à une nourrice, puis envoyé en pension. Père et fils n'avaient jamais été proches et James avait reconnu plus tard que la raison se trouvait dans la ressemblance avec sa femme. « Voir Charles m'était douloureux. Je gardais mes distances. Je sais que j'ai été un père absent, et c'est un de mes plus grands regrets. »

Dans les années trente, James avait tourné dans une série de films à succès de J. Arthur Rank et c'est ainsi qu'il avait attiré l'attention du public. Après un bref passage à Hollywood, il avait intégré l'ENSA pendant la guerre, la branche de l'armée britannique chargée de divertir et d'entretenir le moral des troupes.

Une fois la guerre terminée, sir James était monté sur les planches du Old Vic pour interpréter les plus grands rôles classiques. Hamlet, puis Henry V deux ans plus tard le portèrent au rang d'icône du théâtre anglais. C'est à cette époque qu'il avait acheté la maison du Dorset, préférant le calme de la campagne aux paillettes de la scène londonienne.

En 1955, James avait déménagé à Hollywood. Il y avait passé quinze ans à tourner de bons films et – d'après certains critiques – des navets abominables. Puis il était retourné à la scène londonienne en 1970 et, en 1976 avait incarné le roi Lear au sein de la Royal Shakespeare Company – son chant du cygne, comme il l'avait annoncé aux médias.

Après ça, il s'était consacré entièrement à sa famille, en particulier à sa petite-fille Zoe qui venait de perdre sa mère. Peut-être, comme l'avait suggéré le biographe, essayait-il par là de réparer son absence auprès de son propre fils.

Joanna soupira. Sur ses genoux et tout autour d'elle sur le plancher s'empilaient divers journaux jaunis, photographies, lettres... ne lui apportant aucune information éclairante. Elle avait tout de même la confirmation que «Siam» était bel et bien un surnom de sir James, car il revenait régulièrement dans sa correspondance. Au début, Joanna lut les lettres qui lui tombaient sous la main en détail, ne manquant pas un mot de ce que «Bunty» et «Boo» racontaient à sir James. Mais elle se lassa vite des descriptions de rôles qu'il avait incarnés, des potins du milieu et de la météo. Rien de scandaleux dans tout ça.

Elle jeta un coup d'œil à sa montre. Plusieurs heures s'étaient déjà écoulées et elle n'avait pas vidé la moitié de la valise. Maudissant le temps qui filait, elle continua à compulser les documents jusqu'à arriver au fond de la valise. Elle était sur le point d'y remettre tous les papiers en vrac quand elle remarqua une photo dépassant d'un vieux programme. À côté de Noël Coward et Gertrude Lawrence se tenait un homme qui lui semblait étrangement familier.

Elle farfouilla dans la pile de photos de James Harrison le jour de son mariage et en compara une avec celle qu'elle venait de dénicher. Avec ses cheveux bruns et sa célèbre moustache, James Harrison était immédiatement reconnaissable à côté de son épouse. Mais cet homme imberbe et blond, à côté de Noël Coward... Se pouvait-il que... ? Oui ! Joanna compara le nez, la bouche, le sourire, mais ce furent ses yeux qui le trahirent. Elle était sûre qu'il s'agissait du même homme. Peut-être s'était-il décoloré les cheveux et rasé pour un rôle ?

En entendant la clé dans la serrure, elle reposa la photo en vitesse.

— Salut. Tu as trouvé des choses intéressantes pour l'article ?

Marcus entra dans le salon et pressa ses mains sur les épaules de Joanna.

— Beaucoup de choses, oui. C'est fascinant !

— Tant mieux. Des petits sandwichs au saumon fumé, ça te dit ? Tu dois être affamée et la bière m'ouvre toujours l'appétit.

Il s'éloigna vers la cuisine et Joanna lança :

— Pas de saumon fumé pour moi. Juste ce bon pain que tu as apporté et une tasse de thé bien chaude, ce serait merveilleux.

— J'ai aussi du caviar, si tu veux.

— Non, merci.

Joanna retourna à ses photographies et, dix minutes plus tard, Marcus la rejoignit avec un plateau de tartines généreusement beurrées et une théière fumante qu'il posa sur la table basse.

Il lui sourit gentiment.

— Je peux t'aider ?

— Pas vraiment, non. Enfin, je veux dire, merci, mais je sais exactement ce que je cherche.

Marcus poussa un bâillement et s'allongea sur le canapé

— OK. Réveille-moi quand tu auras terminé.

Revigorée par le thé, Joanna poursuivit ses recherches bien après la tombée de la nuit. Enfin, elle étira ses membres engourdis et grogna.

— Un bon bain chaud ne me ferait pas de mal.

Marcus leva la tête du sofa et s'étira langoureusement.

— Ça tombe bien, je pense que la chaudière a assez tourné pour chauffer au moins une demi-baignoire. Viens, je vais te montrer la salle de bains et ta chambre.

À l'étage, Marcus la conduisit dans une grande chambre poussiéreuse. Un lit en cuivre était recouvert d'une couverture en patchwork au milieu de la pièce au plafond bas et un tapis oriental cachait le plancher joyeusement perforé de trous de souris. Marcus déposa le sac de Joanna sur une chaise branlante à côté de la porte, puis entraîna la jeune femme dans une autre pièce, où trônait un immense lit à baldaquin en acajou.

— C'est la chambre de James, où je vais dormir. C'est un très grand lit…, souffla-t-il au creux de son oreille.

— Marcus, arrête, protesta-t-elle en le repoussant.

Il dégagea une mèche du visage de la jeune femme et soupira.

— Jo, je crois que tu n'as aucune idée d'à quel point tu me plais.

— Tu me connais à peine. Et de toute façon, je ne fais pas dans les coups d'un soir.

— Qui a parlé de coup d'un soir ? Bon sang, tu penses vraiment que c'est ce que je veux ?

— Je n'ai aucune idée de ce que tu veux. En revanche, je sais très bien ce que je ne veux pas.

— D'accord, j'abandonne. Tu auras peut-être remarqué que la patience n'est pas mon fort. Je te promets que je ne tenterai plus rien.

— Bien. Maintenant je vais prendre un bain, si tu veux bien me montrer où...

Dix minutes plus tard, Joanna se délassait dans une baignoire à pieds, avec l'impression d'être une jeune fille vierge attendant sa nuit de noces à l'époque victorienne. Elle repensa à toute la volonté qu'elle avait mobilisée pour s'arracher aux bras de Marcus. Pourquoi fallait-il qu'elle soit si vieux jeu ?

Joanna n'avait jamais trop aimé batifoler avec légèreté, mais elle savait que la vraie raison résidait dans sa peur. Si elle donnait à Marcus ce qu'il voulait, combien de temps lui faudrait-il pour se lasser d'elle comme de toutes les autres ? Ensuite elle n'aurait plus qu'à s'en prendre à elle-même d'avoir été si idiote.

*De toute façon c'est fait, rien ne sert d'y penser*, songea-t-elle en sortant du bain. Elle regagna sa chambre en frissonnant et se dépêcha d'enfiler son jean et son chandail le plus chaud.

—Joanna !

— Oui ? cria-t-elle.

— J'ai ouvert le champagne, descends !

— J'arrive !

Elle le trouva installé sur le canapé en cuir devant le feu ravivé et s'assit à côté de lui.

— Tiens, dit-il en lui tendant une flûte. Écoute, Jo, je voulais m'excuser pour mon comportement de Don Juan. Si je ne t'intéresse pas, c'est comme ça. Je suis assez grand pour apprécier ton amitié si c'est tout ce que tu veux m'offrir. Bref, ne t'en fais surtout pas pour ce soir. Je te promets que je ne viendrai pas m'imposer dans ta chambre. J'espère qu'on pourra oublier tout ça et passer une bonne soirée. Je nous ai réservé une table au pub du village. Ils ont de bons plats traditionnels anglais, rien de tous ces trucs sophistiqués que tu n'as pas l'air d'aimer. Enfin, voilà. Santé !

Il leva son verre et lui sourit.

— Santé, répondit-elle en lui rendant son sourire.

Elle se sentait à la fois soulagée et étonnamment déçue de sa volonté de devenir amis.

Une demi-heure plus tard, la voiture brava l'obscurité des routes cahoteuses qui menaient au village. L'auberge était une ancienne bâtisse au plafond bas, à l'intérieur tout de bois sombre et doté d'une immense cheminée. Un chat paressait sur le bar. Marcus commanda deux gin tonic et papota avec le barman avant de rejoindre la salle à manger avec Joanna.

— Au fait, c'est moi qui invite, précisa-t-elle en étudiant le menu. Pour te remercier d'avoir rendu tout ça possible.

— Parfait, dans ce cas je vais prendre le steak.

— Moi aussi.

Une jeune serveuse vint prendre leur commande et Joanna choisit une bouteille de Claret parmi leur carte étonnamment fournie.

— Alors, parle-moi de ton enfance idyllique dans le Yorkshire, commença Marcus.

Il l'écouta avec envie décrire ses Noël en famille, ses balades à cheval dans les landes et l'esprit d'entraide au sein du voisinage pendant les longs hivers.

— La ferme appartient à ma famille depuis des générations, expliqua-t-elle. Mon grand-père est mort il y a vingt ans et Dora, ma grand-mère, l'a laissée à mon père. Mais elle venait quand même nous aider avec les agneaux, jusqu'à l'année dernière, quand l'arthrite a eu raison d'elle.

— Que va-t-il se passer quand ton père prendra sa retraite ?

— Oh, il sait que ça ne m'intéresse pas. Il va garder la ferme et louer les terres aux voisins. Jamais il ne vendrait. Une petite part de lui espère toujours que je changerai d'avis. Je culpabilise un peu, forcément, mais ce n'est pas un métier pour moi. Peut-être qu'un jour j'aurai un fils qui aimera les moutons… ou pas. De toute façon, toutes les dynasties finissent par s'éteindre.

— Tu ne crois pas si bien dire. Je suis la nouvelle génération des Harrison, et pour l'instant je n'ai pas fait honneur au nom.

Joanna entama son steak.

— En parlant de ça… j'ai mis de côté tous les programmes trouvés dans les cartons. Vous ne devriez pas les laisser moisir dans un grenier. Je suis sûre qu'ils auraient leur place au London Theatre Museum. Ou alors vous pourriez organiser une vente aux enchères au profit de la fondation ?

— C'est une bonne idée. Mais je suis incapable de te dire si elle plairait à Zoe. Les cartons lui appartiennent, après tout. Enfin, je ne risque rien à lui proposer.

— Désolée d'être si franche, mais à la façon dont tu la décris, elle n'a pas l'air facile à vivre.

— Zoe ? Pourtant oui. J'ai dû te donner la mauvaise impression. Mais bon, tu connais les frères et sœurs.

— En fait, non. Je suis fille unique. Petite, je voulais désespérément un frère ou une sœur à qui me confier.

— Ce n'est pas toujours rose non plus, répondit-il sombrement. J'aime ma sœur, mais on n'a pas exactement eu une enfance parfaite… j'imagine qu'avec toutes tes lectures sur ma famille, tu as dû apprendre que notre mère était morte quand on était enfants.

— Oui. Je suis désolée, ça a dû être terrible pour toi.

— C'était dur.

Il s'éclaircit la gorge, puis reprit :

— Mais bon, je me suis débrouillé. On a tous les deux grandi très vite. Surtout Zoe, qui a eu Jamie si jeune...

— Tu sais qui est le père ?

— Non. Et même si je le savais, jamais je ne le révélerais, répondit-il brusquement.

— Bien sûr que non. Je te promets que ce n'était pas la journaliste qui parlait.

L'expression de Marcus s'adoucit.

— Non, évidemment. Enfin bref. Zoe est géniale, extrêmement protectrice envers ceux qu'elle aime, et derrière son apparente sérénité, elle manque cruellement de confiance en elle.

— Comme nous tous, non ?

— J'imagine. Alors, quel est votre score en matière de vie sentimentale, miss Haslam ? Je perçois une profonde méfiance à l'égard de la gent masculine.

— J'ai eu une très longue relation, qui s'est terminée juste après Noël. Je pensais qu'elle durerait toujours, mais apparemment pas.

Joanna but une gorgée de vin et expliqua :

— Je m'en remets doucement. Ces choses-là prennent du temps.

— Au risque de me prendre une gifle pour cause de flirt outrageux, je tiens à dire que ce type est un imbécile.

— Merci. Le bon côté des choses, c'est que je me suis rendu compte que je ne voulais pas renoncer à qui je suis pour plaire à un homme. Je ne sais pas si ce que je raconte est très clair...

— Oui, oui. Et tu as raison de ne pas vouloir changer, tu es parfaite telle que tu es.

Ces mots lui avaient échappé et Marcus sentit un léger pincement au cœur. Pour masquer sa gêne, il s'empressa d'ajouter :

— Bien, maintenant, j'ai envie d'un de ces énormes desserts noyés sous la chantilly, la sauce au chocolat et les cerises confites, du genre de ceux qu'on ne verrait jamais dans un restaurant snob de Londres. Qu'est-ce que tu en dis ?

Après un café, Joanna régla l'addition et ils rentrèrent à Haycroft House. Marcus insista pour qu'elle se réchauffe devant la cheminée, et il disparut dans la cuisine. Quelques minutes plus tard, il revint, une bouillotte sous chaque bras.

— Tiens. Puisque je ne peux pas te tenir au chaud, il va falloir faire avec ça.

— Merci. Je vais monter tout de suite, si ça ne t'ennuie pas. Je suis exténuée. Bonne nuit.

Elle l'embrassa sur la joue et il déposa un baiser léger sur ses lèvres.

— Bonne nuit, Joanna, murmura-t-il en la regardant s'éloigner.

Puis il s'assit sur le canapé et se perdit dans la contemplation des flammes. Il y avait une chance, une toute petite chance, pour qu'il soit en train de tomber amoureux.

Joanna ferma la porte de sa chambre. Elle déglutit et attendit que les battements de son cœur se calment. Elle avait eu tellement envie de lui à l'instant…

*Non, je dois rester professionnelle.*

Elle ne pouvait pas se permettre de s'attacher à Marcus. Non seulement il risquait de lui briser le cœur, mais en plus cette histoire viendrait l'embrouiller et compliquer les choses.

Joanna ôta son jean et se glissa dans le lit. La bouillotte serrée sous son chandail, elle ferma les yeux et tenta de trouver le sommeil.

# 13

Samedi soir. Zoe triait son linge dans sa chambre quand elle entendit la sonnette de la porte d'entrée. Elle décida de l'ignorer. Peu importe de qui il s'agissait, elle ne voulait voir personne. Soulevant légèrement le voilage de la fenêtre, elle risqua un œil dans la rue.

— Oh non, souffla-t-elle en apercevant la grande silhouette sur son perron.

Elle relâcha aussitôt le rideau, mais il avait déjà levé la tête.

La sonnette retentit à nouveau.

Zoe évalua d'un coup d'œil son allure. Elle portait un pantalon de jogging, un vieux chandail. Ses cheveux étaient ramassés à la va-vite au sommet de son crâne et elle ne portait pas une trace de maquillage.

— Va-t'en, chuchota-t-elle. Je t'en supplie, va-t'en.

Il sonna une troisième fois et Zoe s'adossa au mur, les yeux fermés, sentant sa résolution s'affaiblir. Puis elle descendit lui ouvrir.

— Salut, Art.

— Je peux entrer ?

— OK.

Il franchit le seuil et ferma la porte derrière lui. Même habillé comme le commun des mortels, en jean et chandail, il était à couper le souffle. Zoe ne parvint pas à croiser son regard.

— Qu'est-ce qui s'est passé hier ? demanda-t-il. Pourquoi as-tu quitté le Norfolk sans me prévenir ? Mon chauffeur a attendu deux heures devant ton hôtel.

— Art, je suis désolée, je…

Elle leva la tête pour regarder droit dans ses yeux verts.

— … j'ai eu peur, alors je suis partie.

— Oh, ma chérie.

Il la prit dans ses bras et la serra contre lui.

— Non, ne fais pas ça. Il ne faut pas… On ne peut pas…

Elle tenta de s'arracher à son étreinte, mais il la garda fermement dans ses bras.

— J'ai cru que j'allais perdre la tête quand je n'ai pas réussi à te joindre hier, quand j'ai compris que tu disparaissais encore.

Il écarta doucement les mèches blondes qui caressaient son visage.

— Ma Zoe… Tout ce temps, je n'ai jamais cessé de penser à toi, de vouloir être avec toi, de me demander pourquoi…

— Art…

— Jamie est mon fils, n'est-ce pas ? Tu peux nier tant que tu veux, j'ai toujours su qu'il l'était.

— Non… non !

— Je me fiche de cette histoire que tu m'as racontée, et de cet autre homme que tu as inventé. Je ne te croyais pas à l'époque, je ne te crois pas davantage aujourd'hui. Après tout ce qu'on a vécu ensemble, même si jeunes… Tu ne m'aurais jamais fait ça. Je sais que tu m'aimais trop pour me tromper.

— Arrête ! Tais-toi !

Zoe pleurait à présent, tentant toujours de s'échapper de l'étreinte qu'il ne desserrait pas.

— J'ai besoin de savoir, Zoe. Est-ce que Jamie est mon fils ? Oui ou non ?

— Oui ! Jamie est ton fils ! cria-t-elle.

Épuisée par les sanglots, elle s'effondra dans ses bras et répéta doucement :

— C'est ton fils…

— Zoe…

Ils restèrent plantés dans le couloir, agrippés l'un à l'autre. Puis il l'embrassa. D'abord sur le front, les joues, le nez, et enfin sur la bouche.

— Est-ce que tu as une idée de combien de fois j'ai rêvé de ce moment, prié pour qu'il arrive…

Il caressa ses oreilles, sa nuque, et dans un preste mouvement, l'attira au sol avec lui.


Près d'une heure plus tard, dans le pêle-mêle de vêtements, allongé dans l'entrée, Art fut le premier à parler :

— Zoe, pardonne-moi, je…

Ses mains effleurèrent la peau satinée de son dos, incapables de rompre le contact, preuve tangible qu'elle était là, avec lui.

— … je t'aime. Je t'ai toujours aimée et je t'aimerai toujours. La voiture m'attend dehors, mais je t'en prie, laisse-moi te revoir. Je sais à quel point cette situation est impossible pour toi, pour nous, mais je t'en supplie…

En silence, elle lui tendit son boxer et ses chaussettes, savourant l'intimité de ce moment si trivial et si unique.

Une fois habillé, il reprit :

— On va trouver un moyen, ma chérie. Mais pour l'instant, on doit continuer à se voir en cachette. Je sais que ce n'est pas idéal, mais tu ne crois pas qu'on se doit d'essayer ?

— Je ne sais pas.

Elle posa la tête contre son torse et soupira.

— C'est Jamie, expliqua-t-elle. J'ai tellement peur pour lui. Je ne veux pas que quoi que ce soit change dans sa vie. Il n'a pas à en subir les conséquences.

— Ça n'arrivera pas, c'est promis. Jamie est notre secret. Et je suis tellement heureux que tu me l'aies confié. Je t'aime, murmura-t-il.

Il lui sourit tendrement. Devant la porte, il lui envoya un dernier baiser, puis disparut.

Zoe tituba jusqu'au salon et s'effondra sur le canapé. Le regard dans le vide, elle fit défiler chaque seconde des quarante-cinq dernières minutes. Puis ses démons revinrent menacer sa tranquillité d'esprit, ressassant ses doutes et ses peurs sur les conséquences de son aveu.

*Non... Pas ce soir.*

Elle refusait de laisser le passé – ou même le présent – la torturer. Elle allait savourer ce moment et en garder l'aura de paix et de bonheur qui l'entourait, et ce, aussi longtemps que possible.

• • •

Joanna se réveilla à huit heures le dimanche matin, perturbée par le silence de la campagne. Pas de cris provenant de la rue, pas de bruits de voitures. Rien. Elle s'étira paresseusement dans le vieux lit confortable, puis s'habilla sans traîner et descendit. Elle enfila son manteau resté suspendu à la rampe et alla remuer les braises de la veille, ajouter de l'allume-feu, du petit bois et des bûches pour repousser le froid glacial.

Son regard se posa sur les cartons. Il lui restait si peu de temps, et tant de documents – sans compter la montagne qui l'attendait encore dans le grenier. À ce rythme, il lui faudrait des semaines pour tout lire. Saisissant le deuxième carton, elle s'attela au travail.

À onze heures, Marcus apparut enfin, le visage ensommeillé, une couverture sur les épaules. Malgré cela, il parvenait encore à être séduisant.

— Bonjour.

— Bonjour, répondit Joanna en lui souriant.

— Ça fait longtemps que tu es debout?

— Depuis huit heures.

— Mais c'est en plein milieu de la nuit ! Ah, je vois que tu es toujours dans tes papiers.

— Oui. Je viens juste de retrouver des bons de réduction datant de 1943. Je me demande si Harvey Nichols les accepterait encore.

Marcus pouffa.

— Non, mais ils doivent bien valoir quelques billets pour les archives. Il va sérieusement falloir que je me mette à trier tout ça avec Zoe. Thé ? Café ?

— Café, s'il te plaît.

— Ça marche.

Marcus s'en alla vers la cuisine et Joanna, qui avait bien besoin d'une pause, le suivit et s'installa à la table en chêne.

— Je crois que ton grand-père n'a commencé à collectionner tous ces trucs qu'à partir des années trente. C'est vraiment dommage, parce que ses biographies restent très vagues sur son enfance et ses débuts. Tu sais quelque chose à ce sujet ?

— Pas vraiment.

Marcus souleva le couvercle en fer de la cuisinière et posa la bouilloire sur le brûleur. Il s'assit en face de Zoe et alluma une cigarette.

— Tout ce que je sais, c'est qu'il est né pas loin d'ici et qu'il s'est enfui à Londres pour monter sur les planches à seize ans. En tout cas, c'est ce que raconte la légende.

— Ça m'étonne qu'il ne se soit pas remarié après la mort de Grace. Quatre-vingt-quinze ans c'est long, pour un mariage de huit ans.

— Que veux-tu, c'est le grand amour.

Ils restèrent assis en silence pendant quelques minutes, jusqu'à ce que la bouilloire se mette à siffler. Marcus se leva et versa l'eau bouillante dans une tasse.

Elle serra contre elle la tasse de café soluble fumant.

— Ton pauvre père, perdre sa mère si jeune…

— Oui… au moins, la mienne a été là jusqu'à mes quatorze ans. Les femmes de la famille ont tendance à ne pas survivre longtemps. Contrairement aux hommes qui héritent de la jeunesse éternelle.

— Ne dis pas ça à Zoe, dit-elle en sirotant son café.

— Ni à ma future femme. Bref, tu comptes faire une pause pour le rôti dominical au pub ou je vais devoir y aller seul ?

— Mais tu viens de te lever ! Comment peux-tu même penser à de la bière et du rosbif ?

— En réalité, je pensais plutôt à toi. Tu dois avoir faim, non ?

— Vraiment ? C'est très attentionné. Dans ce cas, d'accord. Je crois que j'ai assez pour écrire un article passable. Mais est-ce que tu m'autoriserais à emporter une photo pour illustrer l'article ? J'en ai trouvé une de sir James avec Noël Coward et Gertrude Lawrence, très représentative de l'époque. Je me disais qu'une photo de lui à ses débuts sur les planches ferait un joli écho au fait que la fondation est là pour aider les jeunes acteurs d'aujourd'hui. Évidemment, je te la renverrai aussitôt.

— Je n'y vois pas d'objection. Mais il faut d'abord que j'en parle à Zoe avant que ça ne parte en impression.

— Merci. Et est-ce que tu peux m'aider à descendre un nouveau carton ?

À treize heures, Marcus entraîna Joanna jusqu'à la voiture en ignorant ses protestations.

— Tu comptes écrire un article de combien de feuillets ? argumenta-t-il. Tu as assez pour écrire tout un bouquin, ça suffit maintenant, c'est le moment de profiter de ce qui reste de la fin de semaine.

Joanna reposa sa tête contre le siège de la voiture et contempla la vue sur la campagne d'un blanc scintillant. Ils passèrent par la petite ville de Blandford Forum et ses rues bordées de grandes maisons georgiennes. Au passage, Marcus lui montra tous les bars de son adolescence. Puis il se gara devant un pub en briques rouges et à la porte verte.

— C'est le meilleur endroit à des kilomètres à la ronde pour le rôti. Ils ont les plus gros poudings que tu aies jamais vus.

— C'est une promesse risquée à faire à une fille du Yorkshire, dit-elle en riant. Tu as intérêt à ce que ce soit vrai !

Après un dîner copieux composé du fameux rôti et, en accompagnement, des poudings aériens et légèrement croustillants, noyés sous la sauce, Joanna initia le départ.

— Allez, debout. Je vais avoir besoin de marcher pour digérer tout ça. Des suggestions ?

— Oui, on n'a qu'à aller du côté de Hambleton Hill. Le carrosse est prêt, milady, dit-il en lui ouvrant la portière.

Ils s'arrêtèrent quelques kilomètres plus loin, au bas d'une grande colline en pente douce. Il était quinze heures et le soleil commençait à peine à descendre, envoyant des rayons dorés sur les pans enneigés. Soudain, elle eut l'impression de se retrouver dans le Yorkshire et une boule se forma dans sa gorge.

En marchant, Marcus la prit par le bras et déclara :

— J'adore cet endroit. Je venais souvent ici quand je passais l'été chez mon grand-père. Je me contentais de m'asseoir au sommet de la colline et de m'évader.

Alors qu'ils gravissaient la pente, bras dessus, bras dessous, Joanna songea à quel point elle se sentait sereine ici, avec Marcus, loin de Londres. Ils s'assirent sur une souche d'arbre à mi-parcours pour profiter de la vue.

— À quoi tu pensais quand tu venais ici ? demanda-t-elle.

— Oh, je ne sais plus trop… des trucs d'enfant.

— Comme quoi, par exemple ?

Le regard au loin, Marcus précisa :

— Je me demandais ce que j'allais faire quand je serais plus grand. Ma mère… Elle aimait beaucoup la nature et elle voulait à tout prix la protéger. C'était une vraie militante écolo. Elle allait manifester avec Greenpeace et faisait du lobbying au Parlement. Et moi, je voulais juste qu'elle soit fière de moi, tu comprends ?

Il se tourna vers elle et Joanna fut fascinée par l'intensité de son regard.

— Je voulais faire quelque chose d'important, reprit-il. Quelque chose qui compte, je…

Sa voix s'éteignit, et il donna un petit coup de pied dans la neige.

— … mais depuis, tout est allé de travers. Elle serait tellement déçue.

Le silence s'installa, et Joanna finit par dire :

— Je ne pense pas.

Marcus se tourna vers elle avec un sourire triste.

— Ah bon ?

— Non. Les mères aiment toujours leur enfant, quoi qu'il arrive. L'essentiel, c'est que tu as essayé. D'autant que ton nouveau projet de film mérite de voir le jour.

— Oui, à condition de trouver le financement. Pour être honnête, je suis nul avec l'argent. Récemment, j'ai pris conscience que toute ma vie, j'ai laissé mon cœur prendre les décisions à la place de ma tête. Je me suis toujours jeté à l'eau sans réfléchir parce que l'idée m'enthousiasmait, sans jamais penser aux risques. Je suis comme ça dans mes relations aussi. Pour moi, c'est tout ou rien. Comme ma mère.

— Il n'y a rien de mal à être passionné.

— Oui, quand on utilise l'argent des autres pour financer sa passion. Mais si jamais j'arrive à lancer ce projet, je me dis que je vais en profiter pour ne pas lâcher d'une semelle Ben McIntyre, le réalisateur, et lui servir d'assistant. Peut-être qu'à l'avenir, je ferais mieux de me concentrer sur la création plutôt que sur l'aspect financier.

— En effet.

— Bon, je gèle. On rentre ?

— Ah, les sudistes, ces frileux. Incapables de supporter un peu de neige, le taquina-t-elle.

Ils regagnèrent la chaleur de Haycroft House, et pendant que Marcus remontait les cartons, Joanna entreprit de faire le ménage dans la cuisine. Puis elle alla chercher son sac dans sa chambre et quand elle redescendit, Marcus l'attendait dans l'entrée.

— Prête à partir?

— Oui, j'ai passé une très bonne fin de semaine, merci. Et je n'ai aucune envie de rentrer à Londres.

Marcus replaça la clé dans sa cachette avant de se glisser derrière le volant. En débouchant de l'allée, il aperçut à nouveau la voiture grise de la veille et Joanna surprit son regard.

— Tu les connais? Des voisins fouineurs?

— Probablement des dingues venus se geler les fesses pour observer les rouges-gorges. Ils étaient là hier aussi. Soit ça, soit ils vont dévaliser la maison.

Joanna se raidit.

— Tu ne crois pas qu'on devrait le signaler à la police?

— Jo, je plaisantais!

Mais sa réponse ne suffit pas à apaiser Joanna. Toute sa sérénité nouvelle venait de s'envoler, et pendant le reste du trajet, elle garda un œil méfiant sur le rétroviseur, repérant avec inquiétude chaque voiture grise qu'elle y voyait.

Arrivés à Highgate Hill, Marcus gara la Golf juste en bas de chez Simon.

— Je pense que je ne pourrai jamais te remercier assez pour cette fin de semaine, Marcus.

— Contente-toi de consacrer au moins une double page à ma famille et à la fondation.

Avant qu'elle n'ait eu le temps de sortir de la voiture, il se pencha par-dessus la boîte de vitesses et lui prit la main.

— Écoute, Jo, est-ce qu'on peut se revoir? Peut-être souper ensemble jeudi soir?

— Oui, répondit-elle sans hésitation.

Elle se pencha vers lui et l'embrassa doucement.

— À jeudi. Au revoir, Marcus.

— Bonne nuit, Jo.

Elle sortit de la voiture pour récupérer son sac dans le coffre, puis lui fit un signe de la main avant de se diriger vers la porte.

— Tu vas me manquer, chuchota-t-il avec mélancolie.

En gravissant les trop nombreuses marches qui menaient chez Simon, Joanna songea que Marcus Harrison était bien plus intéressant qu'elle ne l'avait imaginé. Mais quand elle tourna la clé dans la serrure, la chaleur dans son ventre fut immédiatement remplacée par la peur d'avoir été suivie à nouveau. Par qui ?

Elle se débarrassa de son manteau, louant les mérites du chauffage central moderne, puis plaça la photographie trouvée à Haycroft House sur la table basse. Elle se rendit dans le coin cuisine pour lancer la bouilloire et se faire un sandwich, puis retourna dans le séjour. Elle vida son sac à dos et empila sur la table les biographies, le programme de music-hall et la photocopie de la lettre d'amour et, en relisant le vieux programme du Hackney Empire, son cœur fit un bond dans sa poitrine. Là, sur la photo des acteurs, elle reconnut un visage.

« M. Michael O'Connell ! Imitateur extraordinaire », titrait la légende.

Joanna posa le cliché qu'elle avait rapporté du Dorset à côté et compara le visage de James Harrison et celui de Michael O'Connell. L'image vieillie était trouble, mais laissait peu de place au doute. Les cheveux blond foncé et sans moustache, le jeune acteur qui se faisait appeler Michael O'Connell ressemblait comme deux gouttes d'eau à James Harrison. À moins qu'il ait eu un jumeau, il s'agissait du même homme.

Mais pourquoi ? Pourquoi Michael O'Connell aurait-il changé de nom ? D'accord, il était courant à l'époque de prendre un nom de scène plus adapté, mais au début d'une carrière, pas au bout de plusieurs années. Au moment d'épouser Grace en 1929, il avait à l'évidence teint ses cheveux en brun et laissé pousser sa moustache. Aucune des biographies ne mentionnait un changement de nom. D'ailleurs, les rares lignes consacrées à son enfance parlaient de « la famille Harrison ».

Joanna resta perplexe. Peut-être n'était-ce qu'une coïncidence ? Pourtant, cela expliquerait enfin pourquoi Rose lui avait envoyé ce programme…

Sir James Harrison avait-il une autre identité ? Celle d'un homme qui souhaitait faire oublier son passé ?

# PAT

*Situation dans laquelle aucun camp ne peut plus jouer*
*de coup légal. Autrement dit, une impasse.*

# 14

Quand Joanna arriva au journal le lendemain matin, Alec n'était pas à son bureau. Il arriva une heure plus tard et elle l'alpagua aussitôt.

— Alec, j'ai du nouveau sur...

Il leva la main pour l'interrompre.

— J'ai bien peur que cette histoire ne soit plus d'actualité. Tu viens d'être transférée à la rubrique «Jardinage et animaux de compagnie».

— Quoi?

— Ne me regarde pas comme ça, je n'y peux rien. C'est le principe de la première année, te faire travailler dans toutes les rubriques du journal. Ta période aux actualités est terminée, tu ne m'appartiens plus. Désolé, Jo, mais c'est comme ça.

— Mais... je ne suis là que depuis quelques semaines. Et puis, je ne peux pas lâcher cette histoire. Je... Jardinage et animaux de compagnie? Sérieusement? Mais enfin, pourquoi?

— Écoute, ce n'est pas à moi qu'il faut demander ça. Je suis employé, comme toi. Va voir le directeur si tu n'es pas contente. C'est lui qui a suggéré le transfert.

Joanna lança un regard vers le bureau et ses cloisons en verre, devant lequel la moquette avait été usée par les déambulations nerveuses des journalistes sur le point de se faire démolir par le grand patron. Elle déglutit. Surtout, ne pas pleurer devant Alec – ni devant qui que ce soit d'autre au journal, d'ailleurs.

— Est-ce qu'il t'a dit pourquoi ?

— Non.

Alec s'installa derrière son ordinateur.

— C'est parce qu'il n'aime pas mon travail ? Ma tête ? Mon parfum ? Tout le monde sait que la rubrique « compost et crottes de chien » est la poubelle du journalisme. C'est littéralement la fin de ma carrière !

— Jo, calme-toi. Ce n'est probablement l'affaire que de quelques semaines. Si ça peut te consoler, je t'ai défendue. Mais ce n'était pas négociable.

Joanna regarda Alec taper sur son clavier, puis elle se pencha vers lui et demanda à voix basse :

— Ce ne serait quand même pas à cause de… ?

— Non. Contente-toi de terminer ce satané papier sur la fondation et vide ton bureau. Mike Je-sais-tout va prendre ta place.

— Mike Je-sais-tout ? Aux actualités ?

Mike O'Driscoll était la cible de nombreuses blagues au journal. Il avait le physique d'un gnome anémique et souffrait d'un cas sévère de franchise exagérée. En clair, il était incapable de se taire quand il le fallait.

Alec haussa les épaules et Joanna n'eut d'autre choix que de regagner son poste en traînant les pieds.

— Un problème ? s'enquit Alice.

— On peut dire ça, oui. Je viens d'être transférée à la rubrique « Jardinage et animaux de compagnie » à la place de Mike Je-sais-tout.

— Qu'est-ce que tu as fait ? Tu as refilé une nouvelle à la concurrence, c'est ça ?

— Mais pas du tout !

Joanna croisa les bras sur la table et y enfouit sa tête.

— Je n'arrive pas à y croire, gémit-elle.

— Attends, tu crois que tu as un problème ? Moi, je me retrouve avec Mike Je-sais-tout comme voisin, maintenant ! Au moins, toi, tu n'as plus à te geler les fesses pour apercevoir une star. Dis bonjour aux articles tout cuits sur la psychologie canine et le meilleur moment pour planter ses bégonias. Personnellement, ça me ferait des vacances.

— On est d'accord, des vacances pour quand j'aurai soixante-cinq ans et une grande carrière de journaliste derrière moi. Sérieusement !

Joanna se mit à taper furieusement sur son clavier, mais la concentration n'y était pas. Dix minutes plus tard, on lui tapota sur l'épaule et Alec lui fourra dans la main un énorme bouquet de roses rouges.

— Voilà qui devrait te remonter le moral, dit-il.

— Comme si mon moral t'intéressait, répliqua-t-elle sèchement alors qu'il s'éloignait déjà.

Alice lui lança un regard envieux.

— Ça alors ! Qui t'a envoyé ça ?

— Une âme compatissante, probablement.

Joanna extirpa la petite enveloppe blanche du plastique transparent et l'ouvrit.

« *Juste pour te souhaiter une bonne journée. Je t'appelle plus tard. Je t'embrasse, M.* »

Malgré sa mauvaise humeur, Joanna ne put s'empêcher de sourire.

— Allez, crache le morceau, insista Alice. C'est qui ? Attends… c'est quand même pas qui je pense ?

Joanna sentit ses joues rosir.

— Mais oui, en plus ! Tu l'as fait, pas vrai ?

— Non, je n'ai rien fait du tout ! Chut !

Sans enthousiasme, Joanna boucla son article sur Marcus et la fondation. Elle se sentait un peu coupable de son manque d'investissement, après tout ce qu'il avait fait pour elle. Puis elle vida son bureau et transporta ses affaires de l'autre côté des locaux.

Mike Je-sais-tout sautillait littéralement d'excitation, ce qui rendit la situation encore plus pénible. Elle comprit vite qu'il n'était pas tant enchanté par son transfert aux actualités que par la perspective de travailler à côté d'Alice, pour qui il avait un faible depuis plusieurs mois.

*Bien fait pour elle*, pensa Joanna avec humeur en prenant place sur le siège de Mike, à côté d'un tableau en liège où il avait épinglé des photos de chiots.

Ce soir-là, déprimée à l'idée de retrouver un appartement vide, elle décida d'accompagner Alice au pub pour noyer ses malheurs dans le gin tonic.

Quarante-cinq minutes plus tard, Alec débarqua. Elle abandonna aussitôt sa collègue pour se percher sur un tabouret à côté de lui.

— Ne commence même pas, Jo. J'ai passé une sale journée.

— Alec, réponds juste à une question : est-ce que je suis une bonne journaliste ?

— Tu commençais à montrer un petit potentiel, oui.

— OK.

Joanna rassembla ses pensées et choisit ses mots avec soin.

— Et en général, combien de temps passent les reporters juniors dans ta rubrique avant d'être transférés ?

— Jo...

— S'il te plaît, Alec ! J'ai besoin de savoir !

— Bon, d'accord. Trois mois minimum, à moins que je ne veuille m'en débarrasser.

— Et je ne suis là que depuis sept semaines. J'ai compté. Tu dis que j'ai du potentiel, donc tu ne voulais pas te débarrasser de moi, pas vrai ?

Alec siffla son whisky.

— Non.

— Dans ce cas, je ne peux qu'en déduire que ma soudaine rétrogradation n'est pas due à mes compétences, mais à ce que j'aurais pu déterrer. J'ai raison ?

Il soupira, puis finit par acquiescer.

— Mais je te préviens, Haslam, si jamais on apprend que j'ai vendu la mèche, ce ne sera plus «Jardinage et animaux de compagnie», mais le chômage direct. Compris?

— Juré, je ne dirai rien.

Joanna indiqua les deux verres vides au barman.

— Si j'étais toi, prévint Alec, je ferais profil bas et j'arrêterais de fourrer mon nez là où il ne faut pas. Avec un peu de chance, toute cette histoire sera bientôt oubliée.

Joanna tendit à Alec un autre whisky, avec l'espoir qu'il lui consacre encore quelques minutes.

— Le truc, expliqua-t-elle, c'est que j'ai fait une nouvelle découverte cette fin de semaine. Je ne dirais pas que c'est du niveau secret d'État, mais c'est intéressant.

— Écoute, Jo, dit-il en baissant la voix. Ça fait un moment que je suis dans le milieu, et à les voir s'agiter là-haut, ce sur quoi tu es tombée pourrait être du niveau secret d'État. Je n'avais pas vu le grand patron aussi à cran depuis la liaison de Lady Di. Mon conseil: laisse tomber.

Joanna sirota son gin tonic en observant Alec, ses cheveux gris et gras constamment ébouriffés par sa manie d'y passer ses doigts, son ventre qui débordait de sa ceinture en cuir usée et ses yeux cernés.

— Sois franc avec moi, reprit-elle d'une voix si basse qu'il dut se pencher pour l'entendre. Si tu étais à ma place, au tout début de ta carrière, et que tu tombais sur une piste si brûlante que le directeur de la rédaction d'un des quotidiens les plus vendus du pays aurait reçu l'ordre de te faire taire, est-ce que tu laisserais tomber?

Après un instant de réflexion, il lui sourit.

— Bien sûr que non.

— C'est bien ce que je me disais.

Elle lui tapota la main et sauta du tabouret.

— Merci, Alec.

— Ne viens pas me dire que je ne t'ai pas prévenue. Et ne fais confiance à personne!

Joanna retourna chercher son manteau à l'autre bout du pub et vit qu'Alice se faisait draguer par un photographe.

— Tu t'en vas? demanda-t-elle.

— Oui, je ferais bien de rentrer réviser ma leçon sur le meilleur moyen d'empêcher les escargots de dévorer la laitue.

— Tu t'en fiches, tu peux toujours te consoler auprès de Marcus Harrison.

— C'est ça, bonne soirée.

Joanna héla un taxi pour rentrer chez Simon. Elle avait bu un gin tonic de trop. En arrivant, elle se fit aussitôt un café bien serré et consulta le répondeur.

« Salut Jo, c'est Simon. Tu ne répondais pas sur ton mobile. Je devrais rentrer vers dix heures ce soir, alors ne t'enferme pas à clé. J'espère que tout se passe bien. À ce soir. »

« Salut Simon, c'est Ian. Je pensais que tu serais rentré à cette heure, et je n'arrive pas à te joindre sur ton mobile. Tu pourrais me rappeler quand tu auras ce message? Il y a du nouveau. À plus. »

Joanna nota le dernier message sur le bloc-notes à côté du téléphone. Elle aperçut la carte de visite que Simon lui avait laissée, avec le numéro de son ami.

*IAN C. SIMPSON*

Elle se dépêcha de fouiller dans son sac pour en sortir le stylo qu'elle avait retrouvé après le cambriolage, et elle étudia les initiales gravées sur le métal doré.

*I.C.S.*

— Non! Impossible, s'écria-t-elle dans la pièce vide.

Soudain, les mots d'Alec lui revinrent en mémoire.

« *Ne fais confiance à personne.* »

Était-ce le gin cumulé à sa journée horrible qui la rendait parano? Après tout, il devait y avoir des milliers de personnes portant les initiales « I.C.S. ». Mais combien de cambrioleurs se baladaient avec un stylo-plume gravé ?

Et la lettre d'amour…

Elle n'avait pas un seul instant remis en question la sincérité de Simon. Pourtant, avec le recul, il s'était montré très insistant pour emporter la lettre. Et que faisait-il exactement dans « l'administration » ? On parlait d'un major de sa promo à Cambridge. Ce genre de capacités intellectuelles était rarement mobilisé pour répertorier les notes de frais et valider des billets de stationnement. Quant à son « copain » dans la police scientifique…

— Merde !

Des pas résonnaient dans l'escalier. Joanna fourra aussitôt la carte et le stylo dans son sac à dos, et se précipita sur le canapé.

— Salut, comment tu vas ?

Simon posa son sac de voyage par terre et s'approcha pour déposer un baiser sur sa tête.

— Ça va, ça va.

Elle feignit un bâillement et étira ses jambes.

— J'ai dû m'endormir, expliqua-t-elle. J'ai pris quelques verres au pub après le boulot.

— Grosse journée, alors ?

— Ah, ça. Comment s'est passé ton voyage ? demanda-t-elle l'air de rien.

— Beaucoup de réunions.

Simon se dirigea vers la cuisine et enclencha la bouilloire.

— Tu veux du thé ?

— Pourquoi pas. Oh, et au fait, un certain Ian a laissé un message pour toi sur le répondeur. Il veut que tu le rappelles.

— OK.

Simon prépara deux tasses et vint s'asseoir à côté d'elle.

— Alors, comment s'est passée ta semaine ? interrogea-t-il.

— Ça allait. Mon appartement est presque rangé, j'ai rempli tous les formulaires de l'assurance et les démarches sont en cours. Mon nouveau lit arrive demain et un type vient pour installer l'ordinateur. Ce qui veut dire que je vais bientôt te laisser tranquille, maintenant que tu es rentré.

— Prends ton temps, il n'y a pas d'urgence.

— Je sais, mais je pense que j'ai envie de retrouver mon chez-moi.

— Oui, évidemment.

Simon but une gorgée de thé et reprit :

— Sinon, tu as du nouveau sur ta petite vieille et ses lettres ?

— Non, je t'avais dit que je laissais tomber, à moins que ton ami dans la police scientifique n'ait trouvé quelque chose ?

— Non, désolé. Je suis passé au boulot avant de rentrer et il avait laissé un mot sur mon bureau. Apparemment le papier était trop fragile pour en tirer quoi que ce soit.

— Bon, tant pis. Tu as ramené la lettre ? J'aimerais bien la garder quand même.

— Malheureusement, non. Elle s'est désagrégée à cause des produits chimiques. Mon ami dit qu'elle avait plus de soixante-dix ans. Désolé.

— Ne t'en fais pas. Elle n'avait probablement aucune valeur, de toute façon. Merci d'avoir essayé.

Joanna était fière du sang-froid dont elle faisait preuve, alors qu'elle n'avait qu'une envie : se jeter sur lui et le rouer de coups pour l'avoir trahie, elle, son amie de toujours.

À en croire son expression, Simon était surpris par son absence de réaction.

— Et puis, ajouta-t-elle, on dirait que j'ai de plus gros problèmes moi-même. Mon cher patron a décidé – pour des raisons que lui seul connaît – de me transférer à la rubrique « Jardinage et animaux de compagnie ». Ce qui signifie qu'à présent, mon principal objectif est d'y rester le moins longtemps possible.

— Je suis désolé, Jo. Est-ce que tu sais pourquoi ?

— Non. Mais bon, au moins je n'ai plus besoin de harceler les célébrités. Je vais pouvoir me balader dans le Chelsea Flower Market en robe pastel et gants blancs.

— Tu as l'air de prendre ça plutôt bien. Je me serais attendu à te voir fulminer.

— Quel intérêt ? Et puis, comme je te l'ai dit, le gin tonic a bien noyé ma déception. Tu aurais dû m'entendre au pub tout à l'heure… enfin. Si ça ne t'embête pas, je vais aller prendre une douche et me coucher. Cette journée m'a épuisée.

— Oh, ma pauvre. Ne t'en fais pas, un jour tu seras rédactrice en chef et tu auras ta revanche.

— Peut-être, dit-elle en se levant. À demain.

Simon l'embrassa sur la joue et lui souhaita bonne nuit. Dès qu'il entendit l'eau couler, il s'enferma dans sa chambre avec son téléphone mobile.

— Ian, c'est Simon. Je pensais t'avoir dit de ne pas laisser de message sur mon fixe. Joanna Haslam est chez moi, cette semaine.

— Désolé, j'avais oublié. Comment s'est passé l'entraînement ?

— C'était dur, mais utile. Quoi de neuf ?

— Appelle Jenkins chez lui, il te le dira.

— OK. À demain.

Simon s'empressa de composer un autre numéro.

— Monsieur, c'est Warburton.

— Merci de m'avoir rappelé. Lui avez-vous dit que la lettre s'était désagrégée ?

— Oui.

— Comment a-t-elle pris la nouvelle ?

— Étonnamment bien.

— Parfait. Demain matin, vous viendrez directement me faire votre rapport. J'ai une mission pour vous.

— Très bien. Bonsoir, monsieur.

Simon raccrocha et s'assit sur son lit pour soulager ses muscles fatigués. Il avait passé une semaine exténuante dans les Highlands, en Écosse, où se trouvait le camp d'entraînement de l'agence. En plus de ça, il avait l'impression qu'on le forçait à mettre le pied en eaux troubles, comme si sa vie professionnelle et sa vie privée entraient en collision malgré lui. Alors qu'il avait toujours tout fait pour les séparer.

Le lendemain matin, à huit heures et quart, Simon entra sur la pointe des pieds dans l'obscurité du salon pour rejoindre la salle de bains, mais Joanna était déjà partie. Il remarqua qu'elle avait posé le bloc-notes sur la table de la cuisine.

« *Je passe chez moi pour récupérer des vêtements propres avant d'aller au boulot. Merci encore de m'héberger. Bisous.* »

Le mot était parfaitement normal, mais il la connaissait trop bien. Quelque chose clochait. La veille, elle était restée trop calme en apprenant la destruction de la lettre.

Cela ne pouvait signifier qu'une chose : elle était encore sur la piste de sa petite vieille.

# 15

Plus le tournage avançait, plus Zoe se fondait dans la peau du personnage de Tess, une femme rejetée par tout un village pour son enfant illégitime. Zoe ne pouvait pas s'empêcher de faire le parallèle avec sa propre vie, et espérait de tout cœur qu'elle ne connaîtrait pas la même fin tragique.

En la raccompagnant à son hôtel après le visionnage des bobines de film, le réalisateur lui dit :

— Continue comme ça, Zoe, et tu peux espérer une nomination aux récompenses annuelles. Tu rayonnais à la caméra. Au lit de bonne heure ce soir, une grosse journée nous attend demain.

— Oui, bien sûr. Merci, Mike. À demain.

Ils récupérèrent leurs clés à la réception et Zoe monta les marches raides et grinçantes qui menaient à sa chambre. Elle ouvrait tout juste la porte quand son téléphone sonna dans son sac à main.

— C'est moi.

— Salut, « moi », comment vas-tu ? répondit-elle d'un ton taquin.

— Je n'arrête pas, comme toujours. Tu me manques.

Zoe s'effondra sur le lit et colla le téléphone contre son oreille pour le sentir plus proche.

— Toi aussi, dit-elle.

— Tu penses pouvoir venir à Sandringham cette fin de semaine ?

— Je crois, oui. Mike veut qu'on fassc quelques prises à l'aube dans la brume, donc je devrais être libre vers midi. Par contre, je vais probablement m'endormir à dix-neuf heures. Je serai levée depuis quatre heures du matin.

— Tant que tu es dans mes bras, je m'en fiche. Bon sang, Zoe, j'aimerais tant avoir une vie normale. Être un homme comme les autres.

— Pas moi. Je t'aime comme tu es. Plus que quelques jours et on sera réunis. Tu es sûr qu'il n'y a aucun risque ?

— Certain. Les rares personnes au courant ont compris le caractère sensible de la situation. Souviens-toi, c'est leur boulot. Ne t'inquiète pas, ma chérie, je t'en prie.

— Je ne m'inquiète pas pour moi. C'est à Jamie que je pense.

— Je sais. Mais fais-moi confiance. Mon chauffeur t'attendra devant ton hôtel à treize heures vendredi. J'ai York Cottage pour toute la fin de semaine. J'ai dit à ma famille que j'avais besoin d'intimité. Ils comprennent, ils ne viendront pas nous déranger.

— D'accord.

— Je compte les heures, ma chérie. Bonne nuit.

— Bonne nuit.

Zoé raccrocha et contempla le plafond craquelé de sa chambre d'hôtel, un grand sourire aux lèvres. Elle n'avait encore jamais passé une fin de semaine entière avec Art.

Après un bon bain chaud, Zoe descendit souper. La petite salle à manger, avec son immense table en bois sombre rustique, était désertée. La plupart des acteurs et de l'équipe de tournage étaient allés dans la ville voisine de Holt pour tester un restaurant indien réputé excellent. Elle s'assit au coin de la cheminée et commanda le ragoût de porc, spécialité régionale.

Juste au moment où son plat arrivait, William Fielding, l'acteur jouant son père, entra dans la pièce. Quand il lui sourit, des rides se formèrent au coin de ses yeux doux.

— Bonsoir, ma petite. Tu es là toute seule ?

— Oui. Tu veux te joindre à moi ? proposa-t-elle à contrecœur.

— J'aimerais beaucoup, oui.

William tira une chaise à côté d'elle et s'assit.

— Cette maudite arthrite me ronge les os. Et le froid n'aide pas...

Il se pencha tant vers Zoe qu'elle sentit son haleine alcoolisée.

— ... mais enfin, je ne devrais pas me plaindre. Je travaille encore et je joue même le rôle d'un homme plus jeune. En réalité, j'ai plutôt l'âge d'être ton grand-père.

— N'importe quoi. La jeunesse n'a pas d'âge. Et je t'ai vu grimper ces marches comme un jeune coq, aujourd'hui.

Il pouffa.

— Oui, et ça a bien failli me tuer. Mais je ne peux pas montrer à notre cher réalisateur que je suis trop vieux pour ça.

La serveuse lui apporta un menu.

— Merci, ma petite.

William chaussa ses lunettes pour le lire.

— Alors, qu'est-ce qu'on a de bon ce soir ? Je vais prendre la soupe, le rôti du jour et un double whisky avec glaçons pour faire descendre le tout.

— Très bien, monsieur.

Il enleva ses lunettes et précisa pour Zoe :

— J'avais bien envie d'un bon verre de Claret, mais celui qu'ils servent ici n'est pas meilleur que du vinaigre. Heureusement qu'il y a le dîner. Les traiteurs sont le grand bonus du tournage, tu ne trouves pas ?

— Oui, je suis bien d'accord. J'ai pris quasiment deux kilos depuis mon arrivée.

— Si tu veux mon avis, ça ne peut pas te faire de mal. J'imagine que tu ne t'es pas encore remise de la mort de ce cher James ?

— Tu sais, je pense que je ne m'en remettrai jamais. Il était plus un père pour moi que mon vrai père. Il me manque tous les jours et la douleur ne s'affaiblit pas.

— Ça viendra, avec le temps. Je le sais parce que je suis vieux.

Il remercia la serveuse qui lui apportait son whisky, en prit une large gorgée et expliqua :

— Ma femme est morte d'un cancer il y a dix ans. Je pensais que je n'étais pas capable de vivre sans elle. Mais je suis encore là et je survis. Elle me manque, mais j'ai fini par accepter le fait qu'elle est partie. Ma vie est bien solitaire, maintenant. Je ne sais pas ce que je ferais si je n'avais pas le travail.

— J'ai l'impression que beaucoup d'acteurs ont une longue vie. Je me demande si c'est parce qu'ils ne prennent jamais leur retraite et continuent de jouer jusqu'à...

— Tomber raides morts sur les planches. Oui, c'est à peu près ça.

Il termina son verre et en commanda un autre.

— Ton grand-père a vécu jusqu'à quatre-vingt-quinze ans, si je ne me trompe pas ? C'est un sacré score, si je peux me permettre. Peut-être qu'à moi aussi, il me reste une douzaine d'années.

— Tu as vraiment quatre-vingt-trois ans ?

Il porta son doigt à sa bouche.

— Cette année, mais chut, c'est un secret. Pour le reste du monde, j'en ai soixante-sept. Je ne me souviens de mon vrai âge uniquement parce que je sais que sir James avait pile douze ans de plus. On est nés le même jour. J'ai d'ailleurs déjà fêté mon anniversaire avec lui, une fois, il y a très, très longtemps. Aaaah, la soupe arrive ! Elle a l'air délicieuse.

Zoe regarda William engloutir maladroitement son potage en tenant sa cuillère d'une main tremblante. Quand il repoussa enfin le bol et commanda un autre whisky, elle lui demanda :

— Alors comme ça, tu connaissais mon grand-père ?

— Oui, c'était il y a très, très longtemps. Bien avant qu'il ne devienne – littéralement d'ailleurs – James Harrison.

— Comment ça, littéralement ?

— Eh bien, je suis sûr que tu sais que James Harrison était son nom de scène. Quand je l'ai rencontré, il était on ne peut plus irlandais. Fraîchement débarqué de West Cork, le jeune Michael O'Connell.

Zoe était stupéfaite.

— Tu es sûr qu'on parle du même acteur ? Je sais qu'il aimait beaucoup l'Irlande, il disait que c'était un pays magnifique et, vers la fin, il en parlait beaucoup, mais il n'était pas irlandais. Il est né dans le Dorset, et je n'ai jamais entendu une trace d'accent irlandais dans sa voix.

— Aha ! C'est bien ce que je dis. Un acteur de génie. Il avait un talent d'imitateur incroyable, n'importe quelle voix ou n'importe quel accent, il pouvait tout faire. D'ailleurs, c'est comme ça qu'il a débuté. Il était imitateur dans les music-halls. Ça m'étonne que tu ne le saches pas, vous qui étiez si proches. En tout cas, tu as sans aucun doute des racines irlandaises.

— Ça alors ! Mais dis-moi, comment as-tu rencontré mon grand-père ?

— Au Hackney Empire. J'avais dix ans à l'époque. Michael en avait vingt-deux, et c'était son premier job dans le milieu.

— Tu avais dix ans ? s'émerveilla Zoe.

— Oui. Tu sais, je suis quasiment né dans un théâtre. Ma mère était dans l'univers du spectacle et, mon père n'étant pas très présent, elle m'emmenait au théâtre quand elle allait travailler. Bébé, je dormais dans un tiroir de sa loge. Quand j'ai grandi, on m'a confié tous les petits boulots – apporter à manger, porter les messages, faire le coursier. C'est comme ça que je gagnais quelques pennies. Et c'est là que j'ai rencontré Michael, sauf que, comme tout le monde, je l'appelais Siam. Son premier rôle a été celui d'un génie dans une lampe. Le crâne rasé et la peau foncée, il ressemblait comme deux gouttes d'eau aux images que j'avais vues du roi du Siam, avec son pantalon bouffant et sa coiffe. Le surnom est resté, mais ça, je suis sûr que tu le sais.

— Oui.

Fascinée, Zoe en avait complètement oublié de manger.

— Évidemment, il rêvait de faire du «vrai» théâtre, mais il faut bien commencer quelque part. Et même à cette époque, il ne manquait pas de charisme. Toutes les danseuses rêvaient de sortir avec lui. Ça devait être le charme irlandais, même s'il avait déjà perdu son accent. Il fallait bien, dans ces années-là. Mais il nous faisait rêver avec ses ballades irlandaises, pouffa William.

Zoe le regarda vider son verre. C'était son deuxième double whisky depuis qu'il était arrivé. Et il racontait des souvenirs vieux de plus de soixante-dix ans. Il était fort probable qu'il confonde James avec un autre. Quand le rosbif de William arriva, elle se mit à picorer son ragoût.

— Tu veux dire que c'était un homme à femmes? demanda-t-elle.

— Oh que oui. Mais il les quittait avec tant de grâce qu'elles continuaient de l'adorer après la rupture. Puis un jour, sans prévenir, il a disparu. Au bout de deux ou trois jours, on m'a envoyé chez lui pour voir s'il était malade, ou s'il avait un peu trop bu. Toutes ses affaires étaient là, mais ma petite, ton grand-père n'y était plus.

— Est-ce qu'il a fini par revenir?

— Oui, six mois plus tard. Je retournais de temps en temps chez lui, pour guetter son retour. Il avait toujours été généreux en bonbons et avec l'argent quand je lui rendais service. Alors j'allais régulièrement frapper à sa porte, et un jour, il a répondu. Il était devenu très élégant, avec sa nouvelle coiffure et son costume très cher. Je me souviens qu'il m'a dit qu'il avait été fait sur mesure chez Savile Row. On aurait dit un vrai gentleman. Plus séduisant que jamais.

William gloussa à ce souvenir.

— C'est une sacrée histoire, fit Zoe. Il ne m'en a jamais parlé. Tu lui as demandé où il était parti ?

— Et comment ! Il m'a raconté qu'il avait décroché un rôle qui payait très bien, qu'il allait revenir au Hackney Empire pour reprendre son numéro et que tout était arrangé. Quand il est effectivement revenu, la direction n'a pas dit un mot. C'était comme s'il n'était jamais parti.

— Tu as déjà raconté cette histoire à quelqu'un d'autre ?

— Jamais, ma petite. Il m'a fait promettre. Michael était mon ami. Il m'a fait confiance et je lui faisais confiance. Et attends, je ne t'ai même pas raconté la partie la plus croustillante de l'histoire.

Les yeux de William s'illuminèrent avec le frisson de savoir son public captivé.

— On pourrait commander un café et trouver un siège plus confortable au bar ? suggéra-t-il. Je ne sens plus mon postérieur sur ces chaises en bois.

Ils trouvèrent une banquette moelleuse dans un coin du bar, et après un soupir de soulagement, William alluma une cigarette sans filtre.

— Où en étais-je ? Ah oui. Un jour, quelques semaines après son retour, il m'a appelé dans sa loge. Il m'a donné deux shillings et une lettre, en me demandant si je voulais bien lui rendre un service. Je devais me rendre devant Swan & Edgar, le grand magasin sur Piccadilly Circus, et attendre qu'une jeune femme en rose me demande l'heure.

— Tu as accepté ?

— Et comment ! À cette époque, pour deux shillings, j'aurais couru jusqu'à l'autre bout du monde !

— La femme est venue ?

— Oh oui. Elle était tellement bien habillée et parlait comme une aristocrate. J'ai tout de suite su que c'était une vraie lady.

— Ce n'est arrivé qu'une seule fois ?

— Non. Dans le mois qui a suivi, je lui ai bien remis une quinzaine d'enveloppes.

— Et est-ce qu'elle te donnait quelque chose ?

— Des petits paquets carrés, dans du papier brun.

— C'est curieux ! Tu sais ce qu'ils contenaient ?

— Aucune idée. Pourtant j'ai bien essayé de deviner.

William tapota sa cigarette sur le cendrier, et un sourire illumina son visage ridé.

Zoe se mordit la lèvre.

— Tu penses qu'il trafiquait quelque chose d'illégal ?

— Possible, mais il n'a jamais été du genre à se mêler à des activités criminelles. Il était si honnête.

— Alors de quoi pouvait-il s'agir ?

— J'imagine… enfin, je me suis dit que c'était une liaison secrète.

— Entre Michael et la femme que tu rencontrais ?

— Peut-être. Mais je crois que, comme moi, elle n'était qu'une émissaire.

— Tu n'as jamais ouvert les paquets ?

— J'en aurais eu l'occasion, mais non. J'étais un petit garçon loyal, et ton grand-père était si bon envers moi, jamais je n'aurais trahi sa confiance.

En sirotant son café, Zoe était partagée entre méfiance et fascination. Comment savoir si ce conte était une histoire vraie, de la pure fiction ou un mélange des deux embelli par les années ?

— Puis Michael m'a annoncé qu'il devait à nouveau partir. Il m'a donné assez d'argent pour bien manger pendant un an et m'a conseillé d'oublier tout ce qui s'était passé, pour mon bien. Si on m'interrogeait à ce sujet, je devais dire que je ne le connaissais pas plus que ça.

William écrasa sa cigarette.

— Ce fut mon adieu à Michael O'Connell. Littéralement, ma chère, parce qu'à partir de ce jour, il a disparu de la surface de la Terre.

— Vous n'avez aucune idée de l'endroit où il est allé ?

— Aucune. La suite, tu ne vas pas en croire tes oreilles. Je n'ai plus revu Michael O'Connell pendant au moins dix-huit mois, et un jour, je suis tombé sur son portrait à l'affiche d'un théâtre de Shaftesbury Avenue sous le nom de «James Harrison». Il s'était teint les cheveux en brun et il portait une moustache. Mais j'aurais reconnu ses yeux bleus n'importe où.

Zoe n'en revenait pas.

— Alors, tu veux dire qu'il a encore disparu pour réapparaître avec des cheveux noirs, une moustache et un nouveau nom? Je dois t'avouer que je trouve ça un peu difficile à croire.

— Eh bien, pourtant, je te jure que tout est vrai. Évidemment, quand je l'ai reconnu sur l'affiche, je suis tout de suite allé frapper à l'entrée des artistes et j'ai demandé à lui parler. Quand il m'a vu, il m'a vite fait entrer dans sa loge et a fermé la porte. Il m'a dit que, pour ma sécurité, il valait mieux que je me tienne à bonne distance de lui, qu'il était un homme nouveau désormais et que ce serait dangereux pour moi de le connaître d'avant. Alors je l'ai écouté.

— Tu l'as revu ensuite ?

— Seulement depuis le public, ma petite. Je lui ai écrit quelques fois, mais mes lettres sont toutes restées sans réponse. Enfin, un jour, j'ai reçu une enveloppe pleine de billets pour mon anniversaire. Pas de mot, mais je savais qu'elle venait de lui. Alors voilà. L'étrange histoire de ton grand-père adoré à ses débuts, racontée pour la première fois. Maintenant qu'il n'est plus avec nous, je doute que ça ait une quelconque importance. Et tu peux même mener ta petite enquête, si ça t'intéresse… J'essaie de me souvenir du nom de cette femme que je retrouvais devant Swan & Edgar… Elle me l'a dit une fois. Iris…? Non. Violet? Je suis sûr que c'était un nom de fleur.

— Dahlia? Rose?

Un sourire illumina son visage.

— Mais oui, c'est ça ! Rose !

— Et tu n'as aucune idée de qui elle était ?

William tapota son nez d'un air complice.

— J'ai bien ma petite idée, mais je ne vais pas dévoiler tous ses secrets. Peut-être vaut-il mieux que celui-ci repose avec lui dans sa tombe.

— Maintenant, je vais devoir aller fouiller dans son grenier pour découvrir le fin mot de l'histoire. Peut-être a-t-il gardé des choses qui pourraient correspondre à ton histoire.

— J'en doute, ma petite. Si c'est resté enfoui si longtemps, ça m'étonnerait qu'on découvre un jour la vérité. Cela dit, c'est une histoire intéressante pour le souper, dit-il en souriant.

— Oui, très, répondit Zoe avec un bâillement.

Elle jeta un coup d'œil à sa montre et déclara :

— William, il faut absolument que j'aille me coucher. Je commence le tournage tôt, demain. Merci beaucoup pour cette histoire. Je te tiendrai au courant si je trouve quelque chose.

— Fais donc.

Il la regarda se lever, puis lui prit la main.

— Tu lui ressembles tellement, quand il était jeune. Je te regardais cette après-midi, et tu as son talent. Un jour, tu seras très célèbre et tu feras honneur à ton grand-père.

— Merci, William, murmura Zoe.

Les yeux remplis de larmes, elle tourna les talons.

# 16

Joanna venait de passer trois jours abominables à la rubrique «Jardinage et animaux de compagnie» et deux nuits tout aussi désagréables à dormir sur des couvertures et coussins entassés à même le sol, car la livraison de son nouveau lit avait pris du retard. Ce soir-là, elle devait retrouver Marcus, et la seule évocation d'un vrai matelas confortable aurait suffi à la convaincre de passer la nuit chez lui. Elle enfila son éternelle petite robe noire qu'elle associa à un gilet ajusté et des ballerines. Elle se maquilla d'une touche de mascara, de fard à joues et de rouge à lèvres, puis, les cheveux encore humides après sa douche, elle se dirigea vers l'arrêt de bus.

Alors que le bus se traînait dans les embouteillages de Shaftesbury Avenue pour rejoindre Soho, Joanna méditait sur la soirée qui l'attendait, maudissant les papillons qui s'agitaient dans son ventre à la perspective de revoir Marcus. Elle avait passé les derniers jours à se demander si elle pouvait le mettre dans la confidence de ce qu'elle avait découvert au sujet de son grand-père. Il lui avait bien fallu prendre la difficile décision de ne plus faire confiance à Simon et elle avait fait de son mieux pour l'assigner au camp ennemi – même si elle ne savait pas encore de qui ce fameux camp était composé. Étant donné sa rétrogradation, elle avait également dû sortir Alec de l'équation. Quand le bus s'arrêta à proximité de Lexington Street, Joanna décida qu'elle avait bien besoin d'un allié. Marcus l'attendait chez Andrew Edmunds, un restaurant au charme rustique et aux lumières tamisées. Quand elle arriva à sa hauteur, il l'embrassa doucement.

— Comment tu vas ?

— Bien, répondit-elle en s'asseyant en face de lui.

Marcus la dévora du regard.

— Tu es magnifique dans cette robe. Champagne ?

— Puisque tu insistes. On fête quelque chose ?

— Bien sûr. Tu as accepté de souper avec moi. Je trouve que c'est une raison suffisante pour sortir le champagne. Tu as passé une bonne semaine ?

— Affreuse, pour être honnête. Non seulement j'ai été rétrogradée au boulot, mais en plus mon nouveau lit n'est toujours pas arrivé.

— Ma pauvre. Je pensais que tu restais chez un ami en attendant ?

— C'était le cas mais l'atmosphère est devenue un peu… tendue. Simon est rentré lundi et l'appartement est devenu un peu petit pour nous deux.

— Il t'a sauté dessus, pas vrai ?

— Quoi ? Non, certainement pas !

Joanna refoula une once de culpabilité et expliqua :

— C'est mon plus vieil ami, on se connaît depuis toujours. Enfin bref.

Elle prit une longue inspiration.

— C'est une longue histoire, vaguement en lien avec ta famille, d'ailleurs. Je te raconterai ça plus tard.

Une fois qu'ils eurent commandé, Marcus lui lança un regard interrogateur.

— Vas-y, je t'écoute.

— Comment ça ?

— Raconte-moi l'histoire.

Joanna le regarda, hésitante.

— Je ne sais pas trop si je peux.

— C'est si sensible que ça ?

— C'est justement le problème. Je ne sais pas. Ça pourrait l'être, comme ça pourrait ne rien être du tout.

Il se pencha au-dessus de la table pour prendre ses deux mains dans les siennes.

— Joanna, je te jure que personne d'autre que moi n'en saura rien. Mais j'ai l'impression que tu as besoin de parler.

— Tu as raison. Mais je te préviens, c'est une histoire bizarre et compliquée.

Elle avala une gorgée de l'excellent vin rouge que Marcus avait choisi pour se donner le courage de se lancer.

— Bon. Tout a commencé quand je suis allée à la commémoration en l'honneur de ton grand-père…

Il fallut l'entrée, le plat principal et la moitié du dessert pour que Joanna termine de lui raconter ce qu'elle avait baptisé « l'affaire de la petite vieille ». Elle décida, en revanche, de ne pas lui parler de ses soupçons de filature, par peur d'admettre la réalité de ce qu'elle redoutait.

À la fin du récit, Marcus alluma une cigarette et en souffla lentement la fumée, le regard planté dans celui de Joanna.

— Alors, l'article sur moi et la fondation, ce n'était qu'une couverture pour te permettre de déterrer des informations sur mon grand-père et son passé trouble ?

— Au départ, oui, admit-elle. Je suis désolée. Évidemment, le papier sera quand même publié.

— Je dois dire que je me sens un peu utilisé… Dis-le-moi franchement : est-ce que tu soupes avec moi ce soir pour obtenir plus d'informations ou est-ce que tu avais vraiment envie de me revoir ?

— Je voulais vraiment te revoir, promis.

— Vraiment ?

— Oui.

— Alors, cette histoire mise à part, je t'intéresse vraiment ?

— Oui, évidemment.

— D'accord.

Son visage s'illumina d'un soulagement sincère.

— Dans ce cas, reprenons les faits : l'étrange petite vieille de la commémoration, la lettre, le programme, ton appartement saccagé, tu donnes la lettre à ton soi-disant ami pour la faire analyser, il te dit qu'elle a été désintégrée…

— Plus j'y pense, et moins ça me semble crédible, l'interrompt Joanna. On a encore des lettres centenaires dans les musées, il a bien fallu déterminer leur âge avec ce même procédé chimique, qui ne les a pas désintégrées, elles. La vraie question, c'est pourquoi Simon m'a-t-il menti ? Il est vraiment mon meilleur ami.

— Navré, Jo, mais je pense que tu as raison de te méfier. Donc, ensuite, tu en parles à ton supérieur, qui te dit de suivre la piste, mais revient rapidement sur ses paroles quelques jours plus tard et te transfère dans une rubrique inutile où tu ne pourras faire de tort à personne. Je dirais que, peu importe ce que tu as déterré, tu tiens quelque chose. Mais maintenant, on fait quoi ?

Joanna se pencha sur son sac à dos pour en sortir l'enveloppe.

— Regarde, fit-elle, c'est la photo que j'ai trouvée dans la maison du Dorset. Et ça, c'est le programme du théâtre que m'a envoyé Rose.

Elle les posa côte à côte sur la table.

— Tu vois ? C'est lui, on est d'accord ?

Marcus se concentra sur les deux photos.

— C'est vrai que ça lui ressemble. Si quelqu'un peut nous en dire plus là-dessus, c'est bien ma sœur, mais elle est en tournage dans le Norfolk en ce moment.

— Je pense que ce serait effectivement une bonne chose de parler à Zoe, mais nous devons être prudents, je dois faire semblant d'avoir abandonné toute cette histoire. Tu penses que tu pourrais organiser une rencontre ?

— Peut-être, mais ça va te coûter quelque chose.

— Quoi ?

Il sourit.

— Un brandy chez moi.

Dans le salon de Marcus, Joanna observait les flammes danser dans la cheminée au gaz. Elle se sentait apaisée, soulagée d'avoir partagé son secret.

— Tiens, dit Marcus en lui tendant un verre de brandy. Alors, miss Haslam, ça nous mène où, tout ça ?

— Eh bien, tu peux essayer d'organiser une rencontre entre Zoe et moi, et...

Il posa un doigt sur ses lèvres.

— Non, je parlais de nous.

Il fit courir son doigt sur sa joue et entortilla une mèche bouclée.

— Je ne veux pas uniquement jouer à Sherlock Holmes avec toi, expliqua-t-il.

Il lui prit son verre des mains avant même qu'elle n'ait eu le temps d'en boire une gorgée et le posa sur la table. Il se pencha vers elle et déclara :

— Laisse-moi t'embrasser vraiment, Joanna.

Les papillons se réveillèrent à nouveau dans son ventre quand Marcus posa ses lèvres sur les siennes. Puis elle ferma les yeux et sentit le baiser se faire de plus en plus passionné et sa langue caresser la sienne. Alors qu'elle s'abandonnait dans ses bras, la limite entre le bien et le mal disparut dans le flou du désir. Soudain, il s'écarta.

— Qu'est-ce qu'il y a ? murmura-t-elle.

— Je voulais juste m'assurer que tu ne voulais pas que j'arrête.

— Non, tu peux continuer.

— Tant mieux, murmura-t-il en l'attirant à lui. Oh, Joanna, tu es tellement belle...

Une heure plus tard, Joanna était allongée à côté de Marcus et contemplait son expression émerveillée. Elle sourit, comblée.

— Joanna, je crois que je suis amoureux...

Il la prit dans ses bras et elle enfouit son nez dans son cou pour inspirer son parfum frais de shampooing teinté du musc de l'après-rasage.

— Ça va ? chuchota-t-il.

— Oui.

Il la lâcha et prit appui sur son coude

— Je pensais ce que je t'ai dit, tu sais. Je pense que je suis en train de tomber amoureux de toi.

— Je parie que c'est ce que tu dis à toutes, répliqua Joanna.

— Avant, peut-être, mais jamais après.

Il se leva et attrapa son pantalon pour tirer un paquet de cigarettes de sa poche.

— Tu en veux une ?

— Pourquoi pas.

Marcus alluma deux cigarettes. Ils s'assirent en tailleur, à même le sol.

— C'est plutôt pas mal, commenta Joanna avec un sourire.

— Le sexe ?

— Non, la cigarette, dit-elle en écrasant son mégot dans le cendrier.

— Quel romantisme. Allez, viens par là.

Marcus l'attira à nouveau dans ses bras pour l'embrasser.

— Tu sais, confia-t-il, depuis ce dîner, je n'ai pas cessé de penser à toi. Tu penses qu'on pourrait envisager quelque chose de sérieux ?

— Je rêve ou tu veux qu'on sorte ensemble ?

— On dirait bien. Même si après ce qu'on vient de faire, je serais parfaitement heureux de rester enfermé aussi longtemps que possible.

Joanna soupira.

— Je ne sais pas. Je te l'ai dit, ma dernière relation s'est très mal terminée. Je n'en suis pas encore tout à fait remise. Sans parler de ta réputation...

— Comment ça?

— Oh, ne fais pas l'innocent. Tout le monde ne fait que me raconter tes conquêtes.

— OK, d'accord, j'admets que j'ai fréquenté quelques femmes. Mais je n'ai jamais ressenti ça avant, dit-il en lui caressant les cheveux. Et je promets que jamais je ne te ferai de mal. Laisse-moi une chance, Jo. On peut y aller aussi lentement que tu le veux.

— C'est ça, ce que tu appelles « lent »?

— Pourquoi prends-tu tout à la légère quand j'essaie de parler sérieusement?

Joanna se frotta les yeux.

— Parce que… j'ai peur.

— Tout ce que je veux, c'est faire partie de ta vie. Laisse-moi une chance, je ne te décevrai pas.

— D'accord, j'y réfléchirai. Je suis exténuée, ajouta-t-elle en bâillant.

— Tu peux rester ici ce soir, puisque tu n'as pas de lit chez toi, proposa-t-il en souriant.

— Tu sais, je m'en suis très bien sortie avec mes couvertures par terre, ces derniers jours.

— Joanna, ne sois pas toujours sur la défensive. Je plaisantais. Rien ne me ferait plus plaisir que de me réveiller à côté de toi demain.

— Vraiment?

— Oui, vraiment.

— D'accord. Merci.

Il se leva et lui tendit la main pour l'aider à se lever et l'entraîna dans la chambre.

— Ahhh, un lit. Le bonheur! s'exclama Joanna en se glissant sous la couette.

Marcus la rejoignit aussitôt et éteignit la lumière.

— Jo?

— Oui?

— Est-ce qu'on est vraiment obligés de dormir tout de suite?

Le lendemain matin, Joanna fut réveillée par les baisers que Marcus déposait au creux de son cou. Elle se réveilla en douceur, au fil de ses caresses, et ils firent encore une fois l'amour.

— Oh mon Dieu, tu as vu l'heure ? s'écria Joanna. Il est neuf heures vingt ! Je suis tellement en retard !

Elle bondit hors du lit et courut dans le salon rassembler ses vêtements. Marcus la suivit.

— Ne t'en va pas. Reste ici avec moi. On pourrait passer la journée au lit.

— Si seulement. Mais mon boulot ne tient déjà plus qu'à un fil, dit-elle en sautillant pour enfiler ses collants.

— Reviens ce soir, dans ce cas ?

Elle enfila sa robe.

— Non, ils ont promis de livrer mon nouveau sommier et je dois rentrer directement pour retrouver les livreurs à dix-sept heures trente.

— Je pourrais venir t'aider à faire le lit ?

— Tu sais quoi ? Je t'appelle dans la journée.

Elle enfila sa veste, ramassa son sac à dos et embrassa Marcus.

— Merci pour hier soir.

— Et pour ce matin, lui rappela-t-il en ouvrant la porte.

— Oui. D'ailleurs, tu voudras bien appeler Zoe pour moi ?

— Je m'en occupe, chef.

Marcus la regarda partir, puis étira ses muscles délicieusement courbaturés de la veille. Puis il retourna au lit et s'endormit immédiatement.

La sonnerie du téléphone le réveilla à treize heures. Espérant entendre Joanna, il courut décrocher.

— Marcus Harrison ? demanda une voix d'homme à l'autre bout du fil.

— Oui ?

— Tu ne te souviens probablement pas de moi, mais j'étais cinq niveaux au-dessus de toi à Wellington College. Je m'appelle Ian. Ian Simpson.

— Oui… en fait je vois très bien. Tu étais préfet, non ? Comment ça va ?

— Très bien. Dis, que penses-tu de se retrouver pour un verre ? Parler du bon vieux temps, ce genre de choses.

— Euh… quand ça ?

— Ce soir. Pourquoi tu ne me rejoindrais pas au St-James Club ?

— Je ne peux pas, désolé. Je suis déjà pris.

Quelle mouche avait bien pu piquer Ian Simpson pour qu'il veuille tout d'un coup boire un verre avec lui ? Marcus ne se souvenait pas de lui avoir parlé une seule fois à l'internat. D'ailleurs, il l'avait toujours évité, lui et ses tendances cruelles envers les plus jeunes.

— C'est quelque chose que tu peux annuler ? J'ai un truc à te proposer qui pourrait t'arranger, financièrement.

— Vraiment ? Eh bien, j'imagine que je pourrais me libérer vers dix-neuf heures.

— Parfait. Par contre, je ne vais pas pouvoir m'attarder. À ce soir.

Marcus reposa le combiné et resta un instant hébété.

En début de soirée, juste avant de partir, il appela Joanna.

— Salut, ma chérie. Ton lit est arrivé ?

— Oui, enfin !

— Tu veux que je passe plus tard pour tester le matelas ? Je suis extrêmement qualifié dans ce domaine.

— Je n'en doute pas, répliqua-t-elle avec sarcasme. Et si on y allait doucement et qu'on regardait plutôt un film ? Je viens d'installer ma nouvelle télé. Tu pourrais apporter la cassette de *No Way Out*.

— Sérieusement ? Est-ce que je n'ai pas assez répété à quel point ce film était déprimant ? Et je suis bien placé pour le dire, c'est moi le producteur.

— Oui, oui, je suis très sérieuse. Je veux voir ce que tu as créé. Je m'occupe du pop-corn. Ça marche ?

— OK… à condition d'avoir le droit à un «je te l'avais bien dit» quand tu l'auras vu et détesté.

— On verra. À plus tard, Marcus.

— À plus tard, ma chérie.

En entrant au St-James Club, Marcus reconnu immédiatement Ian Simpson, malgré son visage, autrefois arrondi, qui commençait déjà à s'affaisser. *Les méfaits de l'alcool*, songea Marcus alors que l'homme s'avançait vers lui. Son immense carrure lui rappela qu'à l'époque où il était capitaine de l'équipe de rugby, il avait ratatiné sans pitié ses adversaires.

— Marcus, je suis content de te revoir, mon vieux, dit-il en lui serrant la main. Assieds-toi. Tu veux boire quoi?

Marcus lança un regard envieux au whisky de Ian, mais se souvint de sa promesse à lui-même.

— Une bière, merci.

Ian appela un serveur et lui commanda une pinte et un deuxième whisky. Puis il se pencha en avant, coudes sur les genoux, doigts entrelacés et demanda:

— Alors, comment tu vas?

— Euh… depuis l'école? Bien. Ça fait un bail, non? Dix-sept ans, si je compte bien.

Ian ignora sa remarque et continua, l'air de rien:

— Et tu travailles dans quoi, maintenant?

— J'ai fondé une société de production de films.

— Classe. Moi, je ne suis qu'un fonctionnaire tout ce qu'il y a de plus banal, qui fait de l'administration pour gagner à peine de quoi vivre. Mais bon, je suppose qu'avec ton pedigree, c'était le destin.

— En quelque sorte. On pourrait aussi dire que ma famille a été un frein.

— Vraiment? Ça m'étonne.

— Oui, ça en étonne beaucoup, confirma Marcus d'un air sombre. En ce moment, je mets sur pied une fondation en mémoire de mon grand-père, sir James Harrison.

— Vraiment ? Ça, c'est une coïncidence, c'est justement ce dont je voulais te parler.

Marcus lui lança un regard méfiant. Décidément, arriverait-il un jour où on voudrait le rencontrer pour lui et pas pour sa famille ?

Marcus but une longue rasade de bière en regarda Ian siffler la fin de son premier whisky et attaquer le suivant.

— OK, de quoi il s'agit ? demanda-t-il.

— C'est un sujet un peu sensible, alors il faut bien que tu comprennes qu'on place toute notre confiance en toi, en t'en parlant. Tu vois, la situation est la suivante : apparemment, ton grand-père, qui était un beau coureur de jupons, a fricoté avec une dame de la haute société très connue du grand public. Elle lui a écrit des lettres assez… osées. Ton grand-père les lui a toutes rendues il y a des années, sauf une. On pensait qu'il le ferait, parce qu'il a toujours promis de renvoyer cette missive, disons, compromettante à la famille de la fameuse lady. Et on en a récupéré une. Mais il semblerait qu'il s'agisse de la mauvaise lettre.

*Celle que Joanna a reçue,* en déduit Marcus.

— Je ne me souviens pas de quoi que ce soit en rapport avec ça dans le testament, répliqua-t-il innocemment.

— Justement. La famille en question nous a contactés pour que nous récupérions cette lettre. Elle pourrait s'avérer très embarrassante si elle tombait entre de mauvaises mains.

— Je vois. J'imagine que tu ne vas pas me dire de quelle famille il s'agit ?

— Non, mais je peux te dire qu'elle est assez riche pour offrir une récompense plus que généreuse à quiconque la retrouverait.

Marcus alluma une cigarette et sonda l'expression de Ian.

— Et tu en es où dans tes recherches ?

— Pour l'instant, on n'a pas grand-chose. Mais on m'a dit que tu connaissais bien une jeune journaliste…

— Joanna Haslam ?

— Oui. Tu as une idée de ce qu'elle sait ?

— Pas vraiment. On n'en a pas beaucoup parlé. Mais elle a bien reçu une lettre, probablement celle que vous avez trouvée.

— Précisément. Euh… écoute, Marcus, désolé de te dire ça comme ça, mais tu ne crois pas que miss Haslam pourrait… disons, faciliter le rapprochement parce qu'elle pense que tu lui donneras plus d'informations ?

Marcus soupira.

— J'imagine que c'est une possibilité. Surtout après ce que tu viens de me raconter.

— Mieux vaut prévenir que guérir, comme dit le dicton. Évidemment, cette conversation doit impérativement rester entre nous. Le gouvernement compte sur ta discrétion.

— Bon, ça suffit, Ian. Arrête ton baratin et dis-moi exactement ce que tu veux.

— Tu as accès à la maison de ton grand-père dans le Dorset et à celle de Londres. Peut-être que ce que l'on cherche se trouve dans l'une d'elles.

*C'est peut-être ce que Joanna cherchait…*

— Possible. Le grenier de Haycroft House est plein de cartons de souvenirs de mon grand-père.

— Dans ce cas, peut-être que ce serait une bonne idée d'y retourner pour jeter à nouveau un coup d'œil à ces cartons ?

— Attends une minute, comment sais-tu que j'ai déjà regardé ? Est-ce que vous nous avez espionnés avec Joanna ?

— Marcus, mon vieux, comme je te l'ai dit, le gouvernement essaie simplement de résoudre cette histoire sans faire trop de remous. Pour le bien de tous.

Marcus était loin d'être rassuré par le ton de Ian.

— Bon sang ! Et cette lettre, elle risque de déclencher une troisième guerre mondiale ou quoi ?

Les traits de Ian s'adoucirent et il afficha un petit sourire.

— Non, pas vraiment. C'est simplement... une indiscrétion de la part d'une certaine jeune femme de l'aristocratie, que la famille très estimée souhaiterait garder secrète. Est-ce que tu penses à un autre endroit où elle pourrait se trouver? Des proches à qui ton grand-père aurait pu la confier? La situation est tellement sensible qu'on ne peut pas se permettre d'ébruiter nos recherches. Ce qui signifie qu'en cas de confidences sur l'oreiller avec Joanna, notre accord est caduc. Sans compter que ça vous mettrait tous les deux dans une position... vulnérable. Nous avons choisi de te faire confiance parce que nous savons que tu es un homme discret, avec un accès idéal et légitime à des endroits et des personnes que nous ne pouvons pas atteindre sans éveiller les soupçons. Et je répète que tu seras très généreusement indemnisé.

— Même si je ne trouve pas la lettre?

Ian sortit de sa poche une enveloppe qu'il posa sur la table.

— Voilà de quoi couvrir tes dépenses. Pourquoi tu n'emmènerais pas la jolie Joanna une fin de semaine à la mer? Un souper aux chandelles, du bon vin, et tu pourrais en profiter pour découvrir où elle en est dans ses recherches? Doucement, mais sûrement, comme dit le proverbe.

— C'est bon, je vois où tu veux en venir, répliqua Marcus, agacé par son ton infantilisant.

Il n'avait qu'une envie, balancer son poing sur le nez aquilin et dédaigneux de Ian.

— Parfait. Et si tu tombes sur ce que l'on cherche, la somme dans cette enveloppe te paraîtra dérisoire à côté de ta récompense. Bon, maintenant, il faut que je file. Je t'ai laissé ma carte aussi. Appelle-moi à n'importe quelle heure du jour ou de la nuit si tu as du nouveau.

Il se leva et lui serra la main. Puis, juste au moment de partir, il ajouta:

— Oh, et au fait, sans vouloir paraître trop dramatique…
Il va sans dire que les enjeux sont gros. Si ça venait à fuiter,
tu te retrouverais illico dans les égouts. Bonne soirée.

Après le départ de Ian, Marcus se laissa tomber dans
son fauteuil, secoué par la menace finale. Incapable de
résister plus longtemps, il commanda un whisky. Après
une large gorgée du liquide ambré, la nervosité laissa place
à la raison. Déjà, à l'école, Ian avait recours à la terreur
pour obtenir ce qu'il voulait des plus jeunes. Pourtant,
les professeurs l'avaient toujours perçu comme un garçon
charmant et attentionné. Manifestement, il n'avait pas
changé. En revanche, Marcus avait grandi et il n'avait plus
l'intention de se laisser intimider si facilement.

Ses doigts se baladaient sur l'enveloppe, curieux de
savoir combien elle contenait. Et s'il trouvait cette lettre
et la remettait entre les bonnes mains? D'après ce qu'il
avait compris, il pouvait littéralement leur donner son
prix, voire la somme nécessaire pour faire de son projet
de film une réalité…

Et Joanna? En dépit des menaces de Ian, il devait lui
raconter cette conversation. Ils pourraient ainsi travailler
main dans la main, en toute franchise. Mais si Ian le
découvrait? Marcus ne voulait pas la mettre en danger…
Peut-être valait-il mieux se taire pour le moment et voir
comment les choses évolueraient.

*Ce qu'elle ne sait pas ne peut pas lui nuire*, décida-t-il en vidant
son verre. Il s'avéra que Ian avait déjà réglé l'addition.
Marcus s'empara alors de l'enveloppe et se dirigea vers
les toilettes. Une fois dans la cabine, il compta les billets
de l'épaisse liasse qu'elle contenait, son pouls battant de
plus en plus vite. Cinq mille livres en billets de vingt et de
cinquante.

Prochaine étape: découvrir ce que Zoe savait de cette
lettre. Mais pas seulement pour Joanna. Pour son film aussi…

Quand le taxi le déposa devant chez Joanna une demi-
heure plus tard, il sentait le poids coupable de l'enveloppe

dans sa poche. Alors, rapidement, il se délesta de sa veste et laissa la jeune femme l'entraîner dans un salon douillet où l'attendaient une cheminée crépitante et un saladier de pop-corn.

— Tu m'as manqué aujourd'hui, lui dit-il avant de l'embrasser passionnément.

Joanna finit par s'écarter à contrecœur.

— Mais on s'est vus ce matin !

— Il y a mille ans, tu veux dire ! murmura-t-il en l'embrassant à nouveau.

Elle s'extirpa de son étreinte.

— Marcus, le film !

Il sortit une cassette VHS poussiéreuse déterrée au fond d'un tiroir de son appartement.

— Je répète, ceci n'est pas un film adapté pour une ambiance romantique.

Joanna inséra la cassette dans le lecteur, puis alluma le téléviseur. Ils s'installèrent sur le nouveau canapé, calés l'un contre l'autre. Marcus était tellement occupé à scruter le visage de Joanna en quête de la moindre réaction qu'il ne vit rien de la première moitié du film. L'appréhension lui nouait le ventre. Et si elle trouvait que c'était vraiment mauvais ? Et si elle en déduisait que lui, Marcus, était tout aussi nul ? Et si…

Enfin, quand le générique de fin défila à l'écran, Joanna se tourna vers lui, les yeux brillants.

— Marcus, c'était génial, murmura-t-elle.

— Tu… Qu'est-ce que tu en as pensé ?

— J'ai trouvé ça incroyable. C'est un de ces films qui te restent en tête. La cinématographie était magique, tellement prenante, c'est comme si elle nous projetait dans la forêt équatoriale…

Elle n'eut pas le temps d'en dire davantage : Marcus l'embrassait. Sa bouche avait encore le goût sucré-salé du pop-corn. Le générique continua de défiler, mais aucun des deux n'y prêta plus attention.

# 17

Quand le tournage prit fin ce vendredi après-midi là, Zoe se rua dans sa chambre d'hôtel pour récupérer son sac. Le cœur battant à toute allure, elle déposa les clés à la réception.

— Votre chauffeur vous attend au bar, miss Harrison.

— Merci.

Zoe entra dans le pub où se réunissaient tous les habitants du village, et avant qu'elle n'ait eu le temps de balayer la salle du regard, un homme arrivait déjà à son côté.

— Miss Harrison?

— Oui.

Elle leva le menton haut pour le regarder dans les yeux. L'homme était très grand, avec une carrure impressionnante, des cheveux sable et des yeux bleus. Son impeccable costume gris assorti à sa chemise et sa cravate détonnait au milieu des clients de l'auberge. Il lui sourit chaleureusement.

— Je peux prendre votre bagage?

— Merci.

Zoe le suivit dans le stationnement, où une Jaguar noire aux vitres teintées les attendait. Il ouvrit la portière arrière.

— Et voilà. Si vous voulez bien monter.

Une fois que la voiture eut quitté le stationnement, Zoe s'installa au fond du siège moelleux couleur fauve de la Jaguar et se laissa bercer par son ronronnement.

— On est loin ?

— Environ une heure et demie de route, miss Harrison.

Zoe se sentit soudain embarrassée devant la politesse de cet homme si séduisant. Il devait savoir pour quelle raison il la conduisait jusqu'à son employeur. Elle ne put s'empêcher de se demander combien de femmes il avait transportées ainsi.

— Vous travaillez pour, hum… le prince Arthur depuis longtemps ?

— Non, je suis nouveau à ce poste. Il vous faudra me donner une note sur dix.

Elle surprit son sourire dans le rétroviseur.

— Oh, non, je voulais dire que… en fait, c'est la première fois pour moi. Enfin, le voyage à Sandringham.

— Eh bien, cela fait de nous deux des novices dans l'enclave royale.

— Oui.

— Si ça peut vous rassurer, miss Harrison, je ne sais même pas si j'ai le droit de vous parler. J'imagine que j'aurai de la chance s'ils me laissent garder ma langue et mes… enfin, vous voyez ce que je veux dire.

Zoe gloussa en voyant la nuque du chauffeur rosir légèrement.

— Ça restera notre secret, répondit-elle, soudain bien plus à l'aise.

Peu de temps après, le chauffeur sortit un téléphone mobile et composa un numéro.

— Arrivée à York Cottage dans cinq minutes avec la livraison de Son Altesse Royale.

Il enclencha le clignotant gauche et la voiture franchit un immense portail en fer forgé qui se referma derrière eux.

— On est presque arrivés, indiqua le chauffeur.

Le véhicule continua d'avancer sur une large route lisse. La brume s'étalait en longues bandes sur le domaine, obstruant la vue. La voiture tourna à droite, puis s'aventura sur une allée bordée de buissons avant de s'immobiliser.

— Nous y sommes, miss Harrison.

Le chauffeur sortit et lui ouvrit la portière. Zoe eut à peine le temps d'admirer l'élégante bâtisse victorienne entourée d'arbres gigantesques que Art ouvrait déjà la porte.

— Zoe ! Je suis tellement content de te voir.

Il l'embrassa chaleureusement – mais tout de même formellement – sur les deux joues.

— Voulez-vous que je porte le bagage de miss Harrison à l'intérieur ? s'enquit le chauffeur.

— Non, merci. Je m'en charge, dit Art.

Le chauffeur regarda le prince passer un bras protecteur autour des épaules de Zoe et la conduire à l'intérieur. Il s'était attendu à récupérer une célébrité arrogante, superficielle et vénale. Au lieu de ça, il avait découvert une jeune femme magnifique, adorable et pleine d'appréhension. Il retourna dans la voiture et, aussitôt la portière fermée, composa un numéro.

— Livraison effectuée à York Cottage.

— Bien reçu. Il a insisté pour qu'on leur laisse de l'intimité. Nous prenons la relève à partir de là. Bonsoir, Warburton.

— Bonsoir, monsieur.


Quarante-huit merveilleuses heures plus tard, dans le hall d'entrée de York Cottage, Zoe s'apprêtait à partir.

— Zoe, c'était magique, dit Art en l'embrassant doucement. Le temps a filé si vite. Quand reviens-tu dans le Norfolk ?

— Mardi. Avant ça, je serai à Londres.

— Je t'appellerai pour te le confirmer, mais je devrais pouvoir passer te voir d'ici là. Je rentre tard ce soir.

— D'accord. Et merci pour cette fin de semaine.

Art la raccompagna jusqu'à la Jaguar, où le chauffeur avait déjà chargé le coffre et ouvert la portière arrière.

— Prends soin de toi, dit-il avec un dernier signe d'adieu.

Zoe vit sa silhouette rapetisser à mesure que la voiture s'éloignait dans le bosquet, et enfin, à un virage, elle disparut tout à fait. La Jaguar passa le portail en fer forgé.

— Nous allons à Welbeck Street, c'est bien cela, miss Harrison?

— Oui, merci.

Zoe regarda sans le voir le paysage qui défilait par la fenêtre. Les dernières quarante-huit heures l'avaient épuisée, aussi bien émotionnellement que physiquement. L'intensité de la présence d'Art la vidait de toute énergie. Elle ferma les yeux pour tenter de se reposer un peu. Heureusement, il lui restait trois jours pour se remettre. Et surtout pour réfléchir. Art lui avait parlé de tous les projets qu'il rêvait d'élaborer pour passer du temps seul avec elle. Il voulait aussi parler à sa famille de leur amour, et finir, peut-être, par l'annoncer au pays entier…

Zoe poussa un profond soupir. Tout cela était bien joli, mais quel avenir y avait-il pour eux? Les conséquences de toute cette attention médiatique sur Jamie seraient dévastatrices.

*Mais qu'est-ce que j'ai déclenché…?*

— La température vous va, miss Harrison? Si vous avez trop chaud, je peux baisser le chauffage.

— Tout va très bien, merci. Avez-vous passé une belle fin de semaine?

— Agréable, merci. Et vous?

— De même.

Le chauffeur resta silencieux pour le reste du voyage, et elle lui fut reconnaissante d'avoir compris qu'elle n'était pas d'humeur à faire la conversation.

Ils arrivèrent à Welbeck Street peu après quinze heures. Le chauffeur porta son bagage jusqu'à la porte et attendit qu'elle ait ouvert.

— Merci, dit-elle. Je ne connais pas votre nom, d'ailleurs?

— Simon. Simon Warburton.

— Au revoir, Simon. Et merci.

— Au revoir, miss Harrison.

Simon remonta dans la voiture et regarda Zoe fermer la porte d'entrée, puis il rapporta à ses supérieurs l'arrivée en toute sécurité de l'actrice.

Dire qu'il avait menti à Zoe Harrison au sujet de sa fin de semaine était un euphémisme. Quand il était rentré du Norfolk le vendredi soir, il avait tout de suite repéré la lettre de Nouvelle-Zélande dans la pile de courrier. En la lisant, Simon s'était rendu compte que quelque part au fond de lui, il ne s'était jamais vraiment attendu à ce que Sarah lui revienne. Mais la confirmation n'en était pas moins dévastatrice. Elle expliquait qu'elle avait rencontré quelqu'un. Elle aimait cet homme – ainsi que la Nouvelle-Zélande – et elle allait y rester pour l'épouser. Elle était désolée, bien sûr, et s'en voulait terriblement... toutes ces platitudes habituelles qui ne firent rien pour apaiser le cœur brisé de Simon.

Simon avait pleuré peu de fois dans sa vie. Ce vendredi soir là s'était ajouté à ces rares occasions. Après l'avoir attendue si longtemps, après avoir fidèlement résisté à toutes les opportunités qui s'étaient présentées, l'amertume qu'il ressentait était mordante. Elle avait attendu le tout dernier moment pour le lui annoncer.

La seule personne qui aurait pu le consoler, sa plus vieille amie, ne répondait pas. Soit elle était sortie, soit elle ignorait ses appels. Et pour couronner le tout, il devait passer son dimanche à faire le taxi pour une star du cinéma transie d'amour.

Comment avait-il pu se retrouver chauffeur après toutes ses années d'entraînement dans les forces spéciales ? Quand, la semaine d'avant, on lui avait annoncé à Thames House sa nouvelle « mission spéciale », on lui avait dit qu'il venait en renfort du service de protection rapprochée de la royauté. Toutefois, il ne comprenait pas. Si encore on l'avait affecté à un membre de la famille royale, mais là, on avait simplement fait de lui le chauffeur de la maîtresse d'un prince qui n'était que troisième dans l'ordre d'accession au trône. C'était ridicule. Sans compter que le protocole pour s'adresser aux membres de la famille royale semblait sans fin. Comme s'ils n'étaient pas des gens comme les autres.

Simon rendit la Jaguar – au moins une chose qu'il avait appréciée ces trois derniers jours – et monta dans sa voiture. Pourvu que cette mission spéciale s'arrête ici, qu'il puisse enfin reprendre son vrai boulot.

Alors qu'il traversait Londres, l'idée de rentrer dans un appartement vide lui sembla insupportable. Alors, sur un coup de tête, il fit un détour pour passer devant chez Joanna. Voyant les lumières allumées, il gara sa voiture et alla sonner à la porte.

Il la vit regarder par la fenêtre avant de lui ouvrir.

— Salut, dit-elle.

Elle n'avait pas l'air enchantée de le voir.

— Est-ce que je débarque au mauvais moment ?

— Un peu, oui. Je dois terminer un article pour demain.

Elle n'avait pas bougé de l'embrasure de la porte, manifestement peu encline à l'idée de l'inviter.

— D'accord, je passais juste par là.

— Tu as l'air fatigué.

— Oui. Fin de semaine chargée.

— Bienvenue au club. Est-ce que tout va bien ?

Il hocha la tête, évitant son regard.

— Oui, oui, tout va bien. Appelle-moi et viens souper à la maison quand tu auras un peu de temps. On a plein de choses à se raconter.

— D'accord.

Joanna voyait qu'il n'allait pas bien et se sentit d'autant plus coupable de ne pas l'inviter à entrer. Mais elle ne pouvait plus lui faire confiance.

— Salut, alors, conclut Simon.

Il fourra ses mains dans ses poches et descendit l'allée.

• • •

Depuis sa baignoire remplie d'eau brûlante, Zoe entendit la sonnette de la porte d'entrée.

— Et zut...

Elle resta immobile, priant pour que l'intrus s'en aille. Ça ne pouvait pas être Art, il n'était pas encore rentré de Sandringham.

La sonnette retentit à nouveau, et elle céda. Une serviette enroulée autour de son corps trempé, elle répandit des gouttes dans tout l'escalier.

— Qui est là? demanda-t-elle à travers la porte fermée.

— Ton très cher frère.

— Entre! Je vais chercher un peignoir et je reviens.

Elle déverrouilla la porte et remonta les marches au pas de course. Quelques minutes plus tard, elle était de retour dans le salon.

— Tu as bonne mine, Marcus. Et en plus tu ne t'es pas encore servi un verre, alors que tu es là depuis déjà cinq minutes. Je suis impressionnée.

— L'amour d'une femme honnête fait des miracles.

— Je vois. Qui est-ce?

— Je t'en parlerai un peu plus tard. Comment avance le tournage?

— Bien. Très bien, même.

— Tu es radieuse, Zo.

— Ah oui?

— L'amour d'un honnête homme, peut-être?

— Ah ah! Tu me connais pourtant, je ne vis que pour mon art et mon enfant, répondit Zoe avec un sourire innocent. Mais, dis-moi, qui est cette femme qui t'a remis sur le chemin de la sobriété?

— Je n'irais pas jusqu'à dire ça, mais je crois que c'est la bonne. Ça te plairait de la rencontrer? Souper demain soir au bistro dans ma rue? C'est moi qui invite. Comme ça, tu pourras me dire ce que tu en penses. Tu sais que ton avis a toujours beaucoup compté pour moi.

— Vraiment ? Je n'en avais pas l'impression. Mais bien sûr, je serais ravie de venir.

Une sonnerie retentit et Zoe bondit sur son téléphone. Quand elle décrocha, Marcus vit aussitôt son visage s'adoucir.

— Oui, merci. Et toi ? Mon frère est là, on se rappelle plus tard ? OK.

— Et qui était-ce ? Le père Noël ? questionna-t-il en haussant un sourcil.

— Juste un ami.

— Ben voyons.

Il la regarda essayer de se débarrasser de son sourire radieux.

— Allez, Zo, insista-t-il. Raconte. Tu as rencontré quelqu'un, pas vrai ?

— Non… oui… Oh, zut. En quelque sorte.

— Qui est-ce ? Je le connais ? Tu veux l'amener au souper de demain soir ?

— Si seulement, marmonna-t-elle. Disons que c'est compliqué.

— Ah. Il est marié, pas vrai ?

— Oui, j'imagine qu'on peut dire ça. Écoute, Marcus, je ne peux vraiment pas t'en dire davantage. On se voit demain soir vers vingt heures, si ça te va.

— OK.

Marcus se leva, et une fois devant la porte, il précisa :

— Au fait, elle s'appelle Joanna. Sois gentille avec elle, d'accord ?

— Évidemment, répondit-elle en l'embrassant sur la joue.

Sur le chemin du retour, Marcus nota mentalement de faire des courses, bien déterminé à se débarrasser de ses manies de célibataire pour la prochaine venue de Joanna. Il monta les marches en sifflotant et s'arrêta net en remarquant que sa porte était ouverte. À ce moment même, un homme en bleu de travail passa la tête par l'entrebâillement.

— Vous êtes le locataire ?

— Oui, mais vous, vous êtes qui ? Et qui vous a laissé entrer ?

— Votre proprio, je suis un bon copain à lui. Je suis juste venu regarder la tache d'humidité pour lui.

— Quelle tache d'humidité ?

Perplexe, Marcus passa devant l'ouvrier et entra chez lui.

— Là-bas.

Il indiqua une longue surface sur le mur, juste au-dessus des moulures, couverte de plâtre frais.

— Vos voisins ont signalé la fuite, mais en fait ça vient de chez vous, expliqua-t-il.

— On est dimanche soir ! Et mon proprio ne m'a pas prévenu de votre venue.

— Désolé, il a dû oublier. Bref, tout est réglé.

— Ah. Euh, tant mieux. Merci.

L'ouvrier remballa ses outils dans sa boîte.

— Bon, j'y vais. Bonne soirée.

Marcus regarda, ébahi, l'homme quitter son appartement.

# 18

Dans son chemisier vert foncé préféré et son éternel jean, Joanna gigotait sur la banquette du bistro mal éclairé. À chaque minute, elle appréhendait davantage la rencontre avec Zoe Harrison.

— Bon sang, Jo, arrête de stresser ! Tout va bien se passer. Évite simplement de lui demander qui est le père de Jamie. Elle est complètement parano sur ce sujet, et elle sera déjà assez sur ses gardes quand elle apprendra que tu es journaliste.

Marcus commanda une bouteille de vin et alluma une cigarette.

— Ne t'en fais pas pour ça, répondit Joanna sombrement, elle sera vite rassurée quand je lui demanderai quel type de bégonias elle plante dans son jardin. Pfff, je ne sais vraiment pas combien de temps je vais encore tenir à ce poste.

Marcus passa un bras autour de ses épaules.

— Tu vas revenir en tête dans la course plus vite que tu ne le penses, surtout si tu parviens à découvrir le grand secret de sir Jim.

— J'en doute. La rédaction n'acceptera jamais de le publier.

— Ah, mais on ne manque pas de journaux à scandales dans ce pays, ma chérie.

Il l'embrassa.

— Ah tiens, voilà Zoe, dit-il en levant la tête.

Joanna reconnut la femme qui s'avançait vers eux et fut aussitôt soulagée de voir qu'elle aussi était habillée sans façon, d'un jean et d'un chandail en cachemire de la couleur de ses yeux. Ses cheveux blonds étaient relevés en chignon au sommet de son crâne et son visage ne portait pas une touche de maquillage – on était loin de la star sophistiquée qu'elle s'attendait à voir. Joanna se leva et Zoe lui sourit.

— Joanna, je suis Zoe Harrison. Ravie de te rencontrer.

Les deux femmes échangèrent une poignée de main et Joanna, toujours mal à l'aise à cause de sa grande taille, se rendit compte qu'elle dépassait de beaucoup l'actrice.

— Rouge ou blanc, Zo ? demanda Marcus alors que le serveur ouvrait la bouteille.

— La même chose que vous.

Elle s'assit entre eux deux.

— Alors, comment vous êtes-vous rencontrés ?

— Euh… je…

— Joanna est journaliste au *Morning Mail*. Elle m'a interviewé pour le lancement de la fondation. D'ailleurs, quand doit paraître l'article, ma chérie ?

— La semaine prochaine.

Joanna vit une lueur d'inquiétude traverser l'expression de Zoe.

Marcus leur tendit à toutes les deux un verre de vin blanc et leva le sien.

— Santé. Aux deux plus belles femmes de Londres que j'ai la chance d'avoir rien que pour moi.

— Mon frère, ce flatteur.

Zoe prit une gorgée de vin et lança un regard inquisiteur à Joanna.

— Et quel genre de sujets tu traites habituellement ?

— En ce moment, je suis à la rubrique «Jardinage et animaux de compagnie».

Elle vit le soulagement se peindre sur les beaux traits de l'actrice.

— Mais pas pour longtemps, intervint Marcus. Je compte sur sa carrière lucrative pour être tranquille dans mes vieux jours.

— Il va bien falloir, acquiesça Zoe. On ne peut pas vraiment dire que tu es parti pour diriger la Banque d'Angleterre, pas vrai, Marcus ?

Il la fusilla du regard.

— N'écoute pas ma sœur, on passe notre temps à se chamailler.

— Ça, c'est bien vrai. Mais autant que Joanna sache à qui elle a vraiment affaire. On ne voudrait pas de mauvaises surprises en cours de route, n'est-ce pas ?

— Non, chère sœur, en effet. Maintenant, pourquoi tu ne te tairais pas un instant pour qu'on puisse regarder le menu en paix ?

Joanna vit Zoe lui sourire largement et comprit qu'elle aimait beaucoup taquiner son frère. Elle lui rendit son sourire avec chaleur.

Quand le serveur eut pris leur commande, Marcus s'excusa pour courir acheter un paquet de cigarettes à côté.

— Il paraît que tu tournes dans le Norfolk pour une adaptation de *Tess d'Urberville* ? s'enquit Joanna.

— Oui. C'est un rôle magnifique. J'espère simplement que je pourrai lui rendre justice.

— J'en suis certaine. C'est super de voir enfin une actrice anglaise dans ce rôle. J'ai toujours adoré les romans de Hardy, surtout *Loin de la foule déchaînée*. Je l'ai étudié au collège et ils nous passaient le film chaque fois qu'il pleuvait pendant le cours de sport. Est-ce qu'on ne dit pas d'ailleurs que tout homme est soit un Gabriel Oak, soit un Captain Troy ? Je rêvais d'être Julie Christie pour pouvoir embrasser Terence Stamp dans son uniforme militaire !

— Moi aussi, gloussa Zoe. Il y a vraiment un truc avec les hommes en uniforme, pas vrai ?

— Sûrement tous ces boutons dorés.

— Non, moi, j'avais un faible pour les barbes ! Mon Dieu, parfois, avec le recul, je pense à tous ceux qui me plaisaient et j'en ai des frissons. Simon Le Bon, par exemple.

— Au moins il était beau. Mon fantasme était bien pire !

— Ah ? Qui ça ?

— Boy George…, avoua Joanna, rouge tomate.

— Mais il est…

— Je sais !

Quand Marcus revint avec ses cigarettes, les deux jeunes femmes gloussaient encore.

— Ma sœur te racontait des anecdotes hilarantes de mon enfance ?

— Pourquoi les hommes partent-ils toujours du principe qu'on parle d'eux ? répliqua Zoe.

— Parce qu'ils ont un sens très faussé de leur propre importance.

— Tiens donc, je n'avais jamais remarqué.

Les deux femmes levèrent les yeux au ciel et se mirent à rire de plus belle.

— Vous pourriez vous tenir correctement pour qu'on puisse manger ? bougonna Marcus alors que le serveur arrivait à leur table.

Deux bouteilles de vin plus tard, Marcus se sentait de trop. Il était ravi de voir que Zoe et Joanna s'entendaient si bien, mais il commençait à avoir l'impression de s'incruster dans une soirée entre filles alors qu'elles partageaient des histoires d'adolescentes qu'il ne trouvait vraiment pas drôles. Sans compter que la discussion ne prenait pas du tout le tournant qu'il avait envie d'amorcer. Zoe était en plein récit de ses meilleures bêtises à l'internat, impliquant un prof détesté et un préservatif plein d'eau.

— Merci, Marcus, dit Joanna quand il remplit son verre.

— Je t'en prie, je suis là pour ça, marmonna-t-il.

— Oh, Marcus, arrête de faire la tête ! lança Zoe.

Les coudes sur la table, elle tapota son nez en confiant à Joanna :

— Un conseil d'experte : quand il commence à pincer les lèvres et à loucher légèrement, c'est qu'il fait la gueule.

— Message reçu, répondit Joanna avec un clin d'œil.

— Alors, mon cher frère, comment avance la fondation ?

— Ça avance, ça avance. Je suis en train de planifier la soirée de lancement dans le grand hall du National Theatre dans quelques semaines, et je suis en pleine composition du jury pour les auditions. Je pensais recruter le directeur d'une des grandes écoles de théâtre, un réalisateur, un acteur et une actrice célèbres. Je me demandais si tu voulais bien participer, Zo, puisque c'est la fondation de sir James.

— Avec grand plaisir. Une flopée d'apprentis acteurs que je vais généreusement faire boire pour m'assurer qu'ils sont du bon calibre…

— Je peux récupérer ceux dont tu ne veux pas ?

— Joanna ! s'écria Marcus.

— Une sorte de pendant masculin au concours de Miss Univers, renchérit Zoe.

— Tu pourrais les faire auditionner en maillot de bain !

— Le tout en récitant une tirade d'*Henry V*…

Marcus secoua la tête de désespoir alors que les deux femmes riaient aux éclats.

Zoe essuya les larmes qui perlaient au coin de ses yeux avec une serviette.

— Désolée, Marcus. Vraiment, je serais honorée de faire partie du jury. Oh, et en parlant d'acteur, j'ai eu une conversation fascinante avec William Fielding, qui joue mon père dans *Tess*. Apparemment, il connaissait James à l'époque.

— Vraiment ? demanda Marcus, l'air de rien mais les oreilles à l'affût.

Zoe prit une gorgée de vin.

— Oui. Il m'a raconté une histoire complètement surprenante sur James, qui n'était soi-disant pas James quand il l'a rencontré. D'après lui, notre grand-père était irlandais, de Cork, et s'appelait Michael... O'Connell, je crois. Il participait à un spectacle de music-hall au Hackney Empire et, du jour au lendemain, a disparu sans laisser de trace. Oh, et William a aussi parlé d'une correspondance secrète, une liaison que James aurait eue...

Joanna écoutait, fascinée. Elle venait d'avoir la confirmation de sa théorie sur les deux hommes qui ne faisaient qu'un. Un frisson d'excitation lui parcourut l'échine.

— Comment pouvait-il être au courant pour les lettres ? demanda Marcus avec tout le calme dont il était capable.

— Parce qu'il était le messager de Michael O'Connell, quand il était tout jeune. Il passait son temps devant Swan & Edgar à attendre une certaine Rose. William est très gentil, mais cette histoire me paraît un peu tirée par les cheveux.

Joanna sentit son cœur battre à tout rompre, mais elle resta silencieuse, priant pour que Marcus pose les bonnes questions à sa place.

— Si ça se trouve, c'est vrai, Zo.

— Peut-être qu'il y a une part de vérité. William l'a rencontré, c'est certain. Mais avec le temps, sa mémoire a dû dérailler et il s'est mis à confondre James avec un autre. Même si je dois reconnaître qu'il était très précis à propos des détails.

— Tu n'as jamais entendu ton grand-père parler de ça ? s'enquit Joanna, incapable de résister plus longtemps.

— Jamais. Et pour être honnête, je pense que James m'en aurait parlé avant de mourir. On avait peu de secrets entre nous. Bien sûr, vers la fin, la morphine l'embrouillait un peu. Il parlait de l'Irlande, d'une maison à un endroit qui commençait par un R – je ne me souviens plus exactement.

— J'ai lu des biographies sur ton grand-père. Aucune n'en parle.

— Je sais. C'est pour cette raison que j'ai du mal à y croire. D'après William, James lui a dit que mieux valait couper les ponts et ne jamais plus reparler de cette histoire.

— C'est dingue, commenta Marcus. Tu ne crois pas que ça vaudrait le coup d'enquêter ?

— Oui, j'en ai bien l'intention... quand j'aurai un peu de temps. De toute façon, il va bien falloir trier le grenier. Une fois que le tournage sera terminé, j'irai passer une fin de semaine là-bas pour voir si je trouve quelque chose.

— Je peux le faire si tu veux, proposa Marcus.

Zoe lui lança un regard sceptique.

— Je ne te vois pas vraiment passer en revue des vieilles lettres et des coupures de presse. Tu t'ennuierais à la première boîte et ferais un feu de camp avec le reste.

— Tu n'imagines pas à quel point tu as raison, approuva Joanna. Il m'a tout de suite abandonnée pour aller au pub. À mon avis, tu auras au minimum besoin d'une bonne semaine pour tout regarder. J'ai à peine eu le temps de faire quelques cartons.

Zoe fronça les sourcils.

— Qu'est-ce que tu cherchais exactement ?

— Oh, juste quelques photos de sir James jeune, pour illustrer l'article sur la fondation, répondit rapidement Joanna.

— Écoutez, les filles, j'ai eu une idée l'autre jour, intervint Marcus.

— Quoi ? demanda Zoe.

— Bon, pour être parfaitement sincère, c'était l'idée de Joanna. Et si on vendait aux enchères certains de ces trucs poussiéreux au profit de la fondation ? Ou même confier des documents au Theatre Museum. Mais ça veut dire qu'il faut tout trier et répertorier.

Zoe hésita.

— Je ne sais pas si je suis prête à m'en séparer...

— Tout est en train de moisir, là-haut, de toute façon.

— Je vais y réfléchir. Alors, vous n'avez rien découvert d'intéressant dans les cartons?

— Malheureusement, non. Au mieux, j'ai de quoi révéler les grands secrets des jardins du Dorset, marmonna Joanna.

— Et donc, l'acteur qui t'a raconté ça, c'est William Fielding? vérifia Marcus.

— Et la femme qu'il a rencontrée s'appelait Rose, il en est sûr? s'empressa d'ajouter Joanna.

— Oui et oui, confirma Zoe en regardant sa montre. Désolée de faire ma rabat-joie, les amis, mais pour moi, c'est l'heure du dodo. Je repars dans le Norfolk demain. Le souper était délicieux et la compagnie encore plus appréciable, reprit-elle en se levant.

— Ça te dit de venir avec moi au National Theatre demain? proposa Marcus. Je rencontre les organisateurs de l'événement à quatorze heures trente.

— Ça aurait été avec plaisir, mais je serai déjà en tournage à cette heure-là. Désolée. Joanna, toi et moi devons trouver une date pour faire du magasinage. Je t'emmènerai dans cette petite boutique dont je t'ai parlé.

— Ce serait génial.

— Qu'est-ce que tu dis de samedi prochain? Attends, non, Jamie rentre cette fin de semaine. Tu sais quoi? Pourquoi tu ne passerais pas à la maison samedi matin avec Marcus? Comme ça, il pourra garder Jamie pendant qu'on sortira.

— Eh, attendez une minute, je…

— Tu me dois bien ça, Marcus, le coupa Zoe en déposant une bise sur sa joue. Salut, Joanna.

Et avec un signe de la main, elle sortit du bistro.

— Eh bien, on peut dire que tu as fait un tabac auprès de ma sœur. Je l'ai rarement vue si détendue. Allez, viens, on rentre chez moi. Comme ça, on pourra prendre un brandy et parler de ce que Zoe a dit.

Ils quittèrent le bistro et, cinq minutes plus tard, étaient rentrés à l'appartement. Marcus alluma une bougie parfumée pour laquelle il avait dépensé une fortune et invita Joanna à s'asseoir sur le sofa. Toujours sous le choc des révélations de Zoe, elle accepta un verre de brandy sans un mot.

— Bon, eh bien, on dirait que tu avais raison au sujet de Michael O'Connell et sir James, commenta Marcus, pensif.

— Oui.

— William Fielding a connu James sous un autre nom, vivant une autre vie, et jusqu'à sa mort, il n'a rien dit. Ça, c'est de la loyauté.

— Ou de la peur... S'il était celui qui recevait et livrait les lettres de James, et que ces lettres contenaient des informations sensibles, il avait sûrement intérêt à ne pas l'ébruiter, non ? Il a aussi pu être payé pour son silence. Ou alors on le faisait chanter.

Joanna bâilla.

— Je suis tellement fatiguée d'essayer de trouver un sens à tout ça.

— Dans ce cas, laissons tomber pour ce soir, on y repensera demain matin. Tu viens te coucher ?

Il l'embrassa et l'attira dans une étreinte.

— OK. Merci pour le souper, dit-elle. Oh, et j'ai trouvé Zoe adorable.

— J'espère que ce n'était pas pour les mauvaises raisons. Ça devient très pratique pour ton enquête si tu fais amie-amie avec ma sœur.

— Sérieusement ?

Furieuse, Joanna se dégagea de ses bras.

— C'est pas vrai ! Je fais un effort pour m'entendre avec ta sœur, pour toi. Je me rends compte que je l'apprécie sincèrement. Et ensuite tu m'accuses de me servir d'elle ? Tu ne me connais vraiment pas.

Surpris par cet éclat, il répondit :

— Du calme, Jo. Je plaisantais. J'ai trouvé ça génial que vous vous entendiez si bien. Et ça ne ferait pas de mal à Zoe d'avoir une amie, elle a tendance à se replier sur elle-même. Et puis, soyons honnêtes : tu n'as pas vraiment eu à la torturer pour lui faire cracher le morceau. Elle a fait ça toute seule.

— C'est vrai.

Joanna s'en alla dans le couloir, Marcus sur les talons.

— Où tu vas ?

— Chez moi. Je suis trop énervée pour rester.

— Joanna, s'il te plaît, reste. Je t'ai dit que j'étais désolé…

Elle ouvrit la porte et soupira.

— Écoute, je pense qu'on va peut-être un peu trop vite. J'ai besoin de respirer. Merci pour le souper. Bonne nuit.

Marcus ferma la porte, à la fois désemparé et perplexe, puis s'assit pour méditer sur les meilleurs moyens d'interroger William Fielding sans éveiller les doutes de sa sœur.

# 19

Quand William Fielding s'assit au coin du feu sur son fauteuil préféré, il sentit avec lassitude la douleur se propager dans ses vieux os. Il savait que ses jours en tant qu'acteur étaient comptés et qu'il devrait bientôt se rendre et rejoindre une institution sinistre pour infirmes. Et une fois qu'il prendrait sa retraite, ce serait le début de la fin.

Un de ses plaisirs du tournage avait été de parler avec Zoe Harrison. Sa conversation avait fait remonter les souvenirs du passé dans son cerveau récalcitrant.

William regarda la bague en or qui reposait entre ses doigts noueux. Encore aujourd'hui, cette pensée lui retournait l'estomac. Après toute la gentillesse dont Michael avait fait preuve à son égard, il avait été assez ingrat pour la lui voler. Il ne l'avait fait qu'une fois, quand la situation était devenue trop critique pour sa maman. Elle lui avait raconté qu'un très gros mal de ventre l'empêchait de travailler. Avec le recul, William suspectait plutôt un rendez-vous avec une faiseuse d'anges impliquant une aiguille à tricoter.

Tout ça, pile au moment où Michael O'Connell l'avait envoyé chez lui pour qu'il lui rapporte des vêtements de rechange. En entrant, William avait tout de suite vu la bague, sur le lavabo. Il l'avait aussitôt portée au prêteur sur gages et en avait tiré de quoi les garder à l'abri du besoin, lui et sa maman, pour trois bons mois. Malheureusement, elle était morte d'une septicémie quelques semaines plus tard. Étrangement, Michael ne lui avait jamais posé la moindre question sur le bijou manquant. Alors que sa culpabilité ne faisait pas de doute. Quelques mois plus tard, après s'être serré la ceinture pour mettre des sous de côté, William était retourné chez le prêteur sur gages pour récupérer la bague. Mais Michael avait à nouveau disparu.

En parlant avec Zoe dans le Norfolk, il avait décidé de lui rendre la bague. Il savait qu'elle voyait en lui un petit vieux loufoque, mais après ce qu'il lui avait raconté, qui aurait pu le lui reprocher ? Oui, il devait lui rendre la bague. Quand William alla se coucher ce soir-là, la bague à son doigt pour ne pas l'oublier, il se demanda s'il devait aussi lui confier le secret qu'il avait tu pendant soixante-dix ans. À savoir que s'il avait pris au sérieux les mises en garde de James Harrison, c'était parce qu'il avait fini par découvrir la véritable identité de « Rose »…

• • •

— Salut, Simon, tu passes une bonne semaine ? demanda Ian en lui tapant sur l'épaule.

Faute d'une meilleure alternative, Simon avait décidé de rejoindre ses collègues au pub en sortant du boulot.

— Honnêtement ? Pas terrible. Je me suis fait larguer par ma copine et je suis toujours assigné au poste de chauffeur de taxi du palais.

— Désolé pour la fille, mais pour ce qui est de la mission, tu devrais savoir qu'ils ont toujours leurs raisons. Un verre ?

— Je vais prendre une pinte.

— À vrai dire, ce serait plutôt à toi de me payer un coup. C'est mon anniversaire. J'ai quarante ans aujourd'hui et j'ai bien l'intention de me prendre une sévère beuverie.

Ian cria en direction du barman :

— Une pinte pour le jeune homme.

À voir l'allure de Ian, Simon en déduisit que l'objectif était atteint. Il avait le teint moite et grisâtre, et ses yeux étaient injectés de sang.

— Alors, tu cherches une nouvelle poule ? questionna Ian en se rasseyant en face de lui.

— Non, je pense que je vais laisser passer un peu de temps avant de me remettre en selle. Enfin bref, je vais survivre.

— Ça, c'est le bon état d'esprit ! J'espère que ça t'aura appris une bonne leçon. Mon credo : ne pas se laisser mener à la baguette, mais aller tirer son coup ailleurs.

— C'est pas vraiment mon genre, désolé, Ian.

— En parlant de coureur de jupons, j'en ai vu un beau, l'autre soir. Alors lui, il en aurait, des choses à nous apprendre. Insupportable, ce type. Il a toutes les filles à ses pieds.

— Est-ce que je perçois un soupçon de jalousie ?

— Moi ? Jaloux de Marcus Harrison ? Certainement pas. Un bon à rien qui n'a jamais travaillé de sa vie. Exactement ce que j'ai dit à Jenkins quand il m'a demandé de mettre Harrison sur le coup pour une enquête. Il suffit de lui donner quelques billets et il ferait n'importe quoi. Évidemment, j'avais raison. On a payé l'imbécile pour espionner sa copine. Et vu la conversation qu'il a eue avec elle hier soir, il n'a même pas remarqué que son appartement était sur écoute.

Simon lui lança un regard réprobateur.

— Attention, Ian, tu parles trop.

— Oh, arrête, tous les mecs du pub sont de chez nous et je ne divulgue pas des secrets d'État, non plus. Ne sois pas si coincé, va plutôt me payer une pinte d'anniversaire.

Simon se dirigea vers le bar, en songeant que ce n'était pas la première fois qu'il voyait Ian dans cet état. Anniversaire ou pas, son collègue avait un sérieux problème de bouteille depuis quelque temps. L'avertissement officiel n'allait pas tarder à tomber. Pourtant, on le leur répétait encore et encore à l'entraînement : un seul mot, une remarque insignifiante pouvaient conduire à la catastrophe.

Simon régla les deux bières et les rapporta à la table.

— Joyeux anniversaire.

— Merci. Écoute, dit Ian en passant la main dans ses cheveux. Désolé si je suis un peu à côté de la plaque ce soir, mais j'avais une sale mission ce matin. Le pauvre vieux... Il avait tellement peur qu'il s'est pissé dessus. Merde, on n'est vraiment pas assez payés pour ce qu'on nous demande de faire !

— Ian, je ne veux rien savoir.

— Ça, j'en suis sûr. C'est juste que... bon sang ! Ça fait presque vingt ans que je suis là. Toi, t'es encore tout jeune et frais, mais attends un peu de voir. Ce métier, ça te bouffe. Et ne pas pouvoir partager ta journée avec ta famille et tes amis...

— Bien sûr que c'est dur, parfois. Mais en ce moment je m'en sors. Pourquoi tu n'en parles pas à quelqu'un ? Peut-être que tu as besoin d'une pause, de vacances ?

— Tu sais aussi bien que moi qu'il n'y a pas de pause possible. Au moindre signe de faiblesse, bye bye. Tu te retrouves à gérer la paperasse dans une mairie. Non, conclut Ian en sifflant sa pinte. Ça va aller. J'ai un autre truc dans les tuyaux et ça va me rapporter gros, bientôt. Tout est une question de réseau, pas vrai ? C'était juste une sale mission pour un anniversaire.

Simon lui donna une tape dans le dos en se levant.

— Ne te laisse pas abattre. Allez, bonne soirée.

— Ouais, c'est ça.

Ian lui rendit un sourire forcé et lui fit un signe de la main.

• • •

Lundi matin, sept heures. Le téléphone sonna alors que Zoe préparait sa valise pour retourner sur le tournage.

— Zoe ? C'est Mike.

Elle sourit en entendant la voix grave du réalisateur.

— Salut ! Comment ça va dans le Norfolk ?

— Pas très bien, malheureusement. William Fielding a été retrouvé tabassé hier matin, chez lui. On pense qu'il a été agressé par des voyous. Il est dans un état critique et on ne sait pas s'il va s'en sortir.

— Oh mon Dieu, c'est terrible !

— Oui. C'est vraiment à se demander ce que devient le monde. Apparemment, ils sont entrés par effraction dans sa maison à Londres, ont volé je ne sais quels objets de valeur et l'ont laissé pour mort.

— Mon Dieu, répéta Zoe en réprimant un sanglot. Le pauvre…

— Du coup – pardonne-moi d'être si pragmatique –, comme tu l'imagines, ça chamboule tout le programme du tournage de cette semaine. Et même s'il survit, il ne sera sans doute pas apte à reprendre. On est en train de voir les bobines pour déterminer ce qu'on a et ce qui nous manque. Avec un montage bien calculé, on espère pouvoir s'en sortir. Mais tant que ce n'est pas sûr, le tournage est suspendu.

Zoe se mordit la lèvre.

— Bien sûr. Dis, est-ce que tu sais dans quel hôpital ils l'ont emmené ? Puisque je reste à Londres pour les prochains jours, j'aimerais lui rendre visite.

— C'est adorable de ta part. Il est à St-Thomas. Je ne sais pas s'il est conscient… s'il l'est, dis-lui qu'on pense fort à lui.

Zoe reposa le combiné, honteuse d'avoir dénigré le vieil homme auprès de Marcus et Joanna. Incapable de tenir en place, et bouleversée par la nouvelle de l'agression, Zoe décida de se rendre à l'hôpital juste après le dîner.

Parée du traditionnel bouquet de fleurs, Zoe se dirigea vers l'unité de soins intensifs.

— Je viens voir William Fielding, dit-elle à une infirmière robuste.

— Il est trop faible pour recevoir. Seule sa famille proche est autorisée à lui rendre visite. Vous êtes un membre de sa famille ?

— Euh oui, sa fille.

*À l'écran, du moins*, songea Zoe.

L'infirmière conduisit Zoe dans une chambre au bout du couloir. La tête entourée de bandages et le visage couvert d'hématomes violacés, William était relié à des machines qui bipaient en continu.

Les yeux de Zoe se remplirent de larmes.

— Comment va-t-il ?

— Très mal, j'en ai bien peur. Il ne reprend conscience que par intermittence. Puisque vous êtes arrivée, je vais appeler le médecin pour qu'il vous donne plus de détails sur son état. Nous pensions qu'il n'avait pas d'enfants. Je vous laisse un instant seule avec lui.

Zoe hocha la tête, puis, une fois l'infirmière partie, elle s'assit et prit la main de William dans la sienne.

— William, tu m'entends ? C'est Zoe. Zoe Harrison.

Les yeux du vieil homme restèrent fermés et sa main inerte. Zoe la lui caressa doucement.

— Toute l'équipe du film pense à toi. On espère te revoir très vite, chuchota-t-elle. Oh William, c'est terrible, ce qui t'est arrivé. Je suis sincèrement désolée.

Zoe avait l'impression de se revoir au chevet de James, témoin de la vie qui s'éteignait. Des larmes roulèrent sur ses joues.

— J'aurais tellement voulu reparler avec toi de mon grand-père. Ton histoire était tellement fascinante. Toutes ces choses que tu m'as racontées... il devait vraiment te faire confiance à l'époque.

Zoe sentit le doigt de William bouger dans sa paume et ses paupières tressaillirent.

— William, tu m'entends ?

Son doigt bougeait tant que Zoe relâcha sa prise. Sur le drap, elle vit qu'il agitait violemment son auriculaire, couronné d'une bague.

— Qu'y a-t-il ? La bague te fait mal ?

Les doigts de William avaient effectivement l'air enflés.

— Tu veux que je l'enlève ?

Le doigt s'agita à nouveau.

— D'accord.

Zoe retira avec peine l'anneau qui semblait bien trop serré pour ses mains.

— Je vais la ranger en sécurité dans ton casier.

Soudain, William tourna lentement la tête d'un côté puis de l'autre.

— Non.

Son index était pointé vers elle.

— Tu veux que je la garde pour toi ?

Il parvint difficilement à lever le pouce.

— Très bien, je la garde, dit-elle en rangeant le bijou dans sa poche. William, tu sais qui t'a fait ça ?

Il hocha lentement la tête.

— Tu peux me dire qui ?

Zoe approcha son oreille de la bouche qui luttait pour émettre un son. La première tentative se solda par un râle incompréhensible.

— William, est-ce que tu peux répéter ?

— Demande… à… Rose.

— Tu as dit « Rose », c'est ça ?

Il serra sa main, puis murmura :

— La dame de…

— Quelle dame ? Où ça ?

Le souffle de William se faisait de plus en plus irrégulier.

— Compagnie…

— Je suis là, William, je vais te tenir compagnie.

— … compagnie !

— Je ne bouge pas, c'est promis.

William soupira, épuisé. Ses paupières se fermèrent et il retomba inconscient. Zoe resta assise un moment, à caresser sa main dans l'espoir qu'il se réveille, sans succès. Enfin, elle se leva et quitta l'hôpital.

Dehors, elle resta hébétée dans le stationnement. Elle ne voulait pas rentrer à la maison. Alors elle appela Marcus.

— Salut, tu es toujours au National Theatre ?

— Oui, on vient juste de sortir de réunion. Tout va bien ? Tu m'as l'air un peu secouée.

— Je peux te retrouver quelque part ? Marcus, c'est terrible. Je suis à St-Thomas et…

— Mon Dieu ! Tu es blessée ?

— Non, non, ne t'inquiète pas. C'est un ami…

— Pourquoi tu ne me rejoindrais pas au Royal Festival Hall ? C'est plus près pour toi. Je te retrouve au café dans dix minutes.

Zoe traversa la route et marcha le long de la Tamise. Le vent fouettait son visage, séchant ses dernières larmes. Quand elle arriva devant le Festival Hall, Marcus l'attendait, l'air inquiet, et elle le laissa lui faire un câlin et la conduire à l'intérieur.

Ils s'installèrent et commandèrent deux tasses de thé.

— Alors, qu'est-ce qui ne va pas ? Qu'est-ce qui s'est passé ?

— Tu te souviens de l'acteur dont je t'ai parlé ? William Fielding ? Il s'est fait agresser hier. Je viens d'aller le voir à l'hôpital ; il risque de ne pas passer la nuit.

Zoe s'affaissa sur son siège et les larmes lui montèrent encore aux yeux.

— Ça m'a tellement bouleversée…

Marcus lui prit la main.

— Chuuut, calme-toi. Ce n'est pas comme s'il était de la famille.

— Je sais, mais il est tellement gentil.

— Est-ce qu'il pouvait encore parler ?

— Non, pas vraiment. Quand je lui ai demandé qui lui avait fait ça, il a dit quelques mots en rapport avec cette femme, Rose, et il avait l'air de vouloir qu'on lui tienne compagnie. Je pense qu'il divaguait. Et ça arrive le lendemain du souper où je t'ai parlé de lui...

Le lendemain... était-ce réellement une coïncidence ? Comment auraient-ils pu le savoir ? À moins que...

Marcus déglutit et son sang ne fit qu'un tour.

— Est-ce que tu as noté ce qu'il t'a dit ?

— Non. Je devrais ?

— Oui. Ça pourrait aider la police dans son enquête.

Il sortit de sa poche un stylo et un vieux reçu.

— Écris ses mots exacts.

Quand elle eut fini de griffonner quelques phrases, elle demanda :

— Et tu penses que je devrais leur transmettre ça ?

— Tu sais quoi ? Vu ton état, je vais y aller à ta place.

— D'accord, merci.

Zoe hocha la tête et lui tendit le bout de papier. La sonnerie de son téléphone les fit sursauter.

— Allô ? Oui, Michelle. Mike m'a appelée ce matin. Je sais, c'est terrible. Je suis allée le voir à l'hôpital et...

Quelques secondes plus tard, Zoe raccrocha et posa son téléphone sur la table avant de vider sa tasse d'une traite.

— Marcus, merci d'avoir été là. Je dois filer.

— Pas de problème. Appelle-moi quand tu veux.

Après le départ de sa sœur, Marcus resta un moment sur son siège à fixer les bateaux touristiques tanguer sur la Tamise.

Il venait de comprendre que son appartement avait sans doute été mis sur écoute. Cet ouvrier, sorti de nulle part... Quand il avait appelé son propriétaire pour lui en toucher deux mots, ce dernier ne savait rien de cette histoire... Et s'il était vraiment sur écoute, alors on l'avait entendu parler de William Fielding avec Joanna.

Après tout, s'ils le payaient pour chercher des informations, ils pouvaient aussi vouloir s'assurer d'être les premiers à les obtenir ? Sans ça, Marcus ne voyait pas comment ils auraient pu si vite faire le lien entre William Fielding et James Harrison.

La sonnerie d'un téléphone le tira de ses pensées. Perplexe, il remarqua que Zoe avait oublié son portable sur la table et il décrocha.

— Zoe ? C'est moi, dit une voix étrangement familière.

— Euh... Zoe n'est pas là. Est-ce que je peux prendre un message ?

La personne raccrocha aussitôt. Trop tard. Marcus avait reconnu la voix entendue à l'avant-première du film de Zoe...

# LE ROQUE

*Déplacement spécial de la tour et du roi pour mettre
ce dernier à l'abri. Il s'agit du seul coup légal permettant
de bouger deux pièces simultanément.*

# 20

— Entrez, Simpson, et asseyez-vous.

La tête prise par une migraine lancinante, Ian priait pour ne pas vomir sur le sous-main en cuir hors de prix de son patron.

— Vous pouvez m'expliquer pourquoi la mission n'a pas été accomplie ?

— Pardon ?

Jenkins se pencha en avant.

— Le vieux schnock est toujours en vie. Vraisemblablement plus pour longtemps, mais Zoe Harrison a quand même eu le temps d'aller le voir à l'hôpital. Imaginez un peu ce qu'il a pu lui raconter ! Bon sang, Simpson ! Vous avez bien raté votre coup !

— Excusez-moi, monsieur. J'ai pris son pouls et j'étais convaincu qu'il était mort.

Jenkins se mit à pianoter sur le bureau avec agacement.

— Je vous préviens, encore une gaffe et vous dégagez. C'est compris ?

— Oui, monsieur.

Autour de Ian, tout tanguait. Il se demanda s'il allait s'évanouir.

— Envoyez-moi Warburton. Vous avez intérêt à vous reprendre en main, c'est clair ?

— Oui, monsieur. Encore toutes mes excuses, monsieur.

Ian se leva aussi lentement que possible et sortit en se concentrant sur son équilibre.

Simon était assis sur une chaise dans le couloir.

— Tout va bien ? Tu as l'air un peu vert, fit-il remarquer.

— Sans blague. Je dois aller vomir. Il t'attend.

Alors que Ian se ruait aux toilettes, Simon se leva et frappa à la porte.

— Warburton. Premièrement, commença Jenkins sans préambule, je voudrais vous demander, sans compromettre une quelconque loyauté ou amitié, si vous avez remarqué des changements dans l'attitude de Simpson ? Vous semble-t-il particulièrement sous pression en ce moment ? Au point, peut-être, d'avoir besoin... d'une pause ?

— C'était son anniversaire hier, monsieur. Quarante ans.

— Ce n'est pas une excuse valable, mais enfin. Je lui ai conseillé de se ressaisir. Gardez un œil sur lui, si vous le voulez bien. C'est un bon élément, mais j'en ai vu d'autres prendre la même direction. Bref, assez parlé de Simpson. On vous attend en haut dans dix minutes pour une réunion.

— Vraiment ? Pour quelle raison ?

En haut ne montaient que les plus gradés.

— Je vous ai personnellement recommandé pour une mission. C'est une affaire des plus sensibles, Warburton. Ne me décevez pas, c'est compris ?

— Je ferai de mon mieux, monsieur.

— Bien. Ce sera tout.

Simon sortit du bureau pour prendre l'ascenseur. Il déboucha sur un couloir à la moquette épaisse, au bout duquel une réceptionniste du troisième âge attendait derrière un bureau.

— Monsieur Warburton ? demanda-t-elle.

— Oui.

La femme appuya sur un bouton et se leva.

— Suivez-moi.

Elle le conduisit le long d'un autre couloir, puis donna trois coups secs sur une épaisse porte en chêne.

— Entrez ! aboya une voix.

Elle ouvrit la porte.

— Warburton pour vous, monsieur.

— Merci.

Simon avança vers le bureau en remarquant l'énorme lustre en cristal et les épais rideaux de velours qui habillaient les hautes fenêtres. Le décor magistral offrait un contraste flagrant avec la silhouette frêle et âgée assise en fauteuil roulant derrière le bureau. Et pourtant, le charisme de l'homme s'imposait d'emblée.

— Asseyez-vous, Warburton.

Simon s'installa sur une chaise au haut dossier tapissé de cuir.

L'homme le transperça du regard.

— Jenkins me dit de bonnes choses à votre sujet.

— Je suis honoré de l'apprendre, monsieur.

— J'ai lu votre dossier et je dois dire que je suis impressionné. Aimeriez-vous être assis à ma place un jour, Warburton ?

Simon supposa qu'il entendait derrière le bureau, et non pas en fauteuil roulant.

— Oui, monsieur, bien sûr.

— Faites du bon boulot pour moi et je vous promets une promotion immédiate. Nous vous assignons de manière permanente au service de protection rapprochée de la royauté. À compter de demain.

Simon sentit un pincement au cœur de déception. Il avait imaginé une mission bien plus stimulante.

— Puis-je demander pourquoi, monsieur ?

— Nous pensons que vous êtes le plus qualifié pour cette tâche. Vous avez déjà rencontré Zoe Harrison, il me semble. Comme vous l'aurez compris, elle et Son Altesse Royale sont actuellement « liées ». Nous vous avons assigné à sa protection rapprochée. Un de leurs officiers viendra vous briefer cette après-midi.

— Je vois. Monsieur, puis-je me permettre de vous demander pourquoi vous estimez nécessaire de placer un agent secret à un poste de garde du corps ? Je ne voudrais pas avoir l'air de me plaindre, mais cette mission ne correspond pas à ma formation.

Un léger sourire étira les lèvres du vieil homme et il poussa un dossier vers Simon.

— Il se trouve que je suis convaincu du contraire. Je dois vous quitter pour un rendez-vous. Lisez ce dossier et mémorisez-le avant mon retour. Vous serez enfermé ici pendant votre lecture.

— Très bien, monsieur.

— Une fois que cela sera fait, vous comprendrez exactement pourquoi je vous veux dans l'entourage de miss Harrison. La situation s'avère très utile pour nous.

Simon s'empara de l'épais dossier.

— Ne prenez aucune note. Vous serez fouillé à la sortie. Nous pourrons discuter de la situation plus en détail après votre lecture, conclut-il.

Simon se leva et ouvrit la porte pour permettre au fauteuil de passer. Quand la porte se referma et que la clé tourna dans la serrure, il alla se rasseoir pour étudier le dossier. Le tampon rouge indiquait qu'il était sur le point d'avoir accès à des informations classées secret-défense.

Une heure plus tard, la porte s'ouvrit.

— Avez-vous lu et compris, Warburton ?

Simon était encore sous le choc des révélations.

— Oui, monsieur.

— Comprenez-vous pourquoi nous pensons qu'il est adéquat que vous serviez de garde du corps à Zoe Harrison ?

— Oui, monsieur.

— Je vous ai choisi car votre discrétion et vos compétences m'ont été chaleureusement recommandées par Jenkins et vos collègues. Vous êtes un homme plaisant, parfaitement capable de gagner la confiance d'une jeune femme comme miss Harrison. Elle sera informée par le palais que vous emménagez chez elle à partir de cette fin de semaine et que vous êtes tenu de l'accompagner dans tous ses déplacements.

— Oui, monsieur.

— Vous devriez ainsi avoir toutes les opportunités nécessaires pour découvrir ce qu'elle sait. Ses lignes téléphoniques du Dorset et de Londres sont déjà sur écoute. Nous vous fournirons également le matériel à installer dans la maison. Vous comprenez à présent qu'il devient tout à fait urgent de retrouver cette lettre. Malheureusement, il semblerait que sir James ait décidé de jouer avec nous depuis la tombe. La lettre que vous nous avez remise était un leurre. Votre mission est de trouver la bonne.

— Oui, monsieur.

— Warburton, est-il nécessaire de vous préciser que je vous accorde ma confiance en ce qui concerne cette affaire sensible ? D'autres, comme Simpson, ne sont informés que des détails minimums. Ce sujet ne doit en aucun cas être discuté en dehors de cette pièce. S'il devait y avoir des fuites, je saurais vers qui me tourner. Cependant, si la situation est amenée à une conclusion satisfaisante, je vous garantis que vous serez généreusement récompensé.

— Merci, monsieur.

— Quand vous quitterez cette pièce, on vous remettra un téléphone mobile dont le répertoire ne contient qu'un seul numéro. Vous vous en servirez pour me faire votre rapport chaque jour à seize heures. Pour ce qui est de votre rôle d'agent personnel de sécurité de miss Harrison, vous serez sous les ordres du bureau de la sécurité du palais.

Il désigna une enveloppe sur le bureau et Simon la ramassa.

— Vos ordres se trouvent ici. Son Altesse Royale souhaite vous rencontrer dans ses appartements du palais dans une heure. Warburton, je compte sur vous. Bonne chance.

Simon se leva, serra la main qu'on lui tendait et s'éloigna. Mais, la main sur la poignée, il s'immobilisa.

— Juste une chose, monsieur. Joanna Haslam m'a dit que la vieille femme qui lui a envoyé la lettre s'appelait Rose.

L'homme en fauteuil roulant afficha un sourire figé et une lueur apparut dans son regard.

— Comme vous le savez, la situation a été prise en main. Nous dirons que « Rose » n'était pas celle que l'on croyait.

— Très bien, monsieur. Au revoir.

• • •

Par la fenêtre, Zoe admira le Victoria Memorial situé juste devant le palais et qu'on avait rarement l'occasion de voir selon cette perspective.

— Ne t'approche pas trop, ma chérie. De nos jours, on ne sait jamais qui se cache dans un arbre avec un appareil photo.

Art tira les épais rideaux de taffetas et la reconduisit vers le canapé. Ils étaient dans le salon de Art, juste à côté de sa chambre, de sa salle de bains et de son bureau. Zoe se blottit dans ses bras et il lui tendit un verre de vin.

— À nous, ma chérie, dit-il en levant son verre. Au fait, tu as retrouvé ton téléphone ?

— Oui. Marcus a appelé pour me dire que je l'avais laissé sur la table du café. Pourquoi ? Tu lui as parlé ?

— Non, j'ai tout de suite raccroché. Je n'appelais que pour te demander d'apporter une belle photo de toi afin de t'admirer quand tu n'es pas là.

— J'espère que Marcus n'a pas reconnu ta voix, s'alarma soudain Zoe.

— J'en doute. Je n'ai dit que trois mots.

— Bon. Il ne m'en a pas parlé. Avec un peu de chance, il aura oublié.

— Zoe, il faut qu'on parle sérieusement. Tu te rends bien compte qu'il serait naïf de croire que, si on continue à se voir, ta famille ne fera pas le lien avec Jamie ?

— Ne dis pas ça, je t'en supplie ! Pense au scandale que ça causerait et aux conséquences pour lui !

Zoe s'arracha à son étreinte et se mit à arpenter nerveusement la pièce.

— Peut-être qu'on devrait oublier tout ça. Peut-être que je...

— Non.

Il l'attrapa par la main au passage.

— On a déjà perdu dix ans. Je t'en prie... Je t'assure que je ferai mon possible pour que cela reste un secret, même si ça me tue. Je voudrais t'avoir tous les jours à mes côtés. Je t'épouserais demain si je le pouvais.

— Oh, Art, je doute qu'une mère célibataire soit un parti acceptable, et encore moins une épouse pour un prince d'Angleterre. En tout cas pas plus qu'elle ne l'était dix ans plus tôt, dit Zoe avec un rictus amer.

— Si tu fais référence à la petite rencontre avec les services de sécurité avant que je trouve ta lettre de rupture à mon retour du Canada, je sais tout.

— Vraiment ?

— J'ai toujours suspecté qu'on t'avait forcée à l'écrire. Mais hier matin, j'ai eu une discussion avec les conseillers de mes parents. Ils ont enfin admis t'avoir fait venir pour t'inciter à me quitter.

Zoe se cacha le visage dans ses mains.

— Oui. J'ai encore mal en y repensant, même après tout ce temps.

— Je n'avais pas facilité les choses en annonçant à ma famille que j'avais rencontré la fille que je voulais épouser, soupira-t-il. À vingt ans, à peine sorti de l'université, alors que tu n'en avais que dix-huit. Surtout que j'avais insisté pour que nos fiançailles aient lieu le plus tôt possible.

Art secoua la tête de dépit.

— J'étais tellement stupide. Évidemment, ils ont paniqué et pris des mesures, comme n'importe quels parents. Sauf que, dans ma situation, elles étaient dix fois plus radicales.

Zoe était stupéfaite.

— Je ne savais pas que tu leur avais dit ça.

— Et je l'ai regretté chaque jour depuis. Tout est ma faute. Si je n'avais pas foncé tête baissée, mais eu la patience de te courtiser encore pendant quelques années, les choses auraient été différentes. Alors que tu as vécu un enfer.

— Oui, c'était horrible.

Zoe se souvenait de la douleur qu'elle avait ressentie à écrire la lettre, puis à ignorer celles de Art et ses appels incessants.

— Bien sûr, je ne leur ai rien dit pour le bébé, précisa-t-elle. Si je l'avais fait, je sais qu'ils m'auraient conseillé de m'en débarrasser. Je me suis souvent demandé s'ils avaient eu vent de la naissance de Jamie. J'avais tellement peur qu'ils viennent me le prendre… Quand il était petit, je ne le laissais jamais seul, même pour une seconde.

Zoe poussa un soupir en revivant sa terreur. Elle s'était réfugiée à Haycroft House pour protéger l'anonymat du bébé.

— Quand je suis rentré du Canada, on m'a envoyé à l'étranger pour ma formation à l'école navale. J'étais coupé du monde, je ne savais pas ce qui se passait en Angleterre. Si seulement j'avais su, à l'époque…

— Ça n'aurait rien changé. Ils ne nous auraient jamais laissés nous marier.

— Non. Mais tout ça, c'est du passé. On est des adultes, à présent. Mes parents savent ce que je ressens pour toi. Ils ne peuvent pas dénigrer les sentiments d'un homme de trente-deux ans comme ils l'ont fait avec le garçon de vingt et un ans que j'étais. Ils savent que mes intentions sont sérieuses.

— Mon Dieu... et qu'est-ce qu'ils ont dit ? Est-ce qu'ils vont me renvoyer dans le caniveau d'où je viens ?

— Non, je les ai prévenus que s'ils n'étaient pas prêts à t'accepter, j'étais tout aussi décidé à abdiquer mon droit de succession au trône, répondit Art avec un petit sourire. Ça ne va pas changer la face du monde. Je ne suis que la deuxième roue de secours, ce n'est pas comme si j'allais un jour régner.

Zoe regarda Art, à la fois stupéfaite et incrédule.

— Tu ferais ça pour moi ? chuchota-t-elle.

— Absolument, oui. Ma vie n'a aucun sens. Je n'ai pas de rôle particulier à jouer, et comme je l'ai fait comprendre à mes parents, l'opinion publique en a assez de la vie dorée des enfants de la famille royale. Évidemment, personne ne considère qu'avoir servi dix ans dans la marine est un dur labeur. Tout le monde est convaincu que j'avais des coussins et un duvet en plumes d'oie sur mon lit de camp, pendant que les autres dormaient à même le sol... ça me dépasse. Alors que c'était probablement plus dur encore pour moi.

Il soupira à nouveau.

— Ce que je veux dire, c'est qu'ils ne peuvent pas avoir le beurre et l'argent du beurre. Si je dois correspondre aux attentes de l'opinion publique qui veut me voir comme une personne « normale », dans ce cas ils doivent respecter le fait que je suis tombé amoureux d'une femme qui a déjà un enfant. Ce qui, à notre époque, n'a rien d'inhabituel.

— Ça a l'air génial en théorie, Art, mais j'imagine mal la mise en pratique. Comment s'est terminée la discussion ?

— Eh bien, je pense que l'attitude du palais s'est assouplie ces dernières années, avec tous les divorces dans la famille. On est tombés d'accord sur le fait que, pour l'instant, toi et moi continuerions à nous voir le plus discrètement possible, quand on le souhaite. Tu pourras venir me voir ici aussi souvent que tu le veux. Et au sein du cercle familial, tu ne seras plus un secret.

— Et si le secret sort du cercle ?

Art haussa les épaules.

— Personne ne peut connaître par avance la réaction du public. On se doute que les avis seront partagés. Certains y verront une liaison scandaleuse, d'autres une approche moderne des relations au sein de la famille royale. Mais je reconnais que ça aurait des conséquences sur la vie de Jamie, surtout si on découvre que je suis son père.

— Ça virerait au harcèlement, prédit Zoe avec un frisson d'effroi. Art, il faut absolument que ce secret reste entre nous. Jure-moi que personne ne laissera fuiter l'existence de notre relation. S'il naît ne serait-ce qu'une rumeur, je m'en vais avec Jamie, je déménage à L.A. et…

— Zoe.

Il s'avança pour prendre ses mains dans les siennes.

— Je comprends, vraiment. Fais-moi confiance. Je ferai tout ce qui est en mon pouvoir pour vous protéger, toi et Jamie. Ce qui me conduit à un dernier point dont il faut que je te parle.

— Quoi donc ?

— J'ai bien peur qu'il y ait une chose sur laquelle le pouvoir s'est montré intransigeant. Et je dois avouer que je suis d'accord. Ils insistent pour qu'on implante un agent de protection rapprochée chez toi. Juste au cas où.

— Au cas où quoi ? s'exclama Zoe, furieuse. Chez moi, sérieusement ?

— Ma chérie, calme-toi. C'est toi qui souhaites que notre relation reste un secret le plus longtemps possible. Un agent de protection rapprochée, c'est-à-dire un garde du corps, ni plus ni moins, est ta meilleure défense. Il peut s'assurer que personne ne traîne dans les parages, ne place des micros chez toi ou ne mette ton téléphone sur écoute. On ne sait que trop bien qu'à la minute où tu seras liée à moi, tu deviendras une cible.

— Mon Dieu, c'est de pire en pire… Qu'est-ce que je vais pouvoir dire à Jamie ? Tu ne penses pas qu'il va trouver ça bizarre, en rentrant de l'école, qu'un inconnu dorme dans la chambre d'amis ?

— Si tu ne te sens pas prête à lui parler de nous, alors je suis sûr qu'on peut trouver une histoire crédible. Mais à un moment, il faudra bien lui expliquer les choses.

— Lui expliquer quoi ? Que tu es son père ? Qu'on est ensemble ? Tu sais ce qui me désespère le plus dans tout ça ? C'est que si tu étais n'importe qui d'autre, la chose la plus naturelle serait que nous formions la plus belle famille du monde.

— À qui le dis-tu…

Art eut tout à coup l'air si triste que Zoe s'en voulut aussitôt. Après tout, il n'avait pas choisi cette situation, elle lui avait été imposée à la naissance. Et il faisait déjà tout ce qui était en son pouvoir pour leur relation.

— Désolée, chuchota-t-elle. C'est tellement compliqué, alors que ça devrait être si simple…

— Compliqué mais pas impossible ? demanda-t-il en lui lançant un regard désespéré.

— Non, pas impossible.

— Tu as déjà rencontré l'homme que nous avons choisi. Simon Warburton, le chauffeur qui t'a amenée à Sandringham. Je lui ai longuement parlé ce matin, c'est un type sympathique et extrêmement compétent. Je t'en prie, Zoe, laisse-nous une chance. Faisons les choses pas à pas. Et je te promets que si tu trouves que ça fait trop et que tu décides de tout arrêter, je comprendrai.

Zoe posa la tête sur son épaule et se laissa caresser les cheveux.

— Je sais à quoi tu penses, dit Art. « Est-ce qu'il en vaut vraiment la peine ? »

— J'imagine que tu as raison.

— Et alors ?

— Bon sang, grogna Zoe. Oui, je sais que tu en vaux la peine.

# 21

Joanna regarda fixement l'écran de son ordinateur, puis elle se mit à feuilleter son dictionnaire en quête de synonymes originaux et inspirants pour décrire la joie visible sur la gueule d'un épagneul qui gobait goulûment un échantillon d'une nouvelle marque de croquettes. Elle avait un mal de dents abominable. Suffisamment intense pour l'avoir poussée à demander à Alice le numéro d'un bon dentiste après la pause dîner.

Le téléphone de son poste de travail sonna.

— Joanna Haslam.

— C'est moi, ma chérie.

— Oh, salut, dit-elle en baissant la voix.

— Tu es prête à me pardonner? J'ai bien peur d'avoir dépensé toutes mes économies en fleurs.

Joanna jeta un coup d'œil aux trois vases pleins de roses rouges qui étaient arrivées ces derniers jours et réprima un sourire. À vrai dire, il lui manquait. Beaucoup, même.

— Je crois que oui.

— Tant mieux, parce que j'ai du nouveau. Quelque chose que m'a dit Zoe.

— De quoi s'agit-il?

— Donne-moi ton numéro de fax. Vu les circonstances, je préfère ne rien dire au téléphone ou par courriel. Je voudrais voir si tu en tires les mêmes conclusions que moi.

— OK.

Joanna lui donna son numéro.

— Envoie-moi ça maintenant, je vais attendre devant le fax.

— Rappelle-moi dès que tu l'auras lu. Il faut qu'on décide d'un moment pour en parler.

Joanna raccrocha et se rua vers le fax pour être la première à réceptionner le document. En attendant que le message passe, elle médita sur ses sentiments pour Marcus. Il était si radicalement différent du très sérieux et très modéré Matthew. Peut-être qu'avec tous ses défauts, il était exactement l'homme dont elle avait besoin. La veille, seule dans son lit, elle avait regretté son absence. Il était peut-être temps de lui faire confiance, de le croire quand il lui disait qu'il l'aimait, et au diable les conséquences. Protéger son cœur était rassurant, mais avait-elle vraiment envie de s'empêcher de vivre ainsi ?

La machine sonna et le message de Marcus commença à en sortir.

« Salut ma chérie, tu me manques. Je t'envoie ci-dessous… »

— Comment va ta rage de dents ?

Joanna sursauta en remarquant Alice derrière elle, qui essayait de lire le fax. Elle tira sèchement sur la feuille et la plia.

— Très mal.

Elle retourna d'un pas vif à son poste, pressée de se débarrasser d'Alice pour pouvoir lire le fax. Mais sa collègue se percha sur son bureau et croisa les bras.

— Miss Haslam, je flaire le danger.

— Alice, on vit dangereusement chaque fois qu'on mange des œufs crus ou qu'on prend le volant. Il faut bien tenter sa chance.

— Tu as raison. Revenons au temps où les femmes épousaient leur voisin et passaient leur journée en cuisine, enceintes jusqu'aux yeux ! Au moins, on n'avait pas à se soucier de la guerre psychologique avec les hommes. Ils nous faisaient la cour et ils étaient forcés de nous épouser s'ils voulaient tirer leur coup.

Joanna leva les yeux au ciel.

— Oh, arrête ton cinéma. Tu sais que je serai éternellement reconnaissante aux suffragettes d'avoir fait avancer le féminisme.

— D'ailleurs, tu leur rends hommage en passant tes journées à devenir une experte en croquettes pour chiens et tu passes tes nuits seule, ou avec un type que tu n'es même pas sûre de revoir le lendemain.

— Dis donc, Alice, je ne te savais pas si conservatrice.

— Appelle ça comme tu veux, mais combien de filles, parmi tes amies, sont réellement épanouies dans leur célibat à vingt-cinq ans ?

— Beaucoup, j'en suis certaine.

— D'accord, mais quand sont-elles le plus heureuses ? Quand, toi, es-tu le plus heureuse ?

— Quand elles ont passé une bonne journée au boulot, ou rencontré un…

Joanna s'interrompit en pleine lancée. Alice afficha un sourire triomphant.

— Tu vois ? Je te l'avais dit.

— Au moins, on a le choix.

— Trop de choix, si tu veux mon avis. On en devient difficiles. Il suffit de ne pas aimer la marque de son après-rasage, ou sa manie agaçante de zapper quand on voudrait juste pouvoir regarder le dernier film d'époque de la BBC, pour laisser tomber le mec comme une vieille chaussette et repartir en quête de chair fraîche. On se sent forcées de chercher une perfection qui, évidemment, n'existe pas.

— Dans ce cas, je ferais sûrement mieux de m'en tenir à l'homme qui exprime actuellement son intérêt, même s'il n'est pas parfait, n'est-ce pas ?

— Tu marques un point, concéda Alice en descendant du bureau. Et si Marcus Harrison pose un genou à terre, fonce et mets-lui le grappin dessus. Comme ça, s'il te trompe et te fait souffrir ensuite, au moins tu te retrouveras avec la moitié de sa fortune. Ce qui est toujours plus qu'après ta rupture avec une ordure avec qui tu auras eu une relation « moderne » et sans engagement. Allez, il est temps de se remettre au boulot. Bon rendez-vous chez le dentiste !

Joanna soupira en se demandant quelle « ordure » venait de larguer Alice. Puis elle déplia le fax de Marcus.

« *Rose. Dame de… compagnie.* »

Rose. Une dame de compagnie. Forcément.

Elle appela aussitôt Marcus.

— Tu as compris comme moi ? demanda-t-il.

— Je crois.

— Retrouvons-nous ce soir pour en discuter.

— Ce serait avec plaisir mais je ne peux pas. J'ai un rendez-vous chez le dentiste.

— Après, dans ce cas ? Il faut vraiment que je te parle de quelque chose et je ne peux pas te le dire au téléphone.

— D'accord, mais je ne garantis pas de pouvoir ouvrir la bouche. Viens chez moi.

— Super. Je te manque ? Rien qu'un tout petit peu ?

— Oui, répondit Joanna avec un sourire. À plus tard.

Elle glissa le fax dans sa poche, éteignit son ordinateur, attrapa son manteau et se dirigea vers la sortie. Comme d'habitude, Alec se ratatina derrière son poste de travail en la voyant. Elle fit demi-tour et alla se planter devant lui.

— Tu as une idée de la date prévue de publication de mon article sur la fondation ? Marcus Harrison n'arrête pas de me relancer et ça devient gênant.

— Demande à la rubrique « Culture et société ». C'est leur décision, marmonna-t-il.

— OK, je…

Joanna se tut en apercevant un nom sur l'écran d'Alec.

— William Fielding. Pourquoi lui ?

— Parce qu'il est mort. D'autres questions ?

Joanna déglutit. Peut-être que c'était précisément ce que voulait lui annoncer Marcus.

— Où ça ? Quand ? Comment ?

— Agression il y a quelques jours, il est mort à l'hôpital cette après-midi. Le grand patron veut qu'on mette le paquet là-dessus pour faire pression sur le gouvernement et les forcer à mettre en place des dispositifs de sécurité gratuits pour les personnes âgées et invalides, et des peines plus lourdes pour les agresseurs.

Joanna s'effondra sur la chaise la plus proche.

— Qu'est-ce qui se passe ? Tout va bien ? s'étonna Alec.

— Mon Dieu...

Il jeta un regard anxieux en direction du bureau du directeur de la rédaction.

— Quoi, Jo ?

— Je... William avait des informations sur sir James Harrison. Ce n'était pas un accident ! C'était calculé, forcément. Comme la mort de Rose.

— Tu racontes n'importe quoi. Le coupable a été arrêté.

— Eh bien, je peux te dire tout de suite qu'il est innocent.

— Tu n'en sais rien.

— Oui. Tu veux écouter ce que j'ai à dire ou pas ?

Il hésita un instant.

Bon, OK, mais fais vite.

Quand Joanna eut fini de lui exposer sa théorie, Alec croisa les bras, pensif.

— OK, imaginons un instant que tu aies raison et que sa mort ait effectivement été planifiée. Comment ont-ils pu le savoir si vite ?

— Je l'ignore. À moins que... à moins que l'appartement de Marcus ne soit sur écoute. Il m'a faxé quelque chose tout à l'heure en me disant qu'il ne pouvait pas parler.

Joanna sortit la feuille de sa poche et la déplia sur la table.

— Il dit que ce sont les mots exacts de William à Zoe. Peut-être qu'elle est allée le voir à l'hôpital avant sa mort.

— Tu as fait le lien, j'imagine ?

— Oui. William essayait de dire que Rose était une dame de compagnie.

Joanna se tordait les mains d'anxiété.

— Alec, ça devient trop grave. J'ai peur, vraiment.

— Première règle, tant qu'on ne sait pas à quoi on a affaire : faire attention à ce qu'on dit chez soi. J'ai déjà rencontré des situations similaires auparavant, quand je menais un reportage d'investigation sur l'Armée républicaine irlandaise (IRA). Les micros sont difficiles à traquer, mais si j'étais toi, j'inspecterais mon appartement. Si on va vraiment loin, on peut imaginer qu'ils ont été placés pendant le prétendu cambriolage. Voire qu'ils sont à l'intérieur des murs.

Joanna soupira et passa la main dans ses cheveux.

— Et il y en a probablement aussi chez Marcus.

— Jo, je pense que tu devrais abandonner cette histoire.

— J'essaie, mais elle me poursuit ! Je ne sais absolument pas quoi faire. Désolée, Alec, je sais que tu ne veux pas savoir.

Elle se leva et, en partant, se retourna une dernière fois.

— Oh, et au fait, tu avais raison. Je n'ai jamais pu récupérer la lettre. Bonne soirée.

Alec alluma une autre cigarette et regarda fixement son écran. Il lui restait moins de deux ans avant de toucher sa retraite et de mettre fin à une carrière honorable. Ce n'était pas le moment de créer des remous. Mais… il le regretterait pour le reste de ses jours s'il laissait cette histoire filer.

Enfin, il se leva et monta dans l'ascenseur direction les archives pour déterrer des vieux articles sur sir James Harrison et chercher une dame de compagnie du nom de Rose.


Joanna émergea du cabinet du dentiste sur Harley Street deux heures plus tard, avec un mal de tête carabiné et la bouche pâteuse. Elle descendit les marches avec précaution et s'aventura lentement dans la rue, se sentant décidément dans les vapes. Une femme la frôla à toute vitesse sur le trottoir et Joanna bondit, le cœur battant bien trop fort dans sa poitrine.

Avaient-ils réellement écouté leur conversation chez Marcus? L'observaient-ils en ce moment précis? Joanna sentit des sueurs froides sur sa nuque et des taches violettes apparurent devant ses yeux. Elle s'assit aussitôt par terre, la tête entre les genoux, et s'efforça de prendre de longues et profondes inspirations pour se calmer. Puis elle appuya sa tête contre le mur derrière elle et contempla le ciel nocturne.

Si seulement une voiture pouvait s'arrêter pile devant elle pour la ramener à la maison. Vacillante, Joanna se releva et décida qu'il était hors de question de prendre le métro ou le bus ce soir-là. Elle reprit son chemin en espérant trouver un taxi dans le labyrinthe de rues derrière Oxford Street. Elle descendit Harley Street, le bras constamment tendu pour héler des taxis déjà occupés, puis tourna à un coin de rue et se retrouva sur Welbeck Street. C'était là que vivait Zoe, au 10, si ses souvenirs étaient bons. La jeune femme le lui avait écrit au souper.

Joanna s'immobilisa sur le trottoir, car elle était pile en face du bon numéro. Elle se sentit à nouveau sur le point de défaillir et se demanda s'il serait terriblement impoli de frapper à la porte de Zoe pour demander une tasse de thé bien sucré, histoire de l'aider à repartir. En voyant les lumières allumées, elle décida d'y aller.

Mais juste au moment où elle s'apprêtait à faire un pas, la porte d'entrée s'ouvrit. De son poste d'observation idéal, Joanna vit Zoe jeter un coup d'œil dans la rue, puis une autre silhouette sortir d'une voiture et rejoindre la maison en vitesse. Les deux disparurent derrière la porte close.

Joanna en resta bouche bée. Elle était certaine d'avoir reconnu Arthur James Henry – surnommé Art par sa famille et les médias –, prince, duc de York et troisième dans l'ordre de succession au trône britannique. Et il venait d'entrer chez Zoe Harrison.

Quarante-cinq minutes plus tard, après avoir enfin trouvé un taxi, Joanna se servit un verre de brandy pour apaiser son mal de dents. Allongée sur son tout nouveau et très confortable canapé beige, elle scruta le plafond craquelé en quête d'inspiration. Oubliés, les lettres d'étranges vieilles dames, les acteurs retrouvés morts, les histoires de conspirations… à moins d'être complètement en train de délirer, elle venait de découvrir l'existence d'une liaison entre le célibataire le plus convoité – et médiatisé ! – de la Terre et une jeune et belle actrice.

Qui avait un enfant.

Un frisson d'excitation lui parcourut l'échine. Si seulement elle avait pris une photo, elle aurait pu vendre sa nouvelle pour une centaine de milliers de livres à n'importe quel journal.

*Zoe Harrison et le prince Arthur, duc de York. Quelle histoire !*

Il fallait absolument qu'elle fasse des recherches, qu'elle sache s'ils avaient un passé commun et si elle pouvait faire passer ça pour des retrouvailles entre «amis de longue date». Elle voyait Zoe samedi. Peut-être pourrait-elle en profiter pour lui tirer des informations. Une révélation pareille la sortirait de la rubrique «Jardins et animaux de compagnie» en moins de temps qu'il n'en faut pour le dire.

Soudain, Joanna poussa un gémissement horrifié. Elle ne pouvait pas sérieusement penser à ça. Comment pouvait-elle envisager de révéler cette histoire ? Elle sortait avec le frère de Zoe ! Dont elle pensait qu'elle était peut-être – mais seulement peut-être – en train de tomber amoureuse. Sans compter que Zoe et elle avaient si bien accroché qu'elle espérait que leur entente annonçait les bases d'une amitié. Le souvenir de ce qu'elle avait confié à Marcus lui revint, elle qui plaidait en faveur de la vie privée des célébrités…

Le plus triste, c'était que si le prince et Zoe entretenaient véritablement une liaison, la nouvelle finirait par éclater, qu'elle en soit à l'origine ou non… La presse à sensation pouvait flairer un scandale avant même que les deux individus concernés n'aient échangé leur premier baiser.

On frappa à la porte et Joanna se leva à contrecœur pour aller ouvrir. Marcus lui sourit en brandissant une demi-bouteille de brandy.

— Salut, mon cœur, comment va ta dent ? murmura-t-il en se penchant pour l'embrasser.

— Mieux après un brandy. D'ailleurs je suis à court, merci pour le ravitaillement. Tu disais au téléphone qu'il fallait qu'on parle…

Marcus posa un doigt sur ses lèvres pour la faire taire, puis il sortit un papier qu'il lui tendit.

*William Fielding a été agressé. Il doit y avoir des micros chez nous. Un ouvrier bizarre est venu pour une fuite d'eau. On doit fouiller l'appartement avant de parler. Mets de la musique. Fort.*

Joanna hocha la tête. Il confirmait ses doutes. Elle alluma le lecteur CD, volume à fond, et ils entreprirent de passer les pièces au peigne fin. Ils palpèrent la moindre rainure sur les plinthes, les murs, regardèrent sous les abat-jour et derrière les placards.

Après quarante minutes de fouilles infructueuses, Joanna soupira et se laissa tomber sur le nouveau canapé, où Marcus la rejoignit bientôt.

— C'est ridicule ! gémit-elle à son oreille. On a cherché partout ! À moins que ce ne soit dans les murs…

— Je me demandais… Est-ce que quelqu'un est venu chez toi depuis que toute cette histoire a commencé ? chuchota-t-il d'une voix à peine audible sous la musique.

Elle compta sur ses doigts :

— Moi, Simon, toi, au moins quatre policiers, trois livreurs…

Soudain, elle s'interrompit.

Sans un mot, elle se leva pour aller se percher sur une console dans un coin de la pièce, à côté du téléphone. Elle inspecta le fil jusqu'à l'endroit où il plongeait dans le mur. Les yeux écarquillés, elle indiqua le trou à Marcus. Puis, l'index sur ses lèvres pour lui intimer le silence, elle l'attira dans le couloir, attrapa les manteaux et le fit sortir de l'appartement.

Ils avancèrent dans la rue calme, à la lueur des réverbères. Joanna tremblait comme une feuille. Marcus passa un bras autour de ses épaules et la serra contre lui.

— Mon Dieu, Marcus… mon téléphone… j'étais tellement surprise quand le technicien a débarqué sans prévenir après le cambriolage !

— Ce n'est pas grave, ma chérie. Tout va bien se passer.

— Mais le micro est là depuis janvier ! Tout ce qu'ils ont dû entendre ! Alec m'avait prévenue, pourtant. Qu'est-ce qu'on fait maintenant ? Est-ce qu'on arrache le fil ? Comment on s'en débarrasse ?

Il réfléchit un instant, puis secoua la tête.

— Non, on ne peut pas les détruire. Sinon ils sauront qu'on les a trouvés et ils viendront simplement en placer d'autres.

— Je ne supporte pas l'idée d'avoir ça chez moi !

— Écoute, Jo. On a l'avantage. Au final, on a un coup d'avance sur eux…

— Comment tu peux dire ça ? On ne sait pas où sont les micros, ni combien il y en a…

— Il va simplement falloir faire attention à ce qu'on dit, et où. On ne sait pas s'ils espionnent seulement ta ligne ou si tout ton appartement est sur écoute. Mais on ne doit surtout pas leur révéler quoi que ce soit. Il va aussi falloir faire attention avec nos portables.

Elle hocha la tête, puis se mordit la langue.

— Le meurtre de William Fielding n'était pas une coïncidence. Je pense qu'on peut en être sûrs à présent.

— Une minute, Fielding est mort ? Je croyais que…

Elle acquiesça sombrement.

— Le rédacteur en chef des actualités rédigeait l'article quand j'ai quitté le bureau. Apparemment, il est décédé à l'hôpital cette après-midi. Ça devient dangereux... Est-ce qu'on devrait arrêter notre enquête ? Laisser les choses comme elles sont ?

Marcus s'arrêta au milieu du trottoir et la prit dans ses bras.

— Non. On va résoudre ça, ensemble. Maintenant, allons reprendre la chasse aux micros.

Ils s'embrassèrent et retournèrent à l'appartement.

Avec un regain de détermination, Joanna réfléchit à tous les endroits de son appartement qui étaient restés intacts dans le chaos du cambriolage. Ils examinèrent soigneusement toutes les plinthes et les moulures, jusqu'à ce que, enfin, les doigts de Joanna rencontrent un petit bouton de caoutchouc, juste au-dessus de la porte du salon. Elle le pinça délicatement et le plaça à la lumière.

Marcus tapota son nez d'un air conspirateur et reposa le micro là où elle l'avait trouvé. Puis il sortit de l'appartement, sonna à la porte et, pour les trente minutes qui suivirent, entreprit d'entrer et de sortir, en incarnant chaque fois un personnage différent. Joanna eut même l'occasion de converser avec un importateur de rhum jamaïcain imaginaire, un descendant russe du tsar et un chasseur sud-africain. Elle finit par devoir sortir elle-même, incapable de contrôler plus longtemps son fou rire hystérique. Marcus avait décidément raté sa vocation, c'était un acteur et imitateur de génie. Quand leur petit jeu cessa, Joanna avait réussi à enlever discrètement le micro pour le placer sans cérémonie dans une boîte de tampons.

Elle n'avait pas autant ri depuis une éternité. Ils allèrent se coucher et Marcus lui fit l'amour avec tant de tendresse qu'elle sentit son cœur se serrer d'émotion.

*Je suis tellement... heureuse,* songea-t-elle.

— Je t'aime, murmura-t-il juste avant de fermer les paupières.

Alors qu'il dormait à côté d'elle, Joanna ne put s'empêcher de se sentir à la fois comblée et en sécurité, malgré les tensions causées par l'affaire de Rose et leurs récentes découvertes. Elle se blottit contre son corps chaud et commença à somnoler, faisant de son mieux pour remplacer la pensée que ses murs avaient des oreilles par la très forte probabilité qu'elle soit elle aussi amoureuse.

• • •

Simon frappa à la porte du 10, Welbeck Street à dix heures le lendemain matin.

— Bonjour, miss Harrison.

— Bonjour, répondit Zoe. J'imagine que vous feriez mieux d'entrer.

À contrecœur, Zoe s'écarta du passage.

— Merci.

Elle ferma la porte et ils se retrouvèrent tous les deux mal à l'aise, dans le couloir.

— Je vous ai préparé la chambre sous les combles. Elle n'est pas très grande, mais elle a sa propre salle de bains.

— Merci, je tâcherai de ne pas vous déranger. Je suis désolé pour l'intrusion.

À l'évidence, Simon était aussi embarrassé qu'elle, et l'antipathie qu'elle éprouvait à son égard s'atténua quelque peu. Après tout, ni elle ni lui n'avaient choisi cette situation.

— Écoutez, pourquoi vous ne monteriez pas pour poser vos affaires, et ensuite on pourrait prendre un café ? C'est tout en haut de l'escalier, la porte à gauche.

— D'accord, merci, accepta-t-il avec un sourire reconnaissant.

— Café noir ? Au lait ? Du sucre ? demanda-t-elle quand il entra dans la cuisine dix minutes plus tard.

— Noir, un sucre, s'il vous plaît.

Elle posa la tasse devant lui.

— Vous avez une très belle maison, miss Harrison.

— Merci. Et je vous en prie, puisque nous devons vivre ensemble – je veux dire, sous le même toit –, vous devriez m'appeler Zoe.

— D'accord. Et vous pouvez m'appeler Simon. J'ai cru comprendre que ma présence ne vous ravissait pas, et je vous promets d'être aussi invisible que possible. J'imagine qu'on vous a prévenue que je suis tenu de vous accompagner dans tous vos déplacements. Vous pouvez choisir de conduire votre voiture ou me laisser être votre chauffeur.

Zoe soupira.

— Non, on ne m'a pas prévenue. Je dois aller chercher mon fils à l'école, cette après-midi. Vous ne devez quand même pas me suivre pour ça?

— J'ai bien peur que oui, miss Ha... Zoe.

Zoe sentit le sang-froid gagné au prix de nombreux efforts la quitter pour laisser place à la panique.

— Bon sang, je n'ai vraiment pas réfléchi à tout ça. Qu'est-ce que je suis censée dire pour justifier votre présence?

— Peut-être serait-il préférable de dire que je suis un vieil ami de la famille, ou un cousin lointain qui revient de l'étranger et qui va rester chez vous quelque temps jusqu'à ce qu'il trouve un logement?

— Il faut que vous sachiez que Jamie est très intelligent. Il va vous faire passer un véritable interrogatoire sur l'arbre généalogique et va vouloir tout savoir de votre vie.

Zoe réfléchit un instant, puis reprit:

— Je pense que vous devriez vous faire passer pour le petit-neveu de Grace, la femme de mon grand-père James.

— Parfait. Ce sera alors plus simple si je conduis cette après-midi. Votre fils risque de trouver cela étrange s'il voit que je vous suis.

— Très bien. Et, autre chose, je ne veux pas que les membres de ma famille soient au courant. Ce n'est pas que je ne leur fais pas confiance, mais...

— Vous ne leur faites pas confiance.

Ils échangèrent un sourire complice.

— Exactement. Mon Dieu, ça promet d'être compliqué. Je dois aller faire les boutiques avec une amie demain, êtes-vous vraiment obligé de venir?

— J'en ai bien peur. Mais je saurai me faire discret, c'est promis.

Zoe but une gorgée de café.

— Figurez-vous que je commence à plaindre la famille royale et leur entourage. Ce doit être terrible de n'avoir aucune intimité ni chez soi ni en dehors.

— C'est ce qu'ils ont toujours connu, j'imagine que ça fait partie intégrante de leur vie.

— Ça ne doit pas être beaucoup plus drôle pour vous non plus. Vous allez devoir mettre votre vie sur la glace? Avez-vous une femme, une famille à qui vous allez manquer tant que vous serez ici?

— Non. Dans ma branche, on a tendance à être célibataires.

— Je suis désolée que vous ayez été affecté à une mission si ennuyeuse. Je me vois mal en tête de liste des personnes à abattre. Personne n'est même au courant pour Art et moi.

— Pour l'instant.

— Oui, et je compte bien qu'il en soit ainsi le plus long-temps possible, répliqua-t-elle fermement. Maintenant, si vous voulez bien m'excuser, j'ai des choses à faire. Ensuite, je, enfin, nous devons aller chercher Jamie.

# 22

Marcus passa tout son vendredi après-midi à retourner son appartement. Il avait commencé par regarder dans le séjour, à l'endroit où il se souvenait avoir vu le prétendu ouvrier ranger ses outils, et effectivement, un micro était installé juste à côté de la prise téléphonique.

Il finit par trouver un minuscule appareil noir en forme de bouton, caché sous la table basse. Il le saisit avec précaution, émerveillé par la technologie du gadget.

Joanna arriva directement après le travail et Marcus posa un doigt sur ses lèvres en montrant le pot de café instantané, puis en préleva le micro soigneusement enterré dans les granulés marron.

— Ma chérie, pourquoi tu ne prendrais pas une douche avant qu'on aille au restaurant? dit-il d'une voix forte. Et quand on reviendra, je compte couvrir ton corps de chocolat et tout lécher.

Joanna attrapa un stylo et un papier dans son sac, puis inscrivit: «Hâte de voir ça» en grosses lettres. Elle haussa un sourcil et déposa le papier et le stylo sur la table, bien en vue, avant de filer à la salle de bains.

Le lendemain matin, après un rapide café et une tartine que Marcus avait apportés au lit sur un plateau, ils s'habillèrent et prirent ensemble le bus pour Welbeck Street. Une fois assis, Marcus s'assombrit.

— Je sais qu'on en rigole, mais toute cette histoire de micros me rend malade. Dire qu'ils ont écouté le moindre de nos mots.

— Je sais… C'est forcément illégal, non ? On ne pourrait pas alerter les autorités ?

— Je nous vois mal faire ça, alors que ce sont justement les « autorités » qui ont placé les micros.

— Je n'aurais jamais dû t'entraîner dans cette histoire. Tout est ma faute.

— Mais non, ma chérie…

Marcus sentit la culpabilité l'assaillir et se demanda s'il ne ferait pas mieux de lui parler de sa rencontre avec Ian et de l'argent qu'il lui avait donné.

Non. C'était déjà trop tard. Elle ne lui pardonnerait jamais et mettrait fin à leur relation.

Et ça, Marcus ne pourrait tout simplement pas le supporter…

— Salut, vous deux ! Entrez, dit Zoe en les laissant passer. Est-ce qu'on y va tout de suite ? Je suis impatiente de faire les boutiques.

— Absolument, répondit Joanna en la suivant dans la cuisine.

— Jamie joue sur son ordinateur, dans sa chambre. Ça devrait l'occuper pendant plusieurs heures. Je vais juste monter lui dire au revoir, prendre mon manteau et on décolle.

Marcus alluma une cigarette et Zoe fronça les sourcils.

— Si tu pouvais t'abstenir de fumer devant Jamie…

— Dire que c'est moi qui te rends service, répondit Marcus, agacé.

Zoe quitta la pièce et Marcus en profita pour adresser un clin d'œil à Joanna.

— Jo, ne traînez pas trop dans les boutiques. Je vois plein d'autres manières plus appréciables de passer mon samedi…

— Et moi, je ne vois pas de meilleur samedi qu'une virée de magasinage! répliqua-t-elle en l'embrassant affectueusement.

— Tu m'en dois une…

— Zoe, je…

Joanna entendit une voix familière derrière elle. Elle se tourna et vit Simon, planté sur le seuil de la cuisine, tout aussi choqué qu'elle.

Zoe arriva derrière lui avec son manteau.

— Marcus, je t'ai dit que Simon allait rester ici quelque temps?

— Simon qui?

— Warburton. Notre cousin de Nouvelle-Zélande. Du côté de grand-mère Grace, tu te rappelles? Il m'a écrit pour me dire qu'il revenait s'installer en Angleterre et m'a demandé s'il pouvait rester chez nous le temps d'arriver.

Marcus fronça les sourcils.

— Je ne savais pas qu'on avait des cousins…

— Moi non plus, j'ai découvert ça à la messe en l'honneur de James, improvisa Zoe.

Bouche bée, Joanna regarda Simon serrer la main de Marcus.

— Ravi de te rencontrer, Simon. Alors comme ça, on est cousins?

— Oui, il semblerait.

— Tu as prévu de rester longtemps dans les parages?

— Un petit moment, oui.

— Tant mieux. Il faut qu'on s'organise une soirée entre hommes. Je te montrerai les meilleurs coins de la ville.

— Super.

— Bon, Jo, on y va? lança Zoe.

Joanna était toujours stupéfaite et Zoe lui lança un regard anxieux.

— Oui, j'arrive. OK. Au revoir, Simon. Salut, Marcus.

Joanna tourna les talons et suivit Zoe.

Simon enfila la veste qu'il tenait au bras, et déclara:

— Moi aussi, je file. J'avais prévu de faire un peu de tourisme. Content de t'avoir vu, Marcus.

Les deux jeunes femmes passèrent une matinée délicieuse sur King's Road, puis prirent un bus pour Knightsbridge où elles arpentèrent les comptoirs d'Harvey Nichols jusqu'à en avoir mal aux pieds, puis se réfugièrent dans un café au dernier étage.

Zoe attrapa un menu au bar et déclara :

— Au fait, je t'invite. Toute femme prête à supporter mon frère mérite au moins un dîner gratis !

— Euh, merci… je crois, répondit Joanna en lui rendant son sourire.

Zoe commanda deux flûtes de champagne.

— Tu sais, je pense que tu as une bonne influence sur lui. Et il tient vraiment à toi. S'il te demande en mariage, je t'en supplie, dis oui, comme ça, on pourra se revoir régulièrement !

Joanna était touchée de voir tous les efforts que Zoe faisait pour être amicale, et elle se sentit terriblement coupable d'avoir même songé à la trahir. Quand le dîner arriva, Joanna attaqua joyeusement sa tartine de jambon de Parme, de crème fraîche et de roquette. Elle remarqua que Zoe touchait à peine à son assiette. Joanna but une gorgée de champagne et tenta :

— Quelle triste nouvelle, pour William Fielding.

— Oui, c'est terrible. Je suis allée lui rendre visite à l'hôpital, tu sais, juste avant sa mort.

— Oui, Marcus m'en a parlé.

— Il était dans un sale état. Ça m'a bouleversée, surtout depuis qu'on a eu cette conversation sur mon grand-père. Il m'a demandé de garder sa bague. Regarde.

Zoe fouilla dans une petite poche de son sac à main et tendit la bague à Joanna, qui la fit tourner dans sa paume.

— Elle est lourde ! Qu'est-ce que tu comptes en faire ?

— La prendre avec moi aux obsèques la semaine prochaine et voir si je trouve un membre de la famille de William à qui la rendre, dit-elle en rangeant le bijou.

— Et pour le film? Ils continuent le tournage?

— Apparemment, ils ont assez d'images pour faire avec son… absence. Je retourne dans le Norfolk mercredi.

— Et combien de temps ton… cousin Simon va rester? demanda Joanna l'air de rien.

— Je ne sais pas trop. Il est à Londres pour un bout de temps et je lui ai dit qu'il pouvait rester aussi longtemps qu'il le souhaitait. La maison est tellement grande, il y a largement assez de place pour nous deux.

— Ah.

— J'ai vu ton expression, tout à l'heure. C'était comme si tu le connaissais. C'est le cas?

Rouge tomate, Joanna hésita. Elle était incapable de mentir.

— Je… Oui.

Zoe se ratatina sur sa chaise.

— C'est bien ce que je me disais. Vous vous êtes rencontrés où?

— Je le connais depuis toujours. On a grandi ensemble dans le Yorkshire. Certainement pas en Nouvelle-Zélande, d'ailleurs.

— Dans ce cas, je suppose que tu sais que nous ne sommes pas du tout de la même famille?

— Oui. En tout cas, il ne me l'a jamais mentionné.

Zoe lui lança un regard incertain.

— Est-ce que tu sais ce qu'il fait exactement dans la vie?

— Il m'a toujours dit qu'il était fonctionnaire dans l'administration, pour le gouvernement. Il est sorti major de sa promo à Cambridge. C'est un homme très, très intelligent. Vraiment, Zoe, tu n'as pas besoin de te justifier. À l'évidence, tu as de bonnes raisons pour inventer un passé à Simon devant Marcus et moi. J'imagine que c'est simplement pas de chance que ce soit tombé sur lui... Je ne dirai rien, promis.

Zoe triturait sa serviette de table.

— Oh, Joanna... Je ne sais pas à qui faire confiance en ce moment. Et tu es journaliste, c'est encore pire... Désolée. Pourtant, j'ai envie de t'en parler. Je pense que je vais devenir folle si je n'en parle pas à quelqu'un.

— Si ça peut t'aider, je pense que je sais déjà...

— Quoi ? Comment ? Personne ne sait, dit Zoe d'un air horrifié. Est-ce que ça a déjà fuité dans la presse ?

— Non, ne t'inquiète pas. Là encore, c'était une pure coïncidence. J'ai vu... un homme entrer chez toi jeudi soir.

— Comment ça se fait ? Est-ce que tu m'espionnais ?

— Non, protesta fermement Joanna. Je sortais de chez le dentiste sur Harley Street, je me suis sentie mal, et en cherchant un taxi, j'ai atterri sur Welbeck Street. J'allais venir frapper chez toi quand tu as ouvert.

Zoe fronça les sourcils.

— Je t'en prie, Joanna, pas de mensonges. Je ne supporte pas ça. Tu es certaine que personne au journal ne t'a filé le tuyau ?

— Non ! Sinon ils ne l'auraient pas donné à une journaliste junior de la rubrique « Jardins et animaux de compagnie ».

— C'est vrai. Oh mon Dieu. Est-ce que tu as vu qui était l'homme ?

— Oui.

— Dans ce cas, j'imagine que tu as compris pourquoi Simon s'est installé chez moi ?

— Une histoire de protection rapprochée, je présume ?

— Oui. Ils ont... enfin, il a, lui, insisté.

— Eh bien, dans ce cas, tu ne pouvais pas mieux tomber. Simon est l'homme le plus gentil que je connaisse.

Un sourire fugace traversa le visage de Zoe.

— Ah, tiens donc ? Est-ce que Marcus a du souci à se faire ?

— Oh non. Il est comme un frère pour moi. On est simplement de très bons amis.

— En parlant de Marcus, dis-moi que tu ne lui as pas répété ce que tu as vu jeudi, plaida anxieusement Zoe.

— Non. Tu sais, je suis très douée pour garder les secrets. Dis-le-moi si tu préfères ne pas m'en parler mais… est-ce que vous êtes… ? Je veux dire, c'est sérieux ?

Les yeux de Zoe se remplirent de larmes.

— Malheureusement, oui.

— Comment ça, « malheureusement » ?

— J'aurais tellement aimé que Art soit comptable dans une petite ville de province, ou même un homme marié, tout, sauf ça.

— Je comprends. Mais on ne choisit pas qui l'on aime.

— Je sais. Imagine les conséquences pour Jamie si ça venait à se savoir ? Cette idée me terrifie.

— Oui. Je me disais justement l'autre soir que l'histoire allait forcément fuiter à un moment ou à un autre, surtout si c'est sérieux.

— Je n'ose même pas y penser. Le pire, c'est que c'est plus fort que moi, même si je sais que je devrais tout arrêter pour le bien de Jamie. Art et moi… Ça a toujours été comme ça.

— Vous vous connaissez depuis longtemps ?

— Oui, des années. Et je te jure, Joanna, si je lis une ligne de notre conversation dans ton journal, je ne réponds plus de rien ! déclara-t-elle férocement.

— Zoe, j'admets que rien ne me ferait plus plaisir que d'être celle qui délivrera cette nouvelle à mon rédacteur en chef. Mais je suis une fille du Yorkshire, et dans le Nord, un homme ne vaut que sa parole. Je ne dirai rien, d'accord ?

— OK. J'ai besoin d'un autre verre.

Zoe appela le serveur et lui demanda deux autres flûtes de champagne.

— Bon, puisque tu as l'air de savoir le plus gros, de toute façon, autant te raconter l'histoire depuis le début.

Depuis sa table stratégiquement positionnée derrière une colonne, Simon voyait les deux jeunes femmes en pleine conversation. Il saisit cette opportunité pour aller aux toilettes et sortit son téléphone portable.

— Monsieur, c'est Warburton.

— Oui.

— Un problème est survenu ce matin. Joanna Haslam est arrivée sans prévenir chez miss Harrison. Elle m'a reconnu. Si elle m'interroge, que dois-je lui dire ?

— Que vous travaillez pour le service de protection rapprochée de la Couronne. Ce qui est techniquement le cas. Avez-vous placé les micros à votre arrivée ?

— Oui, monsieur.

— Bien. D'autres nouvelles ?

— Non, monsieur.

— Très bien. Warburton, bonne chance.

Marcus regardait le match de rugby pays de Galles/ Irlande tout en vidant les réserves de bière de Zoe. Il était seize heures et quart et les filles n'étaient toujours pas rentrées. Heureusement, Jamie était resté cloîtré dans sa chambre pour jouer à un jeu compliqué sur son ordinateur. Marcus était passé le voir brièvement, mais quand l'enfant avait commencé à lui expliquer le principe des « pièces magiques », il avait abandonné. Ce n'était pas comme s'il n'avait jamais fait d'efforts, ces dernières années. Les chocolats, les après-midi au zoo… mais rien n'avait laissé une forte impression sur Jamie, et il avait fini par baisser les bras. C'était comme si tout l'amour de son neveu était entièrement dédié au Grand James et à Zoe. Il n'y avait pas de place pour lui dans son petit cœur.

— Salut, Oncle Marcus, dit Jamie en passant la tête par l'entrebâillement de la porte. Je peux entrer ?

Marcus parvint à afficher un sourire.

— Évidemment, c'est ta maison.

Jamie entra et se planta devant la télévision, mains dans les poches.

— Qui gagne ?

— L'Irlande. Le pays de Galles se fait écraser.

— Un jour, Grand James m'a raconté une histoire sur l'Irlande.

— Ah oui ?

— Il disait qu'il était déjà allé là-bas, dans un endroit près de la mer.

— Oui, beaucoup d'endroits sont près de la mer, en Irlande.

Jamie alla se poster près de la fenêtre et souleva les rideaux pour guetter l'arrivée de sa mère.

— Il m'a montré où il est allé, sur l'atlas. C'était une grosse maison entourée d'eau, comme si elle était au milieu de la mer. Et après il m'a raconté l'histoire d'un garçon qui tombe amoureux d'une belle Irlandaise. Je me souviens que l'histoire avait une fin triste. Je lui ai dit que ça ferait un bon film.

Marcus était soudain très attentif. Il étudia Jamie, qui regardait toujours par la fenêtre.

— Quand est-ce qu'il t'a raconté ça ?

— Juste avant de mourir.

Marcus se leva pour atteindre les étagères. Il parcourut les tranches des livres, jusqu'à trouver le vieil atlas. Il tourna les pages pour arriver à l'Irlande et posa le livre sur la table basse.

— Grand James disait que c'était où, cet endroit ?

Jamie pointa immédiatement son doigt au bas de la carte, au milieu de la côte atlantique sud.

— Ici. La maison est sur la baie. Il disait que j'allais l'aimer, c'est un endroit magique.

— Mmmm.

Marcus ferma l'atlas et regarda son neveu.

— Tu veux manger quelque chose ?

— Non, Maman a dit qu'elle cuisinerait en rentrant. Elle est partie il y a longtemps.

— Oui, je trouve aussi. Ah, les femmes, pas vrai ? lâcha Marcus en levant les yeux au ciel d'un air complice.

— Maman dit que la dame avec qui elle est partie est ta petite amie.

— C'est vrai.

— Tu vas te marier avec elle ?

— Peut-être. Je l'aime vraiment beaucoup.

— Du coup, j'aurais une tante. Ça va être cool. Bon, je vais remonter dans ma chambre.

— OK.

Quand Jamie disparut dans l'escalier, Marcus s'empressa de noter le nom de la ville qu'il lui avait indiquée.

Zoe et Joanna rentrèrent à dix-sept heures trente, chargées de sacs.

— C'était bien, votre « heure ou deux » de magasinage, mesdames ? demanda Marcus en les accueillant dans le couloir.

— Super, merci ! répondit Zoe.

— Tellement génial qu'on s'est dit qu'on allait remettre ça demain. On n'a pas eu le temps de faire tout ce qu'on voulait, ajouta Joanna.

— Mais demain, c'est dimanche ! protesta Marcus, horrifié.

— Oui, et de nos jours, tous les magasins sont ouverts le dimanche, mon cœur.

— Elle plaisante, cher frère. Et puis, vu les folies du jour, ma carte de crédit va avoir besoin d'au moins deux semaines de repos en maison de santé.

La porte s'ouvrit sur Simon.

— Salut, la compagnie.

— Salut. Tu as bien visité ? s'enquit Marcus.

— Oui.

Joanna ne put s'empêcher de répliquer :

— Ah oui ? Et quoi donc ?

— Oh, l'essentiel. La tour de Londres, la cathédrale St-Paul, Trafalgar Square. Bon, je monte dans ma chambre. À plus tard.

— Où est Jamie ? interrogea Zoe.

— En haut.

— Marcus, tu ne l'as quand même pas laissé devant l'ordinateur toute la journée ?

— Désolé, j'ai fait de mon mieux, mais on ne peut pas dire qu'il est très sociable comme garçon, non ? Joanna, non, n'enlève pas ton manteau, on file.

— On se voit bientôt, dit Zoe. Et merci pour cette journée, Jo.

— Je t'en prie. On s'appelle dans la semaine.

Les deux femmes échangèrent un regard complice alors que Marcus poussait Joanna vers la sortie.

Zoe se rendit à l'étage pour demander à Jamie s'il voulait un combo saucisses-purée ou de la tourtière pour le souper. L'enfant choisit la première option et suivit sa mère dans la cuisine pour bavarder.

— Tu sais, je crois qu'Oncle Marcus ne m'aime pas beaucoup.

— Jamie ! Bien sûr qu'il t'aime ! Il n'a pas l'habitude des enfants, c'est tout. Est-ce qu'il t'a dit quelque chose quand vous étiez tous les deux ?

— Non, rien. Il a bu beaucoup de bière. Peut-être qu'avec sa nouvelle petite amie, il va se sentir mieux. Il dit qu'il aimerait bien se marier avec elle.

— Vraiment ? Ça serait merveilleux. Jo est adorable.

— Tu as un petit ami, Maman ?

— Je, euh... il y a un homme que j'aime beaucoup, oui.

— C'est Simon ?

— Oh là là, non !

— J'aime bien Simon. Il a l'air gentil. Hier soir, il est venu jouer avec moi sur l'ordinateur. Est-ce qu'il mange avec nous ?

— Je pensais qu'on pourrait souper rien que toi et moi pour bavarder.

— C'est un peu horrible de le laisser tout seul, non ? C'est notre invité, quand même !

— Très bien. Va voir s'il veut se joindre à nous.

Cinq minutes plus tard, Simon, l'air un peu embarrassé, entra dans la cuisine.

— Tu es sûre que ça ne te dérange pas, Zoe ? Je pensais simplement commander une pizza.

— Mon fils insiste pour que tu manges avec nous, expliqua-t-elle avec un sourire, car ils avaient convenu de se tutoyer en présence de Jamie. Assieds-toi donc.

Pendant toute la durée du repas, Zoe fit de son mieux pour garder son sérieux tandis que Simon racontait à Jamie des histoires sur sa ferme et ses moutons en Nouvelle-Zélande.

— Maman, est-ce qu'un jour on pourra aller voir Simon à Auckland ? Ça a l'air trop cool !

— J'espère bien, oui !

— Simon ? Tu veux venir dans ma chambre voir le nouveau jeu vidéo que Maman m'a acheté aujourd'hui ? Il est trop bien, mais c'est encore mieux avec un adversaire.

Zoe soupira.

— Jamie, laisse donc ce pauvre Simon tranquille.

— Ne t'en fais pas, Zoe. J'adorerais jouer avec toi, répondit Simon.

— Super, viens.

Jamie se leva et entraîna le jeune homme avec lui. Simon adressa un sourire penaud à Zoe avant de quitter la cuisine.

Une heure plus tard, elle se rendit dans la chambre d'où provenaient les cris de joie de son fils et de Simon.

— Oh non, ne me dis pas que c'est l'heure de dormir ! Demain, c'est dimanche, on a presque atteint le niveau trois et je gagne ! se plaignit Jamie sans quitter l'écran des yeux.

— Dans ce cas, tu gagneras encore demain. Il est neuf heures et demie.

— Mais Maman…

Simon posa sa manette et donna une petite tape dans le dos du garçon.

— Désolé, Jamie, ta maman a raison. On jouera encore demain, c'est promis. Bonne nuit.

— Bonne nuit, Simon, lança l'enfant alors qu'il quittait la pièce.

En attendant que son fils revienne de la salle de bains, Zoe entreprit de ranger la chambre puis, quand il se glissa dans le lit, elle le borda tendrement.

— Tu veux faire quelque chose en particulier, demain ?

— Terminer le jeu.

— Et à part ça ?

— Rien. Rester au lit, regarder la télé, boire du Coca et tous les autres trucs que j'ai pas le droit de faire à l'école, dit-il avec un grand sourire.

— OK pour tout, sauf pour le Coca. Bonne nuit.

— Bonne nuit, Maman.


Simon se servait un verre d'eau au robinet de la cuisine quand Zoe descendit l'escalier.

— Désolé, toutes ces émotions m'ont donné soif. Je vous laisse tranquille.

— Je pense qu'après cet incroyable chef-d'œuvre d'imagination au souper, vous méritez bien un petit verre. Vous êtes sûr que vous n'avez pas une formation d'acteur ? plaisanta-t-elle.

— Figurez-vous qu'en réalité, je connais plutôt bien la Nouvelle-Zélande. Ma copine… enfin, mon ex, vient d'y passer un an.

— Ex ?

— Oui, elle a tellement aimé son année qu'elle a décidé d'y rester et d'épouser un Néo-Zélandais.

— Je suis désolée de l'apprendre. Vous voulez un brandy ? Ou un whisky peut-être ?

— Je… tant que je ne vous ennuie pas.

— Non. Vous-savez-qui est en voyage officiel, alors je suis seule toute la fin de semaine. Les alcools sont dans le salon, allons-y. Je vais allumer la cheminée, il fait un peu frisquet.

Simon s'installa dans un fauteuil avec son brandy et Zoe s'étendit sur le canapé.

— Vous avez fait un tabac avec mon fils.

— C'est un enfant très intelligent. Vous devez être fière de lui.

— Je le suis. Marcus dit toujours que je le couve trop.

— Je pense que c'est un enfant de dix ans parfaitement normal et équilibré.

— Je fais de mon mieux, mais ce n'est pas facile d'élever un enfant seule. Moi, au moins, j'avais mon grand-père. Changeons de sujet. Joanna m'a transmis un message pour vous. Elle veut que vous l'appeliez. Je sais qu'elle vous connaît depuis toujours, et elle a promis de ne rien dire à Marcus. Je peux la croire ?

— Absolument. Je lui fais pleinement confiance. Elle connaît presque tous mes secrets.

— Sauf un. Enfin, jusqu'à aujourd'hui. Je lui ai aussi parlé de Art. Entre votre présence et ce qu'elle a vu par hasard, elle avait déjà deviné, de toute façon. Vous pensez vraiment que, même si elle est journaliste, elle ne dira rien ?

— J'en suis certain.

— En tout cas, j'espère qu'elle et Marcus vont rester ensemble. Elle a une très bonne influence sur lui.

Simon hocha la tête en silence et prit une gorgée de brandy.

— Votre grand-père doit beaucoup vous manquer.

— Oui, terriblement. On était très proches et je sais qu'il manque aussi beaucoup à Jamie, même s'il ne dit pas grand-chose. C'était l'homme de la maison, sa figure paternelle. Remarquez, en ce moment, je découvre qu'il y a beaucoup de secrets à son sujet.

— Vraiment ? J'avais l'impression que sa vie était plutôt bien documentée.

— William Fielding me disait la semaine dernière que mon grand-père était en réalité originaire d'Irlande. D'ailleurs, il m'a raconté plein de choses sur lui. Vraies ou non, qui sait ? Les faits se confondent facilement avec la fiction quand ils datent de soixante-dix ans.

Simon s'efforça de rester naturel.

— Oui, sans doute. Est-ce que votre grand-père vous a raconté des histoires de l'après-guerre ? J'imagine qu'il devait en avoir des croustillantes.

— Oui, il en avait plein. Toutes ses lettres sont en train de moisir dans le grenier de la maison du Dorset. Une fois que le tournage sera terminé, j'irai là-bas pour les trier.

Zoe étouffa un bâillement.

— Vous êtes fatiguée, je vais vous laisser.

Simon vida son verre et se leva.

— Merci pour le brandy. Bonne nuit, Zoe.

En gravissant les marches, Simon était plus convaincu que jamais que Zoe Harrison n'avait aucune idée du passé de son grand-père. Et il espérait vraiment que les choses resteraient ainsi.

• • •

Malgré les micros, Marcus et Joanna n'avaient pas eu d'autre choix que de rentrer à Crouch End ce soir-là – d'autant que, comme il le lui avait fait remarquer, elle, au moins, avait une nouvelle serrure.

— Qu'est-ce que tu penses de passer la fin de semaine prochaine dans un hôtel de luxe sur la côte irlandaise ? lui demanda Marcus après avoir rabattu la couette sur leurs têtes pour étouffer les voix.

— Quoi ? Mais pourquoi ?

— Parce que je crois que je sais de quelle ville ce bon vieux sir James est réellement originaire.

— Vraiment ?

— Oui. J'ai discuté avec Jamie. Il m'a dit que sir James lui avait raconté une légende sur cet endroit magique en Irlande où un homme et une femme étaient tombés amoureux. Il m'a montré l'endroit sur une carte.

— Où était-ce ?

— D'après Jamie, dans un petit village de West Cork, appelé Rosscarbery. Cette maison semble au milieu de rien, sur la baie. Je vais passer quelques coups de fil lundi et voir si l'agence de voyages peut nous recommander un bon hôtel. Et même si ça ne donne rien, c'est une excellente excuse pour partir en fin de semaine, loin de tous nos micros. Ce serait même encore mieux si tu pouvais prendre congé durant une journée.

— Je vais essayer, mais mon patron n'est pas exactement d'humeur généreuse avec moi, en ce moment.

— Dis-lui que tu veux faire un reportage sur l'IRA.

— J'aurais plus de chances avec un article sur comment planter des pommes de terre…, répliqua Joanna.

# 23

— Le palais a appelé. Je vais chercher Son Altesse Royale à vingt heures.

Zoe acquiesça distraitement. La silhouette de Jamie s'engouffrant dans l'école était toujours imprimée sur sa rétine. En remontant dans la Jaguar, Zoe s'était assise à l'avant, faisant fi du protocole. C'était plus simple ainsi.

— Vous savez, dit-elle, je pense que Jamie était plus triste de vous dire au revoir qu'à moi.

— Absolument pas. Mais c'est vrai que nous nous sommes bien amusés. Finalement, cette mission a aussi ses bons côtés.

Simon s'engagea sur l'autoroute en direction de Londres.

— Zoe ?

— Oui.

— Loin de moi l'idée de commenter vos décisions, mais ne pensez-vous pas que Son Altesse Royale et vous seriez plus en sécurité au palais plutôt qu'à Welbeck Street ?

— Je sais, mais je m'y sens tellement stressée. Là-bas, j'ai toujours l'impression qu'on nous écoute à la porte.

— D'accord. Je me ferai discret ce soir, bien évidemment.

— Merci. Euh, Simon, quand je devrais retourner dans le Norfolk pour le tournage, comment comptez-vous expliquer votre présence là-bas ?

— Oh, je vais simplement prendre une chambre, traîner au bar, faire ma groupie sur le plateau.

Il lui fit un grand sourire et ajouta :

— Je peux tout à fait passer inaperçu quand il le faut.

— Je vais vous croire sur parole, marmonna Zoe.

Devant le 10, Welbeck Street, le photographe attendait patiemment.

Ce soir-là, Simon gara la voiture sur Welbeck Street pour la seconde fois de la journée. Le prince avait été un passager terriblement agaçant, comparé à la présence apaisante de Zoe. Simon serra les dents en l'entendant gigoter à l'arrière et pianoter avec impatience.

— Ne prenez pas la peine d'ouvrir la portière pour moi ! aboya le prince, je vais vite sortir.

— Très bien, monsieur.

Le prince grimpa les marches du perron en vitesse et aucun des deux ne remarqua la petite lumière infrarouge de l'autre côté de la rue. Simon soupira et regarda sa montre. Les retrouvailles allaient durer des heures et Simon ne tenait pas à en être témoin.

Son téléphone portable sonna à vingt-trois heures dix.

— Je sors dans cinq minutes.

— Bien. Je suis devant et prêt à partir, monsieur.

Simon alluma le moteur. Pile cinq minutes plus tard, la porte s'ouvrit. Zoe apparut, scruta les deux côtés de la rue, puis se tourna vers son compagnon. Toujours dans le couloir, il l'embrassa rapidement sur la joue, puis s'élança vers la voiture.

Le discret flash infrarouge s'alluma à nouveau.

— À la maison, Warburton.

— Oui, monsieur.

• • •

Au premier matin de la reprise du tournage, l'ambiance était sinistre. Le choc de la mort de William avait anéanti la bonne humeur qui régnait habituellement. Miranda, qui jouait la mère de Tess, déclara à Zoe :

— Heureusement qu'il ne reste qu'un mois. J'ai l'impression d'être au cimetière. C'est ton nouveau petit ami ?

Simon buvait un Coca au bar.

— Non, c'est un journaliste qui me suit pour la semaine. Ils veulent faire un reportage pour coïncider avec la sortie du film.

Malgré sa promesse de passer inaperçu, tout le monde avait remarqué Simon. Il était bien trop séduisant pour rester invisible et sa présence permanente sur le plateau n'avait échappé à personne. Pour sa part, Zoe en était très perturbée, mais ici, au moins, elle pouvait le fuir en se réfugiant dans sa chambre à la fin de la journée.

Le jeudi matin, alors qu'elle relisait le script du jour, son téléphone sonna.

— Salut, sœurette. Comment tu vas ?

— Bien, Marcus.

— Tu rentres cette fin de semaine ? Tu avais parlé d'un passage dans le Dorset pour trier le grenier.

— Je ne peux pas, je pars, à vrai dire.

— OK. Où ça ?

— Oh, juste dans une maison de campagne avec des amis.

— Quels « amis » ?

— Marcus ! Dis-moi franchement ce que tu veux.

— Eh bien… ça t'embête si Jo et moi on va dans le Dorset pour regarder dans les cartons ?

— Je n'y vois pas d'inconvénient. Mais ne jetez rien sans mon accord, c'est compris ?

— Évidemment. Je ferais une pile « à vendre » et une « à bazarder ».

Zoe n'avait pas le temps de discuter, elle avait simplement hâte de passer une fin de semaine paisible dans les bras de Art.

— Si ça t'amuse. À bientôt. Bises à Jo.

Marcus posa le combiné et sortit de la cabine télé-phonique en vérifiant autour de lui que personne ne l'observait. Ian n'avait pas repris contact avec lui, mais il était sans aucun doute à l'origine des micros.

Il passa acheter deux cafés à emporter et des feuilletés au bacon, puis remonta à l'appartement où Joanna sortait tout juste de la douche, épongeant ses cheveux trempés avec une serviette.

— J'ai appelé Zoe depuis la cabine téléphonique. Elle est d'accord pour qu'on aille dans le Dorset fouiller dans les cartons du grenier. Ça te dit?

— Oh, Marcus, je ne peux pas cette fin de semaine. Je suis en reportage.

— On travaille la fin de semaine à la rubrique «Jardinage et animaux de compagnie»?

— Oui! La plupart des événements ont justement lieu la fin de semaine. Les concours canins, la foire aux chiots d'hiver, et en plus c'est la saison des perce-neige.

— Fascinant.

— Excuse-moi d'avoir un boulot. Figure-toi que, pour la plupart des gens, c'est ce qui permet de payer le loyer et d'acheter à manger.

— Désolé, Jo. Ça t'embête si je vais dans le Dorset?

— Pourquoi ça m'embêterait? Tu n'as pas besoin de ma permission.

— Mais je te la demande quand même.

Il avança vers elle et la prit dans ses bras.

— Ne sois pas fâchée, je suis désolé pour ce que j'ai dit.

— Je sais, c'est juste que...

— Je comprends.

Il lui retira sa serviette et l'embrassa. Joanna oublia tout le reste.

●●●

300

Quand la voiture s'arrêta devant l'immense maison georgienne, Simon ouvrit la portière pour le prince et Zoe, puis sortit leurs bagages du coffre.

— Merci, Warburton. Pourquoi ne prendriez-vous pas la fin de semaine ? J'ai déjà quelqu'un ici. Au moindre problème, nous vous appellerons.

— Merci, monsieur.

— À dimanche, Simon ! lança Zoe avec un sourire aimable alors que Art l'entraînait à l'intérieur.

Deux heures plus tard, Simon arriva à son appartement de Highgate et poussa un soupir de soulagement. Il n'était pas rentré chez lui depuis une semaine et n'avait pas eu une seconde à lui. La première chose qu'il fit fut d'écouter son répondeur. Ian lui avait laissé quatre messages, chaque fois de plus en plus saoul, dans lesquels il se vantait « d'un sacré tour » qu'il allait jouer « à eux, là-haut ». Simon n'avait aucune idée de ce qu'il racontait et se demanda s'il ne devrait pas parler franchement à Ian de son comportement récent.

Il appela Joanna et lui laissa un message pour lui proposer de souper chez lui le lendemain soir. *Elle est probablement au lit avec Marcus Harrison*, songea-t-il en reposant le combiné. Il prit une douche, se prépara une tortilla avec de la salade et s'installa devant un film. Le téléphone sonna quelques minutes plus tard.

— Simon ? Tu es rentré ?

C'était Joanna.

— Oui.

— Je pensais plutôt faire un tour à Auckland pour aller voir tes moutons.

— Très drôle. J'appelais pour savoir si tu étais libre demain soir ?

— Non.

— Ah. Soirée romantique avec Marcus ?

— Non, soirée romantique à une foire de l'agriculture à Rotherham, pour la présentation d'un nouveau désherbant révolutionnaire. Comme tu peux l'imaginer, c'est hautement excitant. Je vais rentrer tard demain ; en revanche, je suis libre dimanche midi.

— Super. Par contre je travaille dans l'après-midi, alors plutôt pour un brunch.

— OK. Chez toi vers onze heures ?

— Parfait. À dimanche.

Simon raccrocha, en se disant que cette distance nouvelle était décidément bien triste. Ça avait commencé le soir où il ne lui avait pas rendu la lettre. Joanna avait des doutes, c'était certain, surtout maintenant qu'elle savait qu'il ne travaillait pas dans « l'administration ». Et il ne pouvait s'en prendre qu'à lui-même. Il avait compromis à la fois sa confiance et leur amitié pour sa carrière. Simon se leva, sortit une bière du réfrigérateur et en but une large gorgée avec l'envie d'effacer le poids de sa trahison.

Comme Ian.

Simon n'avait encore abattu personne. Il se demanda ce qu'il ressentirait s'il avait dû le faire. Probablement que, après avoir pris une vie humaine, plus rien n'avait d'importance. La morale ne tenait plus la route.

*Est-ce que ça en vaut vraiment la peine ?*

Simon vida le reste de la bouteille dans l'évier. Ce moment n'était pas encore arrivé. Pour l'instant, il aimait son boulot, il aimait sa vie. Mais ce conflit avec Joanna avait amorcé une prise de conscience.

Un jour, il devrait faire un choix.

La sonnette retentit et Simon appuya sur l'interphone.

— Oui ? maugréa-t-il.

— C'est moi.

*Quand on parle du loup…*

— Salut, Ian, j'étais sur le point d'aller me coucher.

— Je peux monter ? S'il te plaît.

Simon le fit entrer à contrecœur. Ian tituba sur le seuil, dans un état effroyable. Il avait le visage rouge et gonflé, les yeux injectés de sang. Lui qui était connu pour sa

302

collection de costumes Paul Smith et Armani ressemblait à un vagabond dans son imperméable sale, avec son sac en plastique dont il sortit une bouteille de whisky à moitié entamée.

— Salut, vieux.

Il s'effondra dans un fauteuil.

— Qu'est-ce que tu as ?

— Ils m'ont mis en « congé exceptionnel pour raisons personnelles », ces enfoirés. Un mois. Et je dois aller m'asseoir sur le divan d'un charlatan deux fois par semaine, comme si j'avais perdu la boule…

Simon se percha sur l'accoudoir du canapé.

— Qu'est-ce qui s'est passé ?

— J'ai foiré une mission la semaine dernière. Je suis passé au pub pour prendre une ou deux bières et j'ai pas vu le temps filer. J'ai perdu la cible.

— Je vois.

— Hé, c'est pas exactement marrant, comme mission. Pourquoi c'est toujours à moi de faire le sale boulot ?

— Parce qu'ils te font confiance.

— Ils me *faisaient* confiance.

Ian rota, puis avala une lampée de whisky à même la bouteille.

— À mon avis, on t'offre des vacances. Profite.

— Parce que tu crois sérieusement qu'ils me laisseront revenir ? Jamais. C'est fini, Simon. Toutes ces années, tout ce travail…

Il se mit à sangloter.

— Ressaisis-toi, Ian. Tu ne peux pas savoir. Ils ne veulent pas te perdre. Tu as toujours été un des meilleurs. Si tu te reprends en main et que tu prouves que ce n'était qu'un passage à vide, je suis sûr qu'ils te laisseront une seconde chance.

— Non. Je vais me retrouver comme valet de stationnement, et ça, c'est si j'ai de la chance. J'ai peur, vraiment. Je suis un risque, pas vrai ? Un alcoolo qui connaît autant de secrets ? Et s'ils… ?

Simon essaya de se montrer aussi convaincant que possible.

— Bien sûr que non. Ils vont t'aider à aller mieux.

— Ben voyons. Tu crois vraiment qu'il existe une maison de repos pour agents secrets en dépression ? Dire que c'est à cause de James Bond que j'ai voulu faire ce job. Tu te rends compte ? Je regardais toutes ces femmes magnifiques au cinéma et je me disais que c'était un métier pour moi.

Simon se tut. Il ne pouvait pas répondre grand-chose à cela.

Ian soupira.

— Ça y est. C'est la fin. Et qu'est-ce qu'il me reste pour toutes mes années de bons et loyaux services ? Un studio à Clapham et un foie prêt à claquer, conclut-il avec un rictus amer.

— Arrête. Je sais que là, tout de suite, tu ne vois pas d'issue, mais je suis certain qu'après une semaine sans alcool, tu ne verras plus les choses de la même façon.

— Je peux pas. C'est la seule chose qui rend tout ça supportable. Bref.

Soudain, le regard de Ian s'éclaira d'une lueur de colère – ou de remords, Simon n'aurait su dire.

— Au moins, j'ai un petit trésor. Et le dernier petit « à-côté » m'a rapporté de quoi constituer un bon matelas. Tu sais, au début, je me sentais un peu coupable. Tu disais que c'était une fille gentille, et c'était vraiment un sale coup. Surtout à faire à une belle personne. Mais maintenant je suis content de l'avoir fait.

Il hoqueta.

— De qui tu parles ?

— Rien, personne…, dit-il en se levant. Désolé de t'avoir dérangé. Faut que je file. Je ne voudrais pas que ça te retombe dessus.

Il tituba vers la porte, puis leva un index vers Simon.

— Toi, tu vas aller loin, mon vieux. Mais surveille tes arrières, et dit à ta petite copine journaliste de fiche le camp du lit de Marcus Harrison. C'est dangereux, et en plus, d'après ce que j'ai entendu dans mes oreillettes récemment, c'est même pas un bon coup.

Ian tenta un faible sourire forcé et disparut.

**• • •**

Après un samedi tranquille à lire et à regarder le rugby, Simon se réveilla le dimanche parfaitement reposé pour la première fois de la semaine. La pendule indiquait huit heures trente-deux, un miracle pour lui qui se levait naturellement à sept heures tapantes tous les matins. Il alluma la télévision et la cafetière, et il était sur le point de descendre chercher le journal quand le téléphone sonna.

— Oui ?

— On a un problème. Vous devez vous rendre immédiatement à Welbeck Street. Nous vous rappellerons pour vous transmettre les instructions.

— D'accord. Pourquoi ce changement de programme ?

— Lisez le *Morning Mail*, vous comprendrez.

Lâchant une flopée de jurons, Simon se précipita dehors pour ramasser le journal sur le paillasson. Son humeur ne s'améliora pas en lisant les gros titres.

— Bon sang ! Pauvre Zoe.

L'estomac rongé par la colère et l'inquiétude, il remonta au pas de course et enfila un costume. *C'est pas vrai, Joanna ! Tout ça pour prendre ta revanche sur moi et te faire de l'argent sur le dos de Zoe ?*

Il était sur le point de partir quand on sonna à l'interphone. Il avait complètement oublié que Joanna devait venir pour le brunch. Tentant de contrôler sa colère, Simon appuya sur le bouton pour ouvrir la porte. *Pense à la présomption d'innocence…*, s'efforça-t-il de se rappeler.

— Salut, dit-elle joyeusement.

Elle l'embrassa sur la joue en entrant et lui tendit une bouteille de lait.

— Tiens, je sais que tu es toujours à court, alors je me suis dit que…

— Tu as vu ça? demanda-t-il en lui collant le journal sous le nez.

— Non, je savais que tu le recevais alors je n'ai pas pris la peine de l'acheter. Je…

Son regard tomba sur la une.

— … Oh, non. Pauvre Zoe.

— Oui, « pauvre Zoe », comme tu dis, s'agaça-t-il.

Joanna regarda de plus près la photo du duc de York, le bras autour des épaules de Zoe, et une autre où il déposait un baiser sur son front. Ils auraient pu passer pour n'importe quel couple séduisant en balade à la campagne.

— « Le prince Arthur et sa nouvelle conquête, Zoe Harrison, profitant d'une fin de semaine en amoureux sur le domaine de l'honorable Richard Bartlette et de sa femme, Cliona », lut Joanna. Ce n'est pas toi qui les y as conduits?

— Oui, je les ai déposés vendredi. Et maintenant je dois y aller.

— Ah, donc le brunch est annulé?

— Oui. Joanna?

— Oui?

— Est-ce que tu as vu quel journal a publié la nouvelle?

— Bien sûr que j'ai vu. C'est le nôtre.

— Le tien, tu veux dire.

En voyant la fureur sur le visage de Simon, elle comprit.

— Attends, j'espère que tu n'es pas en train d'insinuer ce que je crois.

— Oh oui.

Joanna rougit d'indignation.

— Bon sang, Simon! Comment oses-tu suggérer une chose pareille? Pour qui tu me prends?

— Pour une journaliste ambitieuse qui a vu l'opportunité de divulguer la nouvelle de l'année.

— Comment oses-tu? Zoe est mon amie! Et puis, tu pars du principe que je savais.

— Elle m'a dit qu'elle t'en avait parlé. Je suis avec elle presque vingt-quatre heures sur vingt-quatre. Et j'ai du mal à imaginer comment quelqu'un d'autre aurait pu le découvrir. Peut-être que tu n'en avais pas l'intention, mais qu'au final tu n'as pas pu résister et...

— Ne t'avise même pas de me faire la morale ! J'adore Zoe. Oui, j'admets que l'idée m'a traversé l'esprit...

— Ha ! Tu vois !

— Mais jamais je ne trahirais mes amis !

— C'est ton journal, Jo ! Le tien ! Zoe m'a demandé si elle pouvait te faire confiance, et je lui ai assuré que oui. Je le regrette à présent !

— Simon, je te jure que je n'ai pas divulgué cette histoire.

— La pauvre. Elle a un fils à protéger, qui va maintenant être traqué par tous les paparazzis. Elle va être complètement dévastée et...

— Mon Dieu, Simon. À t'entendre, on croirait que tu es amoureux d'elle ! Tu n'es que son garde du corps. C'est au prince de la réconforter, pas à toi.

— Ne sois pas ridicule ! Et regarde-toi, à passer ton temps avec ce pantin pour en savoir plus sur cette lettre, comme si tu jouais à l'apprentie Sherlock Holmes...

— Ça suffit ! Figure-toi que j'apprécie Marcus. Je suis peut-être même amoureuse de lui, et je passe mon temps avec qui je veux !

— Comment as-tu pu la trahir si froidement ?

— Puisque je te dis que ce n'est pas moi ! Et si tu ne me connais pas assez pour savoir que jamais je ne trahirais mes amis, dans ce cas je me demande bien ce que valent toutes nos années d'amitié. Et tu veux parler de trahison ? Tu m'as menti au sujet de la lettre alors que je te faisais confiance. «Désagrégée», ben voyons. Je sais très bien que tu m'as utilisée pour la remettre à tes copains agents secrets !

Simon resta pétrifié.

— J'ai raison, pas vrai ? insista-t-elle.

— Je pars.

Tremblant de fureur, Simon ramassa sa sacoche et s'avança vers la porte. La main sur la poignée, il ajouta :

— Je suppose que c'est mon devoir de te prévenir que Marcus Harrison est payé par « mes copains » pour coucher avec toi. Demande à Ian Simpson. Et tu sais où se trouve la sortie.

La porte claqua derrière lui.

Joanna resta paralysée au milieu de l'appartement. Elle n'arrivait pas à croire ce qu'il venait de se passer. Depuis toutes ces années, elle pouvait à peine se souvenir d'un moment où ils auraient élevé la voix. Si la réaction de Simon – celui qui la connaissait le mieux au monde – était telle, elle ne voyait pas comment Zoe allait la croire. Et qu'est-ce que c'était que cette histoire de pot-de-vin pour coucher avec elle ? Forcément n'importe quoi. Marcus ne savait rien de l'affaire de la petite vieille quand elle l'avait rencontré.

Sentant son monde s'effilocher, Joanna lâcha un petit cri de frustration. Puis elle fouilla dans son sac à dos et en sortit son portefeuille. Un instant, elle contempla pensivement la carte de visite de Ian Simpson, puis décrocha le téléphone de Simon. Sans savoir trop ce qu'elle comptait dire, elle composa le numéro.

Le téléphone sonna pendant de longues secondes avant qu'une voix ensommeillée ne décroche.

— Ian Simpson ?

— Ça dépend. Qui le demande ?

— Je suis Joanna Haslam, une amie de Simon Warburton. Écoutez, je sais que ça peut sembler ridicule, et je ne veux pas créer de problèmes à Simon, mais il a mentionné que, hum, apparemment, Marcus Harrison pourrait être… euh… employé par vos services ?

Ian ne répondit rien.

— Peut-être que vous pourriez continuer à ne rien dire si la réponse est « oui » ?

Après un long silence, un clic signala la fin de l'appel.

Joanna reposa le combiné. Simon avait dit la vérité. Les pensées se bousculèrent dans son cerveau alors qu'elle tentait de se remémorer chaque conversation qu'elle avait eue avec Marcus. Elle prit une profonde inspiration pour calmer son souffle saccadé par la colère et la douleur, puis s'assit pour planifier la suite des événements.

Après avoir roulé à pleine vitesse, Simon s'était rendu compte qu'il était bien trop chamboulé pour conduire sans devenir un danger public. Il se gara et coupa le moteur pour retrouver son calme.

— C'est pas possible ! s'énerva-t-il en frappant le volant du plat de la main.

C'était la première fois de sa vie d'adulte qu'il perdait totalement le contrôle. Joanna était sa plus vieille amie. Il ne lui avait même pas laissé une chance de s'expliquer, il l'avait condamnée avant même qu'elle n'ait ouvert la bouche.

La question à présent était de savoir pourquoi.

Était-ce la visite de Ian Simpson qui l'avait perturbé ? Ou bien se pouvait-il – comme Joanna l'avait suggéré – qu'il se soit attaché à Zoe ? *Merde.* Non, ça ne pouvait pas être de l'amour. Comment serait-ce possible ? Il ne la connaissait que depuis quelques semaines, qu'il avait essentiellement passées à distance ? Et pourtant, il y avait quelque chose chez elle qui l'attendrissait, une vulnérabilité qui lui donnait envie de la protéger. Et pas seulement par éthique professionnelle.

Soudain, Simon comprit que cela expliquerait aussi son antipathie irrationnelle envers l'amant royal. L'homme était pourtant décent, toujours poli avec lui ; néanmoins, il avait toujours ressenti une animosité à son égard. Il était même surpris que Zoe, si intelligente et chaleureuse, soit tombée amoureuse de lui. Certes... c'était un « prince ». Ce détail devait sûrement compenser le reste.

Simon grogna en se souvenant de ses derniers mots à Joanna. Il avait transgressé toutes les règles en lui parlant de Marcus.

« … *une belle personne…* » Les mots prononcés par Ian le vendredi soir lui revinrent comme un boomerang. Et si… ?

— Merde ! s'exclama Simon en tapant du poing sur le volant.

Il était parti du principe que Ian parlait de Joanna. Or, il avait lui-même posé des micros à Welbeck Street en sachant qu'ils l'écoutaient…

Et si Ian parlait de Zoe ? Il avait évoqué un sale coup qui lui avait rapporté gros, et Joanna n'était certainement pas assez intéressante pour que des journaux payent une fortune pour des ragots la concernant. Zoe, en revanche…

Simon avait eu tout faux. Aussitôt après cette révélation, il démarra le moteur.

En arrivant à Welbeck Street, il trouva une ribambelle de photographes, d'équipes télé et de journalistes campée sur le trottoir. Il se fraya un chemin parmi la foule en ignorant leurs cris et leurs questions, puis entra. Claquant la porte derrière lui, il ferma tous les verrous.

— Zoe ? Zoe ?

Pas de réponse. Peut-être n'était-elle pas encore rentrée du Hampshire et qu'il avait été mal informé. En jetant un coup d'œil dans le salon, il repéra le long objectif d'un appareil photo à travers les rideaux de taffetas et il s'empressa de les tirer correctement. Il passa dans la salle à manger, le bureau, puis la cuisine en appelant son prénom. À l'étage, il regarda dans la chambre principale, celle de Jamie, celle des invités, ainsi que dans la salle de bains.

— Zoe ? C'est Simon ! Où êtes-vous ? lança-t-il à nouveau, cette fois avec de l'urgence dans la voix.

Il grimpa deux à deux les marches qui menaient aux deux petites chambres sous les combles, et vit que la sienne était vide. Il ouvrit la porte de la seconde. Elle était pleine de meubles abandonnés et de jouets pour bébé. Et là, recroquevillée dans un coin, entre une vieille armoire et un fauteuil, serrant dans ses bras un nounours en lambeaux, se trouvait Zoe. Son visage était mouillé de larmes, ses cheveux relevés à la va-vite en queue-de-cheval, et dans son vieux chandail et pantalon de jogging, elle n'avait pas l'air plus âgée que son fils.

— Oh, Simon ! Merci d'être venu.

Simon s'agenouilla à côté d'elle et elle se jeta dans ses bras, sanglotante.

Il ne pouvait pas faire grand-chose d'autre que la serrer contre son torse, s'intimant l'ordre d'ignorer à quel point cette sensation lui semblait merveilleuse.

Elle finit par lever vers lui ses grands yeux bleus apeurés.

— Ils sont toujours dehors ?

— Je le crains.

— Quand je suis arrivée, il y avait une échelle devant la chambre de Jamie et le photographe... Mon Dieu, mais qu'ai-je fait ?

— Rien, Zoe. Vous êtes seulement tombée amoureuse d'un homme célèbre. Tenez.

Il lui tendit son mouchoir et la regarda éponger ses larmes.

— Pardon d'être si pathétique. C'était un tel choc.

— Ne vous excusez pas. Où est Son Altesse Royale ?

— Au palais, j'imagine. On nous a réveillés à cinq heures dans le Hampshire, en nous disant qu'il fallait partir tout de suite. Art est parti dans une voiture et moi dans une autre. Je suis arrivée à huit heures ici et la presse campait déjà devant la maison. J'ai cru que vous n'arriveriez jamais.

— Je suis désolé, on ne m'a prévenu qu'à dix heures ce matin. Vous avez des nouvelles de Son Altesse Royale ?

— Pas un mot, mais je suis surtout inquiète pour Jamie. Et si les paparazzis étaient aussi à son école ? Il ne sait rien... Oh mon Dieu, Simon, je me suis montrée tellement égoïste ! Jamais je n'aurais dû recommencer cette histoire et mettre en péril sa sécurité. Je...

— Calmez-vous. Je suis certain que votre prince va vous appeler, et que le palais s'assurera que vous et Jamie êtes en sécurité.

— Vous croyez ?

— Évidemment. Ils ne vont pas vous laisser sans défense ici. Si vous le voulez bien, je vais m'isoler une minute pour les appeler.

— D'accord. Et pouvez-vous demander si Art peut me donner des nouvelles ? Nous n'avons pas eu le temps de parler ce matin…

— Si vous voulez descendre au salon, j'ai fermé tous les rideaux. Personne ne vous verra.

— Non, pas pour l'instant, merci. Je vais plutôt rester ici pour me calmer.

— Alors je vais vous apporter une tasse de thé. Avec du lait et sans sucre, c'est bien ça ?

— Oui, répondit-elle avec un léger sourire. Merci, Simon.

Il descendit dans la cuisine pour allumer la bouilloire, rongé par la culpabilité. Il essayait de réconforter une femme qui avait été vendue par une taupe écoutant les micros que lui-même avait placés, pour sa propre organisation. Une organisation dont le rôle était soi-disant d'assurer la sécurité de la Grande-Bretagne et la protection de ceux qui en avaient besoin. Il appela le bureau de la sécurité du palais.

— Warburton à l'appareil. Je suis à Welbeck Street et la maison est assiégée. Quelles sont les directives ?

— Pour le moment, aucune. Restez en position.

— Vraiment ? Comme vous le comprendrez, la situation est très difficile pour miss Harrison. Y a-t-il une adresse plus privée où la conduire ?

— Pas à ma connaissance.

— Il serait peut-être préférable qu'elle regagne le palais.

— Ce n'est pas envisageable.

— Je vois. Et son fils ? Elle est très inquiète des conséquences sur lui. Il est en pension dans le Berkshire.

— Dans ce cas, elle ferait bien de parler au directeur et de voir ce qu'il peut arranger en termes de sécurité supplémentaire. Ce sera tout?

Simon inspira profondément pour ravaler sa colère.

— Oui, merci.

Puis, après avoir appelé l'école de Jamie, il remonta au dernier étage avec deux tasses de thé et une assiette de biscuits fourrés à la confiture.

— Vous leur avez parlé? s'enquit-elle, pleine d'espoir.

— Oui.

Il lui tendit une tasse et s'assit à côté d'elle.

— Un gâteau? proposa-t-il.

— Merci. Qu'ont-ils dit?

— De rester en sécurité à l'intérieur. Ils sont sur le coup. Oh, et le prince vous embrasse et vous appellera plus tard.

Le visage de Zoe s'illumina de soulagement.

— Et Jamie?

— J'ai parlé au directeur de son école, ils sont informés de la situation. La presse n'est pas encore là-bas mais ils vont prendre les dispositions nécessaires. Jamie va bien et n'est au courant de rien. D'après le directeur, ils ne reçoivent pas « ce torchon » à l'école.

— Ouf, dit-elle en croquant à peine dans son biscuit. Mais qu'est-ce que je vais bien pouvoir lui dire? Comment vais-je expliquer tout ça?

— Faites confiance à Jamie, Zoe. C'est un garçon intelligent, qui a l'habitude d'être sous les feux des projecteurs, avec vous et son grand-père. Il va s'y faire.

— J'imagine que vous avez raison. Vous pensez que c'est Joanna qui a vendu la mèche?

— Non, je suis quasiment certain que ce n'est pas elle. Même si, quand j'ai vu la une, elle était justement chez moi et j'ai… parlé trop vite.

— C'est une étrange coïncidence.

— Oui, mais je ne la crois pas coupable. Et vous ne devriez pas non plus, répliqua-t-il fermement. Je la connais depuis toujours et c'est une amie loyale. Vraiment.

— Elle était la seule à savoir. Qui d'autre aurait pu parler ?

— Je l'ignore, mentit Simon. Malheureusement, dans ce genre de situation, les murs ont souvent des oreilles.

*Littéralement*, songea-t-il avec amertume.

— Alors on est coincés ici jusqu'à nouvel ordre ?

— J'en ai bien peur, oui.

Elle prit une gorgée de thé, puis leva la tête en souriant.

— Simon ?

— Oui ?

— Je suis vraiment heureuse que vous soyez là.

# 24

Le soleil se couchait sur Welbeck Street et ils étaient toujours sans nouvelles du prince et du palais. Quand Marcus appela, Zoe s'était enfin un peu calmée. Il était à Haycroft House et n'avait appris la nouvelle qu'en se rendant au pub, où on l'avait accosté pour lui demander des détails. Il essaya de lui remonter le moral.

— Alors comme ça, tu as mis le grappin sur un prince? Bien joué! plaisanta-t-il. Je rentre à Londres ce soir, donc tu sais où me joindre. En attendant, détends-toi et oublie ce que ces imbéciles de journalistes racontent. Ça va passer. Je pense fort à toi.

— Merci, Marcus.

Son soutien l'ayant quelque peu réconfortée, elle décida de sortir de son refuge et de regagner le salon, sans lâcher pour autant le vieux toutou de Jamie.

Faute d'avoir mieux à faire, Simon avait entrepris un tour de la maison pour vérifier méthodiquement les fenêtres et les rideaux. Il en avait également profité pour retirer tous ses micros et les fourrer dans une boîte à mouchoirs, dans sa chambre. Il ne voulait pas que quiconque au quartier général se délecte du malheur de Zoe. D'ailleurs, il aurait bien voulu qu'on se dépêche de l'informer de la suite des événements. Dans le couloir, on entendait le brouhaha des journalistes sur le perron. Simon s'aventura dans le séjour et y découvrit Zoe, assise immobile, le dos droit, sur le canapé.

— Thé? Café? Quelque chose d'un peu plus fort? proposa-t-il.

— Non, merci. Je ne me sens pas très bien. Quelle heure est-il?

— Presque dix-sept heures.

— Il faut que j'appelle Jamie. Je le fais tous les dimanches à l'heure du thé. Mais qu'est-ce que je suis censée lui dire?

— Parlez d'abord avec le directeur, pour lui demander conseil. Si Jamie ne sait rien pour le moment, peut-être qu'il vaut mieux que cela reste ainsi.

— Oui, vous avez raison. Merci, Simon.

Simon se rendit dans la cuisine pour une énième tasse de thé, en se demandant pourquoi le prince n'avait pas encore appelé Zoe. S'il l'aimait vraiment, la rassurer devait forcément être sa priorité numéro un, non? Et il était impossible que le palais abandonne Zoe ainsi.

La voix soulagée de Zoe le tira de ses pensées.

— Il a l'air d'aller bien. Manifestement, il ne sait rien.

Simon se tourna vers elle et lui sourit.

— Le directeur dit qu'il y a quelques journalistes qui traînent devant le portail de l'école, mais il a informé le commissariat et ils vont garder un œil sur eux. Jamie m'a demandé comment s'était passée ma semaine et je lui ai dit qu'il n'y avait rien d'inhabituel.

Elle lâcha un petit rire amer.

— Évidemment, je ne suis pas naïve au point de croire qu'il ne l'apprendra pas bientôt. Vous pensez vraiment qu'il vaut mieux ne rien lui dire?

— Pour l'instant, oui. Le bonheur est dans l'ignorance, surtout à dix ans. Il est en sécurité, et peut-être que si rien ne vient alimenter la nouvelle, les choses finiront par se tasser.

Zoe s'installa à la table de la cuisine et posa sa tête sur ses bras croisés.

— Pourquoi Art n'appelle-t-il pas ? gémit-elle.

— Il va le faire, vous verrez, répondit Simon en lui tapotant gentiment l'épaule.

À vingt heures, Simon installa la télévision de Jamie dans la chambre de Zoe. Il tenta de la convaincre de manger quelque chose, mais elle refusa et resta assise sur son lit, le visage aussi pâle que la lueur de la lune qui éclairait la pièce. Simon tira les rideaux, au cas où un photographe ait l'idée d'installer une échelle sous la fenêtre.

— Pourquoi n'appelez-vous pas Art vous-même ? Vous avez son numéro, non ?

— Vous croyez vraiment que je n'y ai pas pensé ? J'ai appelé une centaine de fois aujourd'hui ! Je tombe directement sur le répondeur.

— D'accord, excusez-moi.

— Non, c'est moi. Rien de tout cela n'est votre faute et je ne devrais pas m'en prendre à vous.

— Ce n'est pas ce que vous faites. Et ce serait parfaitement compréhensible.

Zoe se leva et se mit à faire les cent pas pendant que Simon branchait l'antenne de la télévision. Il appuya sur le bouton principal et l'écran s'alluma.

— … *que le prince Arthur, duc de York et troisième dans l'ordre de succession au trône, a trouvé l'amour. Zoe Harrison, actrice et petite-fille du regretté sir James Harrison, a été vue en pleine balade avec le prince sur le domaine d'amis de la Couronne dans le Hampshire…*

Zoe et Simon regardèrent en silence le reporter de la télévision en direct de Welbeck Street. Derrière lui, une horde de photographes débordait sur la route jusqu'au trottoir opposé. La police tentait de contrôler la foule pour permettre le passage des voitures dans la rue.

— … *Miss Harrison est arrivée chez elle à Londres tôt ce matin et a jusqu'à présent évité tout contact avec les médias. S'il s'avérait que miss Harrison entretenait véritablement une liaison avec le duc, le dilemme pour le palais serait inédit. Je rappelle que miss Harrison est une mère célibataire, avec un petit garçon de dix ans. Elle n'a, par ailleurs, jamais révélé l'identité du père de son fils. Quant à savoir si le palais accordera sa bénédiction à une relation si controversée, cela demeure un mystère. Un porte-parole de Buckingham Palace a confirmé ce matin que le duc et miss Harrison avaient tous les deux participé à une fin de semaine à la campagne organisée par des amis, mais qu'ils n'étaient eux-mêmes rien d'autre que des bons amis.*

Simon scrutait le visage de Zoe en quête d'une réaction. Il n'en vit aucune. Son regard était vide.

— Zoe, je…

— J'aurais dû m'en douter, dit-elle faiblement en se dirigeant vers la porte. Je suis déjà passée par là.

Le lendemain matin, n'ayant toujours pas reçu de nouvelles instructions, Simon appela à nouveau le bureau de la sécurité du palais.

— Vous avez des consignes ?

— Aucune, pour le moment. Restez en position.

— Miss Harrison doit sortir aujourd'hui. Elle doit se rendre au studio d'enregistrement pour un film qu'elle tourne en ce moment. Comment suis-je censé l'exfiltrer sans provoquer une émeute au centre de Londres ?

— Vous n'avez qu'à utiliser vos années d'entraînement payées par le gouvernement britannique. Au revoir, Warburton.

— Allez vous faire voir ! rugit Simon après avoir raccroché.

À l'évidence, le palais n'avait aucunement l'intention d'aider Zoe.

— Qui était-ce ?

— Mon chef.

— Qu'est-ce qu'il dit ?

Simon prit une profonde inspiration. Lui mentir ne servirait à rien.

— Rien. De ne pas bouger.

— Je vois. Donc on ne peut pas compter sur eux ?

— Il semblerait.

— Très bien, dit-elle en tournant les talons. Je vais écrire à Art.

Zoe entra dans le bureau et ouvrit l'un des petits tiroirs du magnifique secrétaire de son grand-père, en quête d'un stylo-plume, sortant des factures et les laissant tomber au sol sans cérémonie. Quand elle trouva enfin le stylo, elle rassembla les feuilles et son regard fut alors attiré par le nom d'une société en en-tête.

*Regan services détective privé ltée*
*Facture finale*
*Total du montant dû : 8 600 £*

James avait gribouillé la mention « payé » par-dessus, accompagné de la date « 19/10/95 ». Zoe se mordit la lèvre. Pourquoi son grand-père aurait-il eu besoin d'engager une agence de détective privé, surtout si proche de la fin ? Étant donné la somme qu'il avait réglée, l'enquête devait être monumentale.

— Tout va bien ?

Elle sursauta en entendant la voix de Simon, qui l'observait avec une expression inquiète depuis la porte.

— Oui, oui.

Elle fourra la facture dans le tiroir et le ferma.

— À quelle heure devez-vous être au studio d'enregistrement ?

— Quatorze heures.

— Bien. Dans ce cas, nous devrions partir vers treize heures. Je vais sortir la voiture pour nous permettre de filer plus rapidement.

— Je vais devoir traverser tout ce barrage ?

— Pas si vous êtes prête à chausser un chapeau ridicule et à entrer quelque part par effraction.

Il lui sourit et ajouta :

— Je reviens dans quelques minutes.

Zoe se concentra sur sa lettre, en essayant de mettre de côté sa peur et sa colère.

« *Cher Art. Tout d'abord, je tiens à te dire que je comprends la position intenable dans laquelle tu te trouves à cause de cette situation. J'ai...* »

Son téléphone sonna, interrompant le fil de son écriture.

— Oui ? Oh, bonjour Michelle.

Elle écouta ce que son agent avait à lui dire, puis répondit fermement :

— Non, je ne veux pas passer à la télévision, ni donner une entrevue au *Daily Mail*, à l'*Express*, au *Times*, ni à je ne sais quel stupide journal à potins !... Désolée s'ils te harcèlent, ça ne change rien. Qu'est-ce que tu veux que je leur dise à part que je n'ai rien à leur dire ? Pas de commentaire... D'accord. Oui, d'accord. À plus tard.

Zoe grinça des dents, puis son téléphone sonna à nouveau.

— Quoi ? aboya-t-elle.

— C'est moi.

— Art ! dit-elle avec un petit hoquet de soulagement. J'ai cru que tu n'appellerais jamais !

— Je suis désolé, ma chérie. C'est la folie ici, comme tu peux l'imaginer.

— Ce n'est pas exactement la joie ici non plus.

— Je sais. Je suis désolé, Zoe. Écoute, il faut qu'on parle.

— Où ça ?

— C'est la question, effectivement. Est-ce que Warburton est avec toi ?

— Oui. Enfin, pas là tout de suite. Il est sorti pour déplacer la voiture. La maison est assiégée, j'ai l'impression d'être un animal en captivité.

Zoe luttait pour retenir ses sanglots.

— Ça doit être terrible pour toi... Qu'est-ce que tu penses de la maison de ton grand-père, dans le Dorset ? Tu pourrais t'échapper discrètement et t'y rendre ce soir ?

— Probablement. Et toi ?

— Je vais faire de mon mieux. J'essaierai d'y être vers vingt heures.

— Je t'en supplie, viens.

— Je vais tout faire pour. Surtout, souviens-toi que je t'aime.

— Moi aussi, je t'aime.

— Je dois te laisser. On se voit ce soir.

— À ce soir.

Zoe sentit toute sa tension et ses résolutions s'envoler. Le son de sa voix avait suffi à lui redonner du courage. Elle regarda la lettre qu'elle avait commencée et la déchira. S'il l'aimait toujours, peut-être trouveraient-ils une solution…

La porte d'entrée s'ouvrit et Zoe entendit des questions hurlées à Simon. La clameur fut étouffée par la porte claquée et Zoe passa la tête dans le couloir.

— On dirait une meute de loups affamés. Je vais certainement faire la une de je ne sais quel torchon avec pour titre : « On a retrouvé le père de Jamie »…

Le visage de Zoe s'assombrit.

— J'espère que non.

— Désolé, Zoe, j'ai manqué de délicatesse.

— Mais malheureusement, vous avez raison.

Simon l'observa longuement.

— Vous avez meilleure mine, tout d'un coup. La lettre vous a ôté un poids ?

— Art a appelé. Il suggère que j'aille dans le Dorset ce soir. Il va essayer de m'y rejoindre. Il faut absolument qu'on sorte de cette maison sans que personne ne s'en aperçoive. Je vais monter me préparer.

— Pas de problème, mais voyagez léger. Et ne vous inquiétez pas, j'ai un plan pour nous faire sortir.

Avec un petit rire, elle monta l'escalier. Dès que Simon entendit le verrou de la salle de bains, il s'engouffra dans le bureau et ouvrit le tiroir que Zoe avait précipitamment refermé à son arrivée. Il effeuilla son contenu le plus rapidement possible et, trouvant le courrier qui semblait tant la captiver, il le plia et le glissa dans la poche de son costume. Puis il referma le tiroir et se rendit à l'étage.

Ils se retrouvèrent dans la minuscule cour arrière dix minutes plus tard. Simon ne put s'empêcher de sourire en voyant la tenue que Zoe avait choisie : jean noir, col roulé noir et un chapeau pour cacher ses cheveux blonds.

— Bon, dit-il. Je vais vous faire la courte échelle pour que vous grimpiez par-dessus ce mur. Il y a une corniche à un mètre environ sur laquelle vous pouvez retomber. Ensuite nous ferons la même chose pour le mur suivant, et celui d'après. L'antiquaire, quatre numéros plus bas, a une porte de service. On entrera, par effraction s'il le faut, et on ressortira par la porte principale comme n'importe quel client.

— Il n'y a pas d'alarme ?

— Oui, probablement, mais chaque chose en son temps. Allez, c'est parti.

Lentement, ils passèrent par-dessus les murs qui séparaient les cours de chaque maison ou immeuble de la rue. Heureusement, Zoe était jeune et sportive, ce qui, grâce à l'aide de Simon, compensait sa petite taille pour escalader les murs de deux mètres. Enfin, ils arrivèrent devant la porte de service. Une lumière rouge clignotait au-dessus.

— Merde ! lâcha Simon en l'inspectant. Elle ne s'ouvre que de l'intérieur.

Il se dirigea vers une fenêtre juste à côté, protégée par un grillage. Sortant une petite pince coupante de sa poche, il entreprit de sectionner toute la partie basse du fil de fer. Puis il le souleva, dévoilant une fenêtre à guillotine ouverte d'un centimètre.

— Je ne sais pas s'il y a une alarme sur cette fenêtre, donc préparez-vous à repasser au-dessus du mur si elle venait à se déclencher, la prévint-il.

Zoe regarda avec angoisse Simon pousser de toutes ses forces sur la fenêtre qui, après un temps de résistance, glissa jusqu'en haut. Aucune alarme ne sonna.

— Pfff... les gens devraient vraiment faire plus attention, maugréa Simon. Pas étonnant qu'il y ait autant de cambriolages.

Puis il expliqua à Zoe qu'elle allait devoir se faufiler par la fenêtre pour lui ouvrir la porte de l'intérieur. Une minute plus tard, ils se tenaient tous les deux dans une réserve pleine de fauteuils rétro et de tables élégantes en acajou.

— Lunettes de soleil, ordonna-t-il.

Zoe dégaina alors une paire d'énormes lunettes noires.

— De quoi j'ai l'air ? demanda-t-elle en souriant.

— D'une fourmi ninja adorable, chuchota-t-il. Maintenant, suivez-moi.

Il l'entraîna à travers la réserve et ouvrit doucement une porte. Après être passé en éclaireur, il lui indiqua une volée de marches.

— OK, ça doit être le chemin pour la boutique. On y est presque.

Simon gravit les marches en premier, puis tourna la poignée et jeta un coup d'œil à l'intérieur. Il lui adressa un signe de tête, ouvrit un peu plus la porte et se glissa par l'entrebâillement. Une fois à l'intérieur, Simon se dirigea aussitôt vers une méridienne et Zoe le rejoignit aussitôt. Quelques secondes plus tard, un homme âgé surgit d'une autre porte derrière le comptoir.

— Toutes mes excuses, monsieur, je n'avais pas entendu la porte sonner.

— Il n'y a pas de mal. Ma, hum, femme et moi serions intéressés par cette assise. Pouvez-vous nous en dire quelques mots ?

Cinq minutes plus tard, après la promesse de revenir avec les mesures de leur salon, Zoe et Simon sortirent au soleil éclatant d'une après-midi particulièrement belle de février.

— Surtout, Zoe, ne regardez pas derrière vous et marchez naturellement, chuchota Simon alors qu'ils avançaient à grands pas vers la voiture.

Une fois dans la Jaguar, Simon s'inséra dans la circulation pour rejoindre le studio d'enregistrement à Soho. En se tournant, Zoe aperçut la foule des paparazzis amassée devant sa porte à une centaine de mètres. Alors que la voiture tournait au coin de la rue, elle leva son majeur dans leur direction.

— Vous savez quoi ? gloussa-t-elle. Je me suis bien amusée. Et rien que l'idée que ces vautours font maintenant le pied de grue devant une maison vide me remplit de joie.

Elle posa sa main sur celle de Simon.

— Merci, Simon.

La délicatesse du contact de sa peau fit des ravages sur sa concentration.

— À votre service, madame. Mais ne vous faites pas d'illusions. À un moment ou un autre, quelqu'un va bien finir par se rendre compte que vous n'êtes plus là.

— Je sais. Espérons simplement que ça n'arrivera pas avant ce soir.

Simon la déposa sur Dean Street, devant le studio d'enregistrement, puis passa un appel depuis son portable.

— Navré de vous appeler plus tôt que d'habitude, monsieur, mais il aurait été délicat de le faire plus tard.

— Compris.

— J'ai trouvé quelque chose. C'est peut-être insignifiant, mais…

Il lut à voix haute les détails de la facture du détective.

— Je m'en occupe, Warburton. J'ai cru comprendre que vous aviez du pain sur la planche.

— Oui, je conduis miss Harrison dans le Dorset ce soir.

— Continuez de lui parler, Warburton. Tôt ou tard, une information finira par lui échapper.

— Je ne suis pas encore convaincu qu'elle sache quoi que ce soit, mais je m'y efforcerai, monsieur. Bonsoir.

Simon raccrocha et alla se garer sur une place dans Brewer Street, puis appela Zoe pour lui dire de le prévenir quand elle aurait terminé. Soudain affamé, il décida d'aller au McDonald's du coin. En traversant la rue, son regard tomba sur un pub et il envisagea d'aller y boire la pinte qui lui faisait tant envie, mais l'image de Ian, ivre et en larmes, l'en détourna. Il avala son hamburger insipide et ses frites trop salées en tentant de se concentrer sur son livre, mais la main de Zoe sur la sienne lui revenait sans cesse en mémoire.

*Ressaisis-toi, Warburton. Règle numéro un : ne jamais s'investir émotionnellement.* Mais en attendant avec impatience l'appel de Zoe, il comprit qu'il avait passé le point de non-retour. Il n'y avait plus rien à faire, à part tenter de limiter les dégâts et s'attendre à une terrible souffrance quand ses services ne seraient plus requis et que leurs chemins se sépareraient.

Quand Zoe se rua dans la voiture deux heures plus tard, Simon remarqua qu'elle s'était maquillée. Il la préférait le visage nu, elle qui était déjà si belle au naturel… *Arrête ton cirque, Warburton !* se sermonna-t-il.

Il démarra le moteur et se dirigea vers l'autoroute.

— L'enregistrement du euh, truc, était sympa ? demanda-t-il nonchalamment.

— Ça allait. Bien sûr, tout le monde ne s'est intéressé qu'à ma relation avec Art, dit-elle en passant une main dans ses longs cheveux blonds. Mais figurez-vous que Mike, le réalisateur, s'est montré adorable. Il m'a dit qu'il avait un appartement dans le sud de la France et qu'il pouvait me le prêter à tout moment.

— Ça m'embête de dire ça, mais j'imagine qu'il pense surtout aux entrées que le film va réaliser à l'étranger, maintenant que la star est la nouvelle copine du prince d'Angleterre.

Zoe soupira en regardant la Tamise couler sous Chiswick Bridge.

— C'est terriblement cynique, mais il doit y avoir du vrai.

— En tout cas, vous semblez de bien meilleure humeur.

— Évidemment, je vois Art ce soir, répondit-elle les yeux pétillants.

Simon s'engouffra dans l'allée qui menait à Haycroft House juste après dix-huit heures. À l'intérieur de la maison, il faisait un froid de canard et le séjour avait disparu sous le contenu étalé d'une douzaine de cartons.

— Oh non, Marcus ! s'écria Zoe. Je savais qu'il en aurait marre au bout de dix minutes et qu'il laisserait tout en plan. Je le savais ! Maintenant, c'est encore plus le bazar qu'avant !

Elle se mit à fourrer les piles de papiers dans les cartons tandis que Simon tentait d'allumer un feu dans la cheminée.

— Eh bien, quitte à être coincée ici pour un moment, ça aura le mérite de vous occuper, fit-il remarquer.

— En réalité, j'espère vraiment que Art a prévu quelque chose pour nous. Peut-être qu'il voudra partir quelque temps à l'étranger. Mais Jamie ? Oh mon Dieu, je ne sais pas, Simon. On verra quand il arrivera. Pour l'instant, pouvez-vous m'aider à empiler tous les cartons dans un coin ?

Une fois le salon déblayé, la cheminée et la chaudière allumées, Zoe entreprit de ranger les courses qu'avait faites Simon pendant qu'elle demeurait cachée dans la voiture.

— C'est une chance qu'il me reste quelques vêtements dans la penderie, déclara-t-elle distraitement. Je ferais bien d'aller me changer. Vous pensez qu'il aura mangé ? Ou vaut-il mieux que je prépare quelque chose ? Peut-être un ragoût que je pourrais laisser au chaud, comme ça, peu importe l'heure à laquelle il arrive ?

Quand elle partit se préparer à l'étage, Simon sortit avec ses jumelles pour inspecter les environs. Son cœur fit un bond quand il aperçut les deux voitures garées derrière le portail et une échelle qui se balançait dangereusement contre la haie encerclant la maison. *Mais comment font-ils ?* se demanda-t-il en rassemblant son courage pour annoncer la mauvaise nouvelle à Zoe.

— Non. C'est impossible…, murmura-t-elle.

La jeune femme était plantée au milieu de la cuisine et le désespoir se lisait sur son visage.

— Je suis désolé, mais je vais devoir prévenir la sécurité du palais que la presse est ici.

— Pourquoi ne peuvent-ils pas nous laisser tranquilles ? Pourquoi ? Hein ? s'écria-t-elle en martelant la table de son poing.

— Je suis désolé, répéta-t-il, mais je dois les prévenir.

— Oui. Comme vous voulez.

Elle se laissa tomber sur la chaise.

Simon quitta la pièce. Une fois son message transmis, il retourna dans la cuisine où il trouva Zoe, une cigarette aux lèvres. Ses yeux étaient rougis par la fatigue.

— Je ne savais pas que vous fumiez, commenta-t-il.

— Marcus a laissé son paquet ici. S'il avait laissé du Prozac, de l'ecstasy ou de l'héroïne, j'en aurais pris aussi, vu mon état ce soir. Il ne viendra pas, n'est-ce pas ?

— Non. Mais je peux nous préparer un petit quelque chose pour le souper ? Je ne vous ai rien vu manger depuis les biscuits d'hier matin.

— C'est très gentil, mais je ne peux rien avaler.

— Très bien, dans ce cas, je cuisinerai pour moi.

Zoe haussa les épaules, puis se leva.

— Il devrait y avoir assez d'eau chaude pour un bain à présent. Je vais aller en prendre un.

Pendant que Zoe était à l'étage, Simon rassembla les ingrédients, coupa les légumes, le tout en sifflotant pour briser le silence assourdissant dans la maison aux épais murs de pierre.

Quand Zoe redescendit une heure plus tard dans le vieux peignoir à motif cachemire de son grand-père, elle sentit des effluves appétissants en provenance des fourneaux.

— Qu'est-ce que c'est ? interrogea-t-elle en jetant un coup d'œil à la casserole que remuait Simon.

— Quelle importance ? Vous m'avez dit que vous n'en vouliez pas.

Il lui montra une bouteille de vin rouge sur la table.

— Servez-vous. Je l'ai ouverte pour des raisons culinaires, bien entendu.

Zoe sourit et, assise avec son verre de vin, elle regarda Simon s'affairer.

— Est-ce que ça fait partie de votre formation ?

— Non, c'est une passion. Vous êtes sûre de ne pas en vouloir ?

— Bon, d'accord. Puisque vous vous êtes donné autant de mal...

Simon remplit deux assiettes et en posa une devant Zoe.

— Bœuf épicé aux lentilles. C'est meilleur quand on le laisse mariner plusieurs heures, évidemment, mais ça devrait quand même être comestible.

Il s'assit en face d'elle tandis qu'elle enfournait une bouchée.

— C'est vraiment très bon.

— Ne prenez pas cet air étonné ! dit-il en riant.

— Tout ce talent gâché ! Vous devriez ouvrir un restaurant.

— C'est ce que Joanna me répète.

— Et elle a raison. Est-ce que vous et Joanna avez déjà... ?

— Été amants ? Non, jamais. Je l'ai toujours vue comme ma sœur. Ça m'aurait semblé presque incestueux. Pourtant...

— Oui ?

— Oh, ce n'était rien du tout, dit-il en s'empourprant. Il y a quelques semaines, je l'ai hébergée et on s'est embrassés. Son petit ami venait de la quitter, mais je pensais toujours que ma relation avec mon ex allait durer. Alors j'ai tout de suite arrêté.

Simon posa sa fourchette pleine.

— Je me demande si j'aurais réagi différemment en sachant que Sarah était sur le point de me plaquer.

— Ça, vous ne pourrez jamais le savoir.

— Vous en voulez encore ? Il en reste plein.

— Oui, c'est délicieux. Est-ce que vous comptez faire ça toute votre vie ?

— Quoi ?

— Garde du corps. Dédier votre vie à la protection de celle des autres ?

— Qui sait ?

— Je pense juste que vous valez mieux que ça. C'est un boulot sans perspectives, non ?

— Je vous remercie, dit-il en riant.

Elle rosit.

— Ce n'est pas ce que je voulais dire.

— Pas de souci. Et vous avez raison, je ne veux pas faire ça toute ma vie.

— Dans ce cas, santé ! Aux vraies vocations.

— À la nôtre, répondit Simon en levant son verre d'eau.

À cet instant, le téléphone de Zoe sonna.

— Excusez-moi, dit-elle en quittant la pièce pour répondre.

Simon fit la vaisselle et prépara du café. Dix minutes plus tard, Zoe était de retour, un grand sourire aux lèvres.

— Simon ! Tout va bien se passer !

— Ah oui ? Tant mieux.

— C'était Art. Il s'est arrangé pour qu'on parte à l'étranger. Un de ses amis P.-D. G. lui prête son jet privé et sa maison de vacances en Espagne. Apparemment, la sécurité y est optimale, on pourra parler de l'avenir sans avoir à se soucier d'être surpris.

— Ah, enfin, super. Vous partez quand ?

— Demain matin. Art dit qu'ils vont vous appeler, mais je dois être à Heathrow pour neuf heures. On se retrouve dans le salon VIP du terminal 4. Et ensuite, vous serez débarrassé de moi ! Art emmène ses propres gardes du corps là-bas.

— D'accord. Café ?

— Oui, merci beaucoup. Allons le boire au coin du feu. Ce sera tellement formidable de ne pas avoir à se soucier d'être espionnés ! On a vraiment besoin de discuter.

Zoe s'installa en tailleur devant la cheminée, la tasse chaude entre ses mains. Sur le canapé, Simon sirota son café.

— Et s'il vous demande de l'épouser, êtes-vous prête ?

— Vous pensez qu'il va me le demander ? Est-ce que c'est même possible, dans cette situation ?

— Attendez, laissez-moi reformuler. Voulez-vous passer le restant de vos jours avec lui ?

Les yeux de Zoe s'illuminèrent.

— Oh oui ! C'est mon vœu le plus cher depuis dix ans.

— Dix ans ? Bon sang, je me suis trompé. Il aura fallu longtemps à la presse pour sortir la nouvelle, plaisanta-t-il.

— Non. En fait…

Elle s'interrompit en tripotant distraitement les fils du tapis.

— Je l'ai rencontré il y a dix ans. J'étais si jeune… à peine dix-huit ans. Je ne suis pas naïve au point de croire que tout ira comme sur des roulettes, cette fois. Sa famille pourra dire non, comme elle l'a fait à l'époque. Si ça se trouve, je m'envole vers l'Espagne pour m'entendre dire que ça n'arrivera jamais.

Simon repensa au débat qu'il avait entendu à la radio pour savoir si oui ou non la famille royale était prête à accueillir une mère célibataire en son sein. Les sondages penchaient pour le non.

— Il y a quelque chose que j'allais vous demander, reprit-elle.

— Allez-y.

— Eh bien, je ne sais pas exactement combien de temps je serai absente et je me demandais… euh…

— Vous pouvez me parler franchement, Zoe.

— Je me demandais si vous pourriez rendre visite à Jamie pour moi cette fin de semaine ? J'avais promis d'y aller, et vu les circonstances, je ne pourrai pas. Il a l'air de beaucoup vous aimer et...

— Bien sûr. C'est comme si c'était fait.

— J'appellerai l'école pour leur dire où me joindre. Je pourrais lui dire que j'ai un tournage en Espagne ? Je ne veux pas lui mentir, mais je pense aussi qu'il est vital qu'Art et moi ayons une conversation.

Simon acquiesça distraitement, l'esprit occupé à admirer sa beauté à la lueur des flammes. D'un coup, il se leva.

— Je vais me coucher. Nous devons nous lever tôt et je pourrais avoir à conduire de manière créative pour échapper aux vautours.

— Oui, bien sûr.

Zoe se leva à son tour et s'avança d'un pas léger pour planter un baiser sur sa joue.

— Bonne nuit, Simon. Et merci. Je n'oublierai jamais ce que vous avez fait pour moi ces deux derniers jours. Je vous dois ma santé mentale.

Le cœur de Simon se serra.

— Merci. Bonne nuit, marmonna-t-il en quittant la pièce.

Le lendemain matin, à l'aéroport d'Heathrow, Zoe abandonna Simon pour se jeter dans les bras du prince.

— Art ! s'écria-t-elle.

Il déposa un baiser sur le sommet de sa tête.

— Bonjour, Zoe. Bon, allons-y. Warburton, merci pour tout, ajouta-t-il.

— Oui, au revoir Simon, renchérit Zoe.

Elle lui adressa un signe de la main alors que le prince l'entraînait dans le salon VIP. Une petite faction d'agents de protection rapprochée suivit le couple.

Simon fit le chemin inverse dans le labyrinthe des couloirs de l'aéroport. Son téléphone sonna.

— Warburton.

— Oui, monsieur ?

— Vous êtes libéré de vos fonctions de protection rapprochée jusqu'au retour de miss Harrison. Restez disponible, d'autres instructions suivront.

— Bien. Merci, monsieur.

Simon reconduisit la Jaguar au garage et rendit les clés. Puis il se dirigea vers le pub, où il s'accorda une pinte mousseuse à souhait de Tetley's Bitter, dans laquelle il avait bien l'intention de noyer son chagrin.

# LE PION ISOLÉ

*Pion qui n'a plus de pion de son camp sur les colonnes
adjacentes. Il peut être perçu comme une faiblesse,
ou s'avérer redoutable.*

# 25

À son poste de travail, Joanna rédigeait sans conviction un article sur le top dix des plantes mortellement dangereuses pour les animaux domestiques. Vidée, anéantie par l'idée d'avoir été utilisée et totalement perdue, elle envisageait sérieusement de tout plaquer pour aller élever des moutons dans le Yorkshire.

La veille, Marcus l'avait appelée sur son téléphone portable et même sur le fixe, qu'il savait sur écoute. Joanna n'avait pas décroché une seule fois. Après la manière dont il s'était servi d'elle, elle avait décidé de le rayer de sa vie. Un frisson d'effroi la parcourut quand elle pensa à tous ces beaux moments qui n'étaient en fait qu'un prétexte pour lui soutirer des informations.

Elle comptait les minutes avant que l'horloge n'indique dix-sept heures trente, heure à laquelle elle pourrait officiellement éteindre son écran. Mais avait-elle vraiment envie de retrouver un appartement vide, sans petit copain, et sans meilleur ami ? Sans compter que l'agitation autour de la nouvelle de Zoe Harrison et le prince ne faisait rien pour lui remonter le moral. Ce matin-là, Marian, la responsable des pages « Culture et société », avait demandé à la voir.

— C'est toi qui as écrit l'article sur Marcus Harrison ?

— Oui, avait répondu Joanna avec humeur.

— Et il paraît que tu te le tapes.

Marian n'était pas connue pour mâcher ses mots.

— C'était le cas, plus maintenant.

— Depuis quand?

— Hier.

— Dommage. J'allais suggérer de t'envoyer obtenir une interview de Zoe, puisque tu es presque de la famille.

— J'ai bien peur que ce soit impossible.

— C'est bête. Tu aurais pu en finir avec la corvée de « Jardinage et animaux de compagnie ».

Marian avait observé attentivement Joanna en mâchouillant son sylo.

— OK, Jo. C'est toi qui vois. Si ce n'est pas toi, quelqu'un d'autre le fera. Est-ce que tu essaies de la protéger?

— Non.

— Bien. Parce que si c'est le cas, la meilleure chose que tu puisses faire pour elle est de la pousser à te parler. Au moins, elle aura une oreille amicale.

Marian l'avait congédiée d'un geste et Joanna était retournée à son poste en traînant les pieds.


Dix-sept heures, vingt-neuf minutes et cinquante-cinq secondes. Avec un grognement de soulagement, Joanna éteignit son ordinateur et se leva. Elle attendait l'ascenseur quand Alec vint la trouver.

— Salut, Jo. Ça va?

— Non, Alec, ça ne va pas.

— Oui, OK. J'ai un truc à te dire, mais pas ici. On se retrouve au bar dans une heure. Il semblerait que tu avais raison.

Sans lui laisser le temps de refuser, il tourna les talons.

Puisqu'elle n'avait plus rien à perdre, Joanna passa une heure à errer sans but du côté de Leicester Square et Trocadero, s'agaçant chaque minute davantage de la foule de touristes sur son chemin. Quand elle arriva dans le bar bondé, Alec était déjà assis au comptoir.

— Un verre de vin ?

— Volontiers, répondit-elle en tirant un tabouret.

— J'ai cru comprendre que ce n'était pas une bonne journée.

— Non.

— Marian m'a dit que tu avais refusé de demander une interview à Zoe Harrison. Tu aurais pu t'en servir comme moyen de pression pour revenir dans ma rubrique.

— À quoi bon ? Zoe pense sûrement que c'est moi qui ai craché le morceau, alors à mon avis elle préférerait poser à demi nue pour le *Sun* plutôt que de m'adresser la parole.

Alec en resta bouche bée.

— Merde alors ! Tu savais pour elle et le prince ?

— Oui, elle m'avait tout raconté. Et en détail, d'ailleurs, ajouta-t-elle.

— C'est pas vrai… Alors tu aurais pu sortir la nouvelle ?

— Oh oui. Et maintenant je regrette de ne pas l'avoir fait, vu qu'on m'accuse de toute façon.

— Joanna ! Il va falloir t'endurcir ! Une histoire comme ça aurait pu faire décoller ta carrière.

— Tu crois que je ne le sais pas ? J'ai passé la nuit dernière à me dire que peut-être ce métier n'était pas fait pour moi, que j'ai trop de conscience morale. Il semblerait que j'aie cette terrible capacité totalement incompatible avec le journalisme de savoir garder un secret.

Elle vida son verre de vin et en recommanda un aussitôt.

— Eh bien, au moins, tu commences à boire comme une journaliste. T'en fais pas, j'ai une bonne nouvelle pour toi.

— Je réintègre ton service ?

— Non.

Joanna s'effondra sur le comptoir, la tête contre ses bras croisés.

— Alors je ne vois pas comment ça pourrait être une bonne nouvelle.

— Même si je te dis que j'ai trouvé une info croustillante sur ta petite vieille ? s'enquit Alec en allumant une cigarette.

— Oui. Je laisse tomber. Cette lettre a gâché toute ma vie. J'en ai ma claque.

— Très bien, dit-il en tirant une bouffée de sa cigarette. Dans ce cas, je ne te dirai pas que je suis quasiment sûr de savoir qui elle était. Ni qu'avant d'arriver en Angleterre, elle vivait en France depuis soixante ans.

— Je ne veux rien savoir.

— Alors je ne te dirai pas non plus que James Harrison a acheté sa maison de Welbeck Street en 1928. À l'époque, elle appartenait à un politicien qui avait fait partie du cabinet de Lloyd George. Étrange qu'un acteur sans le sou puisse s'offrir un hôtel particulier, tu ne trouves pas? À moins, bien sûr, qu'il ait soudainement été en possession d'une somme conséquente.

— Désolée, Alec, je ne mords toujours pas.

— Donc je ne te dirai pas non plus qu'une certaine Rose Alice Fitzgerald était dame de compagnie rattachée à la Couronne dans les années 1920.

Joanna le regarda, stupéfaite.

— Vendu. Commandons une bouteille.

Les deux complices migrèrent vers une table dans un coin, où Alec lui raconta ses découvertes.

— Tu es en train de me dire que Rose et James Harrison – ou Michael O'Connell – étaient de mèche pour faire chanter quelqu'un de la famille royale?

— C'est ce que j'en déduis, oui. Et je pense que la lettre qu'elle t'a envoyée était une lettre d'amour de Rose à James-Michael – ou « Siam » – qui n'avait rien à voir avec le véritable secret.

— Alors pourquoi écrit-elle qu'elle ne peut pas voir James?

— Parce que l'honorable Rose Fitzgerald était dame de compagnie. Elle venait de l'aristocratie écossaise. Je doute qu'un acteur irlandais sans le sou eût fait un prétendant convenable. À mon avis, ils n'avaient pas d'autre choix que de garder leur histoire secrète.

— Incroyable ! Mais pourquoi ai-je autant bu ce soir ? Je n'arrive plus à faire tourner mes méninges correctement.

— Je vais donc tirer les conclusions pour toi : je pense que Rose et sir James...

— Michael O'Connell, à l'époque.

— Michael et Rose étaient amants. Rose a découvert un secret croustillant au palais, en a parlé à Michael, qui a fait chanter la personne concernée. Les petits paquets que William Fielding récupérait pour Michael ? Je te parie qu'ils contenaient de l'argent. Ensuite, Michael fait son grand numéro de disparition, quitte peut-être le pays et largue la pauvre Rose par la même occasion. Quelques mois plus tard, il revient, endosse une nouvelle identité, achète sa maison à Welbeck Street et épouse Grace. Jackpot.

— OK, penchons-nous sur ta théorie. Pour l'instant, je n'ai rien trouvé de mieux et ça semble coller. Mais pourquoi la panique soudaine à la mort de James Harrison ?

— C'est le moment d'être inventifs. On sait de source sûre que Rose est revenue en Angleterre pile au moment où sir James a passé l'arme à gauche, alors qu'elle était à l'étranger depuis plus d'un demi-siècle. Peut-être avait-elle l'intention de tout dévoiler après sa mort ? Pour le traîner dans la boue et prendre sa revanche ?

— Mais pourquoi ne pas l'avoir fait plus tôt ?

— Peut-être qu'elle avait peur, qu'il savait aussi quelque chose sur elle. Et ensuite, quand elle a su qu'elle était malade et que le temps était compté, elle a décidé qu'elle n'avait plus rien à perdre ? Je ne sais pas, ce ne sont que des suppositions.

Alec écrasa sa cigarette dans le cendrier et en alluma une nouvelle.

— Mais pourquoi ça ferait paniquer les hautes sphères ? Les services secrets impliqués. Tout ce que je sais, c'est qu'ils prennent ça très au sérieux. Au point de payer Marcus Harrison pour coucher avec moi et déterminer ce que je sais.

— Qui t'a dit ça?

— Mon ami Simon.

— Tu es sûre de ça?

— Oh oui.

— Merde, c'est quoi ce bordel?

— Si on poursuit ta théorie, Rose et Michael avaient découvert un immense secret.

Elle baissa la voix en ajoutant:

— Bon sang, Alec, deux personnes sont déjà mortes dans des circonstances douteuses... je ne veux pas être la troisième sur la liste.

Ils restèrent silencieux un moment, pendant que Joanna tentait de remettre de l'ordre dans ses pensées embrumées. Les mots d'Alec résonnèrent à nouveau dans sa tête: *Ne fais confiance à personne...*

— Alec, pourquoi ce soudain intérêt après des jours passés à m'éviter?

Il éclata de rire.

— Si tu crois qu'on me paie pour t'espionner, ne t'en fais pas, ma belle. Je me suis dit que tu avais vraiment besoin d'un coup de main. Parce que tu n'as pas lâché l'affaire, pas vrai? Tout le monde t'a trahie. Je n'ai peut-être pas le profil typique du preux chevalier, mais je suis tout ce que tu as.

— Si je décide de poursuivre l'enquête.

— Oui, oui. Bon, alors? C'est quoi, l'étape suivante?

— Je devais partir en Irlande avec Marcus la fin de semaine prochaine, mais ça, c'était avant de découvrir ses vraies raisons d'être avec moi. William Fielding a parlé des origines irlandaises de Michael O'Connell et Marcus a découvert le nom exact du village.

— Comment?

— Apparemment, le fils de Zoe a mentionné un endroit dont son grand-père lui a parlé avant de mourir. Ce n'est pas sûr à cent pour cent mais...

— Il ne faut jamais sous-estimer la parole des enfants. J'ai arraché certaines de mes meilleures nouvelles à des gamins.

— Alec, tu n'as aucun scrupule.

— Et c'est ce qui fait de moi un bon journaliste.

Il consulta sa montre.

— Il faut que je file. Évidemment, cette conversation n'a jamais eu lieu. Et ce n'est pas moi qui vais te conseiller d'aller en Irlande et de t'installer au pub local pour écouter tous les ragots, ni de le faire rapidement avant que Marcus – ou un autre – y aille. Et je ne mentionnerai certainement pas que tu as vraiment mauvaise mine ce soir et que les probabilités sont fortes pour que tu te retrouves avec la grippe dans les prochains jours, au point d'être trop malade pour venir au boulot.

Alec rangea son paquet de cigarettes dans sa poche.

— Bonne soirée, Jo. Appelle-moi si tu as des ennuis.

— Salut, Alec.

Elle le regarda quitter le pub, le sourire aux lèvres malgré elle. Elle ne savait pas si elle devait ça à Alec, au vin ou à un savant mélange des deux, mais sa bonne humeur était revenue. Elle héla un taxi et décida de digérer toutes ces informations avant d'établir un plan. La nuit portait conseil.

Il y avait huit messages de Marcus sur son répondeur, qui s'ajoutaient aux sept sur son téléphone portable et à tous les autres appels qu'elle avait demandé à la réceptionniste du journal d'ignorer.

— Ça devait être un sacré paquet d'argent qu'ils t'ont filé, sale traître. Espèce d'ordure ! maugréa-t-elle en filant sous la douche.

Quand elle émergea de la salle de bains, trempée, vêtue d'une serviette, la sonnette retentissait. Un rapide coup d'œil par la fenêtre l'informa que l'espèce d'ordure attendait sur son perron.

— C'est pas possible ! s'écria-t-elle en allumant la télé, prête à l'ignorer aussi longtemps que nécessaire.

— Joanna, cria-t-il. C'est moi, Marcus. Je sais que tu es là, je t'ai vue derrière le rideau. Laisse-moi entrer ! Qu'est-ce que j'ai fait de mal ? Joanna !

— Merde, merde, merde, grogna-t-elle.

Elle enfila un peignoir pour aller ouvrir la porte par peur qu'il ne réveille tout le quartier. Elle vit ses yeux à travers la fente pour le courrier.

— Salut, Jo. Laisse-moi entrer.

— Va te faire voir !

— Charmant. Est-ce que tu pourrais m'expliquer quel crime je suis censé avoir commis ?

— Si tu ne le sais pas, ne compte pas sur moi pour te le dire. Contente-toi de disparaître de ma vie. Je ne veux plus jamais te voir.

— Joanna, je t'aime… Si tu ne veux pas me laisser entrer pour parler de cette chose horrible que j'ai apparemment faite, je jure que je vais rester planté ici toute la nuit et je vais… Je vais te chanter mon amour !

— Marcus, si tu ne t'en vas pas d'ici cinq secondes, j'appelle la police et je te fais arrêter pour harcèlement.

— Pas de problème, je m'en fiche. Bien sûr, ça fera probablement la une des journaux demain, vu que je suis maintenant le frère de la nouvelle copine du prince Arthur, mais ça, je suis sûr que ce n'est pas ton problème, je…

Marcus vacilla quand Joanna ouvrit brusquement la porte.

— C'est bon, t'as gagné.

Joanna tremblait de colère. Quand il s'approcha pour la toucher, elle tressaillit et recula.

— Ne t'approche pas de moi. Je suis sérieuse.

— D'accord, d'accord. Bon, dis-moi : qu'est-ce que j'ai fait ?

Joanna croisa les bras.

— Il faut bien avouer que je trouvais ça bizarre, que tu te montres si attentionné, si exagérément affectueux. On m'avait bien prévenue que tu n'étais qu'une pourriture. Et moi, naïve, j'ai décidé de te laisser le bénéfice du doute, en me disant que, peut-être, tu étais plus attaché à moi qu'au reste de la population féminine de Londres.

— C'est le cas...

— Tais-toi, je parle. Ensuite, j'ai découvert que tes sentiments pour moi n'avaient rien à faire dans l'histoire. C'était ton porte-monnaie qui appréciait ma compagnie.

— Je...

— Il y a quelques jours, j'ai appris qu'on t'avait payé pour me séduire et pour coucher avec moi.

Joanna vit le rouge lui monter aux joues et elle fut prise d'une envie irrésistible de le frapper très fort.

— Non, celui qui t'a dit ça a tout faux. Oui, on m'a donné de l'argent. Mais pas pour te soutirer des informations. Je devais retrouver la lettre. Je te jure que je ne savais rien de cette histoire avec Rose avant que tu m'en parles, ni la première fois où on a fait l'amour. C'est arrivé quelques semaines plus tard. J'ai envisagé de te dire qu'on m'avait demandé un coup de main, mais je ne voulais pas que ça t'effraie. Et maintenant, tu ne vas pas me croire et...

— Tu t'entends parler? Est-ce que toi, tu y croirais?

— Non, bien sûr que non, mais...

Il semblait sur le point d'éclater en sanglots.

— Je t'en prie, tu dois me croire. Je n'ai jamais ressenti ça pour personne, jamais. Ça n'avait rien à voir avec l'argent, je pensais que si on mettait en commun nos ressources et nos informations, on pourrait trouver des réponses et... je... argh!

Il s'essuya vigoureusement les paupières.

Joanna était sincèrement étonnée par sa réaction. Elle s'attendait à ce qu'il nie en bloc, ou bien à ce qu'il assume en comprenant qu'il avait perdu. Mais après Matthew, Simon, et maintenant lui, c'était la trahison de trop.

— Tu as accepté l'argent et tu me l'as caché. J'aurais dû croire tous ceux qui me disaient à quel point tu étais égoïste. Et ta sœur, alors? Je parie que c'est toi qui as vendu la mèche au *Morning Mail,* pas vrai? Tu savais que tout le monde m'accuserait, mais tout ce qui comptait, c'était l'argent facile!

— Non! Jamais je ne trahirais Zoe comme ça!

— Et pourtant, tu m'as trahie, moi! Alors comment veux-tu que je te croie?

— Je ne sais pas quoi dire d'autre pour te convaincre!

— C'est parce qu'il n'y a rien de plus à dire. Ça fait cinq minutes. Maintenant, va-t'en.

— Je voulais seulement te protéger… Je sais que ça semble absurde, mais je t'en prie, donne-moi une dernière chance.

— Absolument pas. Et même si là, tout de suite, tu me disais la vérité, ça ne changerait rien au fait que tu m'as menti avant. Pour de l'argent. Tu es un lâche, Marcus.

— Tu as raison. Je ne te l'ai pas dit par peur de te perdre. Je ne mens pas quand je dis que je t'aime, Joanna. Je vais regretter cette erreur pour le restant de mes jours.

Elle ferma la porte sans un autre mot, et avant qu'il ne puisse voir ses yeux s'embuer. *Ce ne sont que des larmes de fatigue, d'émotion et de stress,* tenta-t-elle de se convaincre en allant se coucher. Marcus n'était qu'une habitude récente dont elle allait rapidement se débarrasser. Allongée dans son lit, elle tournait et retournait les mots d'Alec dans sa tête pour s'empêcher de penser à Marcus. Les pensées affluaient, sans lien logique, passant d'une nouvelle information à une autre, puis elle finit par abandonner l'idée de dormir et se leva pour allumer la bouilloire. Après s'être préparé un thé bien fort, elle s'assit en tailleur sur son lit et sortit le dossier «Rose» de son sac à dos. À partir de tous les faits, elle établit un diagramme précis des informations rassemblées jusqu'à présent.

Devait-elle essayer une dernière fois de percer le mystère ? Après tout, l'Irlande était un pays magnifique et les réservations avaient déjà été faites. Au pire, la fin de semaine lui fournirait une pause bien méritée loin de Londres et de tout ce qu'il lui était arrivé depuis Noël.

— Et puis zut ! pesta-t-elle.

Elle se devait de poursuivre son enquête. Sinon elle passerait le reste de ses jours avec des questions non résolues. Sans compter qu'elle n'avait plus rien à perdre...

— ... à part la vie, marmonna-t-elle sombrement.

Le vendredi matin, après s'être enregistrée sur son vol pour Cork, Joanna sortit son téléphone portable en s'avançant vers la porte d'embarquement.

— Allô ?

— Alec ? Tu peux prévenir le directeur de la rédaction que j'ai une grippe abominable ? Tellement grave, en fait, que je ne serai probablement pas guérie avant le milieu de la semaine prochaine.

— Salut, Jo. Bonne chance. Et surveille tes arrières. Tu sais où me trouver.

— Merci.

Une fois en vol, alors que l'avion survolait la mer d'Irlande, Joanna poussa enfin un soupir de soulagement.

# 26

Il était déjà midi et Marcus n'avait pas bougé de son lit. À quoi bon, puisque Joanna l'avait quitté? Depuis qu'elle l'avait viré de son appartement, Marcus n'avait plus de raison de se lever. Il était plus que jamais dévasté, à la fois de l'avoir perdue et de ne pouvoir s'en prendre qu'à lui-même.

Il finit par se traîner hors du lit jusqu'au salon pour épancher ses sentiments sur le papier. Récupérant un stylo doré sur la table basse, il songea avec un pincement au cœur qu'il devait appartenir à Joanna. En fermant les yeux pour se concentrer sur l'écriture, il la vit apparaître devant lui, comme depuis qu'il s'était réveillé ce matin-là. Pour la première fois de sa vie, il était vraiment tombé amoureux. Ce n'était ni du désir, ni une obsession, ni aucun sentiment qu'il avait déjà ressenti. C'était bien plus profond, il le sentait dans ses tripes. Son absence lui faisait mal à la tête et au cœur, et il ne pouvait plus penser à rien d'autre. Il en venait même à détester son précieux projet, car c'était lui qui l'avait poussé à accepter l'argent de cet imbécile de Ian.

Tard, ce soir-là, il prit un bus pour Crouch End. Voyant les lumières éteintes, il déposa sa lettre par la fente de la porte en priant pour qu'elle la lise et le rappelle. Puis il rentra chez lui et se réfugia sous sa couette avec sa bouteille de whisky.

Juste avant minuit, la sonnette retentit. Marcus bondit du lit et se précipita à la porte avec l'espoir d'y voir Joanna émue par sa lettre. Mais il se retrouva face à la carrure épaisse de Ian Simpson.

— Qu'est-ce que tu veux à une heure pareille ? grogna Marcus.

Ian entra sans y être invité et balaya la pièce du regard.

— Où est Joanna Haslam ? demanda-t-il.

— Pas ici, c'est certain.

— Alors où ? dit-il en se plantant de toute sa hauteur devant Marcus.

— J'aimerais bien le savoir.

Ian était si proche qu'il pouvait entendre sa respiration irrégulière et sentir son haleine alcoolisée. Ou peut-être était-ce lui qui était imprégné de whisky. Il réprima un haut-le-cœur.

— On te payait pour garder un œil sur elle, tu te souviens ? Juste avant que son ami Simon ne te balance.

— Qui ça ?

— Simon, sombre idiot ! Le garde du corps de ta sœur.

Marcus recula d'un pas et frotta ses yeux fatigués.

— Écoute, j'ai fait tout mon possible pour retrouver cette lettre, mais Joanna m'a quitté et…

Ian attrapa Marcus par le col de son T-shirt.

— Tu sais où elle est, pas vrai ? Espèce de petit menteur de merde !

— Non, vraiment. Je…

De si près, Marcus pouvait voir les yeux de Ian injectés de sang. Il était complètement ivre de colère et d'alcool.

— Est-ce que tu pourrais me lâcher, pour qu'on puisse en parler rationnellement ?

Un coup dans le ventre envoya Marcus tituber vers le sofa. Sa tête heurta un mur et il vit des étoiles tournoyer devant ses yeux.

— Doucement, mec ! On est du même côté, tu te rappelles ?

Ian éclata de rire.

— Je ne crois pas, non.

Marcus se redressa et regarda Ian faire les cent pas.

— Elle est partie quelque part, pas vrai ? Elle est sur la piste.

— Quelle piste ? Je…

Ian approcha et lui balança un coup de pied dans l'entrejambe qui le fit se tordre de douleur au sol.

— Tu ferais bien de cracher le morceau. Je sais que tu la couvres.

— Non, pas du tout !

Un coup en bas du dos lui arracha un cri de douleur et le fit vomir.

— Qu'est-ce que vous projetiez, tous les deux ? Parle !

— Rien !

Ne pouvant plus en supporter davantage, Marcus se creusa désespérément les méninges en quête d'une réponse qui pourrait faire partir Ian très loin, tout en brouillant les pistes. Soudain, il eut une idée.

— On devait partir en Irlande, cette fin de semaine. Je lui ai dit que je pensais que c'était de là que sir James était originaire.

— Où ça, en Irlande ?

— La région de Cork.

— Quelle ville ?

Ian s'accroupit et le regarda droit dans les yeux, le poing prêt à frapper.

— Parle, parce que sinon je peux faire bien pire.

— Je…

Marcus se concentra pour retrouver le nom du village.

— Rosscarbery.

— Je vais passer quelques coups de fil. Si je me rends compte que tu m'as menti, je reviendrai, pigé ?

— Oui, couina Marcus.

Ian lâcha un rictus de mépris.

— Tu étais déjà un lâche à l'école, on dirait bien que tu n'as pas changé.

Ian visa le nez de Marcus du bout de sa chaussure, et ce dernier grimaça quand il atteignit sa joue.

— On se reverra.

Marcus attendit d'entendre la porte se refermer, puis roula sur ses genoux en se massant la mâchoire. Il parvint à se relever et à s'effondrer sur le canapé, où il se contenta de fixer le vide, sentant encore la douleur des coups.

Heureusement qu'il avait trouvé cette histoire d'Irlande. Évidemment, Ian serait de retour dès qu'il aurait compris que Joanna n'y était pas – c'était le dernier endroit sur Terre où elle irait s'il y avait une chance pour que lui y soit –, mais au moins, cette fois-ci, il serait préparé. Peut-être ferait-il mieux de rester chez Zoe le temps que les choses se tassent.

Soudain, la peur bloqua ses poumons douloureux. Et si elle y était allée ? Non… après tout, pour quoi faire ? D'un autre côté, Ian avait dit qu'elle était toujours sur la piste…

— Oh non !

Il venait inconsciemment d'envoyer un homme ivre et psychologiquement instable aux trousses de Joanna. Marcus fila dans la cuisine et écuma une pile de papiers jusqu'à trouver le numéro de l'hôtel qu'il avait réservé, puis il décrocha son téléphone.

• • •

Simon sifflotait sur un air d'Ella Fitzgerald en conduisant sur l'autoroute qui menait à l'école de Jamie, dans le Berkshire. Ses quelques jours de repos en attendant les prochaines instructions avaient été bien mérités. Il se sentait plus reposé et plus calme qu'il ne l'avait été depuis longtemps, même si ce temps libre lui avait donné tout le loisir de penser à Zoe. La bonne nouvelle, c'était qu'il ne pensait plus à Sarah ; la mauvaise, que ses sentiments s'étaient reportés sur quelqu'un d'autre et s'étaient décuplés. Le seul fait de savoir qu'il voyait le fils de Zoe une demi-heure plus tard le remplissait d'une joie illégitime, parce que c'était comme être en contact avec elle par procuration.

Simon emmena Jamie dans un restaurant qu'il avait soigneusement sélectionné à l'avance pour ses menus du dimanche midi réputés délicieux. Il s'était même dessiné une carte pour être certain de retrouver l'adresse dans les petites routes de campagne. Mais Jamie, perturbé de passer le dîner avec Simon plutôt qu'avec sa mère, était beaucoup moins bavard qu'à Londres.

Simon parcourut le menu et lança un regard à Jamie.

— Je vais prendre le bœuf, je crois. Et toi ?

— Le poulet, merci.

Simon commanda les plats, ainsi qu'une pinte pour lui et un Coca pour Jamie. Il ne put s'empêcher de remarquer à quel point l'enfant ressemblait à sa mère. Les mêmes yeux bleus déconcertants, les épais cheveux blonds et les traits délicats.

— Alors, tu as passé une bonne semaine ? lui demanda-t-il.

— Ça va. Maman part combien de temps ?

— Je ne sais pas exactement. Jusqu'à la semaine prochaine, probablement.

— Ah. Elle fait quoi, là-bas ?

— Elle tourne une sorte de pub pour la télé, je crois. Mais je ne suis pas sûr.

Jamie but une gorgée de son Coca.

— Est-ce que tu es toujours à la maison ?

— Figure-toi que, demain, j'ai décidé de faire un peu de tourisme. L'Écosse, peut-être. Ou l'Irlande. Sinon, comment ça va, à l'école ?

— Ça va. Comme d'hab.

— D'accord.

Pour le plus grand soulagement de Simon, les plats arrivèrent. Jamie grignota son poulet en répondant à ses tentatives de conversation par des monosyllabes. Il refusa de prendre un dessert, malgré la tarte aux pommes et sa crème glacée alléchante au menu.

— Je me souviens que j'engloutissais tout ce qu'on me mettait sous le nez quand mes parents m'emmenaient dîner hors de l'école. Tu es sûr que ça va?

— Oui. Vous avez des pensions en Nouvelle-Zélande?

— Je ne… oui, évidemment qu'on en a. Si tu viens d'une ferme au milieu de nulle part, il faut bien aller à l'internat en ville, improvisa Simon. Tu es sûr que le dessert ne te fait pas envie?

— Sûr.

Simon fut soulagé de voir qu'arrivait l'heure de ramener le garçon à sa pension. Jamie s'installa dans la voiture et se mit à chantonner bouche fermée en regardant défiler le paysage.

— Qu'est-ce que c'est, comme chanson?

— Une comptine. «Ring A Ring O'Roses». Grand James me la chantait tout le temps quand j'étais petit. Et quand j'ai grandi, il m'a expliqué que ça parlait de la peste.

— Il te manque beaucoup, n'est-ce pas?

— Oui, mais il me protège de là-haut.

— C'est certain.

— Et j'ai toujours ses roses pour me souvenir de lui sur Terre.

— Ses roses?

— Oui. Grand James adorait les roses. Il a même voulu qu'elles soient gravées sur sa tombe.

Simon stationna la voiture devant l'école et Jamie ouvrit aussitôt la portière.

— Merci pour le dîner. Bon retour à Londres.

— Quand tu veux. Salut, Jamie.

L'enfant se précipita sur les marches qui conduisaient à l'intérieur. En soupirant, Simon fit demi-tour dans l'allée en gravier. Quand il arriva à son appartement une heure plus tard, un message l'attendait sur son répondeur.

— Je vous veux au rapport à huit heures tapantes demain matin.

Les courtes vacances de Simon touchaient à leur fin. Il se prépara une salade César, se doucha, puis alla se coucher, en essayant de ne pas penser à Zoe, en Espagne avec son prince.

# 27

À son arrivée à l'aéroport de Cork, Joanna se dirigea tout droit vers le comptoir de location de voitures et récupéra les clés d'une Ford Fiesta. Après avoir fait l'acquisition d'une carte et changé sa monnaie en livres irlandaises, elle suivit les panneaux jusqu'à l'autoroute et constata avec surprise que l'artère principale menant à l'aéroport n'était pas plus grande qu'une route de campagne du Yorkshire. En cette journée ensoleillée de mars, elle admira le paysage verdoyant devant ses yeux.

Une heure plus tard, elle descendit une pente raide qui débouchait sur le village de Rosscarbery. À sa gauche, un estuaire bordé d'un muret se jetait au loin dans la mer. De chaque côté étaient éparpillés des maisons, des cottages et des bungalows. Quand elle parvint au bas de la colline, Joanna arrêta la voiture pour profiter de la vue. La marée était basse et de nombreuses variétés d'oiseaux voletaient au ras du sable. Une petite volée de cygnes flottait gracieusement sur une étendue d'eau.

Joanna sortit de la voiture et alla se percher sur le muret, inspirant profondément. L'air ici n'avait rien à voir avec celui de Londres. Il sentait le propre, le frais, avec une touche de sel qui rappelait que l'Atlantique n'était qu'à quelques kilomètres. C'est là qu'elle vit la maison. Pile dans l'estuaire, tout au bout d'une étroite chaussée, elle était construite sur un lit de rochers et entourée d'eau sur trois côtés. Imposante, la bâtisse était couverte d'ardoise grise et, au sommet de la cheminée, une girouette tournait doucement sous la brise. C'était forcément la maison sur la baie que lui avait décrite Marcus.

Un nuage masqua le soleil, projetant son ombre sur l'eau et la maison. Prise d'un frisson, Joanna retourna à la voiture et démarra le moteur.

Ce soir-là, assise au coin du feu avec un vin chaud dans le bar chaleureux de son hôtel, elle se sentit détendue, pour la première fois depuis des semaines. Bien sûr, elle pensait à Marcus – toutes les réservations étaient à son nom, comment aurait-elle pu l'oublier ? Mais en arrivant dans sa chambre cette après-midi-là, elle s'était allongée sur l'immense lit pour étudier la carte de Rosscarbery… et s'était réveillée à dix-neuf heures dans une pièce obscure.

*C'est sûrement parce qu'ici je me sens en sécurité,* songea-t-elle.

— Vous prendrez votre souper dans la salle à manger ou ici, près du feu ?

C'était Margaret, l'épouse de Willie, l'aubergiste jovial.

— Ici ce sera parfait, merci.

Joanna mangea son bacon, son chou et ses pommes de terre en observant une ribambelle d'habitants pousser les portes de l'auberge. Vieux et jeunes, tous semblaient très bien se connaître. Rassasiée par son copieux souper, elle se dirigea vers le bar pour un dernier vin chaud.

— Vous venez pour les vacances ? lui demanda un homme d'âge moyen en bleu de travail et bottes en caoutchouc.

— Entre autres. J'espérais aussi retrouver un cousin éloigné.

— Ça ne m'étonne pas, les gens viennent toujours chercher des cousins ici. Il faut croire que notre terre bénie s'est débrouillée pour engendrer la moitié de l'hémisphère ouest.

Quelques rires complices au bar accueillirent cette remarque.

— Et il s'appelle comment, votre cousin?

— Michael O'Connell. Apparemment, il est né ici au début du siècle.

L'homme se gratta le menton pensivement.

— Il doit y en avoir quelques-uns, c'est un nom courant dans le coin.

— Vous savez où je pourrais commencer à chercher?

— Le registre des naissances et des morts, juste à côté de la pharmacie sur la place. Et les églises, évidemment. Ou alors vous pouvez aller à Clonakilty, un petit malin a monté une affaire de généalogie. Pour le bon prix, vous inquiétez pas qu'il va vous en trouver, des O'Connell dans votre famille.

L'homme fit un clin d'œil à son voisin et commenta:

— C'est marrant comme les temps changent. Il y a soixante ans, on était des péquenauds à qui on n'aurait même pas donné l'heure. Et maintenant, même le président des États-Unis veut des racines de chez nous.

— Ça, c'est bien vrai, renchérit son voisin.

— Est-ce que par hasard vous sauriez à qui appartient la maison sur l'estuaire? En pierre grise, avec la girouette?

Une vieille femme en anorak et chapeau de laine assise dans un coin regarda Joanna avec un intérêt nouveau.

— Oh, la vieille bicoque? dit l'homme. Depuis que je vis ici, elle a toujours été vide. Faudrait que vous demandiez à Fergal Mulcahy, l'historien du village. Je crois qu'elle était aux Anglais il y a longtemps. C'était pour les gardes-côtes. Mais depuis... Je dirais qu'il y a beaucoup de propriétés laissées à l'abandon, dans le coin.

Joanna récupéra son vin chaud et se leva.

— Merci, et bonne soirée.

— Bonne nuit, mademoiselle. Je vous souhaite de trouver vos racines.

Peu après son départ, la vieille femme à l'anorak se leva et sortit.

L'homme au bar donna un petit coup de coude à son voisin pour le lui signaler.

— On aurait dû l'envoyer voir cette vieille folle de Ciara Deasy. C'est sûr qu'elle pourrait lui en inventer, une histoire ou deux sur les O'Connell de Rosscarbery.

Les deux compères éclatèrent de rire et commandèrent une nouvelle tournée de bière.

Le lendemain matin, après un copieux petit-déjeuner irlandais, Joanna se prépara à sortir. La météo était peu engageante ; le soleil printanier de la veille avait laissé place à une pluie sinistre qui enveloppait la baie dans sa brume.

Elle passa la matinée à se promener dans la cathédrale protestante, et parla à un doyen sympathique qui la laissa consulter les registres des baptêmes et des mariages.

— Vous aurez plus de chances avec le registre de St-Mary, c'est l'église catholique. Nous autres, protestants, sommes en minorité ici, expliqua-t-il avec un sourire penaud.

À l'église St-Mary, Joanna attendit que le prêtre sorte du confessionnal. Il ouvrit ensuite le placard des registres.

— S'il est né à Rosscarbery, il est forcément ici. À l'époque, tous les bébés étaient baptisés. Vous m'avez dit 1900 ?

— Oui.

Joanna passa la demi-heure qui suivit à parcourir les noms des baptisés. Il n'y avait pas un seul bébé O'Connell cette année-là, pas plus que les années d'avant, ni d'après.

— Vous êtes sûre d'avoir le bon nom ? demanda le prêtre. Parce que sinon, je peux vous trouver des dizaines de O'Connor.

Joanna n'était sûre de rien. Elle était ici à cause des paroles d'un vieil homme rapportées par un petit garçon. Frigorifiée, elle quitta l'église et, après un tour sur la place, elle rentra à l'hôtel pour se réchauffer avec un bol de soupe.

— Vous avez trouvé quelque chose ? s'enquit Margaret.

— Rien du tout.

— Vous devriez demander aux vétérans. Ils se souviennent peut-être de noms. Ou à Fergal Mulcahy. Il enseigne l'histoire à l'école pour garçons.

Joanna découvrit avec agacement que le Registre des naissances, mariages et décès était fermé cette après-midi-là. Puisqu'il avait cessé de pleuvoir et qu'elle avait besoin de se dégourdir les jambes, elle emprunta la bicyclette de la fille de Margaret et s'en alla vers l'estuaire. Sur le vélo cahotant aux vitesses rouillées, elle sentait le vent cinglant lui piquer les joues. La chaussée étroite s'étirait sans fin, mais au détour d'un virage, la maison des gardes-côtes apparut. Joanna déposa son vélo contre le muret. Même d'ici, elle voyait les trous dans le toit d'ardoise et les vitres cassées ou calfeutrées avec des planches.

Elle s'avança vers le portail rouillé, qui s'ouvrit dans un couinement. Puis elle monta les marches du perron et essaya de tourner la clenche. La serrure avait beau dater d'un siècle, elle savait toujours protéger la maison des intrus. Joanna essuya la vitre de la fenêtre de gauche avec sa manche. À l'intérieur, elle ne vit rien d'autre que l'obscurité et recula pour évaluer les moyens d'entrer. Il y avait une fenêtre cassée côté mer. Le seul moyen d'y accéder était de descendre sur l'estuaire et d'escalader le mur glissant qui encerclait la maison. Par chance, la marée était basse. Joanna emprunta donc l'escalier vaseux pour rejoindre le sable mouillé. Le mur devait faire dans les trois mètres de hauteur.

Elle cala son pied sur une brique effritée, puis entama son ascension laborieuse, jusqu'à atteindre une corniche de soixante centimètres de largeur. Juste au-dessus d'elle se trouvait la vitre cassée. Sur la pointe des pieds, elle parvint à jeter un coup d'œil à l'intérieur. Si la brise s'était apaisée à l'extérieur, on entendait son sifflement aigu dans la bâtisse. La pièce devait être la cuisine. On y voyait encore des fourneaux vétustes et rouillés, ainsi qu'une pompe à eau à l'ancienne. Un rat mort gisait sur le sol en ardoise.

Soudain, une porte claqua dans la maison. Joanna sursauta et manqua de tomber à la renverse. Elle se tourna aussitôt, s'assit sur la corniche, les jambes ballantes pour préparer son saut. Enfin, elle atterrit sur le sable mou et humide. Après avoir rapidement frotté son jean, elle se dépêcha de récupérer son vélo et pédala à toute allure pour s'éloigner au plus vite de la maison.

Depuis la fenêtre de son cottage, Ciara Deasy regarda Joanna s'enfuir. Elle avait toujours su qu'un jour, quelqu'un viendrait. Alors, elle pourrait enfin lui raconter son histoire.

Le lendemain, Margaret guida Joanna vers le bar et lui annonça :

— Voilà Fergal Mulcahy, c'est l'homme qu'il vous faut.

— Bonjour, dit Joanna en tentant de masquer son étonnement.

Elle s'attendait à trouver un vieux professeur à l'épaisse barbe grise. En réalité, Fergal n'était pas beaucoup plus âgé qu'elle. Vêtu d'un jean et d'un chandail en grosses mailles, il avait d'épais cheveux noirs et des yeux bleus qui lui rappelèrent douloureusement Marcus. Mais quand il se leva, elle remarqua qu'il était bien plus grand et élancé.

— Ravi de te rencontrer, Joanna. On m'a dit que tu avais perdu un cousin, dit-il avec une pointe de malice dans le regard.

— Oui.

Fergal tapota le tabouret voisin.

— Assieds-toi, on n'a qu'à boire un verre et tu me raconteras tout ça. Une pinte, Margaret, s'il te plaît.

Joanna, qui n'avait jamais goûté de bière brune, apprécia le crémeux et la pointe de fer du parfum de la Murphy's.

— Bien, alors, quel est le nom de ce cousin ?

— Michael O'Connell.

— Tu as essayé les églises, je suppose ?

— Oui. Il n'était sur aucun registre de baptême. Ni de mariage. Je voulais aller voir le registre officiel mais…

— Il est fermé la fin de semaine, je sais. On peut facilement remédier à ça.

Il fit tinter un trousseau devant elle.

— Figure-toi que l'officier de l'état civil est mon père et qu'il vit juste au-dessus du bureau. Et il paraît que tu t'intéresses aussi à la maison des gardes-côtes ?

— Oui, mais je ne suis pas certaine qu'elle ait un rapport avec mon cousin perdu.

— Une grande maison, en son temps. Mon père en a encore des photos quelque part. C'est dommage qu'elle ait été laissée à l'abandon. Mais évidemment, personne au village ne se risquerait à y toucher.

— Pourquoi ?

Fergal prit une gorgée de sa pinte.

— Tu sais, dans les petits villages de campagne, les mythes et les légendes naissent avec un grain de vérité et se gorgent de ragots. Une maison vide si longtemps engrange forcément son lot d'histoires. Je parie qu'un jour, un riche Américain va débarquer et nous la voler pour une bouchée de pain.

— Et quelles sont ces histoires ?

Il lui sourit, les yeux pétillants.

— Je suis historien. Je m'intéresse aux faits, pas à la fiction, si bien que je n'en ai jamais cru un mot. Mais… tu ne m'y trouveras pas vers minuit un soir de pleine lune.

— Vraiment ? Pourquoi ?

— On raconte qu'il y a soixante-dix ans environ, la jeune Niamh Deasy aurait fait quelques bêtises avec un homme qui était de passage dans la maison des gardes-côtes. L'homme est retourné en Angleterre, d'où il venait, en laissant la jeune fille enceinte. La douleur de la séparation l'a rendue folle et elle a donné naissance à un enfant mort-né dans la maison, avant de mourir elle aussi peu de temps après. Certains villageois pensent encore qu'elle hante la maison et qu'on peut entendre ses hurlements de douleur les soirs de tempête. D'autres prétendent avoir vu son visage à la fenêtre, les mains ensanglantées.

À ces mots, le sang de Joanna, lui, ne fit qu'un tour. Elle prit une gorgée de Murphy's pour masquer son trouble et manqua de s'étrangler.

— Ce n'est qu'une histoire, la rassura Fergal. Je ne voulais pas te faire peur.

— Non, non, bien sûr. C'est fascinant. Soixante-dix ans, tu dis ? Il doit rester des gens au village qui étaient déjà là à l'époque.

— En effet. La petite sœur de la jeune fille, Ciara, vit toujours au même endroit. Mais n'essaie pas de discuter avec elle. Elle a toujours été étrange, même enfant. Elle croit dur comme fer à cette histoire et y ajoute même sa touche personnelle.

— Alors le bébé est mort ?

— C'est ce qu'on raconte. Certains disent que le père de la fille l'a tué. J'ai aussi entendu une version où il avait été enlevé par des farfadets...

Il secoua la tête en souriant et expliqua :

— Essaie d'imaginer un temps, pas si éloigné, où il n'y avait pas d'électricité et où la seule distraction était de se regrouper pour boire, chanter et échanger des histoires – vraies ou fausses. Les nouvelles voyageaient avec le téléphone arabe, en Irlande, et chaque homme voulait faire de sa version la plus impressionnante. Enfin, tu me diras, ici, la jeune fille est bel et bien morte. Mais dans cette maison, d'un chagrin d'amour ? J'en doute.

— Tu sais où vit Ciara ?

— Dans le cottage rose sur la baie, juste en face de la maison des gardes-côtes. Une vue à faire froid dans le dos, surtout pour elle. Bref, tu veux aller consulter les registres de mon père ?

— Oui, si ça ne t'ennuie pas.

— Pas du tout, et je ne suis pas pressé, ajouta-t-il en désignant la pinte de Joanna. On ira quand tu auras terminé.

Le petit cabinet qui avait enregistré chaque naissance et chaque décès, dans le village de Rosscarbery, des cent cinquante dernières années ne semblait pas avoir beaucoup changé depuis tout ce temps, à part pour la lumière blafarde qui éclairait le bureau.

Fergal alla chercher dans la remise les registres du début du siècle.

— Voilà, tu n'as qu'à prendre les naissances et je prends les décès.

— Très bien.

Ils s'installèrent au bureau, face à face, et parcoururent les lignes en silence. Joanna trouva une Fionnuala et une Kathleen O'Connell, mais pas un seul garçon portant ce nom de famille entre 1897 et 1905.

— Tu trouves ? demanda-t-elle.

— Non, rien du tout. J'ai Niamh O'Sullivan, la jeune fille de l'histoire. Sa mort est recensée au 2 janvier 1927. Mais je ne vois rien sur le bébé, alors voyons si sa naissance est répertoriée.

Fergal alla chercher un lourd volume relié de cuir et ils tournèrent ensemble les pages jaunies des naissances.

— Rien.

Il ferma sèchement le livre et un nuage de poussière s'éleva, provoquant l'éternuement de Joanna.

— Peut-être qu'il s'agit bien d'un mythe, après tout. Tu es sûre que Michael O'Connell est né à Rosscarbery ? Chaque communauté a son propre registre. S'il est né à quelques kilomètres au nord ou au sud, il pourrait très bien s'être retrouvé sur les registres de Clonakilty ou de Skibbereen, par exemple.

— À vrai dire, je ne sais rien, avoua-t-elle en se frottant le front.

— Alors, cela vaut sûrement le coup d'aller regarder les registres dans ces deux villes. On va fermer ici et ensuite je te raccompagnerai à l'hôtel.

Le bar était bien plus rempli que la veille. Après avoir commandé une nouvelle pinte de Murphy's, Joanna se retrouva attirée au milieu d'un groupe comptant Fergal. En apprenant la fascination de Joanna pour la maison des gardes-côtes, une jeune femme aux yeux rieurs et à la longue chevelure rousse s'écria :

— Il faut absolument que tu ailles voir Ciara Deasy, rien que pour rire ! Elle nous a tous terrifiés quand on était enfants, avec ses histoires. À mon avis, c'est une sorcière.

— Ne dis pas n'importe quoi, Eileen, la réprimanda Fergal. On n'est plus des paysans pour croire à ces légendes fantaisistes.

— Est-ce que toutes les régions n'ont pas leurs propres fables ? répliqua-t-elle en battant des cils. Et n'a-t-on pas le droit de garder nos excentricités ? Même l'UE ne peut pas les interdire, tu sais.

S'ensuivit un débat houleux entre pro- et anti-Union européenne.

Joanna bâilla discrètement.

— Je suis ravie de vous avoir tous rencontrés et merci beaucoup pour votre aide. Mais je pense que je vais aller me coucher, à présent.

— Bah alors, la jeune Londonienne ? Je pensais que vous ne vous couchiez pas avant l'aube, là-bas !

— C'est tout cet air frais. Mes poumons ne se remettent pas du choc. Bonne nuit, tout le monde !

Elle se dirigea vers l'escalier mais fut arrêtée par une tape légère sur son épaule.

— Je suis libre jusqu'à midi, demain, l'informa Fergal. Si tu veux, je peux t'accompagner au bureau de l'état civil de Clonakilty. Il est plus grand que le nôtre et ils auront probablement des informations sur le propriétaire de la maison des gardes-côtes. On pourrait aussi faire un tour à l'église, au cas où. Je peux passer te prendre à neuf heures.

Joanna lui sourit.

— Oui, merci. Ce serait super ! Bonne nuit.

À neuf heures le lendemain matin, Fergal l'attendait dans le bar désert. Trente minutes plus tard, ils se tenaient dans les vastes bureaux de l'état civil, de construction récente. Fergal semblait connaître la femme à l'accueil et il fit signe à Joanna de les suivre aux archives.

— Voilà, tout ce qui concerne Rosscarbery se trouve ici, dit-elle en désignant une étagère croulant sous les dossiers. Si tu as besoin d'autre chose, Fergal, appelle-moi.

— Ça marche, Ginny. Merci.

Joanna s'avança vers l'étagère avec l'impression que le jeune historien était décidément le chouchou de toutes les filles de la région.

— OK. Tu prends cette pile, je prends celle-là. La maison est forcément quelque part.

Ils passèrent une heure à tourner les pages jaunies des dossiers poussiéreux, jusqu'au moment où Fergal poussa un cri victorieux.

— Je l'ai ! Viens voir !

Sur les pages s'étalait le plan de la maison des gardes-côtes, à Rosscarbery. Fergal se mit à lire à voix haute :

— Plans dessinés pour un M. H. O. Bentinck, Drumnogue House, Rosscarbery, 1869. C'était un Anglais qui vivait là à l'époque. Il est parti pendant la période sombre, comme beaucoup d'entre eux.

— Mais ça ne veut pas dire qu'il en est toujours propriétaire, non ? C'était il y a cent vingt ans !

— Eh bien, son arrière-arrière-petite-fille, Emily Bentinck, vit toujours à Ardfield. C'est entre ici et Rosscarbery. Elle entraîne des chevaux de race sur son domaine. Tu devrais aller lui demander si elle en sait plus.

Fergal regarda sa montre.

— Je dois partir dans une demi-heure. On photocopie les plans et ensuite on passe rapidement à l'église ?

Fergal alla saluer le prêtre et, après quelques minutes de conversation, les vieux registres de baptêmes furent sortis de leur placard pour eux.

Joanna fit courir son doigt sur le papier.

— Regarde, ici ! dit-elle les yeux brillants. Michael James O'Connell. Baptisé le 10 avril 1900. C'est forcément lui !

— Eh bien voilà ! répondit Fergal avec un grand sourire. Bon, je dois rentrer à Rosscarbery maintenant, je ne peux pas arriver en retard à l'école. Mais je vais t'écrire les directions pour passer au domaine des Bentinck quand on sera dans la voiture.

Alors que Joanna prenait le volant, Fergal lui demanda :

— Alors, qu'est-ce que tu comptes faire, maintenant que tu as trouvé ton homme ?

— Je ne sais pas. Mais au moins, maintenant, je sais qu'il existe.

Elle déposa Fergal à son école, puis suivit ses instructions pour se rendre à Ardfield, et après une vingtaine de minutes frustrantes sur les étroites routes de campagne, elle arriva devant le portail de Drumnogue House. Au bout d'une allée cahoteuse, une immense maison blanche apparut devant elle, avec une vue sur l'Atlantique qui s'étirait au loin.

Joanna sortit de la voiture et se mit en quête de signes de vie, mais n'en repéra aucun derrière les hautes fenêtres georgiennes. Deux colonnes ioniques encadraient la porte d'entrée et, en approchant, elle vit que celle-ci était légèrement entrebâillée. Elle toqua et, n'obtenant aucune réponse, poussa doucement le battant.

— Il y a quelqu'un ?

Sa voix résonna dans un couloir sombre. Face au silence, Joanna battit en retraite et contourna la maison jusqu'à l'écurie. Une femme en anorak et pantalon d'équitation brossait un cheval.

— Bonjour, excusez-moi de vous déranger. Je cherche Emily Bentinck.

— Vous l'avez trouvée, répondit la femme avec un accent anglais. Qu'est-ce que je peux faire pour vous ?

— Je m'appelle Joanna Haslam et je fais des recherches sur mes ancêtres. Je me demandais si votre famille était toujours propriétaire de la maison des gardes-côtes, à Rosscarbery.

— Vous voulez l'acheter, c'est ça ?

— Non, malheureusement mes finances ne me le permettent pas, répondit Joanna avec un sourire. Mais son histoire m'intéresse.

— Je vois.

Emily continua à brosser vigoureusement le cheval.

— Je ne sais pas grand-chose, pour tout vous dire. À part que mon arrière-arrière-grand-père l'a fait construire fin dix-neuvième pour le gouvernement britannique. Ils voulaient un poste sur la baie pour intercepter le trafic de contrebande. Je ne crois pas que ma famille l'ait jamais vraiment possédée.

— Ah. Et vous savez où je pourrais trouver le propriétaire ?

Emily tapota le flanc du cheval et le reconduisit à l'écurie.

— Voilà, tu es tout beau, Sergeant.

Puis elle revint et regarda sa montre.

— Entrez, j'allais faire du thé.

Joanna s'installa dans l'immense cuisine en bazar et Emily posa la bouilloire sur le brûleur. Les murs étaient entièrement couverts de rosettes de compétitions équestres en Irlande et à l'étranger.

— Je dois dire que je ne me suis intéressée à l'histoire de la famille que tardivement, commença Emily. Avant, j'avais trop à faire entre les chevaux et les travaux de la maison. Ma grand-mère a vécu ici jusqu'à sa mort et elle n'utilisait que deux pièces à l'étage. Tout le reste était en ruine quand je suis arrivée il y a dix ans. Malheureusement, je n'ai pas pu tout récupérer. L'air est tellement humide, ici, que la moisissure s'infiltre partout.

— C'est une maison magnifique.

— Oh oui. Et elle a eu ses heures de gloire. Les bals, les soirées et les parties de chasse étaient légendaires. Mon arrière-grand-père divertissait les plus grands noms d'Europe, y compris la famille royale. Apparemment, on a même reçu ici le prince de Galles et sa maîtresse. C'était parfait pour la discrétion, vous comprenez. Les navires de coton faisaient régulièrement le trajet entre Clonakilty et l'Angleterre, il suffisait de descendre là et de prendre un petit bateau pour longer la côte sans que personne ne le sache.

— Vous faites les restaurations ?

Emily servit deux tasses de thé.

— J'essaie. Mais pour ça, il faudrait que les chevaux remportent quelques prix à Cheltenham la semaine prochaine. La maison est beaucoup trop grande pour moi. Quand elle sera plus habitable, j'ai l'intention de l'ouvrir aux touristes et d'en faire un gîte touristique. Ça n'arrivera peut-être pas avant les années 2000, mais bon. Alors, Joanna. Que faites-vous dans la vie ?

— Je suis journaliste. Mais ce n'est pas pour ça que je suis ici. Je cherche un cousin éloigné. Avant de mourir, il a mentionné Rosscarbery et une maison sur la baie.

— Il était irlandais ?

— Oui. Et je l'ai trouvé dans le registre des baptêmes à Clonakilty.

— Comment s'appelait-il ?

— Michael O'Connell.

— D'accord. Où êtes-vous installée ?

— Au Ross Hotel.

— Bien. Vous savez quoi ? J'irai jeter un coup d'œil dans les vieux documents de la bibliothèque plus tard, pour voir si je peux vous retrouver quelque chose sur la maison. Mais pour l'heure, j'ai bien peur de devoir retourner à l'écurie.

— Merci, Emily.

Joanna vida sa tasse, se leva et les deux femmes sortirent ensemble de la cuisine.

— Vous montez ? interrogea Emily.

— Oh oui. J'ai grandi dans le Yorkshire et j'ai passé quasiment toute mon enfance à cheval.

— Eh bien, si vous cherchez une monture pendant votre séjour, n'hésitez pas à repasser. Au revoir.

Plus tard, ce soir-là, Joanna était installée dans son fauteuil préféré du bar, juste au coin du feu, quand l'aubergiste l'appela.

— Joanna, on vous demande au téléphone. C'est Emily, de Drumnogue.

— Merci ! dit-elle en contournant le comptoir pour récupérer le combiné. Allô ?

— Joanna ? C'est Emily. Je suis tombée sur quelque chose de très intéressant en faisant des recherches pour vous. Figurez-vous que le voisin s'est débrouillé pour nous voler cinq hectares quand ma chère grand-mère avait le dos tourné.

— Je suis navrée de l'apprendre. Vous pouvez les récupérer ?

— Non. Ici, quand on érige un enclos autour d'une terre et que personne ne vient la réclamer dans les sept ans, elle est à vous. Ça explique pourquoi le voisin s'enfuit en courant chaque fois que je vais le voir. Bref, il me reste quand même une cinquantaine d'hectares, mais à l'avenir, il faudrait que je pense à installer une clôture.

— Merde alors. Est-ce que vous avez retrouvé des documents sur la maison des gardes-côtes ?

— Malheureusement non. J'ai trouvé les actes notariés de deux ou trois maisons probablement en ruine, mais rien sur celle des gardes-côtes. Vous devriez aller voir au bureau du cadastre, à Dublin. Mais c'est un peu long. Quatre bonnes heures de route. À votre place, je prendrais le train depuis Cork, ça va plus vite.

— D'accord, j'irai peut-être demain. Après tout, je ne suis jamais allée à Dublin. Merci pour votre aide, Emily.

— Une minute, ma belle, je n'ai pas fini. J'ai dit que je n'avais pas trouvé d'acte de propriété, mais j'ai quand même trouvé quelque chose qui pourrait vous intéresser : un vieux registre dans lequel étaient notés tous les salaires des employés en 1919. Et parmi eux, il y a un Michael O'Connell.

— Alors, il aurait travaillé chez vous à cette époque ?

— Il semblerait.

— Et qu'est-ce qu'il faisait ?

— Ce n'est pas inscrit dans le registre. Mais, en 1922, son nom a disparu de la liste, donc j'imagine qu'il est parti.

— Merci, c'est vraiment très intéressant.

— Et ensuite, j'ai trouvé une lettre. Elle a été envoyée à mon arrière-grand-père en 1925. Vous voulez passer demain pour la voir ?

— Vous pourriez me la lire dès à présent ? Je vais juste chercher de quoi écrire.

— Bien sûr.

Joanna demanda un stylo et du papier à Margaret, puis récupéra le téléphone.

— Voilà.

— Très bien, je vous la lis. Elle est datée du 11 novembre 1925. « *Cher Stanley* – c'est mon arrière-grand-père. *J'espère que cette lettre vous parviendra. Lord Ashley m'a demandé de vous informer de l'arrivée sur vos côtes d'un gentleman, invité du gouvernement de Sa Majesté. Il prendra résidence à la maison des gardes-côtes le 2 janvier 1926. Si possible, nous aimerions que vous l'accueilliez à son arrivée au port de Clonakilty à une heure du matin, puis que vous le guidiez jusqu'à ses nouveaux quartiers. Pourriez-vous arranger la venue d'une femme du village pour préparer la maison avant son arrivée ? Cette même personne pourrait également se charger de revenir pour le ménage et la préparation des repas durant la durée du séjour de notre invité.*

*La situation de ce gentleman est des plus sensibles. Nous souhai-terions que sa présence à la maison des garde-côtes demeure secrète. Lord Ashley vous contactera pour plus de détails. Bien entendu, toutes les dépenses seront prises en charge par le gouvernement de Sa Majesté. Faites-moi parvenir vos factures. Enfin, transmettez toute mon affection à Amelia et les enfants. Sincèrement vôtre, Lt John Moore»*. Et voilà, ma belle, conclut Emily. Vous avez pu prendre des notes?

Joanna parcourut rapidement ses gribouillis.

— Oui, c'est bon. J'imagine que vous n'avez pas trouvé de correspondance donnant plus d'indications sur l'iden-tité du gentleman en question?

— J'ai bien peur que non. Enfin, j'espère que ça vous aura aidée. Bonne chance dans vos recherches à Dublin!

# 28

Zoe ouvrit les volets et s'aventura sur la grande terrasse. Devant elle, la Méditerranée scintillait à perte de vue. Le ciel était d'un bleu intense et le soleil tapait déjà. On se serait cru un jour de juillet en Angleterre. Même la femme de chambre avait dit qu'il faisait très chaud pour un mois de mars à Minorque.

La villa dans laquelle elle logeait avec Art était tout simplement magnifique. Appartenant au frère du roi d'Espagne, la propriété aux tourelles d'un blanc immaculé était nichée au cœur de vingt hectares de nature luxuriante. Dans la villa, une brise tiède soufflait doucement à travers les portes-fenêtres gigantesques et les sols carrelés brillaient grâce aux efforts de petites mains invisibles. La maison était construite sur les hauteurs et dominait la mer, si bien que les paparazzis avaient le choix entre escalader une falaise de vingt mètres ou affronter les rottweilers qui patrouillaient le long des murs et de la clôture électrique encerclant le domaine. Zoe et Art avaient désormais le luxe d'être ensemble en toute intimité.

Zoe s'assit sur une méridienne et contempla le paysage. Art dormait paisiblement à l'intérieur, et elle n'avait aucunement l'intention de le réveiller. En tout point cette semaine avait été parfaite. Pour la première fois, il n'y avait rien eu pour les séparer. La Terre continuait de tourner, le monde poursuivait sa course folle, sans eux.

Nuit et jour, Art lui avait répété son amour inconditionnel et lui avait juré que rien ne se mettrait en travers de leur chemin. Il l'aimait, voulait être avec elle, et si les autres n'étaient pas capables de l'accepter, il était prêt à prendre des mesures radicales.

C'était le scénario dont elle rêvait depuis tant d'années. Alors Zoe ne comprenait pas pourquoi elle ne se sentait pas ivre de joie.

Peut-être était-ce simplement le stress des dernières semaines qui la rattrapait. On disait souvent que les lunes de miel ne pouvaient pas être parfaites, parce que la réalité était forcément décevante après tant d'attente. Ou alors se rendait-elle compte qu'elle et Art se connaissaient à peine, au quotidien. Leur aventure fugace une décennie plus tôt avait été celle d'adolescents : des êtres immatures et vulnérables, cherchant aveuglément le chemin vers la vie d'adulte. Et ces dernières semaines, ils n'avaient jamais passé plus de trois ou quatre jours, et encore moins de nuits, seuls.

*Des instants volés...*, songea-t-elle. Pourtant, maintenant qu'ils étaient ensemble, elle ne parvenait pas à se détendre. La veille, le chef leur avait cuisiné une paella merveilleuse. Une fois servi, Art avait fait la moue et suggéré au cuisinier de lui demander son avis sur le menu à l'avenir. Apparemment, il détestait les fruits de mer. Zoe avait englouti sa part avec enthousiasme et loué la recette, ce qui avait assombri plus encore l'humeur de Art. Il la trouvait trop amicale avec les employés.

Une quantité de petites choses avaient irrité Zoe. Ils se retrouvaient toujours à faire ce que lui voulait. Bien sûr, il s'enquérait chaque fois de son avis. Mais il la dissuadait rapidement et elle finissait toujours par adhérer à son programme pour ne pas créer de remous. Elle avait également découvert qu'ils n'avaient pas grand-chose en commun

– ce qui n'avait rien de surprenant quand on pensait au gouffre qui séparait leurs deux mondes. Art avait reçu la meilleure éducation possible, mais à part une culture vaste et riche, ainsi que des connaissances fines en politique, il ne savait rien de ce qui constituait le quotidien d'une personne «normale». La cuisine, la télé et le magasinage – des activités tout simplement agréables – lui étaient complètement étrangers. Il était incapable de se détendre et débordait sans cesse d'une énergie nerveuse. D'ailleurs, même s'il avait accepté de regarder la télé avec elle, jamais ils n'auraient réussi à se mettre d'accord sur le choix du film.

Zoe soupira. Tous les couples se découvraient forcément des différences en commençant à vivre vingt-quatre heures sur vingt-quatre ensemble. Les petits accrocs allaient s'estomper et l'étincelle entre eux reviendrait.

Le problème était exacerbé, évidemment, par le fait qu'ils étaient captifs dans la plus luxueuse des prisons. Zoe regarda en bas de la terrasse et songea à combien elle aimerait quitter la maison pour une longue promenade seule sur la plage. Mais cela impliquait de prévenir Dennis, le garde du corps, qui la suivrait ensuite en voiture. Tout l'intérêt de la balade solitaire serait perdu. Et pourtant, elle n'avait pas ressenti cet agacement avec Simon. Au contraire, sa présence et sa compagnie l'apaisaient.

Zoe se leva et posa les coudes sur la rambarde en se remémorant les vingt-quatre heures qu'ils avaient passées ensemble à Welbeck Street. Sa façon de prendre soin d'elle en cuisinant, de calmer ses angoisses… Elle s'était sentie elle-même avec lui. Bien dans sa peau.

Était-elle elle-même avec Art? C'était une question à laquelle elle ne pouvait pas répondre.

Alors qu'elle traversait la chambre sur la pointe des pieds pour se rendre à la salle de bains, la voix de Art retentit.

— Bonjour, ma chérie.

— Bonjour, répondit-elle gaiement.

— Viens par là.

Il tendit les bras dans sa direction et elle le rejoignit au lit. Il l'attira dans un baiser profond et sensuel, et elle se perdit dans leur étreinte.

— Un jour de plus au paradis, murmura-t-il. Je meurs de faim. Tu as commandé le petit-déjeuner ?

— Non, pas encore.

— Parfait. Pourquoi tu n'irais pas voir Maria pour lui demander de nous apporter des oranges pressées, des croissants et du hareng ? Hier, elle m'a dit qu'elle en ferait importer et mes papilles n'attendent que ça depuis. Pendant ce temps, je vais prendre une douche, et on se retrouve sur la terrasse en bas.

Il lui donna une petite tape affectueuse sur les fesses.

— Oh, mais Art, j'allais justement prendre ma d…

— Oui, ma chérie ?

— Non, rien, dit-elle avec un soupir. On se retrouve en bas.

Ils passèrent la matinée à bronzer au bord de la piscine, Zoe avec un roman, Art avec la presse anglaise.

— Écoute ça, ma chérie. Je te lis le titre : « Le fils d'un monarque devrait-il avoir le droit d'épouser une mère célibataire ? »

— Non, Art, je ne veux pas savoir ce qu'ils racontent.

— Oui, oui, je t'assure. Le journal a fait un sondage téléphonique et vingt-cinq mille lecteurs ont donné leur avis. Quatre-vingts pour cent d'entre eux ont dit oui. C'est plus des deux tiers. Je me demande si Mère et Père ont lu ça.

— Est-ce que ça changerait quelque chose ?

— Bien sûr. Ils sont très sensibles à l'opinion publique, surtout en ce moment. Regarde, il y a même un évêque protestant qui nous apporte son soutien dans le *Times*. Il dit que les mères célibataires font partie intégrante de la société moderne et que si la monarchie veut durer après le millénaire, elle va devoir prouver qu'elle aussi peut s'adapter.

— Et je parie que tu trouveras un rabat-joie moralisateur dans le *Daily Telegraph* pour dire que le devoir d'une personnalité publique est de donner l'exemple, et pas de légitimer les comportements sexuels négligents, marmonna sombrement Zoe.

— Évidemment qu'on pourra toujours en trouver.

Art se leva de sa chaise longue et vint s'asseoir sur la sienne. Il lui prit la main et l'embrassa.

— Je t'aime. Et ce n'est pas comme si Jamie était le fils d'un autre. Sous tous les points de vue, notre mariage est la chose la plus morale à faire.

— Mais ça, personne ne peut le savoir, n'est-ce pas ?

Zoe se leva et se mit à faire les cent pas.

— Je ne sais pas comment je vais parler de nous à Jamie.

— Ma chérie, tu as mis ta vie de côté pendant dix ans pour Jamie. Il n'était qu'une erreur et tu...

Zoe se retourna, furieuse.

— Ne t'avise même pas de dire que Jamie était une erreur !

— Je ne disais pas ça dans ce sens, ma chérie. Tout ce que j'essaie de t'expliquer, c'est qu'il est grand à présent, qu'il a sa propre vie. Maintenant, il est temps que toi et moi ayons une chance d'être heureux, avant qu'il ne soit trop tard.

— On ne parle pas d'un adulte, là ! Jamie est un petit garçon de dix ans. Et à t'entendre, on croirait que je me suis sacrifiée pour l'élever. Ce n'est pas du tout ce qui s'est passé. Jamie est toute ma vie, il est le centre de mon univers. S'il fallait tout recommencer, je le ferais !

— Je sais, je sais. Désolé. Décidément, on dirait que je fais tout de travers ce matin, marmonna-t-il. Bref, j'ai une bonne nouvelle. Un bateau va venir nous chercher cette après-midi et on va naviguer jusqu'à Majorque pour récupérer mon ami, le prince Antonio, et sa femme Mariella. Ensuite, on part tous ensemble pour une croisière de quelques jours. Tu vas les adorer, et ils se sont montrés très compatissants à l'égard de notre situation délicate.

Art tendit le bras pour lui caresser les cheveux.

— Allez, ma chérie, fais un petit effort.

Juste après le dîner, alors que la femme de chambre préparait ses vêtements pour la croisière, le téléphone de Zoe sonna. Elle répondit immédiatement.

— Miss Harrison ? Monsieur West, le directeur de l'école de Jamie, à l'appareil.

— Bonjour, monsieur West. Est-ce que tout va bien ?

— J'ai bien peur que non. Jamie a disparu ce matin, juste après le petit-déjeuner. Nous avons fouillé l'école et le parc, mais nous ne l'avons pas retrouvé pour l'instant.

— Mon Dieu !

Zoe pouvait entendre son propre cœur tant il battait fort. Elle s'assit sur le lit, puis se recroquevilla au sol.

— Je… Est-ce qu'il a emporté quelque chose ? Des vêtements ? De l'argent ?

— Pas de vêtements, mais c'était le jour de l'argent de poche, hier. Miss Harrison, je ne voudrais pas vous faire peur et je suis certain qu'il va très bien. Mais, vu les circonstances, il y a une faible mais réelle possibilité pour qu'il ait été enlevé.

— Oh mon Dieu. Vous avez appelé la police ?

— Non. C'est pour cette raison que je vous appelle. Je voulais votre permission avant de le faire.

— Oui, oui, bien sûr ! Prévenez-les immédiatement ! Je prends le premier avion pour le retour. Je vous en supplie, tenez-moi informée.

— Bien sûr. Et essayez de ne pas paniquer, miss Harrison. Ce ne sont que des précautions. Ce genre d'incident est tout à fait courant. Il suffit d'une dispute avec un ami, d'un reproche d'un professeur… l'enfant revient généralement quelques heures plus tard. Ça pourrait être aussi simple que ça. Je vais interroger tous ses camarades de classe.

— Oui, merci. Au revoir, monsieur West.

Zoe tremblait de tout son être.

Art entra dans la pièce quelques minutes plus tard.

— Ma chérie, qu'est-ce qui se passe ?

Elle leva vers lui des yeux remplis de détresse.

— C'est Jamie ! Il a disparu. Le directeur pense qu'il a pu être enlevé ! répondit-elle en essuyant ses larmes. S'il lui arrivait quoi que ce soit à cause de mon égoïsme, je…

— Doucement, Zoe. Écoute-moi bien. Tous les garçons fuguent de l'internat. Même moi, j'ai semé mes gardes du corps à l'époque.

— Oui, mais tu avais des gardes du corps, toi ! Quand je t'ai demandé si Jamie allait recevoir une protection, tu m'as dit que ce n'était pas nécessaire, et regarde ce qui arrive !

— Tu n'as aucune raison de penser qu'il s'est passé quelque chose. Je suis sûr que Jamie va très bien et qu'il sera rentré à temps à l'école pour le souper, donc…

— S'il n'y avait pas de raison d'avoir peur, pourquoi tu tenais tant à ce que j'aie un garde du corps, mais pas notre fils ? Ton fils, qui est bien plus vulnérable que moi !

— Zoe ! Calme-toi ! Tu dramatises beaucoup trop.

— Pardon ? Mon fils a disparu et je dramatise ? Trouve-moi un avion pour l'Angleterre, tout de suite !

Zoe se leva d'un bond pour jeter pêle-mêle ses affaires dans la valise.

— Tu es complètement irrationnelle. Bien évidemment que s'il n'est pas de retour demain matin, on te ramènera à Londres. Mais pour ce soir, profitons du souper avec Antonio et Mariella. Ils ont vraiment hâte de te rencontrer et ça te fera penser à autre chose.

Frustrée, Zoe lui balança une chaussure.

— Penser à autre chose ? Bon sang ! Mais c'est mon fils dont on parle, pas du chat qui serait parti faire un tour ! Jamie a disparu ! Je ne vais pas partir en croisière sur la Méditerranée alors que mon bébé est peut-être en danger, sanglota-t-elle.

Art pinça les lèvres.

— C'est ridicule. Et d'ailleurs, je doute qu'on puisse te ramener là-bas ce soir. On ne trouvera jamais d'avion avant demain matin.

— Oh oui, tu vas m'en trouver un. Tu es un prince, tu te souviens? Trouve-moi un avion maintenant ou j'en trouverai un moi-même, cria-t-elle sans plus se soucier de ce qu'il pensait d'elle.

Il leva les mains en signe d'apaisement et recula vers la porte.

— D'accord, d'accord. Je vais voir ce que je peux faire.

Trois heures plus tard, Zoe arrivait dans le petit salon VIP de l'aéroport de Minorque. Elle devait prendre un avion privé jusqu'à Barcelone, puis un vol British Airways jusqu'à Heathrow. Art ne l'avait pas accompagnée à l'aéroport et avait embarqué à bord du bateau pour Majorque. Leurs adieux froids s'étaient limités à une bise polie quand elle était montée dans la voiture.

Zoe fouilla dans son sac à main et en sortit son téléphone portable. Il serait minuit passé quand elle atterrirait sur le territoire anglais. Pendant ce temps, il n'y avait qu'une personne en qui elle avait pleinement confiance pour retrouver Jamie.

Zoe composa son numéro et pria pour qu'il décroche.

— Allô?

— Simon? C'est Zoe Harrison.

# 29

À bord du Cork-Dublin, Joanna regardait les gouttelettes d'eau ruisseler sur la vitre. La pluie n'avait pas cessé de tomber depuis la veille. Le clapotis l'avait tenue éveillée et, comme une torture hypnotique, le bruit léger s'était amplifié dans sa tête au point de marteler son crâne comme une avalanche de grêlons. Mais à vrai dire, même sans ça, elle était bien trop tendue pour trouver le sommeil. Alors elle avait passé la nuit à contempler les fissures au plafond et tenter de comprendre où ces nouvelles informations la menaient.

*«La situation de ce gentleman est des plus sensibles...»* *Qu'est-ce que ça peut bien vouloir dire? Rien de tout ça n'a de sens!* songea Joanna avec lassitude. Elle croisa les bras et ferma les paupières pour tenter de somnoler quelques heures.

— Ce siège est pris?

La voix était masculine et américaine. Joanna ouvrit les yeux et trouva devant elle un homme grand et musclé en jean et chemise à carreaux.

— Non.

— Ouf. C'est tellement rare de trouver un wagon fumeurs, de nos jours. On n'a plus ça, chez moi.

Joanna était surprise d'apprendre qu'elle s'y trouvait. Elle n'aurait certainement pas choisi cette place d'ordinaire. Cependant, elle était rarement si fatiguée et perdue.

L'homme s'assit en face d'elle, derrière la tablette. Il alluma une cigarette.

— Vous en voulez une ?

— Non, merci. Je ne fume pas.

Pourvu qu'il ne passe pas les deux heures et demie restantes à fumer et à lui parler…

— Vous voulez que j'éteigne la mienne ?

— Non, c'est bon.

Il inspira une bouffée en l'observant.

— Vous êtes anglaise ? Je reviens justement d'Angleterre. J'étais à Londres, j'adore cette ville.

— Ah.

— Mais j'aime tellement l'Irlande. Vous êtes en vacances ?

— En quelque sorte. Des vacances studieuses.

— Vous écrivez des guides de voyage ou un truc comme ça ?

— Non, je suis journaliste.

L'homme regarda la carte de Rosscarbery étalée sur la table devant elle.

— Vous envisagez d'acheter ?

Il avait posé la question l'air de rien, mais Joanna se raidit et l'étudia attentivement.

— Non, je m'intéresse seulement à l'histoire d'une maison.

— Un lien avec votre famille ?

— Oui.

Le chariot-repas arriva à leur niveau.

— Je meurs de faim ! s'exclama l'homme. Ça doit être à cause de tout cet air frais. Je vais vous prendre un café et un de ces petits gâteaux, madame. Ah, et un sandwich au thon. Vous voulez quelque chose… euh ?

— Lucy. Je vais prendre un café, dit-elle à la jeune femme responsable du chariot.

Elle fouilla dans son sac à dos pour sortir son porte-monnaie, mais l'homme lui fit signe de laisser tomber.

— Je ne suis pas à un café près, dit-il en lui tendant le gobelet. Kurt Brosnan. Pas de lien de parenté avec Pierce, avant que vous ne me le demandiez.

— Merci pour le café, Kurt.

Par précaution, elle replia la carte, mais il semblait avoir perdu tout intérêt et se concentrait à présent sur le déballage de son sandwich au thon, dans lequel il mordit avidement.

— Pas de quoi. Alors comme ça, vous pensez avoir des racines irlandaises?

— C'est possible, oui.

Joanna se résigna à abandonner sa sieste. En le voyant mastiquer son sandwich et répandre des miettes sur la table, elle se reprocha ses instincts paranoïaques. *Tout le monde n'en a pas après toi*, se serina-t-elle mentalement. D'autant qu'il était américain.

— Moi aussi. Ma famille vient d'un tout petit village sur la côte de West Cork. Apparemment, mon arrière-arrière-grand-père était originaire de Clonakilty.

— Figurez-vous que je suis descendue dans la ville voisine, à Rosscarbery.

Le visage de Kurt s'éclaira comme celui d'un enfant, tout heureux de cette minuscule coïncidence.

— Vraiment? J'y étais justement avant-hier, dans la grande cathédrale. J'ai bu la meilleure pinte de brune de tout mon voyage dans un hôtel au centre...

— Le Ross? C'est là que je suis.

— Sans rire! Alors comme ça, vous partez à Dublin? C'est la première fois?

— Oui. J'ai des recherches à faire là-bas, et ensuite je pense que je vais faire un tour de la ville. Et vous?

— C'est aussi ma première fois. On pourrait faire un bout de chemin ensemble.

— Il faut d'abord que j'aille au bureau du cadastre. Je ne sais pas combien de temps cela me prendra.

— C'est là que sont archivés les actes de propriété, c'est ça? demanda Kurt en attaquant sa pâtisserie. Vous cherchez à savoir si un héritage vous attend quelque part?

— En quelque sorte. À Rosscarbery, il y a une maison dont personne ne semble connaître le propriétaire.

Kurt leva les yeux au ciel.

— Incroyable. Cela dit, ils sont tellement insouciants, dans ce pays. Les voitures n'ont pas d'alarme et personne ne ferme sa porte d'entrée à clé. L'autre jour, au restaurant, la propriétaire a dû s'absenter et m'a simplement demandé de poser mon assiette dans l'évier une fois que j'aurais terminé, et de fermer la porte derrière moi. Bref, montrez-moi cette maison, dit-il en désignant la carte.

Malgré ses appréhensions initiales, le voyage fut tout à fait plaisant. Kurt était de bonne compagnie et la divertit avec des anecdotes de son Chicago natal. Quand le train arriva à Heuston Station, Kurt sortit un petit carnet et un stylo doré de sa poche.

— Donnez-moi votre numéro à Rosscarbery. On pourra peut-être se retrouver pour un verre quand vous serez rentrée de Dublin.

Joanna inscrivit son numéro de téléphone et il récupéra le carnet avec un sourire joyeux.

— Lucy, c'était un voyage très agréable en votre compagnie. Vous rentrez quand dans la région de West Cork?

— Oh, je ne sais pas trop encore.

Quand le train s'immobilisa complètement, elle se leva.

— Ravie de vous avoir rencontré, Kurt.

— Moi de même, Lucy. À bientôt, peut-être.

Elle lui sourit et suivit les passagers qui descendaient du train.

Joanna prit un taxi pour se rendre au bureau du cadastre près du fleuve et du Four Courts Building, qui abritait la Cour suprême d'Irlande. Après avoir rempli un formulaire long comme le bras, elle se rangea dans la file à l'accueil et attendit qu'on lui remette le dossier demandé.

Quand elle l'eut enfin, elle apprit avec une immense déception que la maison des gardes-côtes était passée des mains du gouvernement de Sa Majesté à celles de l'État libre d'Irlande le 27 juin 1928. Après avoir photocopié l'acte et les cartes, elle rendit le dossier, remercia la jeune femme et quitta les locaux.

Dehors, la pluie tombait dru. Elle sortit son parapluie chétif de Londonienne et marcha jusqu'à Grafton Street et toutes les petites rues adjacentes qui regorgeaient de pubs accueillants. Quelques minutes plus tard, trempée jusqu'aux os, elle s'engouffra dans le premier et commanda une bière Guinness.

— Une belle petite journée comme on les aime, pas vrai ? lui lança le barman.

— Est-ce qu'il s'arrête parfois de pleuvoir dans ce pays ?

— Je dois reconnaître que ça n'arrive pas souvent. Et après on se demande pourquoi on est si nombreux à finir alcooliques.

Joanna était sur le point de commander un petit pain au cheddar bien chaud quand une silhouette familière passa la porte.

L'homme la repéra aussitôt et lui adressa un signe de la main enthousiaste.

— Lucy, salut !

Kurt vint s'asseoir à côté d'elle au bar et une flaque d'eau se forma aussitôt sous sa veste.

— Je vais prendre une Guinness, merci, et une autre pour la demoiselle, dit-il au barman.

— J'en ai déjà une, merci, intervint-elle en tentant de masquer sa méfiance.

La coïncidence était beaucoup trop louche. Semblant lire le fil de ses pensées, il expliqua aussitôt :

— Je vous assure que ce n'est pas si étonnant qu'on se recroise ici. C'est un des pubs les plus célèbres de Dublin. Le Bailey est sur toutes les listes des incontournables touristiques. James Joyce venait ici !

— Vraiment? Je n'ai pas remarqué le nom, je suis juste entrée pour me mettre au sec.

— Alors, qu'ont donné vos recherches?

— Rien, grogna-t-elle en prenant une gorgée de Guinness.

— Tant pis. Vous savez, ma matinée n'a pas été plus fructueuse. Il pleut tellement qu'il faudrait des essuie-glaces pour voir quoi que ce soit. Alors j'abandonne. Je vais passer la soirée à boire, et la nuit dans un hôtel de luxe. J'ai réservé une chambre au Shelbourne, apparemment c'est le meilleur de la ville.

— Ah. Je vais prendre un pain au cheddar, dit Joanna au barman.

— Dites, vous pourriez venir souper avec moi ce soir, à l'hôtel. C'est moi qui invite, pour vous remonter le moral.

— Merci, mais…

Kurt leva les mains en signe de bonne foi.

— En tout bien tout honneur, juré! Je me dis juste que vous êtes seule, je suis seul, alors peut-être qu'on profiterait mieux de la nuit en se tenant compagnie.

— Non, merci.

Joanna se leva, franchement agacée. Kurt paraissait sincère, mais elle était toujours secouée par sa soudaine apparition.

— D'accord, répondit-il, visiblement contrarié. Alors, quand est-ce que vous rentrez à West Cork?

— Euh… Je ne sais pas encore.

— OK, dans ce cas, on se reverra peut-être là-bas.

— Peut-être. Au revoir, Kurt.

●●●

— Voilà, signez ici, dit Margaret au jeune homme de l'autre côté du comptoir de la réception.

— Merci. Dites-moi, est-ce que par hasard vous auriez croisé une jeune Anglaise du nom de Joanna Haslam, dans les environs?

— Ça dépend. Qui la demande ?

— Je suis son petit ami, répondit-il avec un sourire chaleureux.

— Eh bien, oui, il y a bien une jeune femme de ce nom à l'hôtel. Mais elle est partie visiter le pays, aujourd'hui. Elle rentre ce soir ou demain.

— Super, je ne veux pas qu'elle sache que je suis là. C'est... son anniversaire demain, et je voudrais lui faire la surprise.

Il posa son index sur ses lèvres et ajouta, d'un air complice :

— Surtout, pas un mot !

— Évidemment.

Margaret tendit à l'homme la clé de sa chambre et le regarda monter l'escalier. *Ah, la jeunesse!* pensa-t-elle, attendrie, avant de descendre à la cave pour changer le fût de bière.

# CAPTURER

*Éliminer une pièce adverse du plateau.*

# 30

Simon prit place sur la chaise au haut dossier capitonné. De l'autre côté du bureau au dessus de cuir, l'homme lui annonça :

— Simpson manque à l'appel.

— Je vois.

— Et votre amie, miss Haslam, a également disparu dans la nature.

Simon songea avec humour qu'ils s'étaient peut-être enfuis ensemble, mais se garda bien de prononcer à voix haute une telle plaisanterie.

— Pourrait-ce n'être qu'une coïncidence, monsieur ?

— Vu les circonstances, j'en doute. On vient de recevoir l'évaluation psychologique de Simpson. Le docteur est suffisamment inquiet pour recommander un traitement immédiat.

L'homme fit rouler son fauteuil autour du bureau.

— Il en sait trop, Warburton. Je veux que vous le trouviez, et vite. Mon instinct me dit qu'il cherche peut-être Haslam.

— Je pensais que son appartement était sur écoute ? Ainsi que celui de Marcus Harrison ? Est-ce que les micros vous ont transmis la moindre information sur l'endroit où elle pourrait être ?

— Non. On pense qu'ils ont trouvé les micros. Rien d'intéressant n'a été relevé ces derniers jours. D'ailleurs, le dispositif installé chez miss Harrison ne transmet pas correctement, mais nos hommes ont prévu de le remplacer. Dans le cas de miss Haslam, nos agents n'ont rien intercepté d'autre que les appels colériques de Marcus Harrison qui veut savoir où elle se trouve.

— Et personne n'a aucune idée d'où ils ont pu disparaître ?

— Vous avez lu le dossier, Warburton, répliqua l'homme avec agacement. Si vous étiez Haslam et que vous souhaitiez déterrer plus d'informations, où iriez-vous ?

— Dans le Dorset, peut-être ? Pour continuer à fouiller le grenier ? J'y ai jeté un coup d'œil lors de mon bref séjour et les piles de documents sont colossales.

— Vous croyez qu'on ne le sait pas ? J'ai dix de mes hommes qui se relaient jour et nuit là-bas depuis que Zoe Harrison est partie en Espagne. Ils n'ont toujours rien trouvé.

L'homme fit rouler son fauteuil à sa place, derrière le bureau.

— Marcus Harrison est toujours chez lui. Vous devriez lui rendre visite.

— Oui, monsieur. J'irai lui toucher un mot.

— Je veux un rapport à votre retour. Nous aviserons à partir de là.

— Oui, monsieur.

— On me dit que vous êtes allé voir le jeune Jamie Harrison ?

— Oui, monsieur.

— Pour le plaisir ou pour les affaires ?

— Je rendais service à Zoe Harrison, monsieur.

— Attention, Warburton. Vous connaissez les règles.

— Évidemment, monsieur.

— Bien. Tenez-moi au courant de vos avancées.

Simon se leva et quitta la pièce en priant pour que le vieil homme n'ait pas remarqué ses joues échauffées. Si son corps et son esprit pouvaient se soumettre à une discipline d'acier, à l'évidence, son cœur ne pouvait être dompté.

N'ayant trouvé personne à l'appartement de Marcus Harrison, Simon était retourné au bureau pour appeler les parents de Joanna, qui n'avaient pas de nouvelles non plus. Il était convaincu qu'elle était toujours sur la piste. *En France, peut-être?* Il avait alors perdu plusieurs heures à éplucher les listes de passagers d'avions et de traversiers partis ces derniers jours. Son nom n'apparaissait nulle part.

Quel autre endroit était lié au mystère qu'ils essayaient tous les deux de percer? Simon repensa au dossier qu'il avait mémorisé. Il y avait un autre lieu, il le savait...

Quarante-cinq minutes plus tard, il avait trouvé le nom de Joanna sur un vol pour Cork. Il réserva aussitôt une place sur un vol qui partait dans l'après-midi. Il était en route pour Heathrow, au milieu des embouteillages au niveau de Hammersmith, quand son téléphone sonna.

— Bonjour, Zoe. Où êtes-vous?

Simon était si surpris d'entendre sa voix qu'il eut besoin de se garer pour reprendre ses esprits.

— À l'aéroport de Minorque. Oh, Simon...

Il l'entendit ravaler un sanglot.

— Qu'est-ce qu'il y a? Que s'est-il passé?

— C'est Jamie. Il a disparu. Le directeur de l'école pense qu'il a peut-être été enlevé. Je...

— Inspirez une minute. Voilà. Maintenant, expliquez-moi calmement et en détail ce qui s'est passé.

Elle suivit son conseil et fit de son mieux pour tout raconter du début.

— Est-ce que le directeur a appelé la police?

— Oui, mais Art ne veut pas faire de vagues. Il dit qu'il ne faut pas que la presse soit impliquée, parce que ça risquerait de...

— De vous remettre, lui, vous et Jamie, sous le feu des projecteurs. Eh bien, il va probablement devoir s'y faire. Au bout du compte, le plus important est de retrouver Jamie, ce qui est toujours plus facile quand le public est averti de la disparition d'un enfant.

— Comment vous a semblé Jamie quand vous l'avez vu ?

— Très silencieux, je dois dire. Mais il allait bien.

— Il n'a pas parlé de soucis à l'école ?

— Non, mais j'ai eu l'impression qu'il était préoccupé, ce qui me conforte dans l'idée qu'il va probablement bien. Peut-être qu'il avait simplement besoin d'être seul. C'est un garçon raisonnable, Zoe. Ne vous inquiétez pas tant.

— Je ne serai pas à Londres avant plusieurs heures. Je peux vous demander un service ?

— Bien sûr.

— Pourriez-vous passer chez moi à Londres ? Vous avez toujours la clé, n'est-ce pas ? Et s'il n'est pas là, essayez le Dorset. La clé est cachée sous le tonneau derrière la maison, à gauche.

— La police va certainement…

— Simon, il vous connaît. Il vous fait confiance. S'il vous plaît, je…

La voix de Zoe fut coupée.

— Zoe ? Zoe ? Vous m'entendez ?

D'un geste rageur, il frappa le volant.

— Merde !

Il devait se rendre immédiatement en Irlande à la rescousse de sa meilleure amie qui ne savait pas à quel point elle était vulnérable, et qui avait besoin de son aide.

De quel côté penchait sa loyauté ? En théorie, c'était évident. Son amie de toujours, et son allégeance au gouvernement qu'il servait. Mais son traître de cœur battait pour une femme et son enfant qu'il ne connaissait que depuis quelques semaines. Après une minute d'agonie, Simon enclencha son clignotant pour se réinsérer dans la circulation. Puis il fit demi-tour et regagna le centre de Londres.

La maison de Welbeck Street était plongée dans l'obscurité et les alentours étaient déserts. Simon s'attendait pourtant à y trouver encore quelques paparazzis. Il ouvrit la porte et passa dans toutes les pièces du rez-de-chaussée, sachant pertinemment qu'il n'y trouverait personne. Son instinct lui soufflait que la maison était vide.

Il vérifia quand même la chambre de Zoe, puis celle de Jamie. S'asseyant sur le lit de l'enfant, il balaya la pièce du regard. Le mélange de nounours et de voitures télécommandées témoignait de l'âge charnière du garçon. Des cadres avec des illustrations enfantines décoraient les murs, mais une affiche des Power Rangers était accrochée derrière la porte.

— Où es-tu, petit bonhomme ? demanda-t-il à voix haute en fixant une petite broderie au motif complexe suspendue au-dessus du lit.

Simon alla faire un tour au grenier pour la forme, puis redescendit. En errant dans le séjour, il aperçut par la fenêtre une Fiat Panda garée devant la maison. Un policier en sortit et se dirigea vers la porte d'entrée. Simon ouvrit avant qu'il n'ait eu le temps de sonner.

— Bonjour.

— Bonjour, monsieur, vous habitez ici ?

— Non, dit Simon en fournissant sa pièce d'identité.

— J'imagine que vous cherchez le jeune homme qui fait l'école buissonnière ?

— Oui.

— Apparemment, il faut que ça reste un secret pour le moment. Les gens de là-haut ne veulent pas que la disparition atterrisse dans les journaux, à cause de sa maman et de son… ami.

— Précisément. Eh bien, j'ai fait le tour de la maison et il n'y est pas. Vous allez rester là, au cas où il viendrait ?

— Non, on m'a juste demandé de jeter un coup d'œil. Je peux faire venir quelqu'un, si c'est ce qu'on veut de votre côté.

— Je pense que ce serait une bonne idée. Les probabilités sont grandes pour que le jeune garçon en question cherche à rentrer à la maison – s'il le peut, bien sûr. Je dois partir à présent, mais assurez-vous que quelqu'un monte la garde devant. Merci.

— Oui, monsieur. Je vais faire ça.

Deux heures plus tard, Simon garait sa voiture devant Haycroft House. En regardant sa montre, il constata qu'il était vingt-deux heures passées. Puis il sortit sa lampe torche de la boîte à gants et partit en quête du tonneau et de la clé cachée. Il la trouva avec une pointe de déception : Jamie ne l'avait donc pas récupérée. Il retourna à l'avant de la maison et déverrouilla la lourde porte d'entrée.

Les lumières allumées, Simon alla de pièce en pièce. La vaisselle de son souper avec Zoe était toujours sur l'égouttoir et le lit de la jeune femme était resté défait depuis le matin où ils étaient partis si tôt.

Rien. La maison était vide.

Il appela alors l'agent posté à Welbeck Street pour lui demander s'il y avait du nouveau. Jamie n'était pas rentré. Simon décida de se faire un café avant de reprendre la route. Il s'assit à table et passa vigoureusement les mains dans ses cheveux, essayant de rassembler ses pensées. Si Jamie ne réapparaissait pas le lendemain matin, tant pis pour le palais. Ils devraient rendre la disparition publique. Il repassa dans sa tête la conversation qu'il avait eue avec le garçon lors du dîner.

Après sa troisième tasse de café qui le rendit fébrile et sur les nerfs, Simon refit une dernière fois le tour de la maison. Il alluma les lumières extérieures et ouvrit la porte de la cuisine qui donnait sur l'arrière. Le jardin était immense et à l'évidence très bien entretenu. Simon braqua sa lampe torche vers la haie qui bordait le terrain. Dans un coin se trouvait une petite pergola. En dessous, un banc en pierre sur lequel il alla s'asseoir. La pergola était couverte d'une plante grimpante. En passant sa main dessus, une épine se planta dans son doigt, lui arrachant un cri de douleur.

*Des roses,* en déduit-il. *Ça doit être magnifique en plein été. Des roses…*

« *Grand James adorait les roses. Il a même voulu qu'elles soient gravées sur sa tombe.* »

Simon bondit sur ses pieds et courut à l'intérieur pour passer un appel.

Le cimetière était à moins d'un kilomètre de la maison, derrière l'église. Simon gara sa voiture devant le grand portail en fer forgé. En découvrant le cadenas, il escalada sans mal les barrières et avança parmi les tombes, éclairant les noms, les uns après les autres. Une demi-lune apparut derrière un nuage, projetant sa lumière fantomatique sur le cimetière. Malgré lui, Simon frissonna. La cloche de l'église sonna minuit, lente et solennelle.

Enfin, Simon arriva aux rangées des années 1970 et 1980. Tout à l'arrière, il repéra une pierre tombale gravée de 1991. Lentement, au fil de son avancée, les dates se firent de plus en plus récentes. Il avait presque atteint le bout du cimetière à présent, et il ne restait plus qu'une tombe, seule, au pied de laquelle était planté un petit buisson.

**SIR JAMES HARRISON**
**ACTEUR**
**1901-1995**
*Bonne nuit, doux prince – que des essaims d'anges*
*te bercent de leurs chants.*

Là, recroquevillé sur la tombe, se trouvait Jamie.

Simon s'approcha en silence. L'enfant était profondément endormi. Il s'agenouilla auprès de lui et orienta la lampe afin de voir son visage sans l'éblouir. Puis il chercha son pouls – stable – et prit sa main. Elle était froide, mais pas au point de l'hypothermie. Avec un soupir de soulagement, il caressa doucement la tête blonde.

— Maman… ? appela une voix endormie.

— Non, c'est Simon. Tout va bien, petit bonhomme.

Jamie se releva en sursaut, les yeux écarquillés et l'air terrifié.

— Hein ? Quoi ? Je suis où ?

Il regarda autour de lui et se mit à trembler.

— Jamie, tout va bien. C'est Simon. Je suis là, le rassura-t-il en le prenant instinctivement dans ses bras. Je vais te porter jusqu'à ma voiture et on va rentrer à la maison. Ensuite, on fera un bon feu dans la cheminée, du thé bien chaud, et tu me raconteras ce qui s'est passé, d'accord ?

Jamie leva la tête vers lui. Dans son regard, la confiance avait remplacé la terreur.

— D'accord.

Quand ils arrivèrent à la maison, Simon alla récupérer l'édredon du lit de Zoe et en emmaillota le garçon qui frissonnait sur le canapé. Puis il alluma un feu en silence. Une fois qu'il eut alerté l'agent posté à Welbeck Street et laissé un message sur le répondeur de Zoe, Simon tendit une tasse de thé à l'enfant et s'assit à côté de lui.

— Bois, ça va te réchauffer.

Jamie prit une gorgée de thé, ses petites mains serrées autour de la tasse.

— Tu es en colère contre moi ?

— Non, pas du tout. On était tous inquiets, mais pas en colère.

— Maman va être furieuse quand elle va l'apprendre.

— Elle sait déjà que tu as disparu de l'école. Elle est partie d'Espagne et elle doit avoir atterri il y a quelques minutes. Je suis sûr qu'elle ne va pas tarder à me rappeler. Tu pourras lui dire que tu vas bien.

Le garçon reprit une gorgée de thé.

— Elle ne tournait pas en Espagne, pas vrai ? Elle était avec lui.

— Lui ?

— Son petit copain. Le prince Arthur.

Simon l'observa attentivement.

— Oui. Comment tu l'as su ?

— Un grand à l'école a mis le journal dans mon casier.

— Je vois.

— Ensuite, Dickie Sisman, c'est celui qui me déteste parce que j'ai été pris dans l'équipe de rugby et pas lui, il n'arrêtait pas de dire que Maman était la... pute du prince.

Simon grimaça mais ne dit rien.

— Ensuite il m'a demandé qui était mon père. J'ai répondu que c'était Grand James, et Dickie et les autres se sont moqués de moi parce qu'ils ont dit que mon père ne pouvait pas être mon grand-père et que j'étais débile. Je sais que ce n'est pas mon père, mais c'était quand même mon vrai père. Et maintenant il n'est plus là.

Tout son petit corps était secoué par les sanglots.

— Il disait qu'il ne m'abandonnerait jamais, qu'il serait toujours là pour moi, que je n'avais qu'à l'appeler et il répondrait toujours... mais c'est faux ! Parce qu'il est... mort !

Simon enleva doucement sa tasse des mains et le prit dans ses bras.

— Je ne pensais pas qu'il était vraiment parti, continua Jamie. Je veux dire, je savais qu'il n'était plus là en personne – c'est ce qu'il m'a expliqué – mais je pensais qu'il serait toujours là quelque part. Sauf que quand j'ai eu besoin de lui, il n'était pas là !

Les sanglots reprirent de plus belle.

— Et ensuite Maman est partie aussi, et il n'y avait plus personne. Et à l'école, c'était horrible. Je ne pouvais pas rester, alors je suis allé voir Grand James.

— Je comprends, dit Simon à voix basse.

— Le pire, c'est que Maman m'a menti !

— Elle l'a fait pour te protéger.

— Avant, elle me disait tout. On n'avait pas de secrets. Et si j'avais su, j'aurais pu me défendre quand les grands étaient méchants.

— Parfois, les adultes jugent mal la situation. C'est ce qui s'est passé avec ta mère.

Jamie secoua farouchement la tête.

— Non. C'est parce que je ne suis plus le numéro un. Maintenant, elle a le prince Arthur et elle l'aime plus que moi.

— Oh, Jamie. Ce n'est pas vrai du tout. Ta maman t'adore. Crois-moi, elle était dans tous ses états quand elle a appris que tu avais disparu. Elle a remué ciel et terre pour trouver un avion et revenir te chercher.

— C'est vrai ?

Jamie essuya son nez tristement.

— Simon ?

— Oui ?

— Je vais devoir déménager là-bas ?

— Je ne sais pas, Jamie. Je pense que ce n'est pas prévu pour tout de suite.

— J'ai entendu un surveillant rigoler avec le prof de sport. Il disait que je ne serais pas le premier bâtard à emménager au palais.

En son for intérieur, Simon maudit la cruauté humaine.

— Jamie, ta maman va rentrer très bientôt. Je veux que tu me promettes de lui raconter tout ça aussi, pour qu'il n'y ait pas de malentendu à l'avenir.

— Tu l'as déjà rencontré, toi ?

— Oui.

— Il est comment ?

— Gentil. C'est un homme gentil. Je suis sûr que tu vas bien l'aimer.

— Ça m'étonnerait. Est-ce que les princes aiment jouer au foot ?

— Oui, répondit Simon en riant.

— Et manger de la pizza et des haricots à la tomate ?

— Certainement.

— Est-ce que Maman va se marier avec lui ?

— Ça, il n'y a qu'elle qui pourra te répondre.

Son téléphone portable sonna.

— Allô, Zoe ? Tu as eu mon message ? Oui, Jamie va bien, il est avec moi. On est dans le Dorset. Tu veux lui dire un mot ?

Simon passa le téléphone à Jamie, puis quitta la pièce pour lui laisser un peu d'intimité. Il revint une fois la conversation terminée et vit que le garçon avait repris des couleurs.

— Elle va être en colère contre moi, tu crois ?

— Est-ce qu'elle avait l'air énervée ?

— Non. Elle avait l'air contente. Elle arrive bientôt.

— Tu vois.

Simon s'assit sur le canapé et Jamie posa sa tête sur ses genoux en bâillant.

— Je préférerais que ce soit toi, le prince, Simon, dit-il d'une voix ensommeillée.

*Moi aussi…*, songea Simon.

Soudain, Jamie releva la tête et lui sourit.

— Merci d'avoir su où me trouver.

— De rien, mon bonhomme.

À trois heures passées, Zoe régla le taxi et ouvrit la porte de Haycroft House. Le silence régnait. Dans le salon, Jamie était recroquevillé sur le canapé, la tête sur les genoux de Simon, profondément endormi. La tête de Simon reposait en arrière sur le dossier et ses paupières étaient closes. Zoe sentit les larmes lui monter aux yeux en voyant son fils et Simon, qui les avait si généreusement aidés quand personne d'autre n'était là pour eux.

Simon ouvrit les yeux en l'entendant approcher. Délicatement, il s'extirpa du canapé et cala la tête de Jamie sur un coussin, avant de faire signe à Zoe de quitter la pièce.

Ils marchèrent en silence jusqu'à la cuisine et Simon ferma la porte derrière lui.

— Il va bien ? Vraiment ?

— Absolument, il n'a rien, c'est promis.

Zoe s'assit et prit sa tête dans ses mains.

— Quel soulagement. Vous ne pouvez pas imaginer ce qui se passait dans ma tête pendant ce vol interminable. Où l'avez-vous trouvé ?

— Endormi sur la tombe de son grand-père.

— Oh, Simon, je…

Elle plaqua une main contre sa bouche, horrifiée.

— Ce n'est pas votre faute, Zoe. Je pense qu'il y a eu une combinaison malheureuse de nombreux facteurs, entre les plaisanteries cruelles à l'école, le deuil…

— Et le fait que je n'étais pas là… Alors il a appris pour Art par les autres garçons ?

— Oui.

— Et merde ! J'aurais dû le lui dire.

— On fait tous des erreurs. Celle-ci peut facilement être rectifiée.

— Je savais qu'il était trop calme après la mort de James. J'aurais dû le voir venir.

— Je pense que lorsque Jamie a eu des ennuis, il s'est soudain rendu compte que l'homme qu'il adorait, sa figure paternelle, était parti pour de bon. Surtout quand des esprits malveillants lui ont suggéré un remplaçant. Mais c'est un bon garçon, il s'en remettra. Écoutez, maintenant que vous êtes là, je dois absolument m'en aller.

Zoe fut prise de court.

— Pour aller où ?

— Le devoir m'appelle.

Il retourna sur la pointe des pieds dans le salon pour récupérer sa veste et retrouva la jeune femme dans le couloir.

— Jamie dort comme un bébé. Je pense qu'un gros câlin de sa maman est la seule chose dont il ait besoin.

— Oui. Et on va en avoir, des choses à se dire…

Elle le raccompagna jusqu'à la porte.

— Simon, comment puis-je vous remercier ?

— Ce n'est rien, n'y pensez plus. Prenez soin de vous et faites un bisou à Jamie de ma part. Dites-lui que je suis désolé d'avoir dû partir sans lui dire au revoir.

Zoe acquiesça, l'air mélancolique.

— Simon ?

Il se retourna, la main sur la poignée.

— Oui ?

Elle hésita, puis secoua la tête.

— Non, rien.

— Au revoir, Zoe.

Il lui adressa un sourire figé, puis ouvrit la porte.

# 31

Joanna gara sa Ford Fiesta de location sur le bord du trottoir devant le Ross Hotel et coupa le moteur avec un profond soulagement. Elle était épuisée après sa nouvelle insomnie dans un motel bon marché de Dublin, où elle avait passé la nuit à sursauter au moindre craquement. L'arrivée de Kurt au pub l'avait véritablement perturbée. L'avait-il suivie là-bas ou était-elle en train de devenir complètement parano?

Elle resta assise un instant, le regard perdu sur la pluie qui inondait la place pittoresque.

— Cette satanée petite vieille…, marmonna Joanna.

Si seulement elle ne l'avait jamais rencontrée… Où serait-elle, à présent? Chez elle, à Londres, en train de rédiger un article pour les actualités. Et certainement pas sous la pluie dans un trou perdu d'Irlande.

C'en était trop. Elle allait rentrer en Angleterre au plus vite, tirer un trait sur les dernières semaines et oublier toutes ces histoires. Elle allait même poster tout ce qu'elle avait trouvé à Simon et il pourrait bien en faire ce qu'il voudrait. Il avait probablement été assigné à la protection de Zoe pour découvrir ce qu'elle savait et les secrets que contenait la maison. Très bien, il pouvait bien tout avoir; quant à elle, c'était terminé.

Joanna ouvrit la portière, sortit son sac du coffre et entra dans l'hôtel d'un pas décidé.

— Bonjour, vous avez fait bon voyage ? s'enquit Margaret derrière le bar.

— Oui. C'était... très bien, merci.

— Tant mieux.

— Je vais vous rendre ma chambre et rentrer chez moi. Je vais voir si je peux trouver un vol ce soir.

— Très bien, répondit Margaret, légèrement surprise. Quelqu'un a laissé une enveloppe pour vous quand vous étiez partie.

Elle se tourna et attrapa une lettre dans le casier.

— Merci.

— C'est une carte d'anniversaire, j'imagine ?

— Ça m'étonnerait, je suis née en août. Mais merci.

Quand elle disparut dans l'escalier, Margaret resta pensive. Elle réfléchit un moment, puis décida d'appeler son neveu qui travaillait au commissariat local.

— Oui, Sean ? Tu te souviens quand tu me posais des questions sur le jeune homme qui est arrivé à l'hôtel, hier ? Eh bien, peut-être qu'il y a quelque chose de louche. Il est sorti, il a dit qu'il revenait dans l'après-midi... Oui, je crois que tu ferais bien.

Joanna déverrouilla la porte de sa chambre, posa son sac, déchira l'enveloppe et s'effondra sur le lit. Il lui fallut un moment pour déchiffrer les gribouillis irréguliers.

*Chère mademoiselle,*
*J'ai entendu au bar que vous parliez de la maison des gardes-côtes. Je sais des choses. Venez me voir et vous saurez tout. Le cottage rose devant la maison des gardes-côtes, c'est là que je suis.*
*Miss Ciara Deasy*

Ciara... ce prénom lui disait quelque chose. Joanna se creusa les méninges pour se souvenir de la voix qui l'avait prononcé. C'était Fergal Mulcahy, le professeur d'histoire. Il disait que Ciara n'avait pas toute sa tête.

Y avait-il vraiment un intérêt à la voir ? Sûrement encore une piste qui ne mènerait nulle part, comme toutes ces anecdotes dont on se souvenait à moitié et qui n'étaient qu'à peine liées à l'histoire qu'elle ne cherchait plus à découvrir.

*Regarde un peu où ça t'a menée, jusque-là, d'écouter les petites vieilles complètement timbrées,* se dit-elle fermement.

Joanna froissa la lettre et la balança dans la corbeille. Elle décrocha le téléphone, composa le 9 pour une ligne extérieure et demanda la compagnie aérienne Aer Lingus. Ils pouvaient lui réserver une place sur le vol de dix-huit heures quarante au départ de Cork. Elle régla avec sa carte de crédit et commença à faire ses bagages. Soudain, elle pensa à Alec et appela le journal.

— C'est moi.

— Bon sang, Joanna ! Je pensais que tu m'appellerais bien plus tôt !

— Désolée, le temps a filé sans que je m'en rende compte.

— Oui, eh bien, ici, le patron est venu me voir tous les jours pour savoir où était ton certificat médical. Il a envoyé quelqu'un chez toi et il sait que tu n'y es pas. J'ai fait de mon mieux pour te couvrir, mais malheureusement, tu es virée.

Joanna se laissa tomber sur le lit, une boule énorme dans la gorge.

— Non, c'est pas possible.

— Désolé, ma belle. Je ne sais pas si l'ordre vient de plus haut encore, mais en tout cas, c'est comme ça.

Joanna resta silencieuse, mobilisant toutes ses forces pour retenir ses larmes.

— Jo ? Tu es toujours là ?

— Je venais de décider d'abandonner toute cette histoire ! Je rentre à Londres ce soir. Si je vais voir le directeur de la rédaction demain matin et que je le supplie à genoux en lui proposant de faire le thé jusqu'à ce qu'il me pardonne, tu crois que j'ai une chance ?

— Aucune.

— C'est ce que je me disais aussi.

Joanna regarda fixement le papier peint à fleurs devant elle et les roses aux couleurs passées dansèrent devant ses yeux.

— J'en déduis que tu n'as rien trouvé ?

— Rien du tout. Je sais qu'un Michael James O'Connell est né à quelques kilomètres d'ici et qu'il a travaillé dans sa jeunesse sur le domaine de l'arrière-grand-père d'une femme à qui j'ai parlé. Oh, et j'ai la lettre d'un officiel de l'État britannique disant qu'un mystérieux gentleman devait arriver en bateau pour séjourner à la maison des gardes-côtes en tant qu'invité du gouvernement de Sa Majesté, en 1926.

— C'était qui ?

— Pas la moindre idée.

— Tu ne crois pas que tu devrais chercher ?

— Non. J'en ai ma claque, tout ce que je veux…

Joanna se mordit la lèvre pour ne pas pleurer.

— … tout ce que je veux, c'est rentrer à la maison et retrouver ma vie d'avant.

— Sauf que c'est impossible, alors qu'est-ce que tu as à perdre à poursuivre ton enquête ?

— Je ne peux pas. Je n'y arrive pas.

— Oh allez, Jo. De mon point de vue, la seule façon de relancer ta carrière serait de pondre un article sensationnel et de le vendre au plus offrant. Tu n'es plus liée au *Morning Mail.* Et si personne ne veut publier cette histoire ici, ils le feront à l'étranger. Je sens que tu n'es pas loin d'obtenir des réponses. Bon sang, Jo, ne craque pas juste avant la ligne d'arrivée !

— Quelles « réponses » ? Rien de tout ça n'a de sens !

— Quelqu'un en aura. C'est toujours comme ça. Mais fais attention à toi, ils ne vont pas tarder à venir à tes trousses.

— Je m'en vais, Alec. Je t'appelle quand j'arrive à Londres.

— OK, Jo. J'attends ton coup de fil.

Joanna resta pétrifiée sur son lit pendant plusieurs minutes, à penser à tout ce qu'elle avait déjà perdu en ce début d'année. Son petit ami, pour commencer. Une bonne partie de ses biens. Son meilleur ami. Et maintenant son boulot. Contrairement à ce que Alec semblait penser, il lui restait encore beaucoup à perdre. Comme sa vie.

Cinq minutes plus tard, bagage en main, elle fermait la porte derrière elle et dévalait les marches.

— Alors comme ça, vous partez ? gazouilla Margaret derrière la réception.

Joanna lui tendit sa carte de crédit.

— Oui. Merci d'avoir rendu mon séjour si agréable.

— Je vous en prie. J'espère que vous reviendrez nous voir bientôt.

Elle lui tendit le reçu, que Joanna s'empressa de signer.

— Voilà. Au revoir, Margaret, et merci.

Alors qu'elle partait, Margaret lança :

— Dites, Joanna, vous n'attendiez pas de visite ici, n'est-ce pas ?

— Pourquoi ? Quelqu'un a appelé ?

— Non, non. Rentrez bien, et faites attention à vous.

Joanna fourra son bagage dans le coffre de la Ford Fiesta, puis quitta la place pour se diriger vers l'estuaire. Sur la route, elle remarqua un petit cottage rose, tout seul sur la rive opposée à la maison des gardes-côtes. Les deux habitations ne devaient pas être séparées par plus de cinquante mètres. La jeune femme hésita un instant, puis secoua la tête et mit son clignotant à droite. Il était tôt, et si elle ne s'attardait pas trop, elle pourrait encore avoir son avion. Elle ne remarqua pas la voiture derrière elle qui changeait aussi de direction et s'engageait sur la route étroite pour suivre la Fiesta de loin.

— Entrez, lui dit une voix à l'intérieur quand Joanna frappa à la porte.

Elle obtempéra. La petite pièce dans laquelle elle pénétra était rustique et semblait dater d'un autre âge. Dans l'immense foyer, un feu vif brûlait pour réchauffer la bouilloire qui y était suspendue par une chaîne. Les quelques rares meubles en bois étaient usés et les murs avaient pour toute décoration un grand crucifix et une représentation jaunissante de la Madone à l'enfant.

Ciara Deasy était installée sur une chaise en bois à haut dossier, juste à côté de la cheminée. Son visage marqué par les rides la plaçait quelque part entre soixante-dix et quatre-vingts ans, et ses cheveux blancs étaient coupés court n'importe comment. Quand elle se leva, ses jambes ne trahirent pas la moindre fragilité.

— La jeune femme de l'hôtel? interrogea Ciara en lui serrant la main fermement.

— Joanna Haslam.

— Asseyez-vous.

Elle lui indiqua une chaise de l'autre côté de l'âtre.

— Alors, dites-moi, pourquoi vous intéressez-vous à la maison des gardes-côtes?

— C'est une très longue histoire, miss Deasy.

— C'est comme ça que je les préfère. Et appelez-moi Ciara. « Miss Deasy » me donne l'impression d'être vieille fille – ce qui est le cas, j'en conviens.

— Eh bien, je suis journaliste et je fais des recherches sur un homme du nom de Michael O'Connell. Il se trouve qu'à son retour en Angleterre, il s'est fait connaître sous une tout autre identité.

Ciara posa sur elle un regard acéré.

— Je savais qu'il s'appelait Michael, mais je ne connaissais pas son nom de famille. Et vous avez bien raison, il a changé de nom ensuite.

— Vous saviez qu'il avait une autre identité?

— Je le sais depuis que j'ai huit ans. Ça fait soixante-dix ans qu'on me traite de menteuse et de raconteuse d'histoires à faire peur. Au village, ils ont toujours pensé que j'étais folle depuis, mais je suis aussi saine d'esprit que vous.

— Par hasard, est-ce que vous sauriez si ce « Michael » a un lien avec la maison des gardes-côtes?

— Il y est resté pendant toute sa maladie. Ils voulaient le cacher jusqu'à ce qu'il aille mieux.

— Vous l'avez rencontré?

— Pas officiellement, mais je suis allée à la maison avec Niamh, parfois. Bénie soit-elle.

La vieille femme se signa.

— Niamh?

— Ma grande sœur. Elle était tellement belle, avec ses longs cheveux noirs et ses yeux bleus, dit-elle en regardant les flammes. N'importe quel homme serait tombé amoureux d'elle, et lui aussi.

— Michael?

— C'est le nom qu'il utilisait, mais nous deux, on n'est pas dupes, pas vrai?

— Ciara, pourquoi vous ne me raconteriez pas toute l'histoire depuis le début?

— Je vais faire de mon mieux, mais ça fait de nombreuses années que je n'en ai pas parlé.

Elle prit une profonde inspiration et se lança dans son récit.

— L'idée venait de Stanley Bentinck, il vivait dans la grande maison de Ardfield. Niamh était femme de chambre chez les Bentinck, à l'époque. Monsieur Bentinck lui a dit qu'un visiteur très important allait venir et lui a demandé de s'occuper de la maison des gardes-côtes, vu qu'elle habitait juste à côté. Elle revenait toujours de là-bas avec les yeux brillants et un petit sourire mystérieux. Elle m'avait dit que le gentleman était anglais, mais c'était tout. À l'époque, elle était toute jeune, trop jeune pour comprendre ce qui se passait entre eux. J'allais l'aider avec le ménage, parfois, et je les ai surpris une fois dans les bras l'un de l'autre. Je ne savais rien de l'amour, ni des choses physiques à cet âge. Et puis, il est parti, il a disparu dans la nuit, avant qu'ils ne le trouvent...

— Qui ça, ils?

— Ceux qui le cherchaient. Elle l'avait prévenu, même si elle savait qu'elle le perdrait, qu'il fallait qu'il sauve sa peau. Mais elle était convaincue qu'il enverrait quelqu'un la chercher une fois à Londres. Avec le recul, il n'y avait aucune chance, mais elle ne le savait pas.

— Qui le cherchait?

— Je vous le dirai quand j'aurai fini. Quand il est parti, Niamh et mon papa ont eu une grande dispute. Elle hurlait et il criait sur elle. Et le lendemain matin, elle aussi avait disparu.

— Je vois. Vous savez où elle est allée?

— Non. Pas pour les mois qui ont suivi. Au village, on disait qu'elle avait été vue avec des gitans à la fête de Ballybunnion, et d'autres disaient qu'elle était à Bandon.

— Pourquoi est-elle partie?

— Si vous arrêtez de poser des questions, vous entendrez les réponses. Six mois après sa disparition, Papa et Maman étaient partis à la messe avec mes sœurs, mais j'étais restée à la maison avec un mauvais rhume. Maman ne voulait pas que je tousse pendant le sermon. J'étais dans mon lit et j'ai entendu un bruit, c'était un hurlement horrible, comme un animal sur le point de mourir. Alors j'ai ouvert cette porte, en chemise de nuit. Et j'ai écouté. J'ai compris que ça venait de la maison des gardes-côtes et j'y suis allée en entendant encore ce cri atroce dans ma tête.

— Vous n'aviez pas peur ?

— J'étais terrifiée, mais mon corps avançait tout seul, comme un aimant. La porte était ouverte. Je suis entrée et je l'ai trouvée en haut, sur son lit à lui, les jambes couvertes de sang…

Ciara couvrit son visage de ses petites mains.

— … je la revois encore aujourd'hui, et son agonie m'a hantée toute ma vie.

Joanna sentit un frisson lui parcourir l'échine.

— C'était votre sœur ?

— Oui, et entre ses jambes, il y avait un nouveau-né, encore attaché à elle.

Joanna déglutit et regarda Ciara tenter de contrôler ses émotions.

— Je… je pensais que le bébé était mort parce qu'il était bleu et ne pleurait pas. Alors je l'ai récupéré et j'ai coupé le cordon avec mes dents, comme j'avais vu Papa le faire pour les vaches. Je l'ai pris dans mes bras pour le réchauffer, mais il ne bougeait pas.

Les yeux de la journaliste se remplirent de larmes.

— Alors je me suis approchée de Niamh, elle avait arrêté de hurler. Elle ne bougeait plus, ses yeux étaient fermés et je voyais le sang couler. J'ai essayé de la remuer, de lui donner son bébé pour voir si elle pouvait le sauver, mais elle ne bougeait plus. Alors je me suis assise sur le lit pour bercer le bébé sans vie et essayer de réveiller ma sœur. Au bout d'un moment, elle a ouvert les yeux et je lui ai dit : « Niamh, tu as un bébé. Tu veux le prendre ? » Et elle m'a fait signe d'approcher pour me dire quelque chose à l'oreille.

— Qu'est-ce que c'était ?

— Elle m'a dit qu'il y avait une lettre, dans la poche de sa jupe, pour le père de l'enfant, à Londres. Qu'il fallait que le bébé aille avec lui. Ensuite, elle a embrassé le bébé sur le front, elle a soupiré et elle n'a plus jamais parlé.

Ciara ferma les yeux, mais les larmes parvinrent quand même à s'en échapper. Après un moment de silence, Joanna chuchota :

— Ça a dû être terrible pour vous, de voir ça à un si jeune âge. Qu'est-ce que vous avez fait ?

— J'ai emmailloté le bébé dans une couverture du lit. Elle était trempée de sang, mais je n'avais rien d'autre. Ensuite, j'ai trouvé la lettre. Je savais que je devais courir chez le docteur avec le bébé, et comme je n'avais pas de poche dans ma chemise de nuit, j'ai soulevé une latte et j'ai glissé la lettre sous le plancher. Puis j'ai croisé les mains de Niamh sur sa poitrine, comme j'avais vu faire quand ma grand-mère était morte, j'ai pris le bébé et j'ai couru.

— Qu'est-il arrivé au bébé ? demanda lentement Joanna.

— C'est là que tout est plus confus. On m'a raconté qu'on m'avait trouvée plantée au milieu de l'estuaire et que je hurlais que Niamh était morte dans la maison. J'ai été très malade pendant plusieurs mois. Stanley Bentinck a payé pour m'emmener à l'hôpital à Cork. J'avais une pneumonie et ils disaient que mon esprit inventait des histoires, alors ils m'ont mise dans une maison pour les fous quand j'ai été guérie. Mes parents venaient me voir là-bas. Ils me racontaient que ce n'était qu'un rêve, causé par la fièvre. Que Niamh n'était jamais revenue. Qu'il n'y avait pas de bébé. Que tout était dans ma tête.

Ciara grimaça.

— J'ai essayé pendant des semaines de leur expliquer qu'elle était morte dans la maison et de leur demander où était le bébé. Mais plus j'en parlais, plus ils me disaient que j'allais rester longtemps enfermée là-bas.

— Comment ont-ils pu vous faire ça ? s'indigna Joanna. Quelqu'un a dû vous prendre le bébé des bras !

— Oui. Je savais que ce que j'avais vu était réel, mais je commençais à comprendre que si je continuais à l'affirmer, j'allais rester chez les fous toute ma vie. Alors j'ai dit aux docteurs que je n'avais rien vu, et quand mon papa est revenu me voir, j'ai fait semblant d'être guérie, j'ai admis que c'était la fièvre qui m'avait donné des hallucinations.

Ciara eut un petit sourire amer.

— Il m'a ramenée à la maison ce jour-là. Et après cette histoire, tout le monde au village pensait que j'étais folle. Les autres enfants se moquaient de moi. Je m'y suis habituée et je suis entrée dans leur jeu, je leur racontais des histoires d'horreur pour me venger, gloussa-t-elle.

— Et vous n'en avez jamais plus reparlé à vos parents ?

— Jamais. Mais vous savez ce que j'ai fait ?

— Vous êtes retournée à la maison pour voir si la lettre y était encore ?

— Exactement. Il fallait que je me prouve que j'avais raison et qu'ils avaient tort.

— Elle était encore là ?

— Oui.

— Vous l'avez lue ?

— Pas tout de suite. Je ne pouvais pas. Je ne savais pas lire. Mais, plus tard, quand j'ai appris, je l'ai lue.

Joanna inspira profondément et s'enquit :

— Que disait-elle ?

Ciara lui lança un regard pensif.

— Je vous le dirai peut-être dans un petit moment. Écoutez-moi, l'histoire n'est pas finie.

*Est-ce qu'elle dit la vérité ?* se demanda Joanna. Ou était-elle, comme le pensait tout le monde ici, simplement folle ?

— Il a fallu quelques années pour que je comprenne. J'avais dix-huit ans quand j'ai découvert pourquoi ils avaient étouffé l'histoire, ce qui valait qu'on enferme sa fille et la fasse passer pour folle afin de l'empêcher de raconter ce qu'elle avait vu.

— Pourquoi ?

— J'étais à Cork parce que Maman voulait du lin pour faire des nouveaux draps. C'est là que j'ai vu le journal.

Le *Irish Times.* J'ai tout de suite reconnu le visage en photo. C'était l'homme que j'avais vu dans la maison des gardes-côtes.

— Qui était-ce ?

Ciara le lui révéla.

# 32

L'homme gravit les marches d'un pas vif et découvrit que la porte de sa chambre n'était pas verrouillée. Pestant contre la femme de ménage qui avait dû oublier de la fermer correctement, il entra.

Deux agents de police en uniforme l'attendaient.

— Bonjour, je peux vous renseigner ? demanda-t-il.

— Seriez-vous Ian C. Simpson, par hasard ?

— Non, ce n'est pas moi.

— Dans ce cas, pouvez-vous nous expliquer pourquoi vous avez un stylo avec ses initiales sur votre lit ? questionna le policier plus âgé.

— Bien sûr, il y a une explication toute simple.

— Formidable. Vous pourrez nous la donner au poste, on y sera plus à l'aise.

— Hein ? Quoi ? Je ne suis pas Ian Simpson et je n'ai rien fait de mal !

— Alors, c'est parfait. Si vous voulez bien nous accompagner, je suis sûr que nous pourrons éclaircir tout ça.

— Je refuse ! C'est ridicule ! Je ne suis pas n'importe qui ! Je suis un citoyen anglais. Veuillez m'excuser, mais je m'en vais.

Il fit demi-tour vers la porte, mais les deux agents le prirent chacun par un bras.

— Lâchez-moi ! Qu'est-ce que c'est que cette histoire ? Regardez dans mon portefeuille ! Je peux vous prouver que je ne suis pas Ian Simpson !

— Chaque chose en son temps, monsieur. Maintenant, si vous voulez bien nous suivre dans le calme ? Je ne voudrais pas contrarier Margaret et déranger les clients.

L'homme soupira et capitula.

— Je vous préviens, l'ambassade anglaise en entendra parler. Vous ne pouvez pas entrer par effraction dans la chambre de quelqu'un, l'accuser d'être un autre et le mettre au trou sans raison ! Je veux un avocat !

Les clients du bar regardèrent avec intérêt l'homme escorté par les policiers jusqu'à la voiture postée devant l'entrée.

...

Simon atterrit à l'aéroport de Cork à seize heures dix. Il s'était fait sévèrement sermonner par Thames House pour avoir loupé le vol de la veille et celui du matin. La vérité, c'était qu'il s'était arrêté à une station-service en revenant du Dorset quand il s'était rendu compte qu'il s'endormait au volant. Il avait dormi comme une masse pendant quatre heures. À son réveil, il était neuf heures passées et il avait tout juste eu le temps d'attraper le vol de treize heures, qui avait deux heures de retard.

En sortant de l'aéroport, Simon passa un appel.

— Heureux d'apprendre que vous avez pu vous libérer, commenta sèchement Jenkins.

— Oui. Des nouvelles ?

— La police irlandaise pense avoir trouvé Simpson. Il était terré dans le même hôtel que Haslam. Il a été emmené au poste comme demandé et on vous y attend pour confirmer son identification.

— Bien.

— Apparemment il n'était pas armé et rien n'a été retrouvé dans sa chambre. Mais je pense qu'on devrait tout de même vous envoyer du renfort pour l'escorter au retour.

— OK. Et Joanna ?

— Nos collègues irlandais nous informent qu'elle vient de quitter son hôtel. Son nom est sur la liste des passagers pour le vol de dix-huit heures quarante au départ de Cork. Puisque Simpson est détenu pour le moment, je veux que vous attendiez Haslam à l'aéroport. Trouvez ce qu'elle a découvert et appelez-moi pour la suite des instructions.

— Compris.

Simon soupira, peu emballé par la perspective d'attendre deux heures dans un aéroport pour cette conversation redoutée avec Joanna. Il se dirigea vers le kiosque, acheta le journal du jour et s'installa sur un siège offrant une vue sur l'entrée du hall des départs.

À dix-huit heures trente, le dernier appel pour le vol à destination de Heathrow fut diffusé dans les haut-parleurs. Ayant déjà vérifié au comptoir d'enregistrement que miss J. Haslam n'était pas à bord et fait le tour du salon d'embarquement, Simon avait la certitude qu'elle n'était pas là. Il regarda le dernier passager courir jusqu'à la porte d'embarquement et dévaler les marches pour rejoindre l'avion sur le point de décoller.

— C'est terminé, monsieur. On ferme les portes, l'informa une jeune Irlandaise au comptoir.

Simon gagna la baie vitrée et observa les portes de l'avion se fermer. Il poussa un soupir résigné. Ça aurait été trop facile.

Vingt minutes plus tard, dans une voiture de location, Simon filait sur la l'autoroute en direction de Rosscarbery.

• • •

La nuit était tombée sans que les deux femmes ne le remarquent, perdues dans leurs pensées. Dans le salon, les flammes vacillantes projetaient des ombres dansantes sur les murs.

— Vous me croyez, vous, pas vrai ?

Après des années passées à s'entendre dire qu'elle était folle, Ciara cherchait à être rassurée ; il n'y avait rien d'étonnant à cela.

— Oui, confirma Joanna en massant ses tempes. C'est juste que… je n'arrive pas à penser clairement. Il y a tellement de questions que je voudrais vous poser.

— On a tout le temps. Il faut vous reposer, réfléchir à tout ça. Et vous pouvez revenir demain.

— Avez-vous encore la lettre ?

— Non.

Joanna s'affaissa, déçue.

— On ne peut donc pas prouver ce que vous m'avez raconté.

— La maison, oui.

— Pardon ?

— Je l'ai laissée sous le plancher. Me suis dit que c'était plus sûr. Je l'ai rangée dans une boîte en fer sous la fenêtre où elle est morte, ajouta-t-elle les yeux brillants. Celle qu'on voit d'ici.

— Alors… il faut que j'aille la récupérer ! J'en ai besoin, si je veux prouver que ni vous ni moi ne sommes folles.

— Faites attention. La maison a ses mauvais esprits. Je l'entends encore hurler, parfois, de l'autre côté de la baie.

— Je ferai attention, promit-elle fermement.

Refusant de se laisser effrayer si facilement, elle proposa :

— Et si j'y allais demain matin, quand il fera jour ?

Ciara jeta un coup d'œil par la fenêtre, pensive.

— Il y a une tempête qui se prépare. Demain matin, l'estuaire sera inondé.

— Très bien.

Joanna se leva vivement. Toutes ces histoires de fantôme, d'obscurité et de tempête la poussaient à agir.

— Merci, Ciara, de m'avoir raconté tout ça.

La vieille lui prit la main et la serra.

— Faites attention. Et promettez-moi de ne faire confiance à personne.

— C'est promis. Je reviens vous voir demain avec la lettre.

Dehors, le vent mugissait dans l'estuaire et la pluie tombait plus dru encore. Joanna fut prise de tremblements incontrôlables en observant la forme sombre et noire de la maison des gardes-côtes se découper sur le ciel nocturne. Après s'être acharnée quelques minutes pour déverrouiller la voiture, elle se réfugia à l'intérieur et claqua la portière avec soulagement. Elle démarra le moteur et redescendit au village. Il lui fallait un bon vin chaud au coin du feu pour calmer ses nerfs. Ensuite, elle pourrait réfléchir.

Elle venait de se garer et s'apprêtait à sortir du véhicule quand une silhouette familière sortit de l'hôtel à quelques mètres. Instinctivement, elle se recroquevilla sur elle-même.

*Pourvu qu'il ne m'ait pas vue...*

Elle sentit son cœur battre derrière ses tempes alors que des phares illuminaient l'habitacle. Puis l'obscurité revint. Elle se releva, posa sa tête contre le siège et put enfin respirer. Ils savaient qu'elle était là. Cela signifiait que le temps était compté et qu'elle ne pouvait pas attendre le matin. Il fallait à tout prix qu'elle récupère la lettre dans la maison des gardes-côtes avant que quelqu'un d'autre ne le fasse.

Un petit coup sur la vitre passager la fit bondir d'effroi. Elle tourna la tête et vit un autre visage familier lui sourire. L'homme contourna la voiture et attendit qu'elle descende sa vitre à contrecœur.

— Salut, Lucy.

— Bonsoir Kurt, répondit-elle avec méfiance. Comment allez-vous ?

— Très bien. J'ai cru que je vous avais manquée. Je suis passé à l'hôtel et ils m'ont dit que vous étiez partie. J'étais sur le point de rentrer à Clonakilty quand je vous ai vue dans la voiture. Vous avez l'air vraiment pâle. Tout va bien ?

— Oui, oui.

— Vous partez quelque part ?

— Je… non, je viens de rentrer. C'est l'heure d'aller dormir pour moi.

— D'accord. Vous êtes sûre que tout va bien ?

— Oui. Au revoir, Kurt.

Il lui adressa un signe de la main enthousiaste alors qu'elle remontait la vitre. Elle attendit de le voir s'éloigner, puis se dépêcha de braver la pluie pour se réfugier dans l'hôtel. Quand la voiture de Kurt disparut au loin, elle courut à la sienne et démarra le moteur.

Elle refit le chemin vers la maison des gardes-côtes, le regard revenant sans cesse sur le rétroviseur. Mais aucune voiture n'apparut derrière elle.

• • •

Sous la pluie battante, Simon se rendit au poste de police à l'autre bout de Rosscarbery. En chemin, il était rapidement passé par l'hôtel pour jeter un coup d'œil à la chambre de Ian, mais Margaret, la gérante, lui avait expliqué que toutes ses affaires avaient été emportées par la police. Quant à Joanna, elle ne l'avait pas vue depuis son départ pour l'aéroport vers quinze heures.

Il se gara devant une petite maison mitoyenne blanche dont le signe lumineux « *Garda* » était la seule indication qu'il s'agissait du commissariat. L'accueil était désert. Il appuya sur une sonnette et un jeune homme finit par arriver.

— Bonsoir, monsieur. Quel temps abominable, n'est-ce pas ? Comment puis-je vous aider ?

— Je m'appelle Simon Warburton. Je suis ici pour identifier Ian Simpson, dit-il en présentant ses papiers.

— Sean Ryan, bien content de vous voir. Votre homme ne nous cause que des ennuis depuis son arrivée. Le moins qu'on puisse dire, c'est qu'il n'est pas content d'être là. Enfin, c'est vrai qu'ils ne le sont jamais en arrivant ici.

— Il est sobre ?

— Je dirais que oui. On lui a fait passer un alcooltest et il était en dessous de la limite.

*Ça, c'est une surprise…*

— Très bien, allons-y dans ce cas.

Il suivit Sean dans un couloir étroit.

— J'ai été obligé de l'enfermer dans le bureau, il était insupportable. Faites attention à vous.

Sean ouvrit la porte et laissa passer Simon. Un homme était avachi sur le bureau, la tête sur ses bras croisés, à côté d'un cendrier sur lequel se consumait une cigarette. L'homme leva la tête et poussa un soupir de soulagement.

— Ouf ! Enfin ! Tu vas peut-être pouvoir dire à ces satanés Irlandais que je ne suis pas ce connard de Ian Simpson !

La déception s'abattit sur Simon.

— Bonsoir, Marcus.

• • •

Joanna gara la voiture sur l'herbe juste en face de la maison des gardes-côtes, coupa le moteur et attrapa sa lampe torche. Rassemblant ce qu'il lui restait de courage malgré ses nerfs en pelote, elle ouvrit la portière, les jambes flageolantes.

Elle balaya les bancs de sable de son faisceau lumineux et vit que la marée commençait à monter, remplissant l'estuaire. Le seul moyen d'entrer dans la maison était de braver l'eau, d'escalader le mur et de s'infiltrer par la fenêtre de la cuisine.

Elle descendit les marches et serra les dents quand l'eau glacée lui arriva juste en dessous des genoux. Le reste de son corps était trempé par la pluie. Elle longea le mur glissant et éclaira la façade pour repérer la fenêtre de la cuisine. Encore quelques mètres et elle y était. Elle s'agrippa à une pierre du bout des doigts, puis tira de toutes ses forces pour se hisser. Ses muscles la brûlaient tandis qu'elle tentait de trouver un appui pour ses pieds. Elle poussa un cri de douleur et lâcha sa prise, manquant de plonger tout entière dans l'eau. Au bout de trois essais, son pied parvint à trouver une brèche pour s'y caler et, dans un dernier effort, elle arriva en haut du mur.

Haletante, elle se leva avec précaution et, debout sur le rebord glissant, éclaira le carreau brisé. L'ouverture était trop étroite pour qu'elle puisse y passer. Joanna tira la manche de sa veste sur son poing et entreprit de casser le restant du verre à petits coups. Après avoir pris soin d'enlever tous les débris coupants du cadre, elle s'y faufila tête la première.

Le sol de la cuisine était à deux mètres sous elle. Jambes ballantes à l'extérieur et bras tendus devant elle, Joanna se pencha jusqu'à se laisser tomber. Dans un bruit sourd, elle heurta le sol humide, roula en avant et termina sa chute sur le dos, où elle resta allongée quelques secondes, avant de sentir des poils lui chatouiller la joue. D'un coup, elle bondit et éclaira le sol. Un rat mort.

— Oh mon Dieu ! s'écria-t-elle, dans un souffle.

Sa poitrine se soulevait sous le coup du choc et du dégoût, et une douleur lancinante lui transperça l'épaule, en rappel de sa chute mal amortie.

L'atmosphère de la maison l'oppressait. Chaque nerf de son corps percevait le danger entre ces murs qui transpiraient la peur et la mort. Son instinct lui criait de prendre ses jambes à son cou.

— Non, murmura-t-elle pour se donner du courage. Tu récupères la lettre. On y est presque.

Ses mains tremblaient si fort que la lumière de la torche oscillait devant elle. Joanna repéra la porte de la cuisine et se retrouva dans un hall d'entrée, face à un escalier. Elle monta les marches lentement, attentive aux bruits de la tempête qui faisait rage à l'extérieur. Le bois craquait sous son poids. Arrivée en haut, Joanna s'immobilisa, paralysée par la peur, sans savoir où aller.

*Réfléchis, Joanna… la chambre qui donne sur le cottage rose.*

Reprenant ses esprits, elle tourna à gauche, longea le couloir et ouvrit la porte du fond.

•••

— Hé ho, Simon, tu pourrais m'expliquer ce que c'est que ce bordel?

Marcus le suivit jusqu'à sa voiture et se laissa tomber sur le siège avant.

— On a des raisons de penser que Ian Simpson en a après Joanna. Ils t'ont pris pour lui.

— C'est aussi pour ça que je suis ici, mais Joanna est rentrée, elle est en sécurité. C'est Margaret qui me l'a dit. J'étais sur le point de repartir à Londres.

— Elle n'est pas arrivée jusqu'à l'aéroport de Cork. Je l'attendais là-bas et elle a manqué son vol.

La peur se peignit sur le visage de Marcus.

— Tu as une idée d'où elle pourrait être? Et si cette enflure l'avait retrouvée… – bon sang, Simon, ce type est un monstre!

— Ne t'inquiète pas, je vais la retrouver. Écoute, je vais te déposer à l'hôtel, je veux faire un tour dans la chambre de Joanna de toute façon.

— Dire que j'ai perdu tout ce temps enfermé dans ce maudit commissariat alors que j'aurais pu la chercher! Ces imbéciles avaient tout un portefeuille de cartes de crédit à mon nom et ils n'ont pas été fichus de me croire !

— Tu avais aussi un stylo gravé aux initiales de Ian Simpson.

— Jo l'a oublié chez moi, je n'ai fait que le ramasser ! Quel bordel.

— Navré pour le malentendu, Marcus. Mais l'essentiel à présent est de retrouver le véritable Ian Simpson, ainsi que Joanna.

Marcus secoua la tête, impuissant, et alors que Simon garait la voiture devant l'hôtel, il déclara :

— Où qu'elle soit, il faut absolument qu'on la retrouve avant lui.

La panique apparut sur le visage de Margaret quand elle aperçut Marcus.

— Il est... sans danger ?

— Parfaitement, la rassura Simon. C'est une erreur d'identification, rien de plus. Pourriez-vous me donner les clés de la chambre de miss Haslam ? Nous sommes très inquiets à son sujet. Elle n'a pas embarqué sur son vol, ce soir.

— Bien sûr. Je n'ai pas encore eu le temps d'y passer, j'étais beaucoup trop occupée en bas, dit-elle en lui tendant la clé.

— Merci.

— Je viens avec toi, décréta Marcus en passant devant Simon dans l'escalier.

Simon ouvrit la porte de la chambre et se mit à fouiller méthodiquement les endroits stratégiques. Marcus, lui, souleva quelques objets au hasard et, ne trouvant rien, s'assit sur le lit et prit sa tête entre ses mains.

— Allez, Jo, t'es où ? gémit-il.

Le regard de Simon se posa sur la corbeille à papiers. Il en vida le contenu sur le sol et repêcha une petite boule qu'il défroissa aussitôt pour déchiffrer les mots qui y étaient griffonnés.

— Elle est partie voir une femme, annonça-t-il, dans un petit cottage rose de l'autre côté de la maison sur la baie.

— Qui ça ? Où ?

— Marcus, je m'en occupe. Toi, tu m'attends là sans faire de bêtises et je reviens.

— Attends, je...

Mais Marcus n'avait pas fini sa phrase que Simon avait déjà disparu.

Suivant les indications de Margaret, Simon roula sur l'allée qui menait au bout de l'estuaire, où il trouva le cottage de Ciara Deasy, dominant les bancs de sable face à la silhouette sinistre de la maison sur la baie. Il bondit hors de la voiture et se précipita à la porte.

# 33

La pièce était nue, privée de tous les meubles qu'elle avait dû un jour contenir et dont des mains inconnues avaient voulu se débarrasser.

Joanna éclaira le plancher en bois rustique et avança vers la fenêtre qui donnait sur le cottage de Ciara. Elle s'accroupit et tira les lattes qui, après un temps de résistance, se soulevèrent dans un grincement. Joanna déglutit en entendant un grattement soudain, suivi d'un bruit de griffes. S'asseyant complètement, les doigts engourdis par le froid, elle tira sur une autre latte vermoulue qui céda dans un nuage de poussière et d'échardes. En passant sa lampe au-dessus du trou, elle repéra l'éclat d'une boîte en fer rouillée. Elle s'en empara aussitôt et ses doigts tremblants luttèrent pour en ouvrir le couvercle.

Soudain, elle perçut des pas derrière la porte. Lents, réguliers, comme ceux de quelqu'un qui essaie d'être le plus discret possible. Joanna éteignit sa lampe et se figea. Elle n'avait nulle part où se cacher, nulle part où fuir. D'une main, elle saisit une latte, le souffle court en entendant la porte grincer.

•••

Simon entra dans le cottage rose et constata que le séjour était désert. Le feu s'était éteint et il ne restait qu'un tas de braises rougeoyantes. Il ouvrit la porte de la cuisine. L'évier en émail était surplombé d'une pompe à eau et sur les étagères s'entassaient une collection de conserves de légumes, une miche de pain, du beurre et du fromage.

La porte du fond donnait sur les toilettes. Simon retourna dans le séjour et monta l'escalier. En haut, la porte était fermée. Simon toqua, par peur de terrifier la vieille femme probablement endormie. Puis il frappa plus fort, en se disant qu'elle était peut-être dure d'oreille. Toujours aucune réponse. Enfin, il tourna la poignée et ouvrit la porte sur une pièce plongée dans l'obscurité.

— Miss Deasy ? chuchota-t-il.

Il sortit sa torche de sa poche et l'alluma. Voyant une silhouette sur le lit, Simon s'approcha et éclaira son visage. La bouche était grande ouverte et les yeux verts figés.

Simon trouva un interrupteur et alluma la lumière, le cœur serré d'appréhension. Il ausculta le corps mais ne trouva aucune trace de coup ou de blessure. Seule la terreur – marquée pour l'éternité dans ces yeux – racontait à Simon son histoire. Ce n'était pas une mort naturelle, mais bien un meurtre, perpétré par les mains d'un expert.

• • •

Joanna entendit les pas dans la pièce. Il faisait nuit noire, mais au bruit sourd qui faisait craquer le plancher, elle sut qu'il s'agissait d'un homme. Soudain, un faisceau de lumière l'aveugla. Elle souleva aussitôt la latte en bois et l'abattit devant elle.

— Hou là ! Lucy ?

Les pas approchèrent alors que la lumière continuait de lui brûler les rétines. Elle frappa à nouveau dans l'air.

— Arrête ! Stop ! Lucy, c'est moi, Kurt. Calme-toi, je te jure que je ne vais pas te faire de mal.

Il fallut un petit temps à son cerveau paralysé par la peur pour comprendre qu'il s'agissait bien d'une voix familière. Ses mains tremblaient violemment. Elle lâcha le morceau de bois et orienta sa propre torche vers le visage de l'homme.

— Que... qu'est-ce que tu fais là ? demanda-t-elle en grelottant.

— Je suis désolé de t'avoir fait peur, bichette. Je m'inquiétais pour toi, c'est tout. Tu avais l'air un peu... à vif quand je t'ai vue tout à l'heure. Alors je t'ai suivie pour m'assurer que tu allais bien.

— Tu m'as suivie ?

— Bon sang, Lu, tu es trempée. Tu vas attraper la mort. Tiens.

Kurt posa sa lampe au sol, puis sortit une flasque de sa poche intérieure.

— Bois ça, ordonna-t-il.

Il s'avança et lui saisit brusquement l'arrière de la tête pour coller l'embouchure à ses lèvres. Elle serra les dents pour empêcher le liquide abominable d'entrer et le contenu se déversa sur son chemisier.

— Allez, Lu, l'encouragea Kurt, ce n'est qu'une goutte d'alcool pour te réchauffer.

Avec la torche de Kurt au sol et la sienne collée contre son flanc, ses yeux purent repérer la porte.

— Désolée, je ne supporte pas les alcools forts.

Elle se força à feindre un rire tremblotant et orienta son corps vers l'entrebâillement. Mais il la tenait.

— Qu'est-ce que tu fais là ? questionna-t-elle à nouveau.

Lentement, il ramassa sa lampe et ses dents brillèrent soudain d'un blanc carnassier quand la lumière passa brièvement sur son visage.

— Je te l'ai dit. J'étais vraiment inquiet pour toi. Et je pourrais te poser la même question. Qu'est-ce que tu fais, au juste, dans une maison abandonnée au beau milieu de la nuit ?

— C'est une longue histoire. Sortons d'ici et je te raconterai tout une fois qu'on sera à l'hôtel.

— Tu pensais trouver quelque chose ici?

Kurt balaya de son faisceau le plancher arraché.

— Un trésor enterré, peut-être?

— Oui, c'est ça, mais je n'ai encore rien trouvé. Il pourrait être n'importe où sous le plancher.

— Très bien, dans ce cas, je vais t'aider. Comme ça, on aura plus vite fini et on pourra te réchauffer au coin du feu avant que tu n'attrapes la mort.

Joanna tourna et retourna toutes les stratégies de fuite possibles dans sa tête. Il était trop grand, et trop fort, pour qu'elle puisse se débattre. Tout ce qu'elle avait pour elle, c'était l'effet de surprise.

— OK, je continue de mon côté, et tu peux commencer par là, acquiesça-t-elle en désignant du menton un coin à l'autre bout de la pièce – loin, très loin de la boîte en fer rouillée cachée près de ses pieds.

— Parfait, on se retrouve au milieu, dit-il en riant.

Alors qu'il se penchait pour soulever des lattes, elle se baissa à son tour et, discrètement, poussa un peu plus profondément la boîte.

— De mon côté, rien pour l'instant, lança-t-il. Et toi?

— Pareil. On ferait mieux d'abandonner et de rentrer, cria-t-elle par-dessus le vacarme des bourrasques.

La tempête faisait rage dehors, au point que la maison semblait trembler tout entière.

— Non, tant qu'à être ici, autant aller jusqu'au bout. J'ai fini de mon côté, je viens t'aider.

— Non, moi aussi, j'ai presque fini…

Mais il était déjà agenouillé à côté d'elle, en train de fouiller sous le parquet cassé. Il repêcha la boîte en fer et lui lança un regard entendu.

— Voyons un peu ce qu'on a là, Jo, exulta-t-il.

Ses énormes mains se serrèrent autour de la boîte et il ouvrit le couvercle sans effort. Une enveloppe tomba au sol.

— Attends…, protesta-t-elle.

— Je vais garder ça pour toi, Jo.

— Non, je…

Avec une horreur grandissante, elle se rendit soudain compte qu'il avait utilisé son vrai prénom. Elle regarda Kurt glisser l'enveloppe dans une poche imperméable de son manteau et remonter la fermeture éclair.

— Bien, c'était beaucoup plus simple que prévu, dit-il avec un rictus moqueur.

Il fit un pas vers elle et elle recula, tentant de ne pas trébucher sur les trous du parquet.

— Arrêtons ce petit jeu, reprit-il d'une voix désormais dépourvue de tout accent américain.

Le visage à moitié dans l'ombre, la silhouette massive se découpant dans la semi-obscurité, il était terrifiant. Joanna sentit tous ses muscles se tendre et son cœur battre à tout rompre.

— Quel jeu? demanda-t-elle en faisait de son mieux pour simuler la naïveté. Regarde, j'ai trouvé autre chose là-bas.

Elle pointa sa torche dans un trou du plancher. Quand il se détourna pour suivre le faisceau du regard, elle se jeta de tout son poids sur lui en le poussant vers l'avant. Avec un grognement de surprise, il perdit l'équilibre et tituba, mais sa chute fut arrêtée par le mur. Il se redressa et elle en profita pour lui donner un coup de genou dans l'entrejambe qui le plia en deux.

— Aargh! Sale garce!

Elle se rua vers la porte et réalisa qu'elle avait laissé sa lampe torche derrière elle, quand il l'attrapa par la cheville et la fit tomber. Alors qu'elle reprenait ses esprits, des bras forts la saisirent par-derrière, comme un étau autour de sa taille. Elle se débattit dans tous les sens mais rien n'y fit. Il la traîna et, d'un grand coup, l'envoya tomber dans l'escalier obscur.

. . .

Simon sortit du cottage, le cœur au bord des lèvres après sa découverte à l'étage. Le vent mugissait dans ses oreilles et la pluie battait sur son visage.

— Joanna, bon sang, mais où es-tu ? cria-t-il dans la tempête.

Par-dessus les bourrasques, un hurlement se fit entendre. Le hurlement de douleur d'une femme. La lune apparut entre deux nuages, éclairant la grande maison sinistre sur l'estuaire, au milieu des vagues qui se fracassaient sur les rochers dans une danse d'écume. Le cri venait de l'intérieur de la maison. Voyant que l'eau était désormais trop haute pour patauger jusque là-bas, Simon courut à sa voiture et démarra le moteur.

. . .

Joanna revint à elle avec un gémissement de douleur alors que la pluie lui rinçait le visage. Son cerveau lui semblait empêtré dans un brouillard cotonneux, et à travers les ombres troubles qui dansaient devant ses yeux, elle vit la lune au-dessus d'elle, comme une île enneigée dans le ciel noir. Se levant, elle se força à reprendre ses esprits et comprit qu'elle avait atterri devant la maison. Elle inspira profondément, ce qui provoqua une violente douleur dans son flanc gauche. Un cri lui échappa et elle retomba sur le gravier, terrassée par un nouvel étourdissement qui menaçait de lui faire perdre à nouveau conscience. Immédiatement, des mains l'attrapèrent sous les aisselles et on la traîna sur le gravier.

— Quoi ?… que ? Arrêtez !

Elle se débattit de toutes ses forces, malheureusement insuffisantes face à la poigne de fer de son adversaire.

— Espèce d'idiote ! Tu te crois maligne, n'est-ce pas ?

Elle voyait les marches qui descendaient dans l'estuaire se rapprocher dangereusement. Les vagues frappaient déjà la marche du haut.

— Qui êtes-vous ? Lâchez-moi !

— Non, ça ne va pas être possible, ma cocotte.

Il la jeta sur la dalle dure et froide, puis inclina sa tête et lui maintint les bras derrière le dos pour suspendre son buste au-dessus de l'eau.

Terrifiée, Joanna regarda les vagues furieuses qui se fracassaient sous elle. La marée était montée et les eaux tournoyaient sous un courant violent.

— Tu te rends compte des problèmes que tu as causés ? Hein ?

Il lui tira les cheveux si fort qu'elle sentit sa nuque sur le point de se briser.

— Pour qui tu travailles ? parvint-elle à demander. Qu'est-ce que tu...

Elle parvint à peine à prendre une inspiration précipitée avant que son visage ne soit plongé dans l'eau glacée. Elle lutta pour libérer ses bras, mais ses poumons étaient vidés. Des lumières vives explosèrent devant ses yeux alors que toute énergie la quittait.

Puis, au moment où sa dernière étincelle de conscience s'apprêtait à s'éteindre, la prise se relâcha brusquement. Joanna remonta à l'air libre, suffocante, et roula sur la pierre pour s'éloigner de l'eau. En inspirant de grandes bouffées d'air, elle vit Kurt regarder fixement la maison, comme hypnotisé.

— Qui est là ? cria-t-il. Qui est là ?

Joanna n'entendait rien que ses propres inspirations irrégulières et les vagues qui s'écrasaient contre les remparts.

Kurt plaqua ses mains contre ses oreilles et secoua la tête.

— Arrêtez ce bruit ! STOP !

Il s'effondra, recroquevillé, hurlant à la mort, les mains toujours sur ses oreilles.

C'était sa chance de s'enfuir. *Mais la lettre… Oublie la lettre,* lui ordonna une voix. *Laisse-la et sauve-toi !*

Vacillant sur la dalle glissante, transpercée par la douleur, Joanna comprit avec horreur que sa seule chance de fuir était par la mer. Si elle parvenait à nager jusqu'au rempart de l'estuaire et à passer par-dessus pour rejoindre l'autre rive, elle avait une chance de s'en sortir. Les poumons en feu, alors que chaque inspiration lui arrachait un cri de douleur, elle plongea dans l'eau glaciale et découvrit avec soulagement que le fond n'était pas si loin. Elle avait de l'eau jusqu'au cou, mais elle avait pied.

— Allez, tu peux le faire ! s'encouragea-t-elle alors qu'un nouvel étourdissement la gagnait.

Elle se retourna pour voir si Kurt avait remarqué sa fuite, et c'est là qu'elle vit la silhouette, à la fenêtre de la chambre, les bras tendus comme pour l'appeler à elle. Joanna cligna des yeux et secoua la tête, certaine qu'il s'agissait là d'une autre vision provoquée par la noyade, mais la silhouette était toujours là quand elle rouvrit les paupières. Elle lui adressa un signe de tête, puis s'enfonça dans la pièce.

Alors que Joanna se forçait à avancer, elle remarqua que la tempête avait soudain perdu de sa férocité. L'eau autour d'elle s'était calmée et les hurlements du vent avaient fait place à un silence inquiétant. Elle poursuivit ses efforts, motivée par la vue de l'autre rive qui se rapprochait.

Elle entendit soudain un bruit de plongeon derrière elle et se força à patauger plus vite.

*Plus que quelques mètres…*

— JOANNA !

Une voix familière criait son nom. Elle s'arrêta un instant pour l'écouter, et un corps se jeta sur elle, la faisant sombrer une fois de plus. L'eau salée s'infiltra dans ses poumons.

Sous l'eau, son corps convulsa, et elle cessa de se débattre.

**. . .**

Quinze minutes après le départ de Simon, Marcus s'était traîné jusqu'au bar. Il y avait sifflé un double whisky et consulté son téléphone mobile une centaine de fois, priant pour qu'il se mette à sonner.

Il aurait dû forcer Simon à l'emmener. S'il arrivait quoi que ce soit à Joanna, il tordrait le cou de ce type à mains nues.

La barmaid lui lança un regard compatissant et fit un signe de tête en direction des fenêtres à la vue obstruée par les torrents de pluie.

— Votre ami est fou de sortir par cette tempête. C'est comme ça qu'un type a fini dans l'estuaire le mois dernier.

Elle secoua la tête et lui proposa un whisky.

— Double, merci.

— Et qu'est-ce qu'il peut bien vouloir à cette folle de Ciara ? demanda une voix derrière lui.

— Pardon ?

Marcus observa le vieil homme qui biberonnait sa bière sous une épaisse moustache.

— J'ai vu sa voiture filer sur l'allée vers le cottage de la Deasy. Qu'est-ce qu'il lui veut ? Celle-là, vaut mieux la laisser tranquille.

— Aucune idée. On essaie juste de retrouver ma co…

Sa voix s'éteignit, étouffée par une boule dans sa gorge. Joanna avait disparu et lui était tranquillement assis au comptoir à ne rien faire…

— Deasy, vous avez dit ? reprit-il. Elle habite où ?

— Environ à cinq cents mètres, en face de la grosse maison sur l'estuaire. C'est un cottage rose, vous ne pouvez pas le rater, dit Margaret.

— OK.

Marcus vida son verre et fila vers la sortie.

— Vous n'allez pas y aller, quand même? intervint le vieil homme. C'est dangereux, les soirs de tempête.

Marcus l'ignora et sortit dans le vent violent. Il rassembla son courage pour affronter les bourrasques et la pluie diluvienne. Le feu du whisky et de l'anxiété brûlant en lui, il se mit à courir à toute vitesse. Les lampadaires se reflétaient dans des flaques immenses formées sur la route irrégulière et, à sa gauche, il vit l'étendue noire de l'estuaire, dont les vagues se soulevaient.

Un cri perça la nuit et son sang se figea. Au loin, il aperçut la maison noire se dresser au milieu de l'eau. Le cri semblait venir de là-bas. Il s'arrêta pour reprendre son souffle et tendit l'oreille. Le vent s'était soudain calmé, il n'y avait plus que le silence. Il se remit à courir et un bruit de plongeon attira son attention. Deux silhouettes se dessinaient à la lueur de la lune. Il reconnut les longs cheveux de Joanna, trempés. La seconde silhouette fendait l'eau à toute vitesse pour la rattraper.

La terreur s'empara de tout son corps.

— JOANNA!

Marcus s'élança sur la route jusqu'à atteindre leur niveau, puis plongea à son tour par-dessus les remparts. Il nagea dans l'eau glacée et vit la deuxième silhouette faire disparaître Joanna sous la surface. Ian.

— Lâche-la! cria-t-il.

Mais Ian maintenait d'une poigne ferme le corps qui avait cessé de lutter. Il se mit à rire.

— Je pensais t'avoir réglé ton compte à Londres.

Avec un cri de rage, Marcus se jeta sur lui et les deux hommes se retrouvèrent sous l'eau dans un enchevêtrement de membres. À moitié aveuglé, le sel lui brûlant les yeux, Marcus tenta de s'accrocher à la veste de Ian pour le frapper. Soudain, il aperçut l'éclat de l'acier, deux coups de feu résonnèrent et il sentit une douleur fulgurante dans le ventre.

Il lutta tant bien que mal, mais ses forces s'amoin-
drissaient. Le visage triomphant de Ian lui apparut, et il
sombra au fond de l'eau.

● ● ●

Simon freina brutalement en entendant les coups de
feu dans le silence nouveau de la nuit. Il balaya l'eau de
sa torche et, apercevant deux silhouettes, il plongea vers
elles.

— Ne t'approche pas, Warburton. Je suis armé et je t'ai
en ligne de mire.

— Ian, qu'est-ce que tu fous ? Sur qui tu viens de tirer ?

Un corps gisait sur les marches de l'estuaire et un autre
flottait sur le dos.

— Ta petite amie m'a conduit pile là où je voulais aller,
comme prévu.

— Où est-elle ?

Il désigna les marches.

— Une sacrément mauvaise nageuse, se moqua-t-il.
Mais ça y est, je l'ai. On dirait bien que je vais retrouver
mon poste, pas vrai ? Comme ça, ils verront de quoi je suis
capable.

— Oui, bien sûr, approuva Simon en pataugeant
lentement.

Le pistolet pointé dans sa direction tremblait entre les
mains de Ian.

— Désolé, Warburton, mais je ne peux pas te laisser me
voler la…

Simon balança une droite sur le nez de Ian qui produisit
un craquement satisfaisant et l'envoya valser dans l'eau,
le pistolet lui échappant des mains. Prestement, Simon
l'attrapa au vol et deux nouveaux coups de feu retentirent
dans l'air. Quelques secondes plus tard, Ian disparut sous
la surface.

Simon pataugea jusqu'à Joanna, que la marée avait repoussée jusqu'à une volée de marches à demi submergées. Il la porta sur la terre ferme et vérifia son pouls, faible, mais battant. Aussitôt, il pinça ses narines et effectua un bouche-à-bouche avant de se lancer dans le massage cardiaque.

— Respire ! Je t'en supplie, respire !

Enfin, une gorgée d'eau jaillit de la bouche de Joanna. Elle toussa, suffoqua, et Simon put enfin respirer à son tour. Il la prit dans ses bras pour apaiser les tremblements violents qui la secouaient.

— Ça va aller, ma puce. Tout va bien se passer.

Elle articula un remerciement et lui sourit faiblement.

— Reste ici, j'ai encore quelqu'un à aider, dit-il en se levant pour aller chercher le corps inerte.

Simon retourna dans l'eau et traîna Marcus en haut des marches. Son visage était livide à la lueur de la lune et un liquide sombre coulait de sa bouche. Le pouls était plus faible que celui de Joanna. Une fois encore, Simon se raccrocha à l'espoir d'un massage cardiaque et Marcus finit par ouvrir les yeux.

— Alors, c'est ça, ce que ça fait de prendre une balle, souffla Marcus. Joanna ?

— Je suis là.

Simon jeta un coup d'œil par-dessus son épaule et vit Joanna, épuisée par les trois pas qu'elle venait d'effectuer. Elle s'effondra à côté de Marcus.

— Je prends la voiture et je vais chercher de l'aide. Reste avec lui, continue de lui parler.

Et Simon disparut dans la nuit.

— Chuuuut, tout va bien, murmura-t-elle.

— Je voulais… te sauver, souffla Marcus.

Il toussa et expulsa plus de sang encore.

— Je sais. Tu as réussi. Merci, mais essaie de ne pas parler.

— Dé… solé pour tout. Je t'aime.

Marcus lui sourit une dernière fois avant de fermer les yeux.

— Moi aussi, je t'aime, chuchota-t-elle.

Elle le prit dans ses bras et se mit à sangloter sur son épaule.

# ÉCHEC

*Lorsque le roi est sous la menace d'une capture
au prochain tour de son adversaire.*

# 34

*North Yorshire, avril 1996*

Assise dans l'herbe, Joanna regarda le ciel de son Yorkshire natal. Elle avait une petite demi-heure devant elle avant que le bleu ne cède la place aux nuages gris qui arrivaient de l'ouest. Elle gigota pour trouver une position plus confortable. La douleur quand elle respirait ou bougeait était toujours là – les radios avaient montré plusieurs côtes cassées des suites de sa chute dans l'escalier. Elle était aussi couverte d'hématomes violacés. Mais le médecin lui avait affirmé qu'avec beaucoup de repos, elle s'en remettrait complètement. À cette pensée, Joanna sentit ses entrailles se tordre. Jamais elle ne s'en remettrait vraiment.

Les images de la nuit où elle avait failli perdre la vie l'assaillaient en continu. Les souvenirs affluaient sans ordre particulier et hantaient ses cauchemars. Elle commençait seulement à retrouver la force mentale nécessaire pour affronter les faits et ordonner ses pensées.

Les quelques heures qui avaient suivi son sauvetage restaient confuses. Une ambulance était arrivée et on lui avait injecté un antidouleur qui l'avait endormie jusqu'à l'hôpital. Des radios, des visages d'inconnus penchés sur elle, des «Est-ce que ça fait mal?», le pincement d'une aiguille dans son bras. Et enfin, le calme, le sommeil.

Quand elle s'était réveillée le lendemain, complètement désorientée, elle avait du mal à croire qu'elle était toujours en vie. Malgré la douleur, elle se sentait même euphorique d'avoir survécu… jusqu'à ce que Simon se matérialise à son chevet, la mine grave. Alors elle avait su que le pire était à venir.

— Salut, Jo. Comment tu te sens?

— J'ai connu mieux, avait-elle plaisanté.

Puis elle avait guetté son visage en quête de l'ombre d'un sourire.

— Oui. Écoute, toute cette histoire… n'en parlons pas maintenant. On verra quand tu auras repris des forces. Je suis tellement désolé que tu te sois retrouvée mêlée à tout ça. Et de ne pas avoir su te protéger.

Simon s'était mis à serrer et desserrer les poings, un signe d'agitation qu'elle n'avait pas vu chez lui depuis des années.

— Qu'est-ce qu'il y a? Crache le morceau.

Simon s'était éclairci la gorge et avait détourné le regard.

— Jo, j'ai quelque chose de très difficile à t'annoncer.

— Je t'écoute, vas-y.

— Je ne sais pas exactement où en sont tes souvenirs d'hier soir…

— Moi non plus. Parle, Simon.

— OK, d'accord. Tu te souviens que Marcus était là?

— Je… vaguement.

Puis une image fugace de son corps sanguinolent lui était revenue.

— Oh mon Dieu, non.

Elle avait levé les yeux vers Simon, qui secouait la tête, les mains sur les siennes.

— Je suis désolé. Tellement désolé, Jo. Il ne s'en est pas tiré.

Simon lui avait alors fait la liste de toutes les blessures fatales que Marcus avait subies, et lui avait raconté qu'il avait été déclaré mort à son arrivée à l'hôpital. Mais elle ne l'écoutait plus.

« *Je t'aime* », c'était ce qu'il avait dit avant de fermer les yeux, peut-être pour la dernière fois. Une larme roula du coin de son œil. « *JOANNA !* » C'était lui. C'était sa voix qu'elle avait entendue en pataugeant dans l'estuaire. Il était arrivé avant Simon, elle en était sûre. Elle n'avait pas pu voir sur qui avait tiré son agresseur juste avant de perdre conscience... mais maintenant tout était clair.

— Il m'a sauvé la vie, murmura-t-elle.

— Oui.

Joanna avait fermé les yeux, pensant que si elle cessait tout à fait de bouger, ce cauchemar disparaîtrait. Mais c'était impossible, et jamais plus Marcus ne reviendrait l'agacer, l'exciter, ni l'aimer, parce qu'il était mort. Sans qu'elle ait eu l'occasion de le remercier pour ce qu'il avait fait.

Le lendemain matin, Joanna avait embarqué sur une civière à bord d'un avion de la Royal Air Force et avait été rapatriée au Guy's Hospital à Londres. Durant toute la durée du vol, Simon s'était excusé. Son devoir était de lui faire répéter l'histoire qui leur servirait de couverture à leur retour. Mais elle l'avait à peine écouté.

Zoe était arrivée à son chevet le lendemain et avait glissé sa petite main dans celle de Joanna, posant sur elle ses yeux bleus, qui ressemblaient tant à ceux de Marcus, voilés par la douleur.

— Je n'arrive pas à croire qu'il nous a quittés, avait-elle murmuré.

Puis elle avait pris Joanna dans ses bras, et les deux femmes s'étaient mises à pleurer.

— Simon dit que vous étiez en vacances quand c'est arrivé.

— Oui.

Elle était censée raconter que c'était un accident. Des chasseurs dans l'estuaire, qu'on n'avait pas arrêté le coupable. Elle avait été projetée dans l'eau sous le choc et avait manqué de se noyer dans les courants traîtres. Au final, elle avait réussi à appeler Simon, qui avait déployé un vol pour les rapatrier en Angleterre. Joanna ne voyait pas qui goberait une histoire pareille, mais après tout, il en allait de même avec la vérité.

— Il t'aimait vraiment, lui avait dit Zoe. Il pouvait être un sacré emmerdeur égoïste, mais je sais qu'il essayait de changer pour toi. Et tu l'as aidé dans cette voie.

Joanna était restée silencieuse, paralysée par le choc et la douleur, incapable de proférer le tissu de mensonges qui lui semblait si incohérent. Ils s'entassaient sur sa poitrine et elle doutait de pouvoir un jour se séparer de ce poids.

Elle n'avait pas assisté aux obsèques de Marcus. D'après Simon, il était préférable de faire profil bas. Alors, quand on l'avait laissée sortir de l'hôpital, elle avait été conduite dans le Yorkshire, chez ses parents. Sa mère lui avait préparé des soupes maison à tous les repas, l'avait aidée à se laver, à s'habiller, ravie de s'occuper à nouveau de sa petite fille.

Zoe l'avait appelée pour lui dire que les funérailles s'étaient déroulées en comité très restreint et que Marcus avait été enterré dans le Dorset, à côté de James.

Un mois s'était écoulé depuis cette nuit terrible. Mais l'horreur des événements demeurait gravée dans sa mémoire. Joanna soupira. Peut-être qu'un jour, certaines de ses questions trouveraient une réponse. Simon allait revenir chez ses parents pour quelques jours et passerait la voir. Il était en vacances, apparemment, ce qui expliquait pourquoi il n'était pas venu plus tôt.

Joanna observa les centaines de petits points blancs qui parsemaient les collines. C'était la période de l'agnelage et les prés étaient peuplés de petites boules de laine. Le cycle de la vie. Elle ravala le nœud dans sa gorge – un rien la faisait pleurer, désormais. *Marcus ne verra jamais un cycle entier, par ma faute,* songea-t-elle en luttant contre les larmes. Elle n'était toujours pas capable d'admettre qu'il était mort, hantée par son ultime sacrifice. Elle s'en voudrait toujours de l'avoir traité de lâche la dernière fois qu'ils s'étaient vus.

— Jo ! Comment tu vas ? lui demanda Simon en entrant dans la cuisine rustique.

En pleine forme, bronzé, il l'embrassa sur les deux joues.

— Ça va.

— Tant mieux. Et vous, madame Haslam ?

— Comme toujours, mon petit Simon. Les choses sont toujours les mêmes ici, tu sais.

Laura, la mère de Joanna, lui sourit, bouilloire en main.

— Thé ? Café ? Une part de gâteau, peut-être ?

— Peut-être plus tard, merci, madame Haslam. Et si on allait au pub pour le dîner, Jo ?

— Je préférerais rester à la maison, si ça ne t'ennuie pas.

Laura lança un regard anxieux à Simon.

— Oh, allez, ma puce. Tu n'es pas sortie une seule fois depuis ton arrivée.

— Maman, je suis allée me promener toutes les après-midi.

— Tu sais ce que je veux dire. Sortir dans un endroit avec des gens. Pas au milieu des moutons. Allez, va t'amuser.

— Je vais enfin pouvoir prendre une pinte de John Smith's en pression. La bière n'a pas le même goût à Londres, renchérit Simon.

Joanna capitula et sortit chercher sa veste.

— Comment va-t-elle ? demanda-t-il à Laura en chuchotant.

— Physiquement, elle se rétablit, mais… je ne l'ai jamais connue si silencieuse. Toute cette histoire avec son pauvre ami lui a vraiment porté un coup.

— Je n'en doute pas. Je ferai de mon mieux pour lui remonter le moral.

Ils traversèrent les landes pour rejoindre Haworth et optèrent pour The Black Bull, un vieux repaire de leur adolescence.

Simon posa une pinte et un verre de jus d'orange sur la table.

— À la tienne. Je suis content de te revoir.

— À la tienne, répondit-elle en levant son verre sans enthousiasme.

Il lui prit la main et déclara :

— Je suis tellement fier de toi. Tu as survécu à une tragédie. Tu t'es battue, et ce qui est arrivé à Marcus...

— Ne serait jamais arrivé sans moi. Toute cette nuit est tellement... confuse dans ma tête. Mais je me souviens clairement de son visage, quand il gisait au sol. Il m'a dit qu'il m'aimait...

Elle essuya une larme.

— ... je ne supporte pas de savoir que c'est moi qui ai causé sa mort.

— Jo, rien de tout ça n'est ta faute. S'il faut désigner un coupable, c'est moi. J'aurais dû venir te chercher plus tôt. Je savais quels risques tu courais.

Mais il avait fait demi-tour pour Zoe et Jamie, et ce choix le hantait tout autant.

— Mais si je n'étais pas allée voir Ciara, reprit-elle, si je m'étais contentée de monter dans l'avion, ou si je n'avais pas fait ma tête de mule avec toute cette histoire pour commencer, quand tu m'as prévenue en me traitant « d'apprentie Sherlock Holmes »...

Ils parvinrent à échanger un faible sourire en se remémorant l'insulte.

— Je suis désolé de m'être énervé contre toi quand la nouvelle sur le prince et Zoe a fuité dans les journaux. J'aurais dû avoir confiance en ton intégrité.

— Oui, pour ça tu peux t'excuser, répliqua-t-elle fermement. Non pas que ça ait une quelconque importance, désormais. Ce n'est rien, comparé à la mort de Marcus.

— C'est vrai. Mais tâche de te souvenir que tu n'es pas celle qui a appuyé sur la détente.

— Non, ça, c'était « Kurt », dit-elle amèrement. D'ailleurs, je t'en prie, la question me rend folle depuis que je me suis réveillée à l'hôpital. Qui était-ce ?

— Un de mes collègues. Ian Simpson.

— Oh mon Dieu. Celui qui a saccagé mon appartement ?

— Il faisait certainement partie de l'équipe, oui.

Il soupira.

— Écoute, Jo, je sais ce que tu ressens. Tu voudrais comprendre tout ce qui est arrivé, mais parfois, il vaut mieux ne pas remuer le passé.

Elle le fusilla du regard.

— Non, tu ne comprends pas ! Je sais qu'il travaillait pour vous, qu'il essayait de m'empêcher de découvrir la vérité. Et ensuite, au moment où j'y étais presque, il a décidé de me tuer et il a eu Marcus !

— Il ne travaillait déjà plus pour nous. Il avait été placé en congé de maladie à cause de problèmes psychologiques exacerbés par l'alcool. C'était un électron libre dangereux qui voulait accéder à la gloire et récupérer son job. C'est lui qui a fait fuiter la liaison entre Zoe et le prince. La maison de Welbeck Street était sur écoute, Ian savait tout. Apparemment, ça faisait des années qu'il se faisait des petits à-côtés en vendant des informations confidentielles aux journalistes. On a trouvé plus de quatre cent mille livres sur son compte en banque, dont les dernières soixante-dix mille déposées le lendemain de la révélation. Il avait perdu tout sens moral.

Joanna cacha son visage empourpré dans ses mains et les larmes roulèrent à nouveau sur ses joues.

— Dire que j'ai accusé Marcus d'avoir divulgué l'histoire...

— Je suis tellement désolé.

— Où est ce type, maintenant ?

— Il est mort.

Son visage pâlit soudainement.

— La même nuit ?

— Oui.

— Comment ?

— Blessure par balle.

— Tirée par qui ?

— Moi.

— Oh. C'est ça, ton vrai métier ?

— Non, mais ce sont des choses qui peuvent arriver au cours d'une mission. Comme pour la police. À vrai dire, c'était ma première fois. Et je ne regrette pas. Je vais nous chercher un autre verre. Gin tonic, cette fois ?

Joanna haussa les épaules et le regarda commander au bar, puis revenir avec les verres. Elle sirota son gin sans le quitter des yeux.

— Je sais de quoi il s'agissait, Simon.

— Ah ?

— Oui. Mais ça n'a plus d'importance. La lettre est probablement au fond de l'eau avec Ian. Et si ce n'est pas le cas, elle est conservée dans un endroit où je n'aurai jamais accès.

— En réalité, j'ai récupéré la lettre. On ne peut pas dire qu'elle puisse être utile à quelqu'un, ce n'est plus qu'un bout de papier trempé.

— Est-ce que je parle à Simon mon meilleur ami ou à l'agent secret, là ?

— Aux deux.

Il sortit de sa poche une enveloppe plastifiée et expliqua :

— Je savais que tu me poserais la question, alors je t'ai apporté ce qu'il en reste, pour que tu puisses constater par toi-même.

Joanna prit la pochette et examina les morceaux déchirés de papier taché d'une encre délavée.

— Regarde de plus près, insista-t-il. Il faut que tu me croies.

— À quoi bon? Ça ne doit pas être compliqué à imiter.

Elle secoua l'enveloppe sous le nez de Simon et reprit:

— Alors tout ça... pour ça? Marcus est mort pour un malheureux bout de papier mouillé?

— Je ne sais pas quoi te dire. Tout cela ne serait jamais arrivé si un agent à la dérive n'avait pas décidé de tout envoyer valser. Au moins, la hiérarchie a compris que quelque chose ne fonctionnait pas dans le système. Ils ont tendance à oublier l'impact psychologique que peut avoir une telle carrière. Un agent ne peut pas être simplement relâché dans la nature quand on estime ne plus avoir besoin de ses services. Je sais que ce n'est pas ce que tu veux entendre, mais quand j'ai débuté, j'admirais Ian. C'était un des meilleurs à son époque.

— Je sais. Il y a de quoi l'admirer, puisque même dans son état de folie, au milieu de l'eau, il a réussi à tirer deux coups parfaits. Et à prendre la vie de Marcus ainsi. C'est comme ça que tu vas finir?

— Je n'espère pas. Toute cette histoire a provoqué une sérieuse remise en question chez moi, je peux te l'assurer.

— Tant mieux, il en ressortira au moins une chose positive.

— Je suis juste heureux que tu sois en vie et que tout soit terminé. Bon, allons commander à manger, tu n'as plus que la peau sur les os.

Simon dévora son ragoût d'agneau, mais Joanna toucha à peine au sien.

— Tu n'as pas faim?

— Non.

Elle se leva et grimaça de douleur.

— Allons-nous-en. Je veux savoir une bonne fois pour toutes si j'ai les bonnes conclusions et je suis devenue tellement parano que je ne veux pas en parler dans un endroit où on pourrait nous entendre. Ensuite, peut-être que je pourrai recommencer à vivre.

Ils gravirent lentement la colline, Joanna prenant appui sur Simon, dépassèrent l'église et s'éloignèrent dans les landes au-dessus du village.

— J'ai besoin de m'asseoir, dit-elle après quelques minutes, haletante.

Elle se baissa maladroitement pour s'installer sur l'herbe, s'allongea sur le dos et tenta de calmer sa respiration. Au bout d'un moment, elle déclara :

— Il y a beaucoup de choses qui ne collent pas, mais je pense que j'ai saisi l'essentiel.

Joanna inspira profondément et se lança :

— Rose, dont le nom était Fitzgerald, était employée par le palais. Elle était dame de compagnie. Un jour, elle est tombée amoureuse d'un acteur irlandais du nom de Michael O'Connell. Qui se fit ensuite connaître sous le nom de James Harrison. Leur relation devait rester secrète, à cause de son rang. La lettre qu'elle m'a envoyée était d'elle, mais si je ne me trompe pas, c'était un leurre, car ce n'était certainement pas celle que vous cherchiez, n'est-ce pas ?

— En effet.

— Et si Michael – rentré en Irlande pour rendre visite à sa famille – avait entendu parler d'un gentleman anglais logé à la maison des gardes-côtes et ayant une liaison avec une fille du village, et l'avait reconnu ?

— Et qui était ce gentleman ?

— Ciara me l'a dit. Elle a vu sa photo en une du *Irish Times*, le jour de son couronnement, dix ans plus tard. C'était le duc de York. L'homme qui, quand son frère a abdiqué, est devenu roi d'Angleterre.

— Oui. Bien joué.

— Michael découvre ensuite que la jeune fille est enceinte. Et c'est là que mon histoire s'arrête. Est-ce que tu pourrais... remplir les blancs ? J'imagine que, dans sa lettre, Niamh révélait sa liaison avec le duc de York, et bien sûr, lui annonçait qu'elle était enceinte. Comment avez-vous su qu'une telle lettre existait ? Je ne peux que supposer que c'est grâce à cette lettre que Michael O'Connell a pu faire son chantage et assurer la sécurité de sa famille jusqu'à sa mort. Le scandale aurait été retentissant si ça s'était su, d'autant que le duc est devenu roi.

— Oui. Il était convenu que la lettre nous serait retournée à la mort de Michael. Mais ça n'est pas arrivé et tout le monde a paniqué.

— Mais pourquoi n'avez-vous pas fouillé la maison où Niamh était morte ? C'était l'endroit le plus évident.

— Parfois, on ne voit pas ce qui est juste sous notre nez. Tout le monde était parti du principe que Michael avait gardé la lettre.

Simon lui lança un regard empli de fierté.

— Bon boulot ! Tu veux mon poste ?

— Jamais de la vie, répliqua-t-elle avec un faible sourire. Ciara m'a dit que le bébé était mort. Tu imagines un peu, s'il avait survécu ? Après tout, c'était l'enfant d'un futur roi d'Angleterre ! Le demi-frère ou la demi-sœur de notre reine !

Un silence accueillit cette remarque, puis Simon répondit :

— Oui, j'imagine.

— Et cette pauvre Ciara Deasy, qu'on a fait passer pour folle. Il faut absolument que je lui écrive pour lui dire que la lettre a été détruite, que c'est fini pour de bon.

Simon serra la main de Joanna dans la sienne.

— Je suis désolé, Joanna, mais Ciara est morte. Ian l'a tuée.

— Non, non, non ! C'est trop horrible. Comment un événement arrivé il y a soixante-dix ans peut-il encore détruire tant de vies ?

— Je sais… Mais comme tu l'as si bien dit, ça aurait causé un scandale retentissant, même soixante-dix ans plus tard.

— Quand même…

Joanna prit une profonde inspiration. Elle avait le souffle court à force de parler.

— Mais il reste des choses qui ne collent pas, continua-t-elle. Par exemple, pourquoi le palais enverrait-il le duc de York en Irlande juste après la guerre d'Indépendance ? Les Anglais y étaient haïs et un membre de la royauté aurait été une cible de rêve pour l'IRA. Pourquoi pas la Suisse ? Ou un pays au soleil ?

— Je ne peux pas vraiment t'apporter de réponse. Probablement parce que c'était le dernier endroit où on l'aurait cherché. Il était malade et il avait besoin de temps pour se rétablir en paix. Bref. Il est temps de tirer un trait sur cette histoire.

— Il y a encore quelque chose qui cloche. Cela dit, tu seras ravi d'apprendre que j'ai officiellement laissé tomber. Je me sens tellement... amère et énervée !

— Et c'est bien normal. Mais ça passera. La douleur, la colère... un jour, tu te réveilleras et ces émotions ne te contrôleront plus. Et j'ai quand même une bonne nouvelle pour toi.

Il sortit une feuille de la poche de sa veste.

— Vas-y, lis.

Elle obtempéra. C'était une lettre du directeur de la rédaction du journal qui lui proposait de revenir à la rubrique des actualités avec Alec, dès qu'elle serait en mesure de le faire. Elle regarda Simon, bouche bée.

— Comment tu as réussi à obtenir ça ?

— On m'a demandé de te la remettre. La situation a été expliquée à ceux qui avaient besoin de la connaître et les erreurs ont été corrigées. Personnellement, je regrette que tu ne puisses pas y retourner auréolée de gloire pour avoir publié la nouvelle du siècle. Après tout, c'est toi qui nous as damé le pion. Allez, viens, on rentre. Je ne voudrais pas que tu attrapes froid.

Il l'aida doucement à se relever et l'étreignit délicatement.

— Tu m'as manqué, tu sais. C'était vraiment horrible de ne plus t'avoir pour amie.

— Toi aussi.

Ils redescendirent la colline, bras dessus, bras dessous.

— Simon, une dernière question…

— Oui ?

— Ça va te sembler vraiment stupide, et tu sais que je ne crois pas à ce genre de choses, mais… Est-ce que par hasard tu aurais entendu le hurlement d'une femme s'échapper de la maison ?

— Oui. Je pensais que c'était toi. C'est ce qui m'a guidé là-bas.

— Eh bien, ce n'était pas moi. Mais je crois que Ian aussi l'a entendu. Il maintenait ma tête sous l'eau et, d'un coup, il m'a lâchée pour couvrir ses oreilles, comme s'il entendait un son insupportable. Tu… tu n'aurais pas vu le visage d'une femme à la fenêtre ?

— Non, je n'ai rien vu. Là, je pense que tu as halluciné, ma puce, dit-il avec un sourire taquin.

— Sûrement, reconnut-elle en s'installant dans la voiture.

Elle soupira en revoyant le visage de la femme, aussi clair dans son souvenir que quand il lui était apparu.

Une heure plus tard, avec un dernier signe de la main à Joanna et sa famille, Simon fit marche arrière dans l'allée et quitta la ferme des Haslam. Au volant, avant de rejoindre celle de ses parents, il passa un appel.

— Monsieur ? Warburton à l'appareil.

— Comment ça s'est passé ?

— Elle n'était pas loin, mais il n'y a pas de raison de paniquer.

— Quel soulagement. Vous l'avez encouragée à abandonner cette histoire ?

— Je n'en ai pas eu besoin. Elle a tourné la page. Mais elle a mentionné quelque chose qui devrait vous intéresser.

Quelque chose que William Fielding aurait confié à Zoe Harrison avant de mourir.

— Quoi ?

— Le nom complet de l'émissaire. Je pense que nous avons peut-être cafouillé sur ce point.

— Pas au téléphone, Warburton. Utilisez le canal habituel. Je vous verrai demain à neuf heures au bureau.

— Oui, monsieur. Bonsoir.

# 35

La veille de son retour à Londres, Joanna décida d'aller rendre visite à sa grand-mère près de Keighley. L'esprit encore vif du haut de ses quatre-vingts ans, Dora vivait dans un appartement confortable d'une résidence pour personnes âgées.

Elle l'accueillit chaleureusement avec une assiette de scones frais, et Joanna regretta aussitôt de ne pas avoir pris le temps de venir la voir plus tôt. Dora avait toujours été présente dans sa vie, et jusqu'à son déménagement à Londres cinq ans plus tôt, Joanna avait toujours vu sa mamie comme une deuxième mère et son cottage comme une deuxième maison.

— Alors, jeune fille, explique-moi un peu comment tu t'es retrouvée à l'hôpital, dit Dora.

Elle versa le thé dans deux tasses de porcelaine fine et posa sur elle ses yeux marron pleins d'inquiétude.

— Je suis tellement désolée pour ton ami, ajouta-t-elle. Tu sais, ton grand-père est mort à trente-deux ans pendant la guerre. J'en ai eu le cœur brisé.

Joanna récita l'explication qu'avait élaborée Simon, sous le regard sceptique de sa grand-mère.

— Oui, oui, c'est ce que ton père m'a raconté. Il m'a dit que tu avais failli te noyer. Mais tu ne vas pas me faire avaler ça, à moi. Ils ne se souviennent peut-être pas de toutes ces médailles de natation que tu ramenais de l'école, mais moi, oui. Alors, quand j'ai entendu ça, j'ai tout de suite pensé : Dora, ça cache quelque chose. Ma chérie, dis-moi…

Elle prit une gorgée de thé et planta son regard dans celui de Joanna.

— … qui a tenté de te noyer ?

Joanna ne put réprimer un petit sourire. Sa grand-mère était tellement futée.

— C'est une très longue histoire, mamie, répondit-elle en attaquant son deuxième scone.

— J'adore les histoires. Plus elles sont longues, mieux c'est. Et malheureusement, du temps, j'en ai à revendre ces jours-ci.

Joanna pesa le pour et le contre. Après tout, Dora était la personne en qui elle avait le plus confiance. Alors elle céda et se débarrassa du fardeau de ses pensées confuses. Sa grand-mère était le meilleur public. Elle ne l'interrompait que lorsque son oreille gauche vieillissante laissait filer un détail.

— … voilà, tu sais tout, conclut Joanna. Bien sûr, Maman et Papa ne sont au courant de rien. Je ne voulais pas les inquiéter.

Dora prit les mains de Joanna et secoua la tête, un mélange de colère et de compassion dans les yeux.

— Oh, ma puce… Je suis tellement fière de la façon dont tu t'es battue. C'est une véritable tragédie. Mais quelle histoire ! La meilleure qu'on m'ait racontée depuis des lustres. J'ai l'impression de revivre mes années passées à décrypter des codes à Bletchley Park pendant la guerre. Tu sais que j'y ai passé deux ans à déchiffrer du morse ?

Cette histoire, Joanna la connaissait par cœur. À écouter Dora, on aurait pu croire que la victoire de la Seconde Guerre mondiale lui était due.

— Ça devait être incroyable, assura-t-elle.

— Tu n'imagines même pas tout ce qui s'y passait. Mais la Loi sur les secrets officiels m'empêche d'en parler et j'emporterai ces mystères jusque dans ma tombe. En revanche, je peux te dire que tout est possible et que la population ne saura jamais la moitié de tout ce qui se trame. Alors, qu'est-ce que tu comptes faire ?

— Comment ça ?

— Pour ton histoire. Contrairement à moi, toi, tu n'as rien signé. Tu pourrais tout divulguer pour une coquette somme.

— Je n'ai aucune preuve, Mamie. Et puis, les plus haut placés sont prêts à tuer pour protéger ce secret. Je l'ai appris à mes dépens. Trop de gens sont morts à cause de ça.

— Qu'est-ce que tu as comme documents ?

— La lettre que m'a adressée Rose, une photocopie de la lettre d'amour à Michael O'Connell et un programme du Hackney Empire qui semble peu pertinent, à part pour montrer que James Harrison avait une autre identité.

— Tu les as avec toi ?

— Toujours. Je les garde dans mon sac à dos la journée et sous mon oreiller la nuit. Je crains encore de voir quelqu'un m'espionner dans l'ombre. Mais ces papiers ne me servent plus à rien. Tu veux les garder pour ta collection ?

Dora répertoriait toutes les coupures de journaux et les photographies de la famille royale, et son amour pour la monarchie était devenu source de nombreuses plaisanteries au sein de la famille.

— Très bien, montre-moi ça.

— Je suis étonnée que tu acceptes l'idée qu'un de tes rois adorés puisse avoir eu une aventure extraconjugale, surtout qu'il était marié à ta duchesse préférée ! commenta Joanna en cherchant dans son sac l'enveloppe brune.

— Les hommes ne changeront jamais. Et puis, les maîtresses et amants ont longtemps fait partie du quotidien officiel de la royauté. Tout le monde sait que la génétique de certains monarques est contestable. Il n'y avait pas la contraception, à l'époque. J'avais une amie à Bletchey

Park dont la mère était femme de chambre à Windsor. Ces choses qu'elle me racontait sur Edward VII... Il avait une ribambelle de maîtresses, dont au moins deux sont tombées enceintes. Alors, qu'est-ce qu'on a là?

Elle étudia les deux lettres, puis ouvrit le programme du théâtre.

— Je suis allée voir sir James un certain nombre de fois au théâtre. Mais je dois dire qu'il a l'air différent sur cette photo, tu ne trouves pas? Je pensais qu'il était brun.

— Il s'est teint les cheveux en noir et il s'est laissé pousser la moustache quand il est devenu James Harrison.

— Et ça, qu'est-ce que c'est? interrogea Dora en désignant la photo que Joanna avait trouvée dans le grenier de Haycroft House.

— C'est James Harrison, Noël Coward et Gertrude Lawrence. Vu leurs tenues, je dirais qu'ils étaient à une première.

Dora étudia attentivement la photo, puis s'intéressa de nouveau à celle du programme.

— Doux Jésus!

Elle poussa un soupir et secoua la tête d'incrédulité.

— Mais non, pas du tout!

— Quoi?

— Cet homme, à côté de Noël Coward, ce n'est pas du tout James Harrison. Attends ici une minute, je vais te le prouver.

Elle quitta la pièce. Joanna entendit le bruit d'un tiroir, puis le froissement du papier, et Dora revint, le visage triomphant. Elle s'assit, posa une coupure de journal jaunie sur la table et pointa du doigt une très vieille photo d'impression grossière.

— Tu vois? C'est la même personne, ça ne fait pas de doute. Il y a une petite erreur d'identification, ma chérie.

— Mais...

Les méninges de Joanna tournaient à toute allure. Elle ne comprenait plus rien. Fébrile, elle pointa le visage du jeune Michael O'Connell sur le programme.

— Ça ne peut pas être lui aussi, n'est-ce pas ?

Dora déchaussa ses lunettes de vue et lança un regard perçant à Joanna.

— Je doute que le second dans l'ordre de succession au trône soit un jour monté sur les planches du Hackney Empire.

— Alors, d'après toi, l'homme à côté de Noël Coward est le duc de York ?

— Compare cette photo avec celles-ci : à son mariage, dans son uniforme de la marine, à son couronnement... Je t'assure que c'est lui.

— Mais la photo de Michael O'Connell dans le programme du théâtre... on dirait vraiment une seule et même personne.

— Comme si on voyait double, n'est-ce pas ? Oh, et j'ai apporté autre chose.

Dora sortit une autre coupure de presse, cette fois extraite du *Yorkshire Post*.

— Je trouvais ça étrange, cette histoire de « gentleman » arrivé en Irlande en janvier 1926. Vois-tu, cet article prouve que le duc et la duchesse étaient en visite à la cathédrale de York à cette période. Mes parents faisaient partie de la foule qui les saluait. Ça m'étonnerait fort que le duc ait pu être en Irlande en même temps. D'autant que la duchesse était enceinte de six mois. À ma connaissance, ni l'un ni l'autre n'a quitté l'Angleterre avant leur voyage officiel en Australie l'année suivante.

Joanna passa sa main dans ses cheveux, perplexe.

— Ce qui signifie que ce n'était pas le duc de York en Irlande ?

— Tu sais, à cette époque, beaucoup de personnalités célèbres avaient des sosies. Monty en avait un, et Hitler aussi, bien sûr. C'est pour ça qu'ils ne pouvaient pas l'avoir, ils n'auraient jamais su s'ils avaient abattu le bon.

— Ton hypothèse est donc que Michael O'Connell aurait pu servir de sosie au duc de York ? Mais pourquoi ?

— Va savoir. Cela dit, le duc n'a jamais été en très bonne santé. Il est tombé malade très jeune. Et il n'avait jamais réussi à se débarrasser de cet affreux bégaiement. Sans compter sa bronchite qui revenait sans cesse.

— Mais quelqu'un aurait forcément remarqué, non? Toutes ces photos dans les journaux…

— La qualité des photos n'était pas la même qu'aujourd'hui, ma chérie. Pas de superobjectifs pointés sur ton nez, et pas de télévision. On ne voyait les membres de la famille que de loin, et encore, ou on les entendait à la radio. J'imagine que s'ils avaient eu recours à un sosie – mettons parce qu'ils ne voulaient pas que le pays connaisse l'état de santé du duc –, ils s'en seraient facilement tirés.

— D'accord, d'accord.

Joanna essayait de digérer toutes ces nouvelles informations.

— Donc, si Michael O'Connell était le sosie du duc de York, pourquoi tant d'histoires?

— Ah ça! Ce n'est pas à moi de te le dire, ma chérie. C'est toi, la journaliste.

— C'est tellement frustrant! Dire que je pensais avoir trouvé un sens à tout ça. Mais si ce que tu m'as fait remarquer est vrai, c'est retour à la case départ. Pourquoi tous ces morts? Et que pouvait bien contenir cette lettre pour qu'ils soient prêts à tuer?

Le regard dans le vide, elle sentit son cœur battre fort dans sa poitrine.

— Si – je dis bien « si » – ce que tu dis est vrai, Simon m'a fait avaler un tissu de mensonges.

— Peut-être qu'il pensait que tu avais assez couru de risques, répondit Dora avec sagesse. Simon est un homme honnête du Yorkshire et tu es comme une sœur pour lui. Peu importe ce qu'il a fait, c'était forcément pour te protéger.

— Tu as tort. Simon a beau tenir à moi, je sais désormais à qui va sa loyauté. Bon sang, Mamie. Je n'y comprends plus rien. Je pensais que tout était fini, que je pouvais enfin tourner la page.

— Bien sûr que tu peux, mon cœur. On n'a rien fait d'autre que de repérer une légère ressemblance entre deux jeunes hommes…

— Une ressemblance ? Sans la preuve sous les yeux, personne ne serait capable de les différencier ! Impossible que ce ne soit qu'une simple coïncidence. Je vais devoir rentrer à Londres et réfléchir à tout ça. Est-ce que je peux t'emprunter ces photos ?

— Avec plaisir, à condition que tu me les rendes.

— Merci.

Joanna récupéra les coupures de journaux et les rangea dans son sac.

— Tiens-moi au courant, ma chérie. Mon petit doigt me dit que tu es sur la bonne voie, à présent.

— C'est aussi ce que me dit le mien.

Elle embrassa chaleureusement sa grand-mère et ajouta :

— Au risque de paraître trop dramatique, je préfère te prévenir de surtout ne pas raconter un mot de notre discussion à qui que ce soit. Les personnes qui s'en mêlent ont une fâcheuse tendance à s'attirer des ennuis.

— Je ne dirai rien. De toute façon, la moitié des vieilles chouettes qui vivent dans la résidence sont bien trop séniles pour se souvenir de la date du jour, alors tu imagines d'une telle histoire ! pouffa-t-elle.

— Bon, je vais y aller.

— Oui. Prends soin de toi, Joanna. Et, crois-moi, si tu dois faire confiance à quelqu'un, c'est à Simon.

Joanna lui dit au revoir une dernière fois, puis se dirigea vers sa voiture. En route, elle repensa à cette visite surprenante. Dora avait beau l'avoir conduite par hasard à la vérité, son dernier conseil était pour le moins mal avisé.

# 36

Quand Simon arriva au bureau, de légers effluves d'un parfum de luxe flottaient dans l'air. Au poste de travail de Ian, les cendriers débordants et les tasses de café sales avaient été remplacés par une orchidée en pot. Un sac à main Chanel était suspendu par sa chaînette élégante au fauteuil.

— Qui est le petit nouveau ? demanda Simon à Rochard, responsable de l'administration et commère en chef.

— Monica Burrows. De la CIA.

— Je vois.

Simon s'installa à son poste et alluma l'ordinateur pour consulter sa boîte de réception. Cela faisait presque un mois qu'il était en mission à l'extérieur. Il jeta un coup d'œil au bureau de Ian et un mélange d'émotions s'empara de lui. La culpabilité étouffante d'avoir été celui qui avait mis fin à ses jours.

Il n'y avait pas de mots pour décrire ce qu'il ressentait. Il était à la fois son propre juge et jury : il ne passerait jamais devant un tribunal pour son crime et resterait pour toute sa vie dans un entre-deux moral, ni condamné, ni pardonné. Cette carrière était-elle vraiment faite pour lui ?

— Bonjour, fit une voix inconnue derrière lui.

Simon se tourna pour voir une grande brune en tailleur parfaitement coupé. Elle-même était irréprochable, polie des pieds à la tête.

— Monica Burrows, ravie de te rencontrer.

Son sourire était chaleureux, mais ses yeux verts parfaitement maquillés restèrent froids quand elle lui serra la main.

— Simon Warburton.

Elle s'assit et croisa ses longues et fines jambes.

— On dirait qu'on est voisins, ronronna-t-elle. Peut-être que tu pourras m'aider à m'y retrouver.

— Oui, bien sûr, mais là j'étais sur le point de partir.

Simon se leva, lui fit un petit signe de tête et se dirigea vers la porte.

— À plus tard, lança-t-elle alors qu'il franchissait le seuil.

*La vie continue... même quand elle s'arrête*, songea-t-il en émergeant de l'ascenseur et en remontant le couloir tapissé d'une épaisse moquette. Comme toujours, la fidèle réceptionniste était à son poste, seule au bout du couloir vide du dernier étage.

Dans le grand bureau, les rayons du soleil matinal tapaient sur les hautes fenêtres et la lumière vive accentuait les rides de l'homme si frêle dans son fauteuil roulant.

— Bonjour, monsieur, dit Simon en approchant du bureau.

— Asseyez-vous, Warburton. Avant d'entrer dans les détails, est-ce que vous avez découvert l'objet de l'enquête que James Harrison avait commandée au détective privé?

— Le type que j'ai interrogé m'a dit que James Harrison voulait savoir ce qu'il était advenu de Niamh Deasy après toutes ces années.

— Ah, la culpabilité à l'approche de la mort, soupira le vieil homme. J'imagine qu'il n'a rien trouvé?

— Rien de plus que la nouvelle de son décès et de celle du bébé à l'accouchement.

— Très bien, au moins je peux me rassurer en me disant que les services secrets ont fait leur boulot correctement, pour une fois. Où en sommes-nous avec Marcus Harrison?

— Sa mort a été déclarée comme résultant d'un accident de chasse. Ça m'étonnerait que quiconque aille chercher plus loin. Ses obsèques ont eu lieu le mois dernier.

— Bien. Maintenant, parlons un peu du nom que vous a donné miss Haslam. C'est très intéressant. Je m'étais toujours demandé à qui notre « lady » faisait suffisamment confiance pour lui confier ces lettres. Bien sûr, j'aurais dû avoir des doutes depuis longtemps. C'était, après tout, une très proche amie de notre « lady », et si mes souvenirs sont bons, elle s'est mariée juste avant que tout cela n'arrive. J'ai mis quelques hommes sur le coup, mais à mon avis, elle est probablement déjà morte.

— Les chances sont grandes, en effet. Mais au point où nous en sommes, toute piste est bonne à suivre.

— On a retourné tout ce maudit grenier. Vous voyez un autre endroit, Warburton ?

— Malheureusement non. Je commence sérieusement à me dire qu'il a peut-être détruit la lettre et qu'elle n'existe tout simplement plus. La famille Harrison ne sait rien du passé de sir James, c'est évident.

— Haslam n'était vraiment pas loin de découvrir la vérité. Nous avons de la chance que l'aventure irlandaise de Harrison nous ait fourni le parfait écran de fumée.

Le vieil homme soupira, puis reprit :

— Il a forcément gardé cette satanée lettre, et je ne trouverai pas le repos tant qu'elle ne sera pas détruite. Gardez bien en tête que si on ne la récupère pas, quelqu'un d'autre le fera.

— Oui, monsieur.

— Puisqu'il n'y a pas trente-six options, je vous réassigne à la protection de Zoe Harrison. Le palais est encore indécis quant aux mesures à prendre. Son Altesse Royale refuse toujours d'entendre raison. Ils ont décidé de ne pas trop le contrarier pour le moment, avec l'espoir que la relation s'étiole.

Simon baissa les yeux et reporta toute son attention sur ses mains, pour oublier son cœur battant.

— Oui, monsieur.

— Il insiste également pour que miss Harrison et lui puissent apparaître officiellement ensemble en public. Le palais a accepté qu'il l'accompagne à une avant-première dans quelques semaines. Il voudrait également la faire emménager au palais, mais la famille résiste. La semaine dernière, elle était en vacances avec son fils, mais on l'a avertie de votre retour à Welbeck Street lundi matin.

— Oui, monsieur. Une dernière chose : Monica Burrows, de la CIA. Jenkins me dit qu'elle travaillera main dans la main avec nous. Je présume qu'elle ne sait rien ?

— Absolument. Personnellement, je désapprouve ces fricotages avec les services secrets étrangers. Jenkins va l'assigner à des missions de surveillance, elle va suivre quelques membres du département. Merci, Warburton. Nous ferons un point demain à l'heure habituelle.

Simon quitta le bureau en songeant que le vieil homme semblait bien las. Il avait gardé ce secret seul pendant tant d'années. Sans compter qu'un tel fardeau serait venu à bout de la plus forte des constitutions.

En tout cas, il commençait à venir à bout des siennes.

• • •

— Joanna !

Une paire de gros bras poilus emprisonnèrent ses épaules dans une étreinte chaleureuse.

— Salut, Alec, répondit-elle, surprise par cette démonstration d'affection.

Il s'écarta et la regarda attentivement.

— Comment tu vas ?

— Ça va.

— Sûre ? Tu n'as plus que la peau sur les os.

— Oui, oui. Certaine. Je veux juste me remettre au boulot et oublier ces dernières semaines.

— Très bien, dans ce cas, on se retrouve pour un sandwich au pub à treize heures. Il faut que je te mette au parfum sur certains points. Il y a eu quelques… changements depuis ton départ. Allez, file retrouver ton ancien bureau et trier tes courriels, lui dit-il avec un clin d'œil.

Joanna traversa la pièce, inspirant son odeur un peu âcre. L'administration avait beau placarder des panneaux «Interdit de fumer» un peu partout, un nuage de nicotine flottait en permanence dans la section «Actualités». Avec soulagement, Joanna constata que la chaise d'Alice était vide. Elle allait pouvoir reprendre ses repères tranquillement.

Une fois l'ordinateur allumé, elle regarda fixement son écran sans le voir, occupée à ressasser ses nouvelles découvertes. Elle avait comparé d'autres photos du jeune duc avec celle de Michael O'Connell. Les deux hommes étaient indissociables.

En suivant l'idée du sosie que lui avait donnée Dora, Joanna avait réussi à retracer un vague déroulé des événements. Un jeune acteur présentant une forte ressemblance avec le duc de York avait été embauché pour le rôle de sa vie. Le duc ne pouvait pas être en Irlande au moment fatidique, car il était en visite officielle avec sa femme enceinte; c'était donc forcément Michael O'Connell dans la maison des gardes-côtes. C'était aussi Michael O'Connell qui avait eu une aventure avec Niamh Deasy. La pauvre Ciara avait vu une photo du couronnement du duc de York en une du *Irish Times* dix ans plus tard et elle avait évidemment cru que c'était lui qui avait séjourné dans la maison sur la baie, lui qui avait séduit sa sœur. Quant à la lettre, restée cachée si longtemps sous le parquet de la maison, elle ne contenait probablement que les tristes mots d'une femme agonisante adressés à l'homme qu'elle aimait, Michael.

Mais si tel était le cas, pourquoi changer d'identité ? Qu'avait-il appris qui lui aurait permis d'acquérir une maison de la taille de celle de Welbeck Street, de constituer sa fortune, d'épouser une femme issue de l'aristocratie et de rencontrer un succès phénoménal sur scène ? Et qu'en est-il de la lettre à « Siam » écrite par la mystérieuse femme, celle qui était à l'origine de son enquête ? Avait-elle vraiment été écrite par Rose, ou par une autre... ?

Joanna soupira de frustration. Le problème, c'était que les deux hommes avaient beau se ressembler comme deux gouttes d'eau, cela ne prouvait absolument rien.

Joanna jeta un regard autour d'elle pour se forcer à revenir à la réalité. Si elle donnait à quiconque la moindre raison de penser qu'elle s'intéressait encore à ces histoires, on lui tomberait dessus dans la minute. Ils ne lui avaient rendu sa vie que parce qu'ils pensaient qu'elle ne savait rien d'important. Mais avait-elle encore la force de poursuivre sa quête de la vérité ? Elle n'avait toujours pas de réponses concrètes, mais son instinct lui disait qu'elle s'approchait dangereusement de la clé du mystère.

En dépit de ses protestations, Alec la traîna dans le pub du coin à treize heures pile, pressé d'avoir le fin mot de l'histoire.

— Vas-y, dis-moi tout.

— Il n'y a rien à raconter, vraiment. Les chasseurs de canards étaient de sortie, Marcus et moi nous sommes retrouvés au milieu de tout ça. Il a pris une balle. J'ai couru et je suis tombée dans l'estuaire, puis je me suis fait emporter par le courant et j'ai failli me noyer, récita-t-elle d'un ton plat.

— Des chasseurs de canards ! Tu te fiches de moi ? Jo, c'est moi ! Tu peux me parler. Qu'est-ce que tu as trouvé de si terrible que tu as dû te battre pour rester en vie ?

— Rien, vraiment. Toutes mes pistes se sont révélées des impasses. En ce qui me concerne, ce chapitre est clos. J'ai récupéré un job que j'aime et j'ai bien l'intention de me consacrer aux scandales des vedettes et des acteurs de feuilletons télévisés, au lieu de me laisser entraîner dans les élucubrations de petites vieilles cinglées.

— Haslam, tu ne sais vraiment pas mentir, mais je veux bien croire qu'ils ont fait un très bon boulot là-haut et qu'ils ont réussi à te faire peur pour de bon. D'ailleurs, c'est dommage, parce que j'ai moi-même fait quelques recherches.

— Tu perds ton temps, Alec. Les pistes ne mènent nulle part.

— Ça m'embête d'invoquer la supériorité hiérarchique, ma belle, mais je suis dans le milieu depuis bien plus longtemps que tu n'es sur cette planète et je peux flairer le scandale à un kilomètre. Est-ce que tu veux écouter ce que j'ai trouvé ou pas ?

Joanna haussa les épaules en feignant la nonchalance.

— Pas vraiment, non.

— Oh, allez. Bon, je te le dis quand même. En lisant une biographie de notre cher sir James, quelque chose m'a fait bondir.

Joanna s'appliqua à prendre un air totalement désintéressé tandis qu'Alec poursuivait.

— L'auteur y raconte que sir James était très proche de sa femme, Grace. Que leur mariage était très solide et que sa mort l'a anéanti.

— Oui, et alors ?

— Grace est morte en France, apparemment. Ce qui est plutôt étonnant, parce que si ton âme sœur meurt à l'étranger, tu vas vouloir faire rapatrier le corps, non ? Pour, un jour, être enterré à côté d'elle pour l'éternité ? Or, tout le monde sait que sir James est enterré dans le Dorset. Seul.

Joanna déglutit.

— Peut-être. Marcus a effectivement été rapatrié d'Irlande. Même si je n'étais pas en état d'assister à ses obsèques.

— Désolé, Jo. Mais ça confirme bien ce que je dis. Pourquoi sir James n'aurait pas fait la même chose avec l'amour de sa vie ? Peut-être parce qu'elle n'était pas vraiment morte ?

— Je ne sais pas. On peut commander les sandwichs ? Je meurs de faim.

— Si tu veux. Cheddar, ça ira ?

— Oui.

Alec cria par-dessus le brouhaha pour réclamer à manger et à boire au barman.

— Bref, elle doit avoir plus de quatre-vingt-dix ans maintenant, donc les chances pour qu'elle soit encore en vie ou saine d'esprit sont assez minces.

— Tu penses réellement qu'elle pourrait être encore en vie ? Qu'elle était aussi impliquée dans tout ça ?

— Possible, possible, dit Alec en finissant sa première pinte.

— Alec, tout ceci est très intéressant mais, je te le répète, j'en ai fini avec cette histoire.

— Comme tu veux, ma belle.

— Et puis, comment veux-tu retrouver une personne censée être morte depuis soixante ans ?

— Aaaah, ça, ce sont les ficelles du métier. Il y a toujours un moyen de les faire réapparaître, avec la bonne formulation.

— Quelle formulation ?

— Une petite annonce dans la rubrique nécrologique. Tous les petits vieux la lisent pour voir si leurs copains ont passé l'arme à gauche. Allez, Jo, mange ton sandwich. Ça ne te ferait pas de mal de reprendre un ou deux kilos.

Quand Joanna rentra chez elle ce soir-là, elle était exténuée et la première chose qu'elle fit fut de se couler un bain. En peignoir et chaussons moelleux, elle s'installa ensuite sur le canapé en se demandant si elle n'était pas rentrée trop tôt. Après l'air frais du Yorkshire, la grisaille londonienne la déprimait. Au moins, dans le Yorkshire, elle se sentait en sécurité. Ici, elle était seule.

Elle attrapa la pile de courrier qui s'était accumulée depuis son départ. Il y avait une lettre adorable de Zoe qui lui souhaitait un bon retour et lui proposait de l'appeler pour dîner ensemble. Il y avait aussi un nombre si effrayant de factures impayées qu'elle fut bien contente d'avoir retrouvé son boulot. Alors qu'elle triait le tout entre une pile «important» et «brouillon», une fine enveloppe blanche glissa sur le sol. Elle la ramassa et, en voyant son nom écrit à la main, l'ouvrit aussitôt.

*Chère Jo,*

*Je t'en supplie, ne déchire pas cette lettre tout de suite. Je me suis comporté comme une merde, je le sais. Je ne me suis jamais autant détesté qu'en voyant ta peine et ta colère.*

*J'ai passé toute ma vie à blâmer les autres pour mes problèmes, et je me rends compte à présent que je suis un lâche. Je suis un lâche pour ne pas t'avoir dit la vérité au sujet de l'argent. Je ne t'ai jamais méritée.*

*Le jour où je t'ai vue dans ce restaurant, j'ai su que je te voulais. Que tu étais différente, unique. Tu es une femme incroyable, et devant ta force et ton courage, j'ai compris que j'étais pathétique.*

*Tu dois probablement pester en lisant ces lignes – si tu n'as pas déjà jeté la lettre à la poubelle. Je ne suis pas l'homme le plus romantique ni le plus éloquent, mais je mets mon cœur à nu, ici. C'est la vérité. Joanna Haslam, je t'aime. Je ne peux rien faire pour changer le passé, mais j'espère changer l'avenir.*

*Si tu arrives à me pardonner, je veux devenir un homme meilleur pour toi. Et te prouver qui je peux être.*

*Je t'aime.*

*Marcus*

*P.-S. : je n'ai rien dit aux journaux pour Zoe. C'est ma sœur, jamais je ne ferais une chose pareille.*

Des larmes roulèrent sur les joues de Joanna.

— Oh mon Dieu, Marcus… et pourtant, tu me l'as prouvé…

Elle pleura, encore et encore, en songeant au fait que jamais elle ne pourrait le remercier pour ce qu'il avait fait. En relisant ses mots, elle se rendit compte que, de toute sa vie, jamais elle n'avait été autant aimée que par Marcus. Et maintenant, il était parti.

— Je ne suis ni forte ni courageuse, marmonna-t-elle en se dirigeant vers la chambre.

Elle fouilla dans son sac et en sortit les somnifères que lui avait prescrits le médecin de l'hôpital. Elle allait en avoir besoin, ce soir-là.

Elle tira également les vieilles coupures de journaux et l'enveloppe contenant ses « preuves », puis s'installa sur le lit et regarda la pile. Une fois encore, elle fut prise de l'envie irrépressible de comparer les photos et son cerveau se mit à chercher de nouvelles réponses.

Elle avala un comprimé et, se laissant tomber sur son nouveau matelas, murmura dans le silence :

— C'était ton grand-père, Marcus. Qui était-il vraiment ?

Une heure plus tard, toujours incapable de trouver le sommeil, elle se redressa. Marcus avait perdu la vie en cherchant des réponses. Elle lui devait de continuer, n'est-ce pas ?

Joanna décida de suivre les conseils d'Alec et de publier une annonce. Elle établit alors une liste d'une dizaine de journaux français et décida de commencer par *Le Monde* et *The Times* – au cas où Grace ait gardé un lien avec l'Angleterre. Si son annonce restait sans réponse, elle passerait aux trois suivants sur la liste, et ainsi de suite. Après tout, elle n'avait aucune garantie que Grace vivait encore en France. Elle aurait très bien pu partir juste après y avoir simulé sa mort.

Mais comment formuler l'annonce de sorte que Grace sache qu'elle ne courrait pas de risque en répondant ? Et sans alerter ceux qui pourraient la surveiller ? Joanna resta assise en tailleur sur son lit une bonne partie de la nuit, entourée d'une pile de brouillons froissés – qu'elle devrait brûler avant le lever du soleil –, s'arrachant les cheveux sur chaque mot.

Alors que l'aube commençait à poindre, Joanna rédigea l'annonce sur son ordinateur, puis l'effaça aussitôt imprimée. Quand elle arriva au journal, elle utilisa le fax pour l'envoyer avec une note précisant l'urgence de la publication. Elle paraîtrait le surlendemain. C'était une bouteille à la mer, elle le savait. Et elle ne pouvait plus rien faire qu'attendre.

Pendant la pause du dîner, elle se réfugia à la bibliothèque de Hornton Street derrière une table croulant sous les livres ayant trait à la famille royale. En étudiant une énième photo du duc de York et de sa femme, son regard fut attiré par une bague à sa main gauche. Même miniature et partiellement dans l'ombre, la forme et le blason lui étaient familiers.

Joanna ferma les yeux et se creusa les méninges. Où avait-elle vu cette bague auparavant ? Elle jeta un coup d'œil à l'horloge et lâcha un juron en se rendant compte que sa pause était finie.

À seize heures, alors qu'elle buvait une tasse de thé, elle frappa soudain du poing sur la table, euphorique.

— Mais oui, bien sûr !

Elle décrocha le téléphone et composa le numéro de Zoe.

Ce soir-là, sur Welbeck Street, Zoe ouvrit sa porte d'entrée, regarda furtivement à droite et à gauche, fit signe à Joanna d'entrer rapidement, puis l'étreignit chaleureusement.

— Comment vas-tu ?

— Ça va.

— Tu es sûre ? Je te trouve bien amaigrie, Jo.

— Possible. Et toi, comment tu vas ?

— Pareil, j'imagine. Thé ? Café ? Vin ? Pour ma part, ce sera la troisième option, puisque le soleil a commencé à se coucher.

— Idem.

Zoe l'entraîna dans la cuisine, attrapa une bouteille déjà bien entamée et remplit vivement deux verres.

— Tu n'as pas bonne mine non plus, commenta Joanna.

— Et pour cause, je me suis rarement sentie si mal !

— Moi aussi !

— Alors à la tienne !

Elles trinquèrent avec ironie et s'installèrent à la table de la cuisine.

— Comment se passe le retour à Londres ? demanda Zoe.

— Difficilement. Et j'ai trouvé ça dans ma pile de courrier hier, dit-elle en tendant la lettre à Zoe. C'est de Marcus. Il a dû me l'écrire après notre dispute... Je me disais que, peut-être... tu aurais envie de la lire.

— Merci.

Zoe ouvrit l'enveloppe et Joanna vit ses yeux bleus se remplir de larmes au fil de sa lecture.

— Merci de me l'avoir montrée. Ça me touche vraiment qu'il t'ait tant aimée. Je ne pensais pas qu'il vivrait ça un jour et je suis heureuse qu'il ait connu l'amour, même brièvement.

— Si seulement j'y avais cru... Mais c'était tellement difficile, entre son comportement et sa réputation. On s'est disputés. Je me sens tellement mal. Je l'ai accusé de t'avoir vendue aux journaux.

C'était au moins une demi-vérité.

— Je vois. Je pensais que c'était toi, mais Simon a juré que c'était impossible.

— C'est gentil de sa part. Enfin bref, il se trouve que ce n'était ni l'un ni l'autre.

— Qui, alors ?

— Qui sait ? Un voisin qui aura vu Art entrer chez toi ? J'ai tellement honte d'avoir accusé Marcus...

— Au moins, vous vous êtes réconciliés en Irlande.

— Oui, mentit Joanna. Et il me manque terriblement.

— À moi aussi. Il était agaçant, capricieux, paresseux et incapable de gérer son argent, mais il était si passionné. Et vivant. Allez, changeons de sujet avant de passer la soirée à sangloter. Tu disais que tu voulais voir la bague de William Fielding ?

— Oui.

Zoe sortit de son sac un petit écrin en cuir et le donna à Joanna, qui l'ouvrit pour étudier la bague.

— Alors ? Est-ce que c'est bien celle que tu as repérée dans le catalogue dont tu parlais au téléphone ? Un héritage perdu de la Russie à l'époque des tsars ? Une bague précieuse arrachée au doigt d'un archevêque assassiné pendant la Réforme ?

— Je ne suis pas encore certaine, mais elle pourrait avoir de la valeur... Est-ce que tu me laisserais te l'emprunter pendant quelques jours, le temps de vérifier qu'il s'agit bien de la même ? Je te promets de ne pas la quitter des yeux.

— Bien sûr. Elle n'est même pas à moi, de toute façon. Ce pauvre William n'avait pas un seul membre de sa famille encore vivant. J'ai demandé, aux obsèques, mais il n'y avait qu'un vieil ami à lui et des collègues. Peut-être que si la bague a de la valeur, il aurait aimé qu'elle revienne à une association.

Joanna ferma l'écrin et le fourra dans son sac à dos.

— C'est une bonne idée. Je te dis ça dès que j'en aurai la confirmation. Maintenant, parle-moi un peu de ton prince.

— Il va bien, répondit Zoe en prenant une grande gorgée de vin.

— «Bien» ? Désolée, mais ce n'est pas un mot adapté pour décrire l'amour de ta vie, le conte de fées de la décennie, le...

— On ne s'est pas vus depuis un moment. J'ai passé les vacances de Pâques avec Jamie. Le pauvre chéri est toujours secoué et il a peur de se faire embêter quand il retournera à l'école.

— Pauvre Jamie. Désolée, Zoe. Je suis partie pendant des semaines et je n'ai pas tout suivi.

— Eh bien, il s'est fait embêter à l'école à cause de ma relation avec Art. Je ne le lui avais pas dit, et pendant que j'étais en Espagne avec Art, il a fugué. C'est Simon qui l'a trouvé, d'ailleurs, endormi sur la tombe de son arrière-grand-père. Je n'arrive toujours pas à croire que Simon le connaît assez pour savoir exactement où le chercher. Il est adorable. Et Jamie l'adore.

— Mais entre le prince et toi, ça va toujours, n'est-ce pas ?

— Pour être honnête, j'étais vraiment remontée contre lui en quittant l'Espagne. Il n'avait pas du tout l'air de comprendre mon inquiétude, ni même de se soucier de la disparition de Jamie. Évidemment, en rentrant à Londres, il a sorti le bouquet de roses et les excuses, et il a promis de s'assurer que Jamie serait mieux protégé à l'avenir.

— Alors tout est arrangé ?

Zoe se concentra sur le pied de son verre, qu'elle faisait tourner lentement.

— J'imagine, oui. Il remue ciel et terre pour que ses parents m'acceptent mais… Entre nous, je doute un peu de mes sentiments. Je n'ai qu'une envie, c'est de croire que ce que je ressens depuis si longtemps est réel. Je n'ai voulu que lui pendant dix ans, et maintenant que je l'ai… je commence à lui trouver beaucoup de défauts.

— Tu sais, je trouve ça parfaitement normal. Personne ne peut être à la hauteur de l'idéal du prince charmant de tes rêves.

— C'est ce que je me répète, mais la vérité, c'est que je ne sais pas si on a grand-chose en commun. Ce que je trouve hilarant le fait à peine sourire. D'ailleurs, il ne rit quasiment jamais. Il est tellement… rigide. Zéro spontanéité.

— Il doit sûrement ça à son rang plus qu'à sa personnalité, non ?

— Possible. Mais tu sais comme on ne se sent jamais soi-même avec certains hommes ? Comme si l'on jouait constamment un rôle ? Sans jamais pouvoir se détendre ?

— Complètement. C'est ce qui s'est passé pour moi pendant cinq ans, et je ne l'ai remarqué qu'après la rupture. Matthew – mon ex – ne faisait pas ressortir la meilleure version de moi-même. On s'amusait rarement.

— C'est exactement ça. Avec Art, on passe notre temps à avoir des discussions très sérieuses sur l'avenir, mais on ne profite jamais du présent. Et je n'ai toujours pas eu le cran de le présenter à Jamie. J'ai ce terrible pressentiment que mon fils ne va pas l'aimer. Il est si… rigide. C'est le mot. En plus de tout ça, l'idée de passer ma vie sous les projecteurs, de ne rien pouvoir faire sans que les médias le sachent…

— Je suis sûre que si tu aimes suffisamment Art, il t'aidera à supporter tout ça. Ce qui compte vraiment, c'est de savoir ce que tu ressens pour lui.

— L'amour triomphe toujours, c'est ça ?

— Exactement.

— Au final, j'imagine, oui. Le truc, c'est que j'ai l'impression d'être Winnie l'ourson coincé dans l'arbre à miel. Je suis déjà tellement enfoncée que je me demande si je peux vraiment en ressortir. C'est dans ce genre de moment que j'aimerais que mon grand-père soit encore en vie. Lui aurait un avis sage à me donner.

— Vous aviez l'air très proches.

— On l'était. J'aurais aimé que tu le rencontres. Il t'aurait adorée. Il avait un faible pour les femmes de caractère.

— Ta grand-mère en était une ? tenta Joanna l'air de rien.

— Je ne sais pas trop. Je sais qu'elle venait d'une famille très riche de l'aristocratie. Les White sont extrêmement pompeux – elle était officiellement une lady, c'est dire. Bien sûr, elle a renoncé à son titre de noblesse en épousant mon grand-père. Un acteur, tu penses bien que ce n'était pas exactement un bon parti – surtout avec ses potentielles racines irlandaises.

Joanna sentit son cœur manquer un battement.

*« Trouvez la lady du chevalier blanc. »* White. Blanc. Grace était une lady. »

— Le nom de jeune fille de Grace était White ?

— Oui. C'était une femme très jolie et délicate.

— Comme toi.

— Ouais. Peut-être que c'était pour ça que James m'adorait tant. En parlant d'épouses mortes, je ne t'ai pas dit : on m'a proposé d'en incarner une.

— Pardon ? demanda Joanna, complètement distraite.

— La Paramount veut produire une nouvelle version de *L'esprit s'amuse*. Ils me proposent le rôle d'Elvira. Apparemment, ce serait un film à très gros budget.

— Ça alors, est-ce qu'on parle vraiment d'une carrière à Hollywood ?

— Absolument, et le rôle est à moi, je n'ai plus qu'à accepter. Ils ont vu quelques images de *Tess*, ils m'ont fait passer une audition express et ils ont fait une offre à mon agent hier. La somme est quasi indécente.

— Zoe, c'est génial ! Bravo ! Tu le mérites amplement.

Zoe leva les yeux au ciel.

— Oh arrête. Ils pensent probablement que les spectateurs vont courir au cinéma pour voir la petite copine du prince d'Angleterre. Je ne voudrais pas paraître cynique, mais j'ai du mal à croire qu'on m'aurait fait une telle offre si mon visage n'était pas sur tous les tabloïds américains à côté de celui de Art.

— Ne te sous-estime pas. Tu es une actrice extrêmement talentueuse. Hollywood aurait fini par t'appeler, avec ou sans Arthur.

— De toute façon, je ne peux pas accepter, n'est-ce pas ? Soyons réalistes. Si j'épouse Art, mon job sera de manger des hors-d'œuvre et de serrer des mains à des événements caritatifs, et ça, c'est uniquement si personne d'un rang plus élevé n'est disponible.

— Les temps changent, Zoe. Tu pourrais être pile ce dont a besoin la famille royale pour ne pas rater le coche des années 2000. Les femmes ont des carrières, de nos jours.

— Peut-être, mais ces carrières n'impliquent pas de se déshabiller devant une caméra, ni d'embrasser le premier rôle.

— Je ne me souviens pas de scènes de nus dans *L'esprit s'amuse*, pouffa Joanna.

— Certes, mais tu vois où je veux en venir, soupira Zoe. Non, si je l'épouse, c'est la fin de ma carrière d'actrice. Regarde Grace Kelly !

— C'était dans les années cinquante ! Tu en as parlé avec Arthur ?

— Euh, non. Pas encore.

— À ta place, je me dépêcherais avant que les journaux n'en parlent.

— C'est exactement ça, le problème ! Je ne contrôle plus ma vie. Je ne peux pas aller chercher du lait sans me faire photographier. Bref. J'ai deux semaines pour me décider. Jamie retourne à l'internat dimanche, puis je vais passer la semaine dans le Dorset pour me remettre les idées en place.

— Seule ?

— Non, bien sûr que non. Ces temps-là sont révolus. Simon m'accompagne. Mais ça ne me dérange pas. C'est un très bon cuisinier, et une oreille attentive.

Joanna remarqua combien l'expression de Zoe s'était soudain adoucie.

— Tu sais, je crois qu'au bout du compte, la seule question à te poser, c'est si tu aimes assez Art pour tout lui sacrifier. Est-ce que ta vie vaut la peine d'être vécue sans lui ?

— Je sais. Et il n'y a que moi qui puisse prendre cette décision. Tu aimais Marcus ?

— J'étais en train de tomber amoureuse, oui. Mais au moment où j'ai enfin réussi à lui faire confiance, à oublier sa réputation et à croire vraiment en ses sentiments, il était trop tard... Si seulement on avait eu plus de temps. Ces derniers jours en Irlande, il était... incroyable.

— Oh, Jo. C'est tellement tragique. Tu faisais vraiment ressortir le meilleur en lui.

— Il me faisait rire, ne prenait jamais rien au sérieux – à part ses films, évidemment. Je pouvais être moi-même avec lui, et il me manque terriblement. Bon, je ferais bien d'y aller. J'ai encore... du boulot à terminer.

— D'accord. Et je suis désolée d'avoir pu penser un seul instant que tu avais vendu la mèche.

— Ne t'en fais pas. À vrai dire, j'ai bel et bien envisagé de le faire pendant au moins une bonne minute !

Elle se leva avec un sourire tendre et ajouta :

— Tu sais où me trouver si tu as besoin de parler.

— Oui. Toi aussi. Est-ce que tu voudrais venir à l'inauguration de la fondation ? Je prononce le discours à la place de Marcus.

Zoe lui tendit une invitation posée sur le plan de travail.

— Bien sûr.

— Et aussi, ça te dirait de venir souper à la maison la semaine prochaine, après mon retour du Dorset ? Il est temps que Art rencontre mes amis. Comme ça, tu pourras juger par toi-même. Et un deuxième avis ne me ferait pas de mal.

— OK, appelle-moi dans la semaine. À bientôt.

Joanna sortit de la maison et, apercevant un bus à l'arrêt en face, elle s'élança à travers les voitures pour grimper à bord. Elle trouva une place à l'arrière et ouvrit aussitôt son sac à dos pour en sortir la photo qu'elle avait passé la nuit à regarder. Ses doigts tremblèrent en ouvrant l'écrin.

Il n'y avait aucun doute possible. La bague qui reposait dans sa paume était la même que celle que portait le duc de York à son petit doigt.

Joanna regarda par la vitre alors que le bus s'engageait dans Oxford Street. Était-ce la preuve dont elle avait besoin ? Cette bague suffisait-elle à appuyer l'hypothèse innocente de sa grand-mère ? C'est-à-dire que Michael O'Connell avait bel et bien servi de doublure au duc de York souffrant ?

Et il y avait encore autre chose…

Après avoir rangé soigneusement la bague dans son écrin puis dans son sac, Joanna relut la lettre de Rose.

*« Si cette note vous parvient alors que j'ai déjà quitté ce monde, trouvez la lady du chevalier blanc. »*

James avait été fait chevalier de l'Ordre de l'Empire britannique. Grace, sa femme, n'était pas seulement une lady, mais aussi une White.

Joanna sentit son ventre se nouer. Alec avait vu juste.

# 37

La sonnette retentit et Zoe se précipita pour ouvrir la porte. Elle sourit à la vue de son visiteur.

— Bonsoir, Simon. Je suis heureuse de vous revoir. Comment allez-vous?

Quand il entra dans le couloir, elle se dressa sur la pointe des pieds et lui planta une bise sur la joue.

— Bien. Et vous?

— Je fais au mieux, répondit-elle avec un soupir.

Simon fila à l'étage pour déposer son bagage. Elle le suivit dans l'escalier.

— Jamie aurait bien aimé vous voir. Je l'ai ramené à l'école hier. Il était tellement stressé, le pauvre. Mais j'ai discuté avec le directeur et il a promis de garder un œil sur lui. C'est de la part de Jamie, pour votre retour, ajouta-t-elle en lui tendant une carte où étaient dessinés au feutre deux bonshommes jouant aux jeux vidéo. Il n'a pas trop aimé votre remplaçant, apparemment il était moins drôle que vous.

Simon sourit en lisant la carte.

— C'est adorable.

— Bon, je vais vous laisser vous installer. Je vous attends en bas pour prendre un verre. J'ai préparé le souper, puisque je vous en dois un.

— Zoe, ça m'embête de faire le rabat-joie, mais j'ai déjà mangé et j'ai une tonne de boulot ce soir. C'est très gentil de votre part, mais une prochaine fois, d'accord?

La déception apparut aussitôt sur son visage.

— Mais j'ai passé l'après-midi aux fourneaux et je…

Elle s'interrompit en voyant son visage fermé.

— Oh et puis tant pis. Oubliez, dit-elle.

Simon ne répondit rien et s'affaira à déballer son maigre bagage.

— Est-ce que ça vous va si on part dans le Dorset demain? continua-t-elle. J'ai besoin d'un peu de temps pour souffler et réfléchir. Je dois assister à l'inauguration de la fondation jeudi, mais je pensais faire l'aller-retour dans la journée.

— Bien sûr, comme vous voulez.

Avec la sensation désagréable de déranger, Zoe déclara:

— Bon, eh bien, je vous laisse alors. Descendez prendre un café quand vous aurez fini de travailler.

— Merci.

Zoe ferma la porte derrière elle, découragée, et retourna errer dans la cuisine d'où émanaient des effluves appétissants. Elle se versa un verre de la bouteille de vin qu'elle avait soigneusement sélectionnée à la cave et s'assit, soudain épuisée.

Elle avait passé toute la journée à courir partout, entre le ménage et les courses. Elle était même allée au marché de Berwick pour faire le plein de produits frais en vue du souper et en était revenue les bras chargés de fleurs pour donner à la maison une atmosphère printanière.

Elle grogna en réfléchissant pour la première fois à son comportement. Celui d'une femme tout excitée à l'idée de voir un homme qu'elle appréciait beaucoup…

Simon ne descendit pas pour un café, ce soir-là. Quant à Zoe, elle toucha à peine à son assiette de moussaka, préférant noyer ses malheurs dans le vin.

Art l'appela à vingt-deux heures pour lui dire qu'il l'aimait, et lui rappeler que leur première sortie publique aurait lieu dans une semaine et qu'elle devait penser à choisir une robe «qui n'en dévoilerait pas trop» – une recommandation qui ne fit que la stresser davantage. Elle lui souhaita froidement bonne nuit, puis monta se coucher.

Allongée dans son lit sans trouver le sommeil, elle se réprimanda d'avoir laissé son imagination s'emballer au sujet de Simon, exactement comme elle l'avait fait avec Art pendant toutes ces années. Elle avait cru que Simon s'intéressait à elle, elle avait pensé percevoir une proximité et une chaleur s'installer entre eux pendant tout ce temps qu'ils avaient passé ensemble. Mais ce soir-là, il s'était montré froid et distant, lui prouvant clairement qu'il n'était là que pour faire son boulot. Des larmes de frustration roulèrent sur ses joues quand elle comprit que la présence qu'elle souhaitait par-dessus tout n'était pas celle de l'amour de sa vie, mais de l'homme qui ne dormait qu'à quelques pas de sa chambre.

Le trajet jusqu'à la maison du Dorset se fit dans le silence le plus total. À l'arrière de la voiture, Zoe tentait de se concentrer sur le scénario de *L'esprit s'amuse*, malgré son stress et sa gueule de bois.

Après un arrêt au supermarché de Blandford Forum pour le ravitaillement, ils arrivèrent à Haycroft House. Simon porta les bagages et les courses à l'intérieur, puis lui demanda sèchement si elle avait besoin d'autre chose, avant de s'enfermer dans sa chambre à l'étage.

À dix-neuf heures, alors qu'elle jouait sans appétit avec un bout de porc noyé sous la sauce, Simon entra dans la cuisine.

— Ça vous ennuie si je me fais un café?

— Bien sûr que non. Il y a des côtelettes de porc et des pommes de terre au chaud, si vous voulez.

— Merci, Zoe, mais vous ne devriez pas vous embêter à cuisiner pour moi. Ce n'est pas votre responsabilité, alors à l'avenir ne vous dérangez pas.

— Vous l'avez bien fait pour moi... et puis je devais manger aussi.

— Dans ce cas, merci. Je vais emporter mon assiette à l'étage, si ça ne vous embête pas.

Zoe le regarda retirer son assiette du fourneau.

— Est-ce que j'ai fait quelque chose de mal ?

— Non.

— Vous êtes sûr ? Parce que j'ai l'impression que vous m'évitez.

Il prit soin de ne pas croiser son regard en répondant :

— Pas du tout. Je me rends compte qu'il est déjà difficile pour vous d'accepter la présence d'un inconnu chez vous, sans, en plus, devoir lui parler quand vous avez besoin d'intimité.

— Vous n'êtes pas un inconnu ; d'ailleurs, je vous considère plus comme un ami. Après ce que vous avez fait pour Jamie, comment pourrait-il en être autrement ?

— Je n'ai fait que mon boulot.

Simon posa son café et son assiette sur un plateau, puis se dirigea vers la porte.

— Vous savez où me trouver en cas de besoin. Bonne soirée.

La porte de la cuisine se referma derrière lui.

Zoe repoussa son assiette à peine entamée sur le côté et posa son front sur ses bras croisés.

— «Je n'ai fait que mon boulot», répéta-t-elle tristement.


— Bonne nouvelle. Notre émissaire est en vie, annonça la voix à l'autre bout du fil.

— Vous l'avez localisée ? demanda Simon en arpentant sa chambre.

— Non, mais nous avons son ancienne adresse. Elle a déménagé il y a quelques années à la mort de son mari.

La maison a changé trois fois de propriétaire depuis et le dernier en date n'a pas pu nous renseigner. En revanche, on espère la retrouver d'ici demain. Ensuite, nos affaires pourront avancer. Vous partez en France, Warburton. Je vous appelle dès que nous aurons plus de détails.

— Bien, monsieur.

— À demain, Warburton.

• • •

— Ramène tes fesses sur la rive sud. C'est l'inauguration de la fondation Sir-James-Harrison dans le grand hall du National Theatre.

— Je sais, Alec, répondit Joanna d'un ton stressé. J'y vais de toute façon pour soutenir Zoe.

— On va publier ton interview de Marcus Harrison demain, suite à sa nécrologie. Comme c'est toi qui as rédigé l'article, tu peux couvrir l'événement.

— Alec, je t'en prie… Je préférerais vraiment y aller en tant qu'amie. Des deux.

— Ah, Jo !

— Et puis, je croyais que mon interview avec Marcus avait été enterrée ? Pourquoi la publier maintenant ?

— Parce que la famille Harrison est soudain redevenue intéressante. Une photo de Zoe en train de prononcer un discours à la place de son frère mort sera parfaite pour la une.

— Bon sang, Alec ! Tu es vraiment sans morale.

— Désolé, Jo, dit-il doucement. Je sais que tu es en deuil. Mais tu n'aimerais certainement pas que quelqu'un qui ne le connaissait pas écrive le papier, n'est-ce pas ? Steve t'accompagne pour les photos. À plus !

Le grand hall du National Theatre était bondé de journalistes, de photographes – sans oublier la caméra de télé. Ça faisait beaucoup de monde, pour une soirée qui d'ordinaire n'aurait attiré qu'une poignée de reporters vaguement intéressés.

Joanna attrapa un verre de champagne sur le plateau d'un serveur et en but une longue gorgée. Après son mois d'exil dans le Yorkshire, elle avait perdu l'habitude des foules bruyantes et agitées. De l'autre côté du hall, elle repéra Simon qui lui adressa un petit signe de tête.

— Oh, merci d'être venue ! Heureusement que tu es là ! souffla une voix dans son oreille.

Elle se tourna et découvrit, époustouflée, Zoe dans une élégante robe turquoise.

— Je ne pensais pas que ce serait un si gros événement, fit remarquer Joanna en la saluant d'une étreinte.

— Moi non plus. Et ça m'étonnerait qu'ils soient là en mémoire de Marcus ou de James. J'imagine qu'ils espèrent tous que tu-sais-qui va débarquer.

Zoe fronça le nez en signe de mépris.

— Peu importe, reprit-elle, l'essentiel, c'est que moi je fais ça pour eux deux.

— Tout à fait. Et au moins, je vais pouvoir écrire un bel article sur Marcus et son investissement dans cette cause.

— Merci, Jo. Ce serait génial. Attends-moi à la fin et on ira manger un sandwich.

Alors que Zoe parlait aux autres journalistes, Joanna étudia les photos de sir James Harrison en exposition. Elle s'arrêta devant un portrait de lui en roi Lear, pose théâtrale, mains levées vers le ciel, une lourde couronne dorée sur la tête.

*Est-ce l'art qui imite la vie ou la vie qui imite l'art ?* songea-t-elle.

Parmi toutes les photos, on en trouvait une réunissant Marcus, sir James et Zoe, probablement à l'avant-première d'un film. Joanna résista à l'envie de caresser du bout des doigts le visage insouciant de Marcus, qui fixait l'objectif d'un regard plein d'assurance. Soudain, elle se tourna et remarqua une jeune femme séduisante qui se tenait à quelques pas. Quand leurs regards se croisèrent, la femme lui sourit, puis s'éloigna.

Il était quatorze heures quand le dernier journaliste laissa enfin Zoe respirer. Joanna s'était installée dans un coin du hall désormais désert et gribouillait des notes sur le discours bref et émouvant de l'actrice.

Zoe s'effondra dans un fauteuil violet à côté d'elle.

— Tu m'as trouvée comment? J'ai dû me retenir de pleurer pendant tout le discours.

— Parfaite. Je pense qu'on ne parlera que de toi et de la fondation, demain.

Zoe leva les yeux au ciel.

— Au moins, ce sera pour la bonne cause.

En quittant le théâtre, Joanna remarqua à nouveau l'inconnue, cette fois en train de lire la programmation.

— Tu sais qui c'est? demanda Joanna.

Zoe jeta un coup d'œil en arrière.

— Aucune idée. Probablement une journaliste.

— C'est bizarre, je ne la reconnais pas. Et je connais peu de journalistes qui portent des tailleurs de luxe.

— Ce n'est pas parce que tu as choisi de vivre en jean que tout le monde doit t'imiter, la taquina Zoe. Allez, viens, on va prendre un verre.

Sous le beau soleil printanier, elles remontèrent la rive de la Tamise scintillante, puis s'arrêtèrent devant un bar à vins.

Zoe se tourna vers Simon, qui les suivait à quelques mètres de distance, et lui lança:

— Petite discussion entre filles. Promis, ça ne sera pas long.

— Je vous attends là, déclara-t-il en désignant une table quand tout le monde fut entré.

Joanna et Zoe s'installèrent plus loin et commandèrent deux verres de vin.

— Ça a beau être Simon, je pense qu'être suivie toute la journée me rendrait complètement dingue.

— Tu me comprends, maintenant?

Zoe récupéra un menu et se planqua derrière. Toutes les têtes s'étaient tournées vers elle. Simon traversa la salle et disparut en cuisine.

— Où est-ce qu'il va ? s'étonna Joanna.

— Oh, juste vérifier qu'il y a une issue de secours, au cas où. Il adore passer par l'arrière. Enfin, je veux dire...

Les deux femmes se mirent à glousser et le serveur arriva avec leurs verres.

— Sérieusement, Jo. Je ne sais pas si je peux continuer comme ça. Bref. À la tienne !

À seize heures passées, Joanna quitta enfin Zoe pour retourner travailler.

— C'est à cette heure-là que tu rentres ? grommela Alec quand elle sortit de l'ascenseur.

— Bon, ça va, je reviens avec une interview exclusive de Zoe Harrison.

— Brave fille.

Elle s'assit et alors qu'elle allumait son ordinateur, Alec lui apporta un petit paquet.

— C'est arrivé à la réception pour toi aujourd'hui.

— Ah, OK. Merci.

Elle prit le paquet et le posa à côté de son clavier.

— Tu comptes l'ouvrir ?

— Oui, dans une minute. Il faut que je termine l'article, là.

— Pourtant, ça m'a tout l'air d'une bombe à retardement.

— Hein ?

Elle décrocha enfin le regard de son écran et, voyant qu'il souriait, poussa un soupir résigné et lui tendit la lourde enveloppe.

— Vas-y, ouvre-le, toi.

— Sûre ?

— Oui.

Alec déchira le rabat et sortit du paquet une petite boîte et une lettre. Sans s'arrêter de taper sur son clavier, Joanna demanda :

— C'est de qui ? Ça fait tic-tac ?

— Pas encore. Je te lis la lettre : « *Chère Joanna, j'ai essayé de vous joindre mais je n'avais pas votre adresse ni votre numéro de téléphone. Et puis hier, j'ai vu votre nom sous un article dans le journal. Vous trouverez dans la boîte le médaillon que votre tante Rose m'a donné à Noël. Je faisais mon ménage de printemps et je l'ai trouvé au fond d'un tiroir. Je me disais que c'était plus juste de vous le donner, comme vous n'avez plus rien d'elle. Pouvez-vous me confirmer que vous l'avez bien reçu ? Passez prendre un thé à l'occasion. Ça me ferait plaisir de vous revoir. J'espère que vous avez retrouvé votre tante, la pauvre âme. Bien à vous, Muriel Bateman.* »

Alec tendit la boîte à Joanna.

— Tiens, tu veux que je l'ouvre, elle aussi ?

— Non, c'est bon. Je m'en charge.

Joanna ôta le couvercle et souleva un morceau de ouate, révélant le médaillon en or aux gravures fines, qui pendait au bout d'une lourde chaîne en or rosé. Elle le sortit délicatement de sa boîte pour le poser sur sa paume.

— Il est magnifique.

— Époque victorienne, je dirais. Il doit valoir une fortune, surtout avec une chaîne pareille. Alors comme ça, il appartient à la mystérieuse Rose ?

— Apparemment, répondit Joanna en triturant le fermoir du médaillon.

— On parie combien qu'on va trouver un portrait de sir James à l'intérieur ?

Enfin, Joanna parvint à séparer les deux moitiés. D'un coup, elle pâlit.

— Jo, tout va bien ? Qu'est-ce qu'il y a ?

Quand elle leva enfin la tête, ses yeux noisette brillaient.

— Je... J'ai compris, Alec. J'ai tout compris.

# 38

— Je l'ai perdue.

Dans le bureau de Jenkins, Monica Burrows faisait cliquer nerveusement son stylo.

— Quand ? Où ?

— Je l'ai suivie chez elle après le travail mercredi, et hier matin à Kensington. Ensuite, elle est retournée dans les locaux du journal et elle n'a pas réapparu depuis.

— Peut-être qu'elle a passé la nuit là-bas pour terminer un article.

— C'est ce que j'ai pensé. Alors ce matin, je suis allée à l'accueil et j'ai demandé à la voir. On m'a dit qu'elle n'était pas à la rédaction, qu'elle avait déposé un arrêt maladie.

— Vous avez essayé chez elle ?

— Évidemment. Désert. Je ne sais pas comment elle s'est débrouillée, mais elle a filé.

— Nul besoin de vous dire que cette réponse ne me satisfait pas, Burrows. Rédigez votre rapport et je reviens dès que j'aurai parlé à mon collègue.

Monica quitta le bureau et Lawrence Jenkins passa aussitôt un coup de fil à l'étage supérieur.

— C'est Jenkins. Haslam a encore disparu. J'avais mis Burrows en filature, puisque vous aviez parlé d'une surveillance basique, mais elle l'a perdue hier soir. Oui, monsieur. Je monte tout de suite.

. . .

Simon se dirigea vers la fenêtre de sa chambre sous les combles de Haycroft House et contempla le jardin. Zoe était assise sous la tonnelle de rosiers grimpants, un chapeau de paille sur la tête, le visage tourné vers les rayons du soleil. La veille, ils étaient rentrés tard de Londres et Simon avait directement filé dans sa chambre. Il soupira. Ces derniers jours avaient été abominables. Se retrouver coincé avec elle vingt-quatre heures sur vingt-quatre, sans échappatoire possible à cause de sa mission, contraint de subir la proximité de la femme inaccessible qu'il aimait. Il avait tenté de se préserver du mieux qu'il pouvait en se réfugiant dans la froideur et en refusant toute attention de sa part. Et il se détestait pour la confusion et la peine qu'il lisait dans ses yeux.

Son téléphone sonna.

— Monsieur?

— Avez-vous des nouvelles de Haslam?

— Non. Pourquoi?

— Elle a encore disparu. Je croyais qu'elle avait arrêté son enquête.

— C'est le cas. Êtes-vous sûr qu'elle vous a semés exprès? Son absence pourrait avoir une explication innocente.

— Dans la situation actuelle, rien n'est innocent, Warburton. Quand rentrez-vous à Londres?

— Je ramène miss Harrison ce soir.

— Appelez-moi dès votre arrivée.

— Oui, monsieur. Des nouvelles de l'émissaire?

— La maison que nous avions trouvée était vide. Partie pour un long voyage, d'après les voisins. Soit c'est une coïncidence, soit elle est en fuite. Nous faisons de notre mieux pour la localiser, mais même de nos jours, le monde est vaste.

— Ah, répondit Simon, incapable de cacher sa déception.

— Haslam est sur une nouvelle piste, j'en suis certain. Et nous avons intérêt à trouver laquelle.

La communication fut coupée.

• • •

Joanna reposa le menu et jeta un coup d'œil à sa montre. Le quatuor classique du Palm Court Tearoom entama la première valse. À toutes les tables, les femmes et les hommes d'un âge avancé, parés de vêtements d'un temps plus raffiné, se levèrent pour gagner la piste.

— Madame désire commander ?

— Oui. Un thé pour deux, merci.

— Très bien, madame.

Joanna tripota nerveusement le médaillon à son cou, mal à l'aise dans la belle robe qu'elle avait payée en espèces le matin même afin d'être acceptée au prestigieux salon de thé du Waldorf. Elle avait choisi une table lui offrant une vue parfaite sur l'entrée. Il était quinze heures vingt. À chaque minute qui passait, son assurance déclinait et son pouls accélérait.

Une demi-heure plus tard, dans la théière d'argent, son thé Earl Grey avait tiédi. Sur l'assiette en porcelaine fine, les minuscules sandwichs au concombre et au fromage à la crème étaient toujours intacts. À seize heures trente, le stress et ses nombreuses tasses de thé étaient presque arrivés à bout de ses nerfs. Plus qu'une demi-heure avant la fin du bal. Elle devait tenir jusque-là.

À dix-sept heures, après des applaudissements polis pour les musiciens, les participants commencèrent à se disperser. Joanna régla, ramassa son sac à main et se dirigea vers les toilettes. Devant le miroir, elle lissa ses cheveux maladroitement relevés en chignon haut avec des peignes et retoucha son rouge à lèvres.

Évidemment, elle savait que les chances étaient ridiculement minces, et ce, depuis le début. Grace Harrison était probablement morte et enterrée depuis des années. Et même si ce n'était pas le cas, encore aurait-il fallu qu'elle voie l'annonce et veuille y répondre.

Soudain, une silhouette apparut derrière, dans le miroir. Un visage qui, malgré le passage du temps, avait gardé une finesse aristocratique. Les cheveux gris étaient impeccablement coiffés; le maquillage, appliqué à la perfection.

— On me dit que le chevalier séjourna un jour au Waldorf? demanda la femme.

Joanna se tourna lentement pour faire face aux yeux verts troubles dans lesquels brillait une lueur d'intelligence.

— Accompagné d'une lady vêtue de blanc, acquiesça-t-elle.

La femme lui fit signe de la suivre dans les étages du grand hôtel, puis au bout d'un couloir à la moquette épaisse. Elle tendit une clé à Joanna, qui s'empressa d'ouvrir la porte de la suite, puis de la verrouiller après elles. Aussitôt, elle s'empressa de tirer les rideaux des immenses fenêtres qui donnaient sur la rue bondée de touristes et d'amateurs de théâtre.

— Asseyez-vous, proposa la femme.

— Merci, madame… Euh, est-ce que je peux vous appeler Grace?

— Bien sûr, ma chère, si ça vous amuse, répondit la femme en pouffant.

Elle s'installa dans l'un des magnifiques fauteuils qui meublaient le séjour.

Joanna prit place en face d'elle.

— Vous êtes bien Grace Harrison, née White? Épouse de sir James Harrison, décédée en France il y a plus de soixante ans?

— Non.

— Alors qui êtes-vous?

La vieille femme lui sourit.

— Je pense que si nous devons être alliées, comme mon instinct me le dicte, vous pouvez m'appeler Rose.

...

Dès que Simon arriva à Londres avec Zoe, il se précipita dans sa chambre, ferma la porte et consulta son téléphone portable. Voyant quatre appels en absence, il rappela le numéro.

— Je viens d'avoir le directeur de la rédaction du journal de Haslam, annonça sèchement Jenkins. Non seulement elle a disparu, mais son rédacteur en chef aussi – un certain Alec O'Farrell. Il a demandé plusieurs jours à son patron pour suivre une piste majeure. Ils savent, Warburton.

Simon décela une anxiété à peine cachée dans la voix de son patron.

— Je mets tous nos hommes disponibles sur l'enquête, continua Jenkins. Si on retrouve O'Farrell, on fera en sorte qu'il nous conduise à Haslam.

— Mais jamais ils ne pourront publier cette histoire, n'est-ce pas ? Vous pouvez contrôler ça ?

— Warburton, je vois au moins deux ou trois rédacteurs en chef subversifs qui se frotteraient les mains à l'idée de publier une histoire pareille. Sans parler de la presse étrangère. Bon sang, c'est le scandale du siècle !

— Dites-moi ce que vous attendez de moi, monsieur.

— Demandez à Miss Harrison si elle a des nouvelles d'Haslam. Elles se sont vues à l'inauguration de la fondation et ont pris un verre. Joanna est ensuite retournée au journal et Burrows l'a perdue. Restez aux aguets. Je vous rappelle bientôt.

...

Joanna regarda attentivement la femme, perplexe.

— Mais… vous ne pouvez pas être Rose. J'ai rencontré Rose à la messe commémorative en l'honneur de sir James Harrison. Et elle est morte…

— Rose est un prénom très commun. Surtout pour ma génération. Vous avez raison, ma chère. Vous avez bel et bien rencontré une Rose. Mais il s'agissait de Grace Rose Harrison, l'épouse disparue de sir James Harrison.

— Vraiment? Mais pourquoi utiliser son deuxième prénom?

— Par précaution. Elle tenait absolument à rentrer en Angleterre après la mort de James. Puis, quelques semaines plus tard, elle m'a écrit de Londres pour me dire qu'elle allait assister à la messe en sa mémoire. Elle était terriblement malade et il ne lui restait que peu de temps à vivre. Pour elle, c'était l'opportunité inespérée de revoir son fils Charles pour la dernière fois et d'apercevoir ses petits-enfants pour la première fois. Je savais que ça réveillerait les démons du passé, que c'était dangereux. Mais elle s'est obstinée. Elle pensait que tous étaient morts et enterrés depuis le temps, et que personne ne la reconnaîtrait. Évidemment, elle avait tort.

— J'étais juste à côté d'elle sur le banc. Je crois qu'elle a fait une sorte de crise d'angoisse en voyant arriver un homme dans le fauteuil roulant. Elle ne pouvait plus respirer, j'ai dû l'aider à sortir de l'église.

— Je sais, elle me l'a raconté dans sa dernière lettre. Elle m'a aussi parlé des indices qu'elle vous avait donnés. Je savais qu'il vous faudrait du temps pour les comprendre, mais je m'attendais à vous voir plus tôt. Grace ne pouvait pas trop vous en dire, elle risquait de me mettre en danger.

— Comment avez-vous su que je vous cherchais? J'avais publié mon annonce spécialement pour Grace.

— Parce que je sais tout, ma chère. Depuis le début. Quand j'ai lu que le «chevalier» demandait à la «lady vêtue de blanc» de le rejoindre pour le thé au Waldorf, j'ai su que c'était pour moi.

— Mais l'indice de la lettre de Grace... Trouver la lady du chevalier blanc... Comment saviez-vous?

— Parce que j'ai épousé un comte français du nom de Le Blanc et...

— Oh mon Dieu, dire que je croyais qu'il y avait un rapport avec White! Je me suis totalement trompée!

— Mais non, je suis là et c'est le principal, la rassura Rose.

— Pourquoi Grace m'a-t-elle choisie?

— Votre intelligence et votre bon cœur. Elle n'avait plus beaucoup de temps. Elle savait qu'à la minute où il l'avait vue, c'était fini pour elle. Il allait la traquer et la tuer. Je ne comprends vraiment pas pourquoi il a fallu qu'elle remette le nez dans cette histoire. Mais elle était tellement amère... j'imagine que c'était sa revanche.

— Je crois savoir d'où venait son amertume.

Rose lui lança un regard interrogateur.

— Vraiment? Vous avez dû faire une sacrée enquête après sa mort.

— Oui, on peut dire que ça a pris le pas sur ma vie.

— Est-ce que je peux vous demander ce que vous comptez faire de ces informations?

— Les publier.

— Je vois.

Rose resta silencieuse un moment, le temps de digérer cette nouvelle. Puis elle reprit:

— Bien sûr, c'est la raison pour laquelle Grace vous a écrit. C'était ce qu'elle voulait. Des représailles, se venger de ceux qui ont détruit sa vie et faire exploser le système. Alors que moi... disons que, même après toutes ces années, il me reste une part de loyauté.

— Cela signifie que vous ne m'aiderez pas à comprendre? Je pense qu'on va nous proposer une somme faramineuse pour cette histoire. Vous pourriez devenir riche.

— Ma chère, que ferait une vieille femme comme moi de tout cet argent ? S'acheter une voiture de course ?

Rose pouffa et secoua la tête.

— Qui plus est, reprit-elle, je suis déjà bien assez riche. Mon défunt mari ne m'a pas laissée sans le sou. Ma chère, ne vous êtes-vous jamais demandé pourquoi tant de mes proches sont morts ? Et pourtant je suis encore là pour vous raconter l'histoire. C'est uniquement à la discrétion que je dois ma survie. J'ai toujours su garder les secrets. Bien sûr, jamais je n'aurais cru que je me retrouverais avec le secret du siècle, mais ainsi va la vie. Ce que je veux dire, c'est que, pour Grace, je peux vous aiguiller, mais pour ma survie, je ne peux rien vous dire clairement.

— Je vois.

— Grace vous a accordé sa confiance, vous avez donc la mienne. Mais j'insiste pour garder mon anonymat. Si mon nom ou ma visite ici devaient être mentionnés, vous auriez ma mort sur la conscience. Chaque seconde que je passe ici en Angleterre avec vous nous expose toutes les deux à un grave danger.

— Alors pourquoi êtes-vous venue ?

Rose soupira.

— En partie à cause de James, mais surtout pour Grace. J'ai beau faire partie de l'ordre établi par ma naissance, cela ne signifie pas que j'approuve ce qui a été fait pour le maintenir, ni les vies détruites pour garder le secret. Dans quelques années, je rencontrerai mon créateur, et j'aimerais qu'il sache que j'ai fait tout mon possible pour ceux que j'aimais sur Terre.

— Je comprends.

— Commandez-nous une tasse de thé, voulez-vous ? Ensuite vous pourrez me dire ce que vous savez, et nous commencerons là.

Une fois le service en chambre arrivé et reparti, il fallut une heure à Joanna pour tout raconter à Rose – en partie parce que cette dernière était légèrement sourde, mais surtout parce qu'elle insistait pour revenir deux fois sur chaque détail.

— ... et quand le médaillon est arrivé au journal et que j'ai vu le portrait de la duchesse, tout a fait du sens, conclut Joanna en prenant une gorgée de vin blanc.

Rose approuva sereinement.

— Oui, bien sûr. Et c'est le médaillon à votre cou qui m'a convaincue que vous étiez la jeune femme de l'annonce. Seule Grace aurait pu vous le donner.

— À vrai dire, elle l'avait donné à sa voisine Muriel pour la remercier de sa gentillesse.

— C'est qu'elle devait se douter qu'ils étaient sur ses traces. Le médaillon est à moi, elle me l'avait offert. Grace a toujours adoré ce bijou. Alors je le lui ai rendu quand elle est partie pour Londres, en guise de talisman. J'ai toujours cru qu'il m'avait protégée. Malheureusement, il n'a pas suffi pour elle...

• • •

Quand Simon descendit ce soir-là, Zoe était installée dans la cuisine de Haycroft House où elle rédigeait une liste, un verre de vin posé à portée de main.

— Bonsoir, dit-il

Elle répondit à peine, sans même lever les yeux.

— Ça vous ennuie si je me fais un café?

— Bien sûr que non, Simon. Vous savez très bien que vous n'avez pas besoin de demander, dit-elle d'un ton agacé.

— Désolé.

Zoe posa son stylo et regarda Simon se diriger vers la bouilloire.

— Non, c'est moi qui suis désolée, je suis un peu sur les nerfs, c'est tout.

— C'est normal, ce n'est pas une période facile pour vous. Dites, vous avez des nouvelles de Joanna?

— Non, pas depuis l'inauguration, pourquoi ? Je devrais ?

— Non, non. Pour rien.

— Simon, vous êtes sûr que tout va bien ? Est-ce que j'ai fait quelque chose qui vous aurait contrarié ?

— Non, pas du tout. J'ai juste quelques… problèmes en ce moment.

— Des problèmes avec les femmes ? questionna-t-elle en tentant de garder un ton léger.

— Je suppose qu'on pourrait dire ça, oui.

— Oh.

Zoe remplit son verre de vin et reprit :

— Ah, l'amour. La vie serait tellement plus simple, sans. Que feriez-vous si vous étiez censé aimer une personne et que vous vous rendiez compte qu'en fait, vous en aimez une autre ?

Le cœur de Simon fit un bond devant l'intensité de son regard.

— Puis-je vous demander qui ?

Elle rougit et baissa les yeux.

— Oui. C'est…

La sonnerie du téléphone de Simon la coupa.

— Désolé, Zoe. Je dois répondre.

Il sortit précipitamment de la pièce et ferma la porte derrière lui.

Zoe aurait pu en pleurer.

Dix minutes plus tard, il était de retour, prêt à partir.

— Malheureusement, je suis appelé ailleurs. Ma remplaçante devrait arriver d'ici quelques minutes. Vous verrez, Monica est très gentille. Américaine. Elle va arriver avec un chauffeur qui vous reconduira à Londres demain matin.

— Très bien. Au revoir, alors.

— Au revoir.

Simon eu toutes les peines du monde à la regarder dans les yeux avant de quitter la cuisine.

# 39

Suivant les instructions de Rose, Joanna sortit deux petites bouteilles de whisky du minibar et les versa dans des verres avec des glaçons.

— Merci, ma chère. C'est beaucoup d'émotions pour une vieille dame comme moi.

Rose s'enfonça dans son fauteuil, le verre de whisky serré entre ses mains.

— Comme vous le savez, il fut un temps où j'étais dame de compagnie pour la duchesse de York. Nos familles se connaissaient depuis des années, il sembla donc naturel que je quitte l'Écosse avec elle quand elle épousa le duc. Ils étaient très heureux dans leurs maisons de Sandringham et de Londres. Et puis, la santé du duc a commencé à se détériorer. Ses bronchites à répétition étaient source d'inquiétude, car il avait été très malade dans son enfance. Les médecins lui ont recommandé un repos complet et de l'air frais, pour l'aider à guérir. Mais que dire au pays ? À cette époque, la famille royale était quasiment immortelle aux yeux de la population.

— C'est à ce moment qu'on a pensé à utiliser une doublure ?

— Exactement. C'était très courant pour les personnalités publiques. Et il se trouve qu'un conseiller royal est allé au théâtre. Là-bas, il a vu un jeune acteur qui, selon lui, pouvait parfaitement se substituer au duc de York pour les apparitions publiques. On a donné au jeune homme, Michael O'Connell, des leçons de « duc en herbe », ce qui nous faisait beaucoup rire, la duchesse et moi. Une fois qu'il a réussi le test, le vrai duc a été envoyé en Suisse pour sa convalescence.

— Il était son portrait craché, commenta Joanna. J'étais convaincue de regarder les photos d'une seule et même personne.

— Oui, Michael O'Connell était un acteur de talent. Il a toujours eu un don pour les imitations, c'était son grand numéro à l'époque. Il a complètement intégré son accent irlandais, et a même perfectionné son léger bégaiement. C'est ainsi qu'il est littéralement devenu le duc. Il s'est installé à sa place dans les quartiers royaux et tout a fonctionné à merveille.

— Combien de personnes étaient au courant ?

— Seules celles pour qui c'était indispensable. Je suis sûre que certains domestiques se sont étonnés de l'entendre chanter des ballades irlandaises en se rasant, mais ils étaient payés pour leur discrétion.

— Est-ce à ce moment-là que vous et lui êtes devenus amis ?

— Oui. C'était un homme tellement gentil, qui faisait de son mieux pour satisfaire tout le monde et acceptait la situation sans sourciller. J'étais même désolée pour lui. Je savais qu'on l'utilisait, et qu'une fois qu'on n'aurait plus besoin de ses services, il serait congédié sans plus de cérémonie.

— Mais les choses ne se sont pas déroulées ainsi, n'est-ce pas ?

— Non. Il faut savoir que c'était un homme qui avait beaucoup de charisme. En incarnant le duc, il lui a donné une nouvelle dimension. Il avait un grand sens de l'humour et s'amusait à rendre folle la duchesse à quelques minutes de leurs apparitions publiques. J'ai toujours été convaincue que c'est en la faisant rire qu'il l'avait amenée dans son lit – si vous me pardonnez l'expression de mauvais goût.

— Quand avez-vous compris qu'ils étaient amants ?

— Il m'a fallu un bon moment. Au début, comme tous ceux qui la connaissaient, je pensais que la duchesse jouait le jeu avec sa dévotion habituelle. Puis, quand le duc est rentré quelques mois plus tard, en pleine santé, Michael O'Connell a été renvoyé à sa vie. Et ça aurait été la fin de l'histoire, si seulement...

— Oui ?

— Si seulement la duchesse n'était pas tombée folle amoureuse de lui. À l'époque, j'avais quitté le palais pour préparer mon mariage avec François. Un jour, je suis retournée la voir et elle m'a demandé un service. Elle voulait que je serve d'émissaire pour que Michael et elle puissent garder contact. Elle était dans un état de désespoir véritable. Qu'aurais-je pu faire autrement qu'accepter ?

— Alors vous avez commencé à retrouver William Fielding devant Swan & Edgar.

— Le petit garçon du théâtre, si c'est son nom.

— Il est devenu un acteur très célèbre, lui aussi.

— Pas en France, rétorqua Rose avec un brin de snobisme. Bien sûr, à l'époque, j'étais follement amoureuse de François, et le fait que la duchesse soit amoureuse, elle aussi, nous rapprochait. Nous étions si jeunes et nous rêvions de romance... Michael et la duchesse avaient été forcés de se voir, puis séparés sans avenir possible, ce qui rendait la situation encore plus romanesque.

— Se sont-ils revus après son départ ?

— Une fois. La duchesse avait terriblement peur pour lui, surtout quand son secret a été révélé...

— Quelqu'un a découvert la liaison ?

Une lueur pétilla dans le regard de Rose.

— Oh oui, ma chère. Et pas n'importe qui.

— Est-ce que c'est à ce moment-là que Michael O'Connell a été envoyé en Irlande ?

— Oui, répondit Rose avec un sourire approbateur. Vous voyez, vous savez déjà presque tout. Un jour, la duchesse est venue me voir en larmes pour m'annoncer qu'on l'envoyait en exil. Il ne voulait pas compromettre davantage sa position, et pour elle, il avait accepté de quitter le pays. Bien sûr, il n'était jamais censé revenir.

— Comment cela ?

— Ne voyez-vous pas que c'était la solution parfaite, pour eux ? Un homme ressemblant comme deux gouttes d'eau au duc de York juste après la Réformation, quand les Irlandais haïssaient la Couronne britannique plus que tout. C'était la cible parfaite pour le mouvement républicain irlandais.

— Vous voulez dire que la Couronne souhaitait sa mort ?

— Bien sûr. Vu les circonstances, il fallait le faire disparaître pour de bon. Mais discrètement, de sorte que la duchesse ne se rebelle pas.

— Que s'est-il passé ensuite ?

— Michael a été sauvé d'une mort certaine par son amante irlandaise, Niamh, je crois. Elle venait s'occuper de la maison pour lui. Il semblerait qu'un soir, elle ait entendu son propre père – un républicain farouche – projeter de tuer Michael. Alors les deux tourtereaux ont organisé sa fuite sur un navire de coton.

— Oui, je sais qui elle est. J'ai rencontré sa sœur Ciara, à Rosscarbery. Niamh Deasy est morte en couches. Son enfant aussi.

— Doux Jésus.

Une larme brilla au coin de son œil, et Rose tira un mouchoir de sa manche pour l'éponger.

— Encore une victime de cette intrigue abominable. Michael s'est toujours demandé ce qu'elle était devenue. Il pensait qu'elle allait le suivre en Angleterre, mais bien sûr, il ne pouvait pas lui écrire. Elle n'est jamais venue. Maintenant je sais pourquoi. Il était très attaché à elle, même si je doute qu'il l'ait vraiment aimée. En revanche, il n'a jamais mentionné d'enfant.

— Peut-être que Niamh ne le lui a jamais dit.

— Elle ne le savait probablement pas elle-même au début. En ce temps, les femmes savaient peu de choses de la vie. En particulier les catholiques irlandaises.

— Pauvre Niamh. Elle était si innocente... Elle devait être loin d'imaginer la complexité de la situation. Je vous en prie, continuez.

— Eh bien, quand Michael est rentré à Londres, il s'est débrouillé pour entrer en contact avec la duchesse. Ils se sont retrouvés chez moi et il lui a expliqué que la Couronne avait voulu sa mort. La duchesse était furieuse. Après une nuit passée à imaginer des solutions, elle est venue me trouver. Quand elle m'a parlé de ses intentions, je lui ai dit qu'elle mettait sa famille dans une position extrêmement compromettante si cela venait à être découvert. Mais elle ne voulait rien entendre. Elle voulait protéger Michael O'Connell à tout prix. Après tout, elle était bien la seule. Il avait été utilisé et jeté comme un malpropre, et elle tenait – par amour et par scrupules – à faire ce qui était juste.

— Et qu'a-t-elle fait ?

— Elle lui a écrit une lettre, que j'ai personnellement livrée chez lui.

Joanna faisait de son mieux pour intégrer les nouvelles informations à mesure qu'elles arrivaient.

— Je vois. Et j'imagine que Michael O'Connell a pu utiliser cette lettre pour garantir sa sécurité. Une nouvelle identité, une belle maison et un brillant avenir ?

— Parfaitement, jeune fille. À mon avis, s'ils n'avaient pas tenté de le tuer, il ne leur aurait jamais rien demandé. Ce n'était pas un homme cupide. Mais il a pensé que plus il se ferait remarquer, plus il serait en sécurité. Sans compter qu'il méritait son succès. Il venait d'incarner le rôle du siècle.

— Oui, c'est certain. Et j'imagine que c'était bien plus facile d'assassiner monsieur Tout-le-monde qu'un acteur célèbre. J'ai l'impression que vous le connaissiez bien.

— Oui. Je pense avoir fait tout mon possible pour l'aider. C'était un homme bon. Après ça, les choses se sont tassées. La duchesse a accepté la fin de leur relation, parce qu'elle avait fait de son mieux pour le protéger. Et elle a repris sa place auprès du vrai duc.

— Si je puis me permettre, Rose, ce point précis me laisse perplexe depuis plusieurs jours. Le mariage du duc et de la duchesse a toujours été présenté comme l'une des plus belles histoires de la monarchie.

— Je pense sincèrement qu'il l'était. Ce sont deux types d'amour très différents. La duchesse a eu avec Michael ce qu'on pourrait qualifier de liaison brève et passionnée. Personne ne saura jamais si elle aurait duré plus de quelques mois. Mais une fois la sécurité de Michael assurée, la duchesse a soutenu le duc contre les rumeurs et n'a plus jamais mentionné le nom de son amant.

— Mais quand il est devenu le célèbre James Harrison, leurs chemins ont certainement dû se croiser, non?

— Oui, mais fort heureusement, il a rencontré Grace. Par un curieux hasard, je la connaissais depuis des années. Nous avions été présentées à la cour ensemble. Elle était complètement excentrique et James est tombé fou amoureux d'elle.

— Alors, c'était un vrai mariage d'amour?

— Absolument. Ils s'adoraient. Grace avait besoin de James pour la protéger d'un monde dans lequel elle ne s'était jamais sentie à sa place.

— Comment ça?

— Comme je le disais, Grace était une excentrique, très instable, émotionnellement. Elle l'a toujours été. Si elle n'était pas née dans l'aristocratie, on l'aurait certainement enfermée chez les fous. Ses parents étaient bien contents de se débarrasser d'elle. Mais avec James, elle s'est épanouie.

Son amour a réussi à calmer sa... personnalité instable. Ils ont eu un fils, Charles, et tout allait très bien pour eux... jusqu'à ce que le roi abdique.

— Évidemment. Le duc est devenu roi, la duchesse est devenue reine. J'imagine que le secret de leur liaison est devenu d'autant plus dangereux.

— Oh oui, ma chère. Le peuple n'avait plus confiance en la famille royale. Le roi venait de faire l'impensable en abandonnant le trône d'Angleterre pour épouser une Américaine.

— Et donc le laisser à son frère, le duc de York.

— Précisément. Même depuis la France, je sentais le choc dans les esprits. Ni le duc ni la duchesse n'avaient un jour envisagé d'être couronnés roi et reine d'Angleterre. Pas plus – et c'est là le plus important – que ceux qui tiraient les ficelles et savaient exactement ce qui s'était passé dix ans plus tôt.

— Qu'ont-ils fait ?

— Vous rappelez-vous de cet homme en fauteuil roulant qui a tant effrayé Grace à l'église ?

— Comment l'oublier ?

Joanna se souvenait encore de son regard glacial.

— Il faisait partie des services secrets britanniques, il était à l'époque assigné à la famille royale. Il s'est rendu chez les Harrison pour réclamer à James la lettre que lui avait donnée la duchesse, afin de préserver la famille royale. James a refusé, ce qui était tout à fait compréhensible. Il savait que, sans cette lettre, plus rien ne le protégeait. Malheureusement, Grace écoutait à la porte.

— Oh non.

— Ça aurait pu ne pas avoir de conséquences, si elle n'avait pas eu une personnalité instable et paranoïaque. Elle s'est sentie trahie par la seule personne en qui elle avait jamais eu confiance. Elle avait la preuve absolue d'une histoire d'amour passionnée de son mari avec une autre femme. Une femme avec laquelle jamais elle ne pourrait rivaliser. Elle l'a accusé de lui cacher des choses, d'être encore amoureux de la duchesse. Il faut comprendre, Joanna, qu'on ne parle pas d'une femme rationnelle. Cette découverte l'a complètement fait perdre les pédales. Elle aimait boire et, ivre, elle a commencé à faire des allusions peu subtiles en public. En clair, elle était devenue un danger pour le secret.

— Mon Dieu. C'est terrible. Qu'a fait James ?

— Il m'a raconté plus tard que Grace était devenue complètement folle après le départ de l'agent secret. Elle lui a fait une scène et a exigé de voir la lettre. Quand il a refusé, elle s'est mise à retourner la maison pour découvrir sa cachette. Alors il lui a montré une des lettres de la duchesse. Évidemment, ce n'était pas la bonne.

— Mais Grace a cru que c'était celle que voulaient les services secrets ?

— Oui.

— S'agit-il de la lettre qu'elle m'a envoyée ?

— Oui. Bien sûr, rien de majeur n'y était écrit, mais elle ne s'en rendait pas compte. Elle a refusé de la lui rendre, en lui disant qu'elle la garderait à jamais comme preuve de son infidélité. Je ne sais pas comment elle a réussi à la cacher au sanatorium, mais elle me l'a bel et bien montrée avant de partir pour l'Angleterre en novembre.

— Mais la liaison a eu lieu bien avant que James ne rencontre Grace !

— Je sais, ma chère. Mais comme je vous l'ai dit, elle était devenue folle. James m'a écrit en exprimant ses craintes car il savait que j'étais son amie, et une des seules à connaître le secret. Il se doutait que notre ami en fauteuil roulant et ses compères ne tarderaient pas à remarquer son comportement indiscret. Elle avait même tenté de se suicider en blâmant la liaison de James avec la duchesse. Il était conscient de la gravité de la situation et savait que même la lettre ne lui permettrait pas de protéger la femme qui risquait de tout révéler. Alors il a décidé d'agir avant eux.

— Comment?

— Il a emmené Grace en France. Ils se sont installés chez moi le temps que James lui trouve une institution confortable près de Berne. Je suis sûre qu'aujourd'hui, on aurait diagnostiqué à la pauvre une maniaco-dépression, mais à l'époque, c'était la chose la plus gentille qu'on puisse faire pour elle. Elle a été internée sous le nom de «Rose White». Quelques mois plus tard, il a annoncé la nouvelle de son suicide alors qu'elle était en vacances avec moi, sa plus vieille amie. Tout le monde à Londres la savait instable. L'histoire était crédible. On a organisé les obsèques à Paris et enterré un cercueil vide. Mais je vais vous dire, ma chère, qu'elle aurait aussi bien pu y être, à voir les larmes de James. Je n'avais jamais vu autant de souffrance chez un homme. Il savait que, pour la sauver, jamais il ne pourrait la revoir.

— Mon Dieu…, dit tristement Joanna. Pas étonnant qu'il ne se soit jamais remarié. Sa femme était toujours vivante.

— Exactement. Sauf que personne ne le savait. Ensuite, il y a eu la guerre. Les Allemands ont envahi la France et mon mari et moi nous sommes retirés dans notre maison en Suisse. J'allais voir Grace aussi souvent que possible. Elle était en plein délire, me demandait où était James, me suppliait de la ramener à la maison. Mon mari et moi espérions, pour son bien, que sa santé la laisserait quitter ce monde rapidement, car ce n'était pas une vie. Mais elle était coriace.

— Elle est restée en institution pendant toutes ces années?

— Oui, et je dois admettre que j'allais la voir beaucoup moins souvent sur la fin. Toutes ces visites semblaient inutiles, et elles étaient terriblement bouleversantes. Puis, un matin, il y a sept ans, j'ai reçu une lettre. Un médecin de l'institution me demandait de venir le voir. Quand je suis arrivée, il m'a expliqué que l'état de Grace s'était considérablement amélioré. J'imagine qu'avec toutes les avancées scientifiques, ils ont fini par trouver un médicament pour la stabiliser. Elle allait tellement mieux qu'il la pensait capable de mettre un pied dans le monde extérieur. J'admets que j'ai eu des doutes. Mais je suis allée la voir, je lui ai parlé, et il avait raison. Elle parlait du passé rationnellement et comprenait ce qui s'était passé. Elle m'a suppliée de l'aider à profiter des dernières années qui lui restaient dans un semblant de normalité. Que pouvais-je faire, à part accepter ? Mon mari bien-aimé était mort quelques mois plus tôt. J'errais toute seule dans mon grand château vide. Alors j'ai décidé d'acheter une plus petite maison et de prendre Grace avec moi. J'ai convenu avec le médecin qu'à la moindre détérioration de son état, Grace retournerait aussi vite en institution.

— Comment a-t-elle bien pu s'adapter au monde après tant d'années passées enfermée ? marmonna Joanna.

— Figurez-vous qu'un rien la ravissait. Pouvoir prendre la décision de ce qu'elle allait manger pour le petit-déjeuner était un grand luxe. Elle était enfin libre.

Joanna sourit.

— C'est vrai.

— Alors on a fait notre petite vie ensemble. Deux vieilles dames bien contentes d'avoir la compagnie de l'autre, et liées par un passé trouble. Puis, il y a un an, Grace a commencé à tousser. Il m'a fallu des mois pour la convaincre d'aller chez le médecin, tant elle avait peur d'en revoir un. Quand elle a enfin accepté, les examens ont révélé un cancer du poumon. Le médecin voulait l'opérer, mais vous imaginez sa réaction… Elle a refusé net. Je pense que c'est le plus tragique dans toute cette histoire. Après toutes ces années enfermée, au moment où elle trouve un peu de paix et de bonheur, elle apprend qu'il ne lui reste qu'un an à vivre.

Rose ressortit son mouchoir et tamponna ses yeux humides.

— Désolée, ma chère. Tout cela est encore très frais pour moi. Elle me manque terriblement.

— Bien sûr, je comprends.

Rose retrouva son calme et reprit :

— Quelques mois plus tard, quand Grace a lu l'article sur la mort de James dans le *Times*, elle a décrété qu'elle voulait rentrer en Angleterre. Je savais que ce voyage la tuerait. Elle était déjà très malade.

— Oui, et vous auriez vu la misère dans laquelle elle vivait au milieu de toutes ses caisses en bois. Qu'est-ce qu'elle pouvait bien cacher dedans ?

À cette question, Rose sourit.

— Elle y mettait toute sa vie, ma chère. C'était une vraie pie. Elle volait les cuillères des restaurants, les rouleaux de papier toilette et les savons dans les hôtels, elle prenait même des aliments de notre cuisine pour les cacher sous son lit. C'était sûrement dû au fait de n'avoir eu droit à aucune possession en institution, elle gardait tout. Quand elle est partie de France, elle a insisté pour déménager les caisses en bois avec elle. Et puis on s'est dit au revoir et je savais que je ne la reverrais jamais. Mais je comprends. Elle n'avait plus rien à perdre.

Rose s'affaissa dans son fauteuil, acculée par le deuil. Elle se vidait de son énergie à vue d'œil. Joanna sut que c'était le moment ou jamais.

— Rose, est-ce que vous savez où se trouve la vraie lettre ?

— Je ne me sens pas la force de parler sans avoir avalé un bon repas. On devrait appeler le service de chambre. Vous voulez bien être un amour et me passer le menu ?

Brûlant de lui poser mille questions, Joanna attendit patiemment que Rose cherche dans son sac ses lunettes, puis étudie attentivement la carte. Elle se leva pour décrocher le téléphone à côté du lit.

— Oui, bonjour. Pourriez-vous me monter deux faux-filets bleus avec une sauce béarnaise et une bouteille de côte-rôtie. Merci.

Elle reposa le combiné et, avec un sourire enfantin, déclara :

— J'adore manger à l'hôtel, pas vous ?

• • •

S'il était possible de faire les cent pas mentalement sans bouger de son fauteuil roulant, c'était exactement ce que faisait le vieil homme. Il n'était pas à sa place habituelle derrière le bureau. D'ailleurs, il avançait vers Simon quand celui-ci ouvrit la porte, soulagé par l'arrivée d'un autre être humain avec qui partager son anxiété.

— Du nouveau ?

— Non, monsieur. On va réessayer demain.

— Demain il sera peut-être trop tard, bon sang !

— Aucun signe de Haslam ou d'Alec O'Farrell ?

— On a une piste sur les allées et venues de O'Farrell, que des hommes sont en train d'explorer. À mon avis, il est terré dans un hôtel quelque part, probablement en train d'orchestrer la vente aux enchères du siècle pour leur sordide petite histoire. En tout cas, ils n'ont pas quitté le pays. Mes hommes ont épluché toutes les listes de passagers des aéroports et traversiers. À moins, bien sûr, qu'ils ne voyagent avec un faux passeport.

— Et notre émissaire ? Rose Le Blanc, ou Fitzgerald de son nom de jeune fille ?

— Aucun vol pour l'Angleterre n'a confirmé ce nom, mais ça ne veut rien dire. Elle aurait pu prendre une voiture ou un train. Mais si elle est là, nous la trouverons, ce n'est pas négociable ! Si Haslam arrive à lui parler... je suis certain que M^me Le Blanc sait où se trouve cette satanée lettre.

— Monsieur, tant qu'ils n'ont pas la lettre, ils n'ont pas de preuve.

Mais l'homme ne semblait pas l'écouter.

— J'ai toujours su qu'on se dirigeait droit à la catastrophe. Que ce fou n'abandonnerait jamais. Il a même été adoubé chevalier grâce au poids de cette promesse !

— Monsieur, je pense qu'il faut élargir les recherches et dire précisément aux autres ce qu'ils doivent trouver.

— Non ! Ils doivent travailler à l'aveugle. On ne peut pas risquer qu'il y ait d'autres fuites. Je compte sur vous, Warburton. Je veux que vous restiez exactement où vous êtes. Mon instinct m'a toujours dit que la lettre était dans une des maisons de Harrison. Si Haslam apprend l'endroit précis, elle viendra la chercher. Les deux propriétés sont sous étroite surveillance. Ne laissez sous aucun prétexte vos sentiments troubler votre jugement. Dites-moi franchement, êtes-vous capable d'aller jusqu'au bout de la mission ?

Il y eut un blanc, puis Simon répondit :

— Non, monsieur. Je ne peux pas faire ça.

— Dans ce cas, quelqu'un d'autre s'en chargera. J'espère que vous en êtes conscient.

— Oui, monsieur.

Le vieil homme positionna son fauteuil face au fleuve. Après un long silence, il poussa un profond soupir.

— J'espère que vous comprenez que si cette histoire voit le jour, cela signera la mort de la monarchie britannique. Bonsoir, Warburton.

• • •

Le suspense était intolérable pour Joanna alors que Rose mastiquait le contenu de son assiette avec lenteur. La jeune journaliste avait englouti son plat sans même le savourer, consciente qu'elle avait aussi besoin de reprendre des forces.

Enfin, Rose se tapota les lèvres de sa serviette.

— Ah, c'est bien mieux. Que dites-vous d'un petit café pendant qu'on discute, ma chère?

Faisant de son mieux pour contenir sa frustration, Joanna appela à nouveau le service de chambre. Quand enfin le café arriva, Rose recommença à parler.

— Ce n'est un secret pour personne que les monarques ont toujours eu de multiples maîtresses et amants. Le fait que la duchesse de York soit tombée amoureuse du double de son mari n'arrangeait pas le palais, bien sûr, mais cela restait gérable. Même ses lettres d'amour compromettantes pouvaient être récupérées. À l'époque, personne n'imaginait qu'elle deviendrait reine.

Rose laissa s'installer le suspense, avec un petit sourire.

— L'ironie, c'est que le cours de l'histoire a été changé en une nuit par la force d'un mot très simple, mais plus puissant que tout.

— L'amour.

— Précisément.

— Et elle est bel et bien devenue reine.

Rose acquiesça et sirota une gorgée de café.

— Alors demandez-vous, Joanna. Qu'est-ce qui a bien pu se passer entre Michael O'Connell et la duchesse de York pour en faire le secret le mieux gardé du vingtième siècle? Et qu'adviendrait-il si la preuve de ce secret se trouvait dans une simple lettre? Écrite volontairement par une femme amoureuse qui voulait à tout prix sauver son amant? Une lettre qui, cachée, lui a servi de seule protection contre les moyens surhumains de ceux qui le voulaient mort?

Joanna leva le nez et regarda autour d'elle, en quête d'inspiration. Puis, la révélation la frappa de plein fouet.

— Oh mon Dieu. Non?

— Oui.

Ce fut au tour de Rose de servir un verre de whisky pour apaiser le choc et les tremblements de sa compagne.

— Que les choses soient claires : je ne vous ai rien dit. Vous avez deviné. Je n'ai vu cette expression de choc que sur un autre visage, et c'était sur celui de Grace quand je lui ai confirmé ce qu'elle pensait avoir entendu à travers la porte.

Joanna avala une grande rasade de whisky.

— N'aurait-il pas été plus sûr de mentir à Grace ? De lui faire croire qu'elle avait mal entendu ? Mon Dieu. Je m'estime parfaitement saine d'esprit et pourtant, la vérité me fait trembler.

— Ça ne m'étonne pas. Et pour vous répondre, oui, j'ai envisagé de la convaincre, mais je savais qu'elle ne renoncerait pas. C'était prendre le risque qu'elle aille directement demander des comptes à l'homme qu'elle avait entendu dans le bureau de James, sir Henry Scott-Thomas, futur directeur des services secrets. Un homme capable de l'éliminer quand il apprendrait qu'elle savait. Un homme aux jambes paralysées par un accident de cheval.

— Un homme en fauteuil roulant…

Joanna sentit son cerveau se figer. Elle tenta de percer ce brouillard opaque, certaine qu'il lui restait mille questions à poser.

— La lettre… est-ce qu'elle confirme… ce dont on parle ?

— Je l'ai livrée, certes, mais elle était extrêmement bien protégée dans le paquet et je ne l'ai jamais lue. Mais si James est resté en vie tout ce temps et s'il a accumulé gloire et fortune sous le nez de ceux qui le voulaient mort, alors oui, j'en suis certaine.

— Mais ils ne sont jamais venus vous chercher ? Après tout, vous étiez l'émissaire.

— J'avais déjà quitté le palais et j'étais fiancée. Une fois le dernier paquet livré, je me suis mariée et j'ai quitté l'Angleterre pour la Loire. Personne ne connaissait mon rôle.

Avec un petit rire, Rose ajouta :

— La duchesse était une femme très futée. Mais un jour, le secret a bien fini par se voir.

Avec un sursaut de panique, Joanna se rendit compte qu'elle avait donné le nom de l'émissaire à Simon, deux semaines plus tôt, sur une colline du Yorkshire. Elle se leva d'un bond.

— Rose, vous courez un grave danger ! J'ai mentionné votre nom à quelqu'un, récemment ! Mon Dieu, je suis terriblement désolée. Tant de gens sont morts, déjà ! Ils ne s'arrêteront pas... Vous devez partir immédiatement !

— Ne vous en faites pas, je suis parfaitement en sécurité, ma chère. En tout cas pour l'instant. Après tout, je suis la seule à savoir où se trouve la lettre. Sans compter que mes faux papiers de la Seconde Guerre mondiale se sont avérés une bénédiction après toutes ces années. François a payé une petite fortune pour que nous puissions devenir « Monsieur et Madame Levoy », citoyens suisses. Il avait du sang juif du côté maternel, voyez-vous. J'ai toujours gardé un passeport en ce nom, au cas où. François insistait. Et c'est sous ce nom que je suis arrivée en Angleterre et que j'ai réservé ma chambre à l'hôtel.

Joanna contempla, admirative, cette femme extraordinaire qui avait gardé le secret si longtemps et mis sa propre vie en péril par amour pour son amie.

— Vous dites avoir livré un paquet et pas une lettre ? lui demanda-t-elle soudain.

— Très juste.

— Que contenait-il ?

Rose se mit à bâiller.

— Pauvre de moi, je suis terriblement fatiguée. Pour en revenir aux lettres, vous vous doutez que la plus grande discrétion était nécessaire, surtout pour la dernière. Cela aurait été un désastre si elles étaient tombées entre de mauvaises mains. Alors la duchesse a imaginé un stratagème très malin.

— Lequel ?

— Vous avez vu la lettre que vous a envoyée Grace. Est-ce que quelque chose d'étrange a attiré votre attention ?

Joanna se creusa les méninges.

— Je… Oui, si je me souviens bien, elle était finement perforée sur les bords.

Rose approuva d'un signe de tête.

— Ma chère, le temps file, je vais devoir vous aider avec la dernière pièce du casse-tête. Souvenez-vous que je ne le fais que pour Grace.

— Bien sûr.

— La duchesse avait deux passions dans la vie. L'une d'elles était la culture de merveilleuses roses dans ses jardins ; l'autre, la broderie.

Elle lança un regard entendu à Joanna qui la fixait sans comprendre.

— Bien, il est grand temps pour moi d'aller me coucher. Je quitte l'Angleterre demain pour rester chez des amis aux États-Unis. Je pense qu'il vaudra mieux me faire discrète ces prochains mois en attendant que les choses se tassent.

— Rose, s'il vous plaît ! Ne me faites pas ça ! J'ai besoin de savoir où se trouve la lettre.

— Ma chère, je viens de vous le dire. Tout ce qu'il vous reste à faire, c'est de mettre à profit votre esprit vif et vos jolis yeux.

Joanna comprit qu'il ne servait à rien d'argumenter.

— Vous reverrai-je un jour ?

Une lueur pétilla dans le regard de Rose.

— J'en doute, pas vous ? Mais je sais que vous la trouverez.

— Je ne vois pas comment ! Des roses, de la broderie…

— Oui, ma chère. Et à la minute où vous mettrez la main dessus, il me faudra être partie. Allez-vous vraiment publier en faisant fi des conséquences ?

— C'est mon intention, oui. Tant de gens sont morts à cause de ce secret. Et je… je le dois à quelqu'un.

Les yeux de Joanna se remplirent de larmes à cette pensée.

— Quelqu'un que vous aimiez?

— Je... oui. Mais il est mort en me sauvant la vie. Tout cela à cause de la lettre.

— Dans ce cas, vous comprenez. L'amour nous fait faire les choses les plus intrépides – et souvent les moins raisonnables.

— Oui.

Rose se leva et posa doucement sa main sur l'épaule de Joanna.

— Je m'en remets à votre conscience. Et au destin. Au revoir, ma chère. Si vous survivez assez longtemps pour raconter cette histoire, vous laisserez votre marque sur le monde, c'est certain.

Rose se dirigea vers la chambre et ferma la porte.

# FIN DE PARTIE

*Commence quand il ne reste que peu de pièces
sur le plateau.*

# 40

En arrivant à Welbeck Street le lendemain midi, Simon se dirigea droit vers la cuisine. Zoe lui trouva une mine fatiguée et anxieuse.

— Bonjour, Simon.

— Bonjour. Vous avez fait bon voyage ?

— Oui. Est-ce que miss Burrows va nous quitter maintenant que vous êtes de retour ?

— Oui, elle vient de partir. La chambre aurait été un peu étroite pour deux.

— Ah.

Zoe trempa son doigt dans la sauce qu'elle remuait sur le feu.

— C'est une femme très séduisante, fit-elle remarquer.

— Pas mon genre.

Simon versa du café soluble dans une tasse et la remplit d'eau chaude.

— Qu'est-ce que vous cuisinez ? demanda-t-il.

— Pffff. Que peut-on cuisiner pour un prince ? Je suis partie sur mon grand classique du bœuf Stroganoff. On est loin du homard Thermidor, mais il va bien falloir s'en contenter.

— Mais oui ! Votre souper a lieu ce soir ! J'avais complètement oublié.

— Art m'a appelée hier soir. Il vous attend à Sandringham en fin d'après-midi pour le ramener ici. J'ai laissé un message à Joanna pour lui dire de venir à vingt heures. Malheureusement, mes deux autres amis se sont décommandés, alors ce ne sera que nous trois.

Simon sentit son cœur faire un bond.

— Joanna vient?

— Oui. Mais même elle n'a pas répondu à mon message. On s'est beaucoup rapprochées et j'aimerais savoir ce qu'elle pense de Art.

— Peut-être devriez-vous la rappeler?

— Oui, j'imagine.

Elle s'essuya les mains sur son tablier.

— Vous voulez bien remuer la sauce pour moi?

Zoe revint quelques minutes plus tard.

— Je suis tombée directement sur le répondeur.

Simon, qui fouillait dans les placards, se retourna avec une petite bouteille dans la main.

— Tenez, ajoutez une goutte de Tabasco pour relever le goût.

Plus tard, dans la journée, le téléphone de Simon sonna.

— On a localisé O'Farrell. Je me disais bien qu'il ne pouvait pas survivre longtemps sans son whisky. Il a signé un reçu de carte de crédit pour se ravitailler chez un caviste vers les Docks.

— Bien.

— On a fait une recherche parmi ses connaissances, il semblerait qu'un copain journaliste américain possède un appartement dans le coin. Mes hommes ont fait du repérage et tout indique qu'il est occupé. Il est placé sous haute surveillance en ce moment. On a récupéré le numéro de téléphone de la ligne et s'il tente d'envoyer l'histoire par courriel, on pourra l'en empêcher immédiatement.

— Et Joanna?

— Rien.

— Elle est invitée à souper ici ce soir, mais je doute qu'elle vienne. Ce serait se jeter dans la gueule du loup. Alors je continue à mon poste?

— Oui. S'il n'y a rien de nouveau d'ici ce soir, allez chercher Son Altesse Royale dans le Norfolk comme prévu. Burrows vous relaiera. Assurez-vous d'être tous deux armés, Warburton.

Peu avant dix-sept heures, Simon arriva devant la magnifique demeure recluse de Sandringham et coupa le moteur. Quand il sortit de la voiture, le majordome avait déjà ouvert la porte d'entrée.

— Son Altesse Royale aura du retard. Il suggère que vous patientiez à l'intérieur avec une tasse de thé.

Simon suivit le majordome dans un couloir qui déboucha sur un petit salon richement meublé.

— Earl Grey ou Darjeeling?

— Peu m'importe.

— Très bien, monsieur.

Le majordome quitta la pièce et Simon se mit à faire les cent pas, se demandant pourquoi, ce jour-là parmi tous les autres, fallait-il que le duc le fasse attendre. Chaque seconde passée loin de Welbeck Street le rendait de plus en plus nerveux.

Le majordome apporta son thé et disparut aussitôt. Simon but sa tasse sans cesser d'arpenter la pièce. Soudain, quelque chose au mur, accroché parmi la myriade de peintures probablement inestimables, attira son attention. Quelque chose qui lui semblait étrangement familier. Il s'approcha pour étudier l'œuvre en détail, et la main tenant sa tasse commença à trembler.

Il était certain de l'avoir déjà vu.

Simon sortit son téléphone, mais au même moment, le majordome entra.

— Son Altesse Royale est prête à partir.

La tasse lui fut fermement retirée des mains et on le poussa dehors.

...

De sa cachette stratégique dans la cabine téléphonique de l'autre côté de Welbeck Street, Joanna composa le numéro d'un mobile.

— Steve ? C'est Jo. Ne me demande pas où je suis, mais si tu veux une bonne photo, à ta place, je ramènerais mes fesses devant chez Zoe Harrison. Le duc ne va pas tarder à arriver. Oui, vraiment ! Oh, et il y a une entrée à l'arrière si tu veux une photo à l'intérieur. En général elle est ouverte, même s'il faut escalader quelques murs pour y arriver. Attends mon signal derrière la maison. Salut.

Elle fit de même avec un autre numéro, puis un suivant, jusqu'à avoir informé chaque service photo de chaque quotidien londonien des détails du souper de fiançailles du prince Arthur, duc de York. Ensuite, il ne lui resta plus qu'à patienter.

...

Simon arriva au coin de Welbeck Street juste avant vingt heures.

— C'est pas vrai ! s'écria le duc en voyant le barrage d'appareils photo positionnés devant la maison de Zoe.

— Préférez-vous changer de destination, Votre Altesse Royale ?

— C'est un peu tard pour ça, vous ne croyez pas ? Allons-y, ce n'est pas comme si nous avions le choix.

Joanna regarda la portière de la Jaguar s'ouvrir et les journalistes s'agglutiner autour. Elle sprinta à travers la rue, fendit la mêlée et émergea juste devant le duc et Simon alors que la porte d'entrée s'ouvrait par magie pour eux.

— Jo ! Tu es venue, s'exclama Zoe en l'embrassant.

L'actrice jeta un coup d'œil anxieux vers Art alors que Simon verrouillait la porte derrière eux.

— Oui, haleta Joanna en libérant sa chevelure retenue sous un chapeau feutre. C'est la jungle, dehors!

— Quelle jolie robe. Je crois que c'est la première fois que je ne te vois pas en jean.

— Je me suis dit que j'allais faire un effort pour ce soir.

— Et ces lunettes te vont très bien. Ça te change.

— Tant mieux.

Zoe se tourna ensuite vers Art, qui se tenait derrière elle.

— Bonsoir, mon chéri. Comment vas-tu?

Tous sursautèrent quand la fente de la boîte aux lettres s'ouvrit pour laisser passer le bout d'un objectif. Simon claqua immédiatement le rabat en métal et on entendit un craquement satisfaisant de plastique.

— Je suggère que vous passiez au salon, proposa Simon au prince mécontent. Donnez-moi quelques secondes pour tirer les rideaux.

— Merci, Warburton.

Art suivit Simon dans le couloir tandis que Zoe retenait Joanna d'une main sur son bras.

— Je te présente formellement à Art dans une seconde, chuchota-t-elle.

— Est-ce que je dois faire la révérence? Comment faut-il l'appeler?

Zoe retint un petit rire.

— Sois naturelle. Et il te dira comment l'appeler. Bon, ce serait mieux si tu ne mentionnais pas ton métier.

— Compris. Je serai éleveuse de chiens pour la soirée. Excuse-moi, je dois passer aux toilettes.

Et elle fila dans l'escalier sans attendre la réponse de Zoe.

— Simon, vous voudrez bien apporter le champagne? Il est dans la cuisine, demanda Zoe en le voyant sortir du séjour.

— Bien sûr.

Simon se précipita dans la cuisine pour aller chercher la bouteille et la posa sur la table du séjour.

— Bien, je vous laisse, dit-il avant de monter les marches deux par deux.

Monica Burrows l'attendait au premier étage.

— Elle est ici. Je viens de la surprendre dans la chambre de l'enfant. Elle est allée dans la salle de bains en me voyant, chuchota-t-elle.

— OK. Je m'en occupe. Descends et reste près de la porte d'entrée.

— Ça marche. Crie si tu as besoin de renfort.

Simon regarda Monica dévaler l'escalier, puis s'installa devant la porte de la salle de bains pour attendre Joanna.

Le hurlement de Zoe résonna dans la cuisine.

— Simon ! La cuisine !

— Warburton ! appela le duc.

Simon courut en bas.

— Sortez-le d'ici ! cria Zoe, horrifiée.

Dans l'ouverture de la porte arrière de la cuisine, un homme prenait calmement ses photos. Il ne s'arrêta que lorsque Simon le maîtrisa au sol et lui arracha l'appareil.

— Je ne fais que mon boulot, se justifia-t-il.

Simon lui rendit l'appareil sans la pellicule et l'escorta vers la porte d'entrée. Il tira le portefeuille de l'homme de la poche de son jean et nota le nom sur son permis de conduire.

— Vous serez inculpé pour entrée avec effraction. Maintenant, foutez le camp.

Simon poussa le photographe sur le perron et claqua la porte.

Dans la cuisine, le duc tentait de réconforter Zoe qui tremblait comme une feuille.

— Tu vas bien ?

— Oui, c'est entièrement de ma faute. J'ai oublié de fermer la porte arrière.

— Pas vraiment. C'est à Warburton de s'assurer de ces choses-là. C'est incroyablement négligent de votre part.

— Toutes mes excuses, monsieur.

— Ne dis pas ça, Art. Simon passe son temps à me rappeler de tout fermer à clé. Il est merveilleux et je ne sais pas ce que je ferais sans lui, le défendit Zoe.

— Absolument, c'est un type bien. Pas vrai, Simon ? intervint Joanna en arrivant derrière lui.

Au son de sa voix, il sut tout de suite qu'elle avait trouvé ce qu'elle cherchait.

— Bon, si on pouvait s'installer et reprendre la soirée, lança le duc d'un ton agacé. On vous appelle si besoin, Warburton.

— Très bien, monsieur.

Simon remonta dans la chambre de Jamie. C'était ce qu'il craignait. La clé du mystère avait disparu. En entrant dans la salle de bains, il trouva le cadre vide dans la corbeille. La broderie exquise de la comptine avait disparu. Et avec elle, le secret qu'elle gardait depuis tant d'années.

En montant dans sa chambre, Simon se souvint de la voix de Jamie lui chantant l'air préféré de son grand-père. Il sortit précipitamment son téléphone.

— Elle est ici, monsieur. Et elle l'a.

— Que fait-elle ?

— Elle est au séjour, en train de profiter du souper en compagnie du troisième dans l'ordre de succession au trône. On ne peut pas l'atteindre, et elle le sait.

— O'Farrell ne lui sera plus d'aucune aide. Nous avons trouvé le texte sur son ordinateur. Il n'attendait plus que la lettre. Et Welbeck Street est encerclée. Elle ne peut pas nous échapper, cette fois.

— Non, mais pour le moment, tant que Son Altesse Royale sera dans la maison, on ne peut pas faire grand-chose.

— Alors il faut l'évacuer immédiatement.

— Oui, monsieur. Et si vous me le permettez, j'ai ma petite idée.

— Je vous écoute.

• • •

— Cet incident ne fait que me prouver ce que je sais déjà. Zoe, tu ne peux pas rester ici. Je te fais emménager au palais immédiatement. Au moins, là-bas, tu seras en sécurité.

Art posa ses couverts sur la table.

— Au fait, c'était délicieux, enchaîna-t-il. Maintenant, si vous voulez bien m'excuser, je vais utiliser les commodités.

Dès qu'il eut quitté le séjour, Zoe demanda :

— Alors, qu'est-ce que tu en penses ?

— De quoi ?

— Art, bien sûr ! Tu as l'air un peu sur les nerfs, ce soir, tu as à peine dit un mot du souper. Tout va bien ?

— Oui, désolée, je suis juste un peu fatiguée. Je pense que ton prince est très... gentil.

Zoe fronça les sourcils.

— Vraiment ? Tu ne m'as pas l'air convaincue.

— Eh bien, c'est vrai qu'il est un peu... royal. Mais ce n'est pas sa faute.

— Oui, n'est-ce pas ? dit Zoe avec un petit rire gêné. Je ne sais vraiment plus quoi penser.

— Pourquoi ?

— Oh, je ne sais pas.

Joanna décida de laisser parler son instinct.

— Est-ce qu'il y a quelqu'un d'autre ?

— Peut-être. Mais je ne pense pas qu'il m'apprécie beaucoup.

— Eh bien, je ne sais pas qui des deux sera le plus déçu : ton prince ou ton chevalier servant, fit remarquer Joanna d'un ton léger.

— Comment ça ?

Joanna jeta un coup d'œil à sa montre.

— Euh... rien. Disons que Simon tient beaucoup à toi.

Une lumière s'alluma dans les yeux de Zoe.

— Vraiment ?

— Oui, et je pense que tu devrais suivre ton cœur. J'aurais tellement aimé avoir plus de temps avec Marcus ;

ne gâche pas le tien, chuchota Joanna à l'oreille de Zoe alors que Art revenait.

— Bien, reprit-elle à voix haute. À mon tour de filer aux toilettes. Je reviens dans deux secondes.

Les yeux soudain remplis de larmes, Joanna lança un dernier regard vers Zoe et disparut.

Monica, qui faisait le guet dans le couloir, fit signe à Simon en la voyant monter. Il hocha la tête et reprit son téléphone.

— Maintenant, monsieur.

Barricadée dans la salle de bains, Joanna composa fiévreusement le numéro de Steve.

— C'est moi. Je sors dans deux minutes. Fais démarrer la moto. Et ne reste pas dans le coin pour poser des questions.

Elle venait tout juste de déverrouiller la porte quand des sirènes retentirent et une voix tonna dans un mégaphone.

— Ici la police. Nous avons une alerte à la bombe sur Welbeck Street. Tous les habitants sont priés de quitter leur domicile immédiatement. Je répète, tous les…

Joanna frappa son poing contre le mur de désespoir.

— Merde ! Merde ! Merde !

Simon s'engouffra dans le séjour.

— Il faut partir maintenant, Votre Altesse Royale, miss Harrison.

Zoe se leva.

— Comment ? Qu'est-ce qui se passe ?

— Qu'est-ce que c'est que ce bazar, dehors ? demanda le duc d'un ton irrité.

— Une alerte à la bombe, monsieur. J'ai bien peur qu'il ne faille évacuer les lieux. Si vous voulez bien me suivre, une voiture nous attend devant.

— Où est Joanna ? interrogea Zoe en suivant Art et Simon.

Du haut des marches, Monica Burrows lança :

— Elle est dans la salle de bains, je vais l'escorter.

— On devrait l'attendre, protesta Zoe.

À l'étage, Joanna sentit le métal froid d'une arme pressée contre son dos.

— Dites-leur de partir, chuchota la femme.

— On se retrouve dehors, Zoe, d'accord? cria-t-elle d'une voix tremblante.

— OK! lança Zoe en retour.

Puis la porte d'entrée claqua et le silence s'abattit sur la maison.

— Pas un geste. J'ai pour ordre de tuer s'il le faut.

Monica la dirigea vers la chambre de Jamie, le pistolet toujours braqué sur son dos. Simon les rejoignit quelques minutes plus tard.

— Laisse-la, Monica. Je gère.

Simon leva le bras et Joanna vit son arme. La pression dans son dos disparut et Joanna s'effondra sur le lit. Elle regarda la femme. C'était celle qu'elle avait repérée à l'inauguration de la fondation.

— Joanna.

Elle reporta son attention sur Simon.

— Quoi?

— Pourquoi tu n'as pas laissé tomber quand il était encore temps?

— Pourquoi tu m'as menti? Toutes ces conneries que tu m'as racontées dans le Yorkshire! Je... tu m'as laissée croire que j'avais raison.

— Parce que j'essayais de te sauver la vie.

— Tu arrives trop tard de toute façon, dit-elle avec bravoure. Alec sait tout. Il a probablement déjà envoyé l'histoire à cette heure. Et s'il m'arrive quoi que ce soit, il saura pourquoi.

— Alec est mort, Joanna. Ils l'ont trouvé dans l'appartement de son copain près des Docks et l'ont arrêté à temps. La partie est terminée.

Un cri horrifié lui échappa.

— Espèce de monstre ! Mais... il n'empêche que c'est moi qui ai la lettre.

— Fouille-la, Burrows.

— Lâchez-moi ! se défendit Joanna.

Elle tenta de se libérer de l'emprise de la femme, mais un coup de feu retentit. Joanna et Burrows se retournèrent pour voir la balle qui s'était logée dans le mur en plâtre. La terreur s'empara de Joanna quand elle croisa le regard dur et froid de Simon. Et vit son arme pointée sur elle.

— Plutôt que de t'imposer une fouille pénible et humiliante, pourquoi tu ne nous donnerais pas ce qu'on cherche ? Personne ne sera blessé.

Joanna hocha la tête, vaincue, incapable de prononcer un mot. Elle glissa la main dans la poche de sa nouvelle robe et en tira un petit carré de tissu qu'elle tendit à Simon.

— Voilà, t'as enfin ce que tu voulais. Combien de personnes tu auras dû tuer pour l'obtenir, hein ?

Simon l'ignora et fit signe à Burrows de prendre le relais pour surveiller Joanna. Il se concentra sur la broderie.

« *Ring A Ring O'Roses...* »

Les mots et leurs enluminures étaient brodés avec une délicatesse incroyable sur le tissu. Simon retourna le carré et, malgré sa peur panique, Joanna retint son souffle, fascinée par la découverte qu'elle attendait tant. Elle regarda Simon ôter précautionneusement la doublure ; derrière, attachée à la broderie même, se trouvait une épaisse feuille de vélin identique à celle que Grace lui avait déjà envoyée.

Simon sortit un canif et décousit soigneusement les points. Enfin, le papier se détacha. Il le lut et adressa un signe de tête à Monica.

— C'est bien ça.

Il replia lentement la lettre et la glissa dans la poche intérieure de sa veste, puis dirigea à nouveau son arme sur Joanna.

— Bien, maintenant, qu'allons-nous faire de toi? On dirait que tu en sais un peu trop.

— Tu pourrais vraiment me tuer de sang-froid? Mais enfin, Simon, on se connaît depuis toujours! Je suis ta meilleure amie! Je… laisse-moi une chance de m'enfuir. Je disparaîtrai. Tu ne me verras plus jamais.

Voyant Simon faiblir, Monica intervint:

— Je vais le faire.

— Non. C'est ma mission.

Il avança d'un pas et Joanna recula, étourdie, le cœur battant.

— Simon! Tu ne peux pas faire ça! hurla-t-elle en se réfugiant dans un coin de la pièce.

Il se pencha au-dessus d'elle pour approcher son visage du sien, le pistolet pointé sur son cœur.

— Simon, je t'en supplie!

Il secoua la tête.

— Souviens-toi, Joanna. C'est *mon* jeu, *mes* règles.

Elle le regarda et, la voix rauque, déclara:

— Je me rends.

— Dans deux secondes, tu es morte!

Elle eut à peine le temps de crier. Il tira deux coups à bout portant et elle s'effondra par terre.

Simon s'agenouilla et prit son pouls.

— Elle est morte. Appelle le quartier général, dis-leur que la mission est accomplie. Je vais nettoyer et la porter dans la voiture.

Burrows passa l'appel, puis contempla le corps inerte de Joanna.

— Tu la connaissais depuis toujours?

— Oui.

— Bon sang, souffla-t-elle. Il en faut, du cran.

Elle approcha de la dépouille et se pencha avec l'intention de vérifier le pouls.

Il se tourna vers elle.

— Tu connais les règles, Burrows. Pas de place pour les sentiments. Je ne veux pas prendre de risque.

Puis il tira à nouveau.

Quinze minutes plus tard, la porte d'entrée s'ouvrit sur une rue déserte. L'équipe de surveillance de l'autre côté de la route vit Warburton et Burrows porter un corps jusqu'à une voiture située à quelques mètres.

— Ils sont en chemin, annonça un agent dans sa radio.

Dix minutes plus tard, suivis à distance par une voiture, ils se garèrent dans une rue au bord d'un parc industriel. Ils transférèrent le corps de leur véhicule à un autre garé à deux pas, puis montèrent dans un troisième et démarrèrent à toute allure. Vingt minutes plus tard, une explosion retentissait dans la rue paisible.

# 41

Simon piocha dans sa poche et posa la lettre sur le bureau.

— Voilà, monsieur. Enfin en sécurité.

Sir Henry Scott-Thomas la lut sans le moindre signe d'émotion.

— Merci, Warburton. Et vous avez pu vous débarrasser du corps ?

— Oui.

Sir Henry l'observa attentivement.

— Vous avez l'air épuisé.

— J'admets que c'était une mission particulièrement pénible pour moi, monsieur. C'était mon amie d'enfance.

— Et je vous assure que je ne l'oublierai pas. Une telle loyauté est rare, croyez-moi. Je vais vous recommander pour une promotion immédiate. Il y aura également un bonus conséquent sur votre compte en banque à la fin du mois pour votre excellent travail.

Simon sentit son ventre se retourner.

— Je pense que j'ai besoin de rentrer chez moi et de dormir. Demain ne sera pas un jour facile quand on découvrira qui a été tué dans l'explosion.

Sir Henry hocha la tête.

— Après les obsèques, je vous suggère de prendre un court congé sabbatique. Partez sur une plage au soleil.

— C'était précisément mon intention.

— Deux questions avant que vous ne partiez : comment s'en est sortie Burrows ?

— Elle était très secouée après coup. J'ai l'impression qu'elle n'avait jamais vu quelqu'un tué à bout portant.

— C'est à ce genre d'expérience qu'on reconnaît les vrais hommes, si je puis dire. Est-ce qu'elle a pris connaissance du contenu de la lettre ?

— Non, monsieur. Je peux vous assurer qu'elle n'a aucune idée de ce qui s'est passé.

— Parfait. Vous avez fait du bon boulot, Warburton. Du très bon boulot. Bonsoir.

— Bonsoir, monsieur.

Simon se leva et se dirigea vers la porte. La main sur la poignée, il ajouta :

— Une dernière chose, monsieur.

— Oui ?

— Peut-être suis-je un peu trop sentimental, mais sauriez-vous par hasard où se trouve la dépouille de Grace ? Après toutes ces années, je pensais qu'il ne serait que justice de l'enterrer à côté de son mari.

Après un bref silence, le vieil homme répondit :

— Très juste. Je donnerai des ordres. Bonsoir, Warburton.

Simon parvint à garder une contenance jusqu'aux toilettes des hommes au fond du couloir. Là-bas, il vomit et s'effondra au sol, comprenant parfaitement ce qui avait poussé Ian Simpson au bord du gouffre.

Jamais il n'oublierait la peur dans les yeux de la jeune femme, la trahison qu'il y avait lue en appuyant sur la détente. Simon prit son visage dans ses mains et se mit à sangloter.

• • •

Le lendemain, dans la voiture qui le conduisait dans le Dorset, sir Henry Scott-Thomas lut avec attention l'article du *Times*.

## DEUX JOURNALISTES TUÉS
## DANS UNE EXPLOSION

*Une voiture piégée a explosé près du parc industriel de Bermondsey hier soir, tuant la conductrice, une journaliste de vingt-sept ans, et le passager, son rédacteur en chef. L'explosion est survenue après une série de canulars qui a provoqué l'interruption de la circulation pendant deux heures dans le West End, pour alertes à la bombe. Les victimes seraient Joanna Haslam, reporter junior au* Morning Mail, *et Alec O'Farrell, le rédacteur en chef de la rubrique «Actualités». La police pense qu'ils détenaient des révélations sur l'IRA. Après l'attentat à la bombe de Canary Wharf en février, les autorités sont en état d'alerte...*

Le vieil homme passa rapidement sur les autres articles, jusqu'à ce que ses yeux tombent sur un petit encart à la page quatorze.

## LES CORBEAUX SONT DE RETOUR

*Ce matin, les gardiens de la tour de Londres ont annoncé que les célèbres oiseaux étaient rentrés chez eux. Les corbeaux, qui protègent la tour depuis neuf cents ans, avaient mystérieusement disparu il y a six mois. Des recherches à l'échelle nationale n'avaient rien donné. Même si les raids aériens pendant la Seconde Guerre mondiale les avaient réduits au nombre d'un seul volatile, à aucun moment la tour de Londres n'avait été vue sans ses protecteurs. La légende veut que si les corbeaux devaient quitter la tour pour de bon, cela signerait la fin de la monarchie.*

*C'est avec un soulagement incommensurable que le gardien a retrouvé Cedric, Gwylum, Hardey et les autres corbeaux dans leur volière hier soir. Après un bon repas, il a constaté leur excellente santé, mais n'a pas su expliquer leur disparition temporaire.*

— Nous y sommes, monsieur.

— Merci.

Le chauffeur sortit le fauteuil roulant du véhicule et aida sir Henry à s'y installer.

— Où allons-nous, monsieur?

Sir Henry tendit le bras.

— Vous pouvez me laisser là-bas et revenir me chercher dans dix minutes.

— Très bien, monsieur.

Une fois le chauffeur parti, sir Henry observa la tombe devant lui.

— Michael. Ça faisait longtemps.

Il lui fallut mobiliser toute son énergie pour ôter le couvercle de la boîte qu'il serrait dans ses mains.

— Repose en paix, murmura-t-il en déversant son contenu sur le marbre.

Les particules semblèrent danser à la lueur du soleil levant et saupoudrèrent le rosier qui poussait sur la tombe.

Sir Henry vit ses doigts trembler alors qu'une douleur intense se propageait dans sa poitrine.

Peu importe. C'était enfin terminé.

# 42

En regardant le cercueil s'enfoncer dans la terre, Zoe tenta de réprimer ses sanglots. Elle vit les visages pâles et tirés des parents de Joanna, de l'autre côté de la tombe, et celui de Simon, torturé de douleur.

Quand la cérémonie se termina, la foule commença à se disperser, certains pour gagner la ferme des Haslam où on servirait le thé, d'autres rentrant directement à la rédaction de leur journal à Londres. Zoe retourna lentement vers le portail de l'église. L'endroit était magnifique, paisible, en lisière du petit village des landes.

— Bonjour, Zoe; comment allez-vous? demanda Simon en surgissant face à elle.

— Selon les heures, entre mal et terriblement mal. Je n'arrive pas à l'accepter. Je la revois encore me prendre dans ses bras dans la cuisine, et à présent… Mon Dieu, elle n'est plus là. James n'est plus là. Et Marcus… je commence à croire que notre famille est maudite.

— On a beau s'en vouloir, rien ne les fera revenir.

— Je sais que les journaux disent qu'elle était sur une piste terroriste avec son rédacteur en chef. Pourtant elle ne me l'a jamais mentionné.

— Ça me paraît logique.

— Certes. Enfin. Comment allez-vous?

— Assez mal aussi, pour être franc. Je n'arrête pas de me repasser encore et encore les événements de cette nuit dans ma tête. Et je regrette de ne pas l'avoir attendue pour partir avec nous…

Simon s'arrêta au niveau du portail et regarda derrière lui la terre fraîchement retournée sur le cercueil qu'éclairait le soleil clair du Yorkshire.

— J'ai demandé un congé sabbatique. J'ai besoin de temps pour me remettre en question.

— Où comptez-vous partir ?

— Je ne sais pas encore. Je vais sûrement voyager un peu.

Il lui adressa un sourire triste et expliqua :

— J'ai l'impression que plus rien ne me retient en Angleterre.

— Quand partez-vous ?

— Dans les prochains jours.

— Vous allez me manquer, déclara-t-elle spontanément.

— Vous aussi.

Il s'éclaircit la gorge.

— Comment va le prince et la vie au palais ?

— Bien. J'imagine qu'il était plus raisonnable pour moi d'emménager après le drame. Pour être honnête, je ne suis pas encore vraiment installée. Mais ça ne fait que quelques jours. Ma première apparition publique avec lui aura lieu demain. Une avant-première, figurez-vous.

— La vie ne manque pas d'ironie.

— Ça, c'est certain.

— Vous venez prendre le thé chez les parents de Joanna ? Je pourrais vous présenter aux miens, ils sont très impressionnés que je vous connaisse.

— Je ne peux pas, malheureusement. J'ai promis à Art de revenir directement. Mon nouveau chauffeur m'attend.

Elle indiqua la Jaguar dans le petit stationnement.

— Bien, dit-elle. J'imagine qu'il est temps de vous dire au revoir. Et merci pour tout.

Elle se dressa sur la pointe des pieds et déposa une bise sur sa joue.

Il lui prit la main en réponse.

— Merci. Au revoir, Zoe. Ce fut un véritable plaisir d'assurer votre sécurité.

Elle s'éloigna vite d'un pas raide pour lui cacher ses larmes puis, l'entendant murmurer, se retourna, pleine d'espoir.

— Vous avez dit quelque chose ?

— Non. Juste… bonne chance.

— D'accord. Merci.

Avec un sourire triste, elle monta dans la Jaguar. Quand la voiture s'éloigna pour disparaître tout à fait, Simon répéta :

— Au revoir, ma chérie.

• • •

Le lendemain après-midi, Simon retrouva l'épaisse moquette du dernier étage de Thames House.

— Bonjour, j'ai rendez-vous avec sir Henry à quinze heures, dit-il à la réceptionniste.

Mais la vieille femme ne répondit pas et ses yeux se remplirent de larmes.

— Oh, M. Warburton !

— Qu'y a-t-il ?

— C'est sir Henry. Il est mort chez lui hier soir. Une crise cardiaque fatale. Personne n'a rien pu faire.

Le visage de la vieille femme disparut derrière son mouchoir trempé.

— Ah. Comme c'est… tragique, parvint à répondre Simon en retenant le mot «ironique». On ne m'a pas prévenu.

Elle renifla.

— Personne n'a été prévenu. Ils vont l'annoncer aux informations de dix-huit heures ce soir. Mais on nous a dit de continuer comme d'habitude. Monsieur Jenkins vous attend dans le bureau de sir Henry. Vous pouvez y aller.

Il se dirigea vers la lourde porte en chêne et frappa.

— Warburton! Entrez, mon garçon.

Simon vit Jenkins lui sourire comme un enfant à Noël.

— Bonjour, monsieur. Quelle surprise de vous trouver ici.

— Je vous sers un verre? Ces derniers jours ont été mouvementés, comme vous l'imaginez. Je suis désolé de voir notre vieil ami partir, mais je dois admettre que nous étions tous un peu soulagés en bas. Nous respectons tous sir Henry, bien sûr. Mais il a fait son temps. Et je faisais son boulot depuis des années. Enfin, je ne veux surtout pas que ça s'ébruite, bien sûr. Tenez, santé.

Jenkins plaça un verre de brandy dans la main de Simon.

— À votre nouveau poste? proposa Simon en trinquant.

— Attendez, l'annonce officielle n'a pas encore eu lieu.

Simon jeta un coup d'œil à sa montre.

— Félicitations, dit-il. Désolé de vous presser, monsieur, mais je pars ce soir en congé et je n'ai toujours pas eu le temps de passer chez moi pour préparer mes valises. Vous vouliez me voir?

— Oui, asseyons-nous.

Jenkins indiqua les fauteuils en cuir dans un coin de la pièce.

— Le fait est que vous méritez vos vacances après cette, hum, petite contrariété. Mais nous avons justement une mission pour vous à l'étranger. Et je ne souhaite alerter personne d'autre, étant donné le caractère délicat de la situation.

— Monsieur, je…

— Monica Burrows manque à l'appel. Nous savons qu'elle a pris un avion pour les États-Unis et que son passeport a été enregistré à l'aéroport de Washington D.C., mais jusqu'à présent, elle n'est pas retournée travailler.

— Si elle est arrivée aux États-Unis, elle n'est plus sous notre responsabilité, n'est-ce pas? On ne peut pas s'en prendre à nous si elle a décidé de rentrer chez elle.

— C'est vrai. Mais êtes-vous bien certain qu'elle n'avait aucune idée de la teneur de la mission?

— Absolument.

— Peu importe. Vu les circonstances, l'idée de laisser des informations sensibles voyager outre-Atlantique ne me plaît pas. La dernière chose dont nous avons besoin, c'est d'une fuite.

— Je peux le comprendre. Mais je vous assure que les risques sont nuls.

— Sans compter que la CIA veut savoir ce qui est arrivé à Monica. En geste d'apaisement, j'ai promis de vous envoyer les voir. Et puisque vous vous apprêtiez à traverser l'Atlantique, je ne vois pas où est le problème.

— Comment le savez-vous? J'ai réservé mon vol pour New York ce matin!

Jenkins haussa un sourcil.

— À votre avis? Maintenant, étant donné que Washington n'est qu'à un court vol d'avion de New York, et qu'il faut bien envoyer quelqu'un – car je tiens à tisser des liens plus forts que mon prédécesseur avec la CIA –, sur tous les plans, vous êtes le mieux placé. Ils vont vouloir un rapport complet de ce qui s'est passé ce soir-là, de l'état d'esprit de Burrows, etc. La bonne nouvelle, c'est que ça signifie que vos vacances seront tous frais payés – en première classe, qui plus est. Nous avons déjà fait surclasser votre billet d'avion. Ça ne vous prendra que deux ou trois jours.

Simon déglutit.

— Je vois. Pour être honnête, j'aurais aimé un peu de repos. De vraies vacances.

— Et vous les aurez. Mais agent un jour, agent toujours. Vous connaissez les règles, Warburton.

— Oui, monsieur.

— Bien. Faites une demande de carte de crédit de l'agence, en sortant. Et ne faites pas trop de folies.

— Je ferai de mon mieux.

Simon posa son verre sur la table et se leva.

Jenkins l'accompagna et lui serra la main.

— À votre retour, une belle promotion vous attend. Au revoir, Warburton. Je veux de vos nouvelles.

Il regarda Simon quitter la pièce. C'était un agent de talent, Jenkins et sir Henry s'accordaient à dire qu'il était promis à de grandes choses. L'affaire Haslam avait certainement prouvé sa force de caractère. Peut-être que des petites vacances de luxe l'aideraient à surmonter ça. Jenkins s'offrit un nouveau verre du très bon brandy de sir Henry, puis savoura la vue de ses nouveaux quartiers.

Zoe contempla son reflet dans le miroir et se mit à tirer sur les mèches sévèrement nouées en une tresse africaine par le coiffeur qui s'était déplacé jusque dans sa chambre au palais.

— C'est beaucoup trop serré, pesta-t-elle en tentant de relâcher un peu la coiffure.

Son maquillage n'allait pas non plus. Trop chargé. Elle décida de tout enlever et de reprendre depuis le début. Au moins, sa robe était magnifique. Même si elle n'aurait jamais choisi d'elle-même les kilomètres de mousseline bleu nuit de chez Givenchy.

— J'ai l'air déguisée comme une poupée, murmura-t-elle tristement à son reflet.

Pour couronner le tout, Art l'avait appelée une heure plus tôt pour prévenir qu'il aurait du retard. Ce qui signifiait qu'ils se retrouveraient à l'intérieur du cinéma. Et donc qu'elle allait devoir sortir de la voiture et affronter la presse seule. Pire que tout, Jamie était malheureux. Il ne trouvait plus ses repères à l'école et ne supportait pas les moqueries de ses camarades.

Sans compter qu'il ne restait plus à Zoe que vingt-quatre heures pour donner sa réponse à Hollywood et qu'elle n'en avait toujours pas parlé avec Art... Puis elle repensa aux obsèques, et à Simon...

— James, Joanna et Marcus sont morts, et Simon est parti ! cria-t-elle de désespoir en s'effondrant par terre.

« *Vous allez me manquer aussi...* », c'était ce qu'il avait dit.

— C'est pas vrai ! Je l'aime ! gémit-elle.

Elle savait qu'elle ne faisait que s'apitoyer sur un sort que n'importe qui lui envierait. Pourtant, elle avait l'impression d'être seule au monde.

Son téléphone sonna. En voyant qu'il s'agissait de Jamie, elle décrocha aussitôt et feignit la bonne humeur.

— Coucou, mon chéri. Comment tu vas ?

— Oh, ça va. Je me demandais ce qu'on faisait pour les vacances, la semaine prochaine ?

— Je... qu'est-ce que tu aimerais faire ?

— J'sais pas. Juste oublier l'école. Et l'Angleterre.

— OK, mon chéri. C'est d'accord. On va réserver quelque chose.

— Tu peux ? Maintenant que tu vis au palais ?

C'était une bonne question.

— Je vais me renseigner.

— OK. Mais dans tous les cas, tu viens me chercher avec Simon ?

— Jamie, Simon ne travaille plus ici.

— Oh. Il va me manquer.

— Oui. À moi aussi. Écoute, je vais parler à Art et voir ce qu'on peut faire.

— OK, répondit Jamie d'un ton triste. Je t'aime, Maman.

— Moi aussi, je t'aime. À vendredi.

Zoe raccrocha et s'approcha des immenses fenêtres qui donnaient sur les merveilleux jardins du palais. Elle mourait d'envie d'ouvrir la porte et de dévaler les milliers de marches, de courir à travers les couloirs couverts de tapis inestimables, tout ça pour s'enfuir. Ces dix derniers jours, elle avait cru que la claustrophobie allait la rendre folle – ce qui semblait ridicule, étant donné la taille du palais. Pourtant, elle avait l'impression de se retrouver enfermée comme le jour où la maison de Welbeck Street avait été prise d'assaut par les paparazzis. Mais cette fois, Simon n'était pas là pour l'apaiser.

Elle rêvait de retourner là-bas et de pouvoir passer la porte de chez elle pour aller acheter du lait, seule. Ici, les domestiques pouvaient satisfaire le moindre de ses désirs. Il lui suffisait de demander. La seule chose qu'elle ne pouvait avoir, c'était la liberté d'aller où bon lui semblait.

— Je ne peux pas, chuchota-t-elle.

Puis, le choc de ces mots prononcés pour la première fois l'assaillit.

— Je vais devenir folle. Oh mon Dieu…

Zoe s'écarta de la fenêtre, puis arpenta l'énorme chambre en cherchant à tout prix une solution. Aimait-elle assez Art pour lui sacrifier sa vie ? Et le bonheur de son enfant ? Ce n'était pas une vie pour Jamie. Après dix jours au palais avec la famille royale, elle avait bien compris qu'on attendait de l'enfant qu'il reste le plus loin possible. Elle avait essayé d'en parler avec Art.

— Il lui reste encore huit ans d'internat, ma chérie, avait répondu Art. Quant aux vacances, on avisera.

— C'est ton fils, tu te rends compte ? s'était insurgée Zoe.

Soudain, un coup léger à la porte la tira de ses pensées.

— J'arrive ! lança-t-elle.

Elle fourra son téléphone dans le sac minuscule choisi par la styliste pour aller avec sa robe, inspira profondément et franchit le seuil.

•••

Simon arriva tout juste à temps à la porte d'embarquement.

— Monsieur Warburton? Si vous voulez bien vous dépêcher d'embarquer, on est sur le point de fermer l'avion.

— Bien sûr.

Il tendait son passeport et sa carte d'embarquement à l'hôtesse quand son téléphone sonna.

En voyant qu'il s'agissait de Zoe, il ne put s'empêcher de décrocher.

— Zoe, tout va bien?

— Non, répondit-elle entre deux sanglots. Je me suis enfuie.

— Enfuie d'où?

— Du palais.

— Pourquoi? Comment... Où êtes-vous?

— Je me suis cachée dans les toilettes d'un café à Soho.

— Vous... quoi?

Simon l'entendait à peine.

— J'étais en chemin pour l'avant-première et j'ai dit au chauffeur que j'avais un besoin urgent de m'arrêter aux toilettes avant d'arriver. Je ne peux pas. Je n'y arrive pas. Simon, qu'est-ce que je dois faire?

Il ignora les appels pressants du personnel de la compagnie aérienne.

— Je ne sais pas, Zoe. Qu'est-ce que vous voulez faire?

— Je veux...

Il y eut un silence au bout de la ligne, et la femme devant la porte d'embarquement lui fit signe que c'était maintenant ou jamais.

— Oui? demanda Simon au téléphone.

— Oh, Simon. Je veux être avec toi!

— Je... tu es sûre?

— Oui! Pour quelle autre raison me trouverais-je plantée au milieu de toilettes nauséabondes dans une robe valant des millions? Je t'aime!

L'employée secoua la tête et ferma la porte. Simon lui sourit.

— Alors, dis-moi, où est-ce que je dois venir te sauver, cette fois ?

Elle lui donna l'adresse pendant qu'il faisait demi-tour dans l'aéroport.

— Bien. Essaie de trouver une sortie par l'arrière, en général il faut passer par les cuisines. Ensuite, tiens-moi au courant.

— Je sais, et oui. Merci, Simon.

— Je devrais être là dans une heure. Oh, et au fait…

— Oui ?

— Moi aussi, je t'aime.

# DAMER LE PION

*Promotion d'un pion lorsqu'il atteint le huitième rang.*
*Il peut alors se changer en la plus puissante pièce*
*de l'échiquier : la reine.*

# 43

*La Paz, Mexique, juin 1996*

Simon entra dans le Cabana Café – un petit endroit crasseux qui n'avait d'exotique que le nom. Son taxi avait d'abord longé le front de mer et traversé les coins touristiques avant de s'enfoncer dans la partie moins reluisante d'une ville par ailleurs magnifique. Non loin, un groupe d'hommes traînait en quête d'action devant un mur couvert de graffitis. Mais la plage devant lui était stupéfiante. L'océan Pacifique turquoise scintillait à côté de l'étendue de sable blanc, sur laquelle quelques rares touristes bronzaient au soleil aveuglant.

Il commanda un double expresso au barman transpirant derrière le comptoir, puis s'installa à une table devant la fenêtre ouverte.

La seule femme dans les environs était une grande blonde aux jambes interminables et au bronzage doré californien. Il la vit descendre de son tabouret au comptoir.

— Cette place est prise? demanda-t-elle avec un accent américain.

— Non, mais j'attends quelqu'un.

— Oui, moi, espèce d'idiot! répondit-elle avec un accent du Yorkshire.

Simon n'en revenait pas de sa transformation. Lui qui la connaissait depuis toujours ne l'aurait jamais reconnue. Elle n'avait gardé de son passé que ses yeux noisette.

Ils quittèrent le café peu de temps après pour rejoindre la plage et s'asseoir sur le sable blanc. Elle voulait tous les détails, comme toujours.

— Mon enterrement était réussi?

— Très émouvant, oui. Tout le monde était en larmes, moi y compris.

— Contente d'apprendre que je ne comptais pas pour du beurre, plaisanta-t-elle. Pour être honnête, je suis bien forcée d'en rire pour ne pas pleurer.

— Ils tenaient à toi, c'est promis.

— Comment allaient mes parents?

— Franchement?

— Évidemment.

— Ils étaient fous de douleur.

— Mon Dieu, Simon, je…

Sa voix s'éteignit et elle se débarrassa de ses sandales pour enfoncer ses pieds dans le sable.

— Si seulement… j'aurais voulu pouvoir leur dire la vérité, murmura-t-elle.

— Joanna, c'était le seul moyen.

— Je sais.

Ils contemplèrent la mer en silence.

— Comment tu t'en sors? demanda-t-il enfin.

— Oh, je me débrouille. Mais ce n'est pas facile de ne pas avoir d'identité. J'ai fait ce que tu m'as dit et je me suis débarrassée du passeport et des cartes de crédit de Monica Burrows à la minute où je suis arrivée à Washington D.C., ensuite j'ai rejoint la Californie et j'ai payé une fortune ton contact pour qu'il me fasse passer la frontière. Ça fait quelques semaines que je travaille dans un bar pas loin d'ici. Mais je commence à être à court d'argent.

— Au moins, tu as quitté l'Angleterre en vie.

— Oui, même si une part de moi se demande s'il n'aurait pas été préférable d'y mourir. C'est tellement dur, Simon. J'essaie de ne pas baisser les bras, mais…

— Viens par là.

Simon l'attira dans ses bras et elle éclata en sanglots. Il lui caressa doucement les cheveux, en songeant qu'il aurait tout donné pour que les choses ne se terminent pas ainsi.

— Désolée, je…

Joanna se redressa et se frotta les yeux.

— C'est de te revoir. Mais ça va aller, je te jure.

— Ne t'excuse pas, Jo. Tu as été incroyable. J'ai quelque chose pour toi.

Il tira une enveloppe de sa poche.

— Tiens, comme promis.

— Merci.

Joanna en sortit un certificat de naissance, un passeport américain et une carte avec un numéro.

— Margaret Jane Cunningham, lut-elle. Née dans le Michigan en 1967… hé ! Tu m'as vieillie d'un an !

— Désolé, c'était le mieux que je puisse faire pour un trousseau de nouvelle identité officieux. Tu as ton nouveau numéro de sécurité sociale ici, ça devrait résoudre tes problèmes pour trouver un boulot.

— Tu es sûr que tout est en règle ?

— Joanna, crois-moi, c'est du solide. Mais il te reste à ajouter une photo. Je n'ai pas encore recollé le film plastique, et j'ai bien fait, vu que maintenant tu as l'air de sortir tout droit d'*Alerte à Malibu*. Je dois dire que je te trouve pas mal, en blonde.

— Reste à savoir si les blondes s'amusent vraiment plus, répliqua Joanna. En parlant de blondes, comment va Zoe ?

— Très bien installée dans une magnifique villa de Bel Air, tous frais payés par le studio de production.

— Quoi ? Elle a quitté Art ?

— Oui. Tu ne l'as pas vu dans les journaux ?

— Non, je t'avoue que j'avais beaucoup trop peur de ce que j'aurais pu y trouver. Je voyais déjà un avis de recherche avec ma photo à la une. Mais je savais qu'elle hésitait, pour Art. C'est le film à Hollywood qui l'a fait changer d'avis ?

— Pas seulement, en vérité.

Joanna vit la nuque de Simon rosir.

— Tu veux dire que… ?

Il sourit.

— Oui. On est très heureux ensemble.

— Je suis enchantée pour vous deux. Est-ce que ta bonne vieille copine Margaret Cunningham peut assister au mariage ? S'il te plaît ? Personne ne me reconnaîtra. Même toi, tu ne m'as pas reconnue !

— Jo, tu connais la réponse. Et puis, ça ne serait pas juste vis-à-vis de Zoe et Jamie. On sait tous les deux comme les secrets peuvent être lourds à porter. Désolé de me montrer intransigeant, mais c'est comme ça.

— Je sais. Elle me manque. Tout le monde me manque.

Joanna s'allongea pour contempler le ciel et reprit :

— Au moins, cette horrible histoire aura une fin heureuse pour quelqu'un. Tant de gens sont morts. Pauvre Alec.

— Tu sais quoi ? D'une certaine façon, je me dis que c'était la meilleure mort possible pour lui. Après tout, il est parti en ayant découvert le plus grand scandale du vingtième siècle. Un journaliste de talent jusqu'au bout.

— Ah non. Je ne peux pas te laisser dire qu'il y a du bon dans la mort de quelqu'un à cause de cette histoire.

— Non, bien sûr.

— Je revois encore dans mes cauchemars le soir où moi, je suis morte. J'étais tellement convaincue jusqu'au dernier moment que tu allais me tuer.

— Il fallait que ça ait l'air vrai, Jo. Monica devait y croire. J'avais besoin d'un témoin pour confirmer que j'avais fait le sale boulot.

— Tous ces étés à jouer aux cow-boys et aux Indiens dans les landes quand on était petits. «C'est mon jeu, mes règles.» Et je devais dire que je me rendais, et toi…

— «Dans deux secondes, tu es morte.» Heureusement qu'il y avait ce jeu pour te prévenir que tu devais mourir.

— Quand tu as tiré dans le mur de la chambre, la balle était réelle, pas vrai?

— Absolument. Et je peux te dire que, même en sachant que les suivantes étaient des balles à blanc, je tremblais de peur parce que je n'avais pas eu le temps de faire toutes les vérifications d'usage. J'ai dû décharger le pistolet dans l'escalier. Je savais que si j'arrivais trop tard, Monica allait t'abattre.

— Comment as-tu fait pour la tuer?

— Monica ne faisait pas attention à son arme quand elle est venue vérifier ton pouls. Je la lui ai prise et j'ai tiré avant même qu'elle réagisse.

— Mon Dieu, Simon… Elle était plus jeune que moi.

— Et c'est son manque d'expérience qui t'a sauvé la vie.

— Dire que j'ai douté de toi. Ce que tu as fait pour moi, ce soir-là… j'aurai toujours une dette envers toi.

— Espérons juste qu'au moment du jugement dernier, il me pardonnera. Au final, c'était elle ou toi.

— Est-ce que ton patron était content de mettre enfin la main sur sa précieuse lettre après tout ce temps?

— Extrêmement. Ça va te sembler étrange, mais j'avais beaucoup d'empathie pour lui vers la fin. Il ne faisait que son boulot et essayait de protéger ce en quoi il croyait.

— Jamais tu n'arriveras à m'émouvoir avec ça. Pense à tous ceux qui sont morts – Grace, William, Ciara, Ian Simpson, Alec et Marcus…

— Mais ce n'est pas lui qui est à l'origine du secret.

— Certes.

— Bref, il est mort d'une crise cardiaque le lendemain.

— Ne t'attends pas à me voir le pleurer.

— Non. Le plus curieux, c'est qu'à peine quelques heures avant que tu n'arrives à Welbeck Street, j'ai compris où était cachée la lettre.

— Comment?

— J'attendais le duc à York Cottage pour le reconduire à Londres et j'ai vu une broderie encadrée au mur. Presque identique à celle que j'avais remarquée au-dessus du lit de Jamie quelques semaines plus tôt. Si j'étais arrivé avant, tout ceci aurait pu être évité. Je sais comment tu as trouvé.

— Ah oui?

— Oui. Encore une histoire de petite vieille, dit-il les yeux pétillants.

— Elle va bien?

— Je crois. Elle était bien arrivée aux États-Unis, aux dernières nouvelles.

— Tant mieux. C'était une sacrée femme. J'imagine que tu as déjà pensé à l'ironie de la chose? L'ex de Zoe ayant hérité du titre…

— Oui. C'est étrange, pas vrai? Apparemment, le jeune duc de York était dévasté quand Zoe l'a quitté. On pourrait dire que l'histoire ne fait que se répéter.

— En effet. Et puis, on comprend mieux pourquoi le palais était si opposé à leur relation. Je veux dire, ils ont en réalité tous les deux James comme grand-père… Ce qui fait d'eux des cousins et de Jamie…

— N'y pense même pas. Tout ce que je peux dire, c'est que ce n'est pas inhabituel dans l'aristocratie d'épouser un cousin éloigné. La plupart des rois européens sont liés par le sang d'un côté ou de l'autre.

— Quel bazar.

— Oui. Et sinon, tu as décidé de ce que tu allais faire à présent?

— Non. La seule chose certaine, c'est que désormais je m'appelle «Maggie». J'ai toujours détesté «Margaret». Mais au moins, maintenant que je suis officiellement citoyenne américaine, je peux commencer à y réfléchir. Tu vas rire, mais j'aimerais bien écrire un roman d'espionnage.

— Jo…

— Je suis sérieuse ! Regardons les choses en face : personne ne croira jamais à cette histoire de toute façon. Et puis, je changerai les noms.

— Ne fais pas ça, je te préviens.

— On verra. Et toi, alors ?

— Avec Zoe, on a décidé de rester à L.A. pour l'instant. Ce sera plus facile de recommencer à zéro, et elle va crouler sous les propositions de rôles une fois que *L'esprit s'amuse* sera sorti. On a commencé à chercher une école pour Jamie. Il était tellement malheureux en Angleterre. À L.A., il n'y a que des fils et filles de célébrités, alors il sera juste normal.

— Et ton boulot ?

— Je n'ai encore rien décidé. Les services secrets ont proposé de me transférer ici. Mais Zoe a cette idée folle de me voir ouvrir un restaurant. Elle veut même le financer.

— Ce n'est pas comme si on n'en avait jamais parlé, pouffa Joanna. Mais est-ce que tu pourras vraiment laisser ton ancienne vie derrière toi ?

— Il faut voir les choses en face. Je ne suis pas fait pour tuer. Les vies que j'ai volées me hanteront jusqu'à la fin de mes jours. Et je n'imagine même pas si Zoe ou Jamie découvraient ce que j'ai fait…

Joanna posa la main sur la sienne.

— Simon, tu m'as sauvé la vie.

— Oui. Joanna, tu sais que pour ta sécurité, nous ne nous reverrons plus jamais.

— Je sais, répondit-elle tristement.

— Ah et d'ailleurs, j'ai autre chose pour toi.

Il sortit une nouvelle enveloppe de la poche de son short.

— L'équivalent en dollars de vingt mille livres. C'est la prime qui m'a été accordée pour avoir trouvé la lettre. Elle te revient, ça t'aidera à démarrer ta nouvelle vie.

Les yeux de Joanna se remplirent de larmes.

— Simon, je ne peux pas accepter.

— Bien sûr que oui. Zoe gagne une fortune et mon patron a insisté pour payer intégralement mon voyage afin que j'enquête sur la disparition de Monica.

— Merci. Je te promets d'en faire bon usage, dit-elle en rangeant l'enveloppe dans son sac à dos.

— Il y a quelque chose d'autre à l'intérieur. Quelque chose que tu as plus que mérité de lire.

Il se leva et la prit dans ses bras.

— Bon… je crois que c'est le moment des adieux.

— Je ne peux pas supporter l'idée de ne plus jamais te revoir, reprit-elle en pleurant.

Il essuya ses larmes doucement.

— Je sais.

Avec un dernier signe de la main, il tourna les talons et disparut de la plage. Alors seulement, Joanna ramassa son sac à dos et se rapprocha de la mer. À genoux sur le sable, elle dégota un mouchoir dans son sac, puis sortit une feuille de l'enveloppe que Simon venait de lui donner.

*York Cottage*
*Sandringham*
*10 mai 1926*

*Mon Siam adoré,*
*Si je t'écris ceci, c'est uniquement par amour pour toi. La peur que d'autres souhaitent te faire du mal prévaut sur tout bon sens. Si Dieu le veut, puisse cette missive te parvenir sans incident.*
*Je dois t'annoncer l'heureuse nouvelle de la naissance de notre fille. Elle a déjà tes yeux, et peut-être ton nez. Même si le sang qui coule dans ses veines n'est pas royal, notre enfant est une princesse. J'aimerais tant que son père puisse la voir, la prendre dans ses bras. Mais c'est évidemment impossible, et je vais devoir vivre avec ce regret jusqu'à la fin de mes jours.*

*Mon chéri, je te supplie de garder cette lettre à l'abri. Son existence même est une menace pour ceux qui connaissent la vérité et devrait t'assurer la sécurité. Je te fais confiance pour la détruire quand viendra pour toi le moment de rejoindre le ciel. Le bien-être de notre fille en dépend. Jamais l'histoire ne doit conserver cette trace.*
*Mon amour, je ne pourrai plus t'écrire à nouveau,*
*Mais je reste à jamais tienne.*

Au-dessous était inscrite la célèbre signature, reconnaissable entre toutes, scellant l'ampleur de la révélation dont Joanna venait d'avoir la confirmation.

Une petite princesse, née au sein de la famille royale, engendrée par un simple roturier. Un bébé à l'époque cinquième dans l'ordre d'accession au trône, mais qui, par un coup du destin qui avait vu d'autres faire passer l'amour avant le devoir, était devenue reine.

Joanna se leva, lettre en main, avec la tentation de se venger de toutes ces vies gâchées. Puis la colère la quitta, aussi vite qu'elle était venue.

— C'est enfin terminé, chuchota-t-elle aux fantômes qui l'écoutaient peut-être.

Elle s'avança vers les vagues, déchira la feuille et regarda les bouts de papier s'envoler au vent. Puis elle tourna les talons et regagna le Cabana Café pour noyer son chagrin dans la tequila.

Au bar, devant son verre, elle sut que sa nouvelle vie commençait ce jour-là. Elle avait enfin trouvé la force de laisser le passé derrière elle, de tourner la page.

C'était une chose qu'on faisait normalement avec le soutien de ses amis et de sa famille. Elle, elle était seule.

Elle commanda un deuxième verre de tequila et comprit que l'imminence de la visite de Simon avait été sa seule raison de vivre. Maintenant qu'il était parti, elle n'attendait plus rien.

— Salut, vous avez du feu ?

— Désolée, je ne fume pas, répondit Joanna sans même accorder un regard à son interlocuteur.

Ici, au Mexique, les hommes lui tournaient autour comme des abeilles près d'une ruche.

— Tant pis. Je vais vous prendre un briquet et un jus d'orange, dit la voix au barman.

Du coin de l'œil, elle vit l'homme s'installer sur le tabouret voisin.

— Je vous offre un gin tonic?

— Je...

La référence à la boisson si typiquement anglaise, ici, au Mexique, la fit bondir. Elle se tourna vers l'homme. Il arborait un bronzage foncé, presque noisette, et portait un short et un T-shirt colorés, ainsi qu'un chapeau de paille sur ses longs cheveux bruns. Ce n'est que quand elle vit ses yeux – dont le bleu vif était accentué par son teint bronzé – qu'elle le reconnut.

Il lui sourit et dit:

— On se connaît? Tu ne serais pas Maggie Cunningham? Je crois qu'on a fait nos études ensemble à NYU.

— Je...

Joanna sentit son cœur battre à tout rompre dans sa poitrine. Était-ce une sorte d'hallucination étrange due à la tequila? Ou un test de Simon? Pourtant, il l'avait appelée « Maggie »...

Elle le fixait bouche bée, priant pour qu'il ne s'agisse pas d'une illusion.

— Bon, et si on s'installait au soleil pour papoter, rattraper le temps perdu?

Elle le suivit dehors sans rien dire. Ça ne pouvait pas être réel.

Il la mena vers une table isolée sur la petite terrasse en bois, et elle remarqua qu'il boitait. Joanna se laissa tomber sur la chaise.

— Qui es-tu? murmura-t-elle.

— Tu sais qui je suis, Maggie, répondit-il avec son accent anglais si familier.

Il leva son verre pour trinquer.

— Je... Comment tu es arrivé là?

— De la même façon que toi, j'imagine. Au fait, je m'appelle Casper. Comme le fantôme, ajouta-t-il en souriant. C'est bien trouvé, non?

— Mon Dieu, souffla-t-elle.

Elle tendit la main vers lui, comme pour s'assurer qu'il était réel.

— Casper James, pour être précis. Je trouvais ça approprié. J'ai eu de la chance, on m'a laissé choisir mon nom, contrairement à toi.

— Comment? Où? Pourquoi? Marcus, je croyais que tu étais...

— Mort, je sais. Et s'il te plaît, appelle-moi Casper. Les murs ont des oreilles. À vrai dire, ils pensaient bel et bien que j'allais y passer. J'avais une défaillance de multiples organes et je suis resté un bon moment dans le coma après l'opération. Quand je me suis réveillé, ils avaient déjà annoncé ma mort à ma famille et aux médias.

— Pourquoi?

— Comme ils ne savaient pas l'étendue de mes découvertes, ils m'ont transféré dans une clinique privée pour me mettre sous surveillance vingt-quatre heures sur vingt-quatre. Ils ne pouvaient pas prendre le risque que je me réveille et que je crache le morceau à la première infirmière venue. Puisqu'ils voulaient que ça ait l'air d'un accident de chasse sans équivoque et qu'ils étaient convaincus que j'allais mourir, ils se sont dépêchés d'annoncer ma mort, pour éviter les questions. Sauf que, quand je me suis réveillé et que mon corps a commencé à guérir, ils se sont retrouvés avec un petit problème sur les bras.

— Ça m'étonne qu'ils ne t'aient pas tué, tout simplement. Ça ne les dérange pas, d'habitude.

— Ton ami Simon – ou devrais-je dire mon cousin éloigné – s'en est mêlé. Il a raconté à ses supérieurs que j'avais réussi à prendre la lettre à Ian Simpson et à la cacher quelque part avant de tomber dans l'eau. Et que c'était pour ça que l'enflure m'avait tiré dessus. Ils étaient donc obligés de me garder en vie jusqu'à mon réveil pour savoir où je l'avais mise.

— Simon t'a couvert…

— Oui. Et ensuite il m'a donné la lettre – enfin, ce qu'il en restait – pour que je la leur rende. Je devais leur dire que je ne savais rien, que Ian Simpson m'avait simplement payé pour la retrouver. Après ça, Simon m'a annoncé que j'étais officiellement mort et m'a demandé quel nom je voulais prendre dans ma nouvelle vie.

— Tu as pensé à refuser ?

Marcus soupira.

— Maggie… tu vas probablement encore me traiter de lâche, mais ces gens n'ont pas de limites. Je venais de revenir à la vie et je n'avais pas particulièrement envie de la perdre à nouveau.

— Tu n'es pas un lâche, Marcus… Enfin, Casper. Tu m'as sauvé la vie ce soir-là.

— Et Simon a sauvé la mienne. C'est un type bien. Même si je n'ai encore pas tout compris à cette histoire. Peut-être qu'un jour tu m'expliqueras.

Marcus alluma une cigarette et Joanna remarqua que sa main gauche ne cessait de trembler.

— Peut-être, un jour.

— Et donc me voilà, conclut-il avec un sourire.

— Où étais-tu pendant tout ce temps ?

— Dans un centre de rééducation à Miami. Apparemment, les balles que j'ai prises dans le ventre ont abîmé ma moelle épinière, je me suis réveillé paralysé dans tout le bas du corps. Je vais mieux, maintenant. Mais il m'a fallu longtemps pour réapprendre à marcher. Et malheureusement, le whisky, c'est fini pour moi. Simon m'a trouvé un établissement super, entièrement payé...

— Tant mieux.

Ils se contemplèrent en silence pendant un moment.

— C'est surréel, finit par dire Marcus.

— À qui le dis-tu.

— Je pensais que Simon me faisait marcher quand il m'a annoncé qu'il m'emmenait au Mexique pour voir quelqu'un que je connaissais. Je n'arrive pas à croire que tu es ici.

— Moi non plus. D'autant qu'on est tous les deux morts...

— Peut-être que c'est ça le paradis. Si c'est le cas, ça me plaît bien. Et comme tu le sais, j'ai toujours eu un faible pour les blondes.

— Mar... Casper, enfin !

— Il y a des choses qui ne changent pas, reprit-il en lui prenant la main. Tu m'as manqué, Jo. Tellement.

— Toi aussi.

— Bon, alors. On va où maintenant ?

— Où on veut, j'imagine. Le monde nous appartient. Enfin, Angleterre mise à part.

— Qu'est-ce que tu penses du Brésil ? J'ai entendu parler d'un super projet de film.

Joanna pouffa.

— À mon avis, même les services secrets auront du mal à nous retrouver dans la forêt amazonienne. Vendu !

— Super, fit-il en se levant. Avant qu'on ne planifie le reste de notre vie, ça te dit de me traîner jusqu'à la plage ? J'ai une envie soudaine de m'allonger sur le sable et d'embrasser chaque centimètre de ton corps. Même sans chocolat.

Joanna sourit et se leva à son tour.

Depuis son observatoire stratégique, Simon regarda le jeune couple enlacé avancer sur le sable vers une nouvelle vie.

# Épilogue

*Los Angeles, septembre 2017*

Simon trouva Zoe allongée sur une chaise longue au bord de la piscine. Il contempla son corps élancé et légèrement hâlé, qui n'avait pas semblé vieillir en vingt ans et après deux grossesses.

Déposant un baiser sur le sommet de sa tête, il lui demanda :

— Où sont les enfants ?

— Joanna est partie aux dix-huit ans d'une copine – dans la plus courte des minijupes que j'aie jamais vue – et Tom est à un match de baseball. Tu rentres tôt. C'était plus calme au restau ?

— Non, c'était archi-complet. Mais je suis parti pour faire de la paperasse. Je n'arrive pas à me concentrer au bureau, tout le monde vient tout le temps me déranger. Qu'est-ce que tu lis ? interrogea-t-il en se penchant par-dessus son épaule.

— Oh, c'est ce nouveau roman à suspense qui est sorti la semaine dernière et dont tout le monde parle. C'est sur la famille royale, alors je me suis dit que j'allais essayer.

Le cœur battant plus vite que jamais depuis qu'il avait quitté son ancien job, Simon jeta un coup d'œil à la couverture.

*La Lettre d'amour interdite*
par
M. Cunningham

*Joanna, non!*
— Ah, parvint-il à dire.
— C'est très prenant, d'ailleurs. Évidemment, ce n'est absolument pas crédible. Ce genre de choses n'arrive jamais dans la vraie vie, n'est-ce pas? Simon?
— Non, bien sûr que non. Bon, je vais rentrer pour boire un verre bien frais. Tu veux quelque chose?
— Du thé glacé, ce serait parfait.
Simon se dirigea vers la maison, suant à grosses gouttes. Dans son bureau, il laissa tomber tous ses dossiers comptables du restaurant sur la table, et consulta ses courriels sur son portable.

jenkins@thameshouse.gov.uk
Objet: Urgent

Appelez-moi. Il y a du nouveau.

# FIN

# MARQUIS

Québec, Canada

Achevé d'imprimer le 1 octobre 2019

Imprimé sur Rolland Enviro.
Ce papier contient 100% de fibres postconsommation,
est fabriqué avec un procédé sans chlore
et à partir d'énergie biogaz.

100%

PCF

PERMANENT